최상위 3%를 위한 책

산부인과
FINAL TEST

산과

OBSTETRICS

최원규 지음

군자출판사

산부인과 FINAL TEST | 산과

첫째판 1쇄 인쇄 | 2022년 5월 9일
첫째판 1쇄 발행 | 2022년 5월 20일
첫째판 2쇄 발행 | 2023년 9월 1일

지 은 이 최원규
발 행 인 장주연
출 판 기 획 최준호
편집디자인 주은미
표지디자인 김재욱
발 행 처 군자출판사(주)
등록 제 4-139호(1991. 6. 24)
본사 (10881) **파주출판단지** 경기도 파주시 회동길 338(서패동 474-1)
전화 (031) 943-1888 팩스 (031) 955-9545
홈페이지 | www.koonja.co.kr

ISBN 979-11-5955-878-8
979-11-5955-877-1 (세트)

정가 70,000원

최상위 3%를 위한 곳

NAVER 카페 메디닥(MediDoc) 
https://cafe.naver.com/medidocc

질문과 답변

- 공부하다 이해가 어려운 내용에 대한 질문과 답변
- 문제에 대한 질문
- 오답 정정

단계적 강좌를 통한 개념 정리

- 예과생을 위한 선생 학습
- 본과생을 위한 심화 학습
- 문제 풀이에 따른 개념 정복

진로 상담

- 병원 및 전공과 정보 제공 및 상담
- USMLE 상담

시리얼 코드

P1B4-Y4H9-A9G5-A4P1

※ 카페 가입 시 이 책의 시리얼 넘버가 반드시 필요합니다.
※ 타인에게 노출되지 않도록 주의하세요.

Contents

Contents

산부인과 FINAL TEST | 산과

산부인과
FINAL TEST

산과

OBSTETRICS

CHAPTER 01

산과학 개요(Overview of Obstetrics)

01

주산기(perinatal period)의 정의에 대한 설명 중 맞는 것을 고르시오.

① 출생 후 몸무게가 300 g 일 때부터 생후 21일까지

② 출생 후 몸무게가 400 g 일 때부터 생후 21일까지

③ 출생 후 몸무게가 400 g 일 때부터 생후 28일까지

④ 출생 후 몸무게가 500 g 일 때부터 생후 21일까지

⑤ 출생 후 몸무게가 500 g 일 때부터 생후 28일까지

01

정답 ⑤

해설

주산기(perinatal period)

1. 임신 기간을 기준으로 만 22주(154일) or 출생 체중을 기준으로 500 g 이상 or 신체 길이를 기준으로 25 cm 이상일 때
2. 출산 후 만 28일까지

참고 *Final Check 산과 1 page*

02

다음 중 신생아 사망의 주 원인은 무엇인가?

① 선천성 기형 ② 분만 중 저산소증

③ 분만 중 손상 ④ 전치태반

⑤ 저출생 체중

02

정답 ⑤

해설

신생아 사망의 원인

1. 저출생 체중 : 가장 흔한 원인
2. 분만 손상
3. 질식
4. 선천성 기형

참고 *Final Check 산과 2 page*

03

생후 1년 이내에 발생하는 신생아 사망의 가장 흔한 원인은 무엇인가?

① 감염 ② 출혈성 질환

③ 저출생 체중 ④ 선천성 기형

⑤ 중추신경 손상

03

정답 ③

해설

신생아 사망의 원인

1. 저출생 체중 : 가장 흔한 원인
2. 분만 손상
3. 질식
4. 선천성 기형

참고 *Final Check 산과 2 page*

04

산과적 치료의 질을 가장 잘 대표하는 지표는 무엇인가?

① 주산기 사망률(perinatal mortality rate)

② 모성 사망률(maternal mortality rate)

③ 영아 사망률(infant mortality rate)

④ 신생아 사망률(neonatal mortality rate)

⑤ 사산률(stillbirth rate)

04

정답 ①

해설

주산기 사망률(Perinatal mortality rate)

1. 산과 관리(obstetrical care) 수준의 지표
2. 영아 이환율(infant morbidity)의 좋은 지표

참고 *Final Check 산과 2 page*

05

1년 동안 500 g 이상 분만 2,000건의 병원에서 분만 전 사망 20건, 분만 중 5건, 생후 1일 사망 15건, 생후 9일 사망 10건일 때 주산기 사망률(perinatal mortality rate)은 얼마인가?

① 17.5 ② 20.0

③ 15.1 ④ 25.0

⑤ 20.2

05

정답 ④

해설

주산기 사망률(Perinatal mortality)

1. 1,000명 출산당 사산아 수와 신생아 사망 수를 합친 것
2. Perinatal mortality rate = (still birth + neonatal death)/1,000 birth

참고 *Final Check 산과 2 page*

06

다음은 어느 도시의 분만 및 신생아에 대한 통계이다. 주산기 사망률은 얼마인가?

- 임신 22주 이후 총 분만 건수 : 2,000
- 사산의 총 건수 : 28
- 생후 28일 이내의 신생아 사망 : 13
- 생후 1년 이내의 영아 사망 : 5

① (28/2,000) × 1,000

② ((28+13)/2,000) × 1,000

③ ((28+13+5)/2,000) × 1,000

④ ((28+13)/2,000) × 100

⑤ ((28+13+5)/2,000)× 100

06

정답 ②

해설

주산기 사망률(Perinatal mortality)

1. 1,000명 출산당 사산아 수와 신생아 사망 수를 합친 것
2. Perinatal mortality rate = (still birth + neonatal death)/1,000 birth

참고 *Final Check 산과 2 page*

07

다음 중 맞게 설명한 것을 고르시오.

① 출산율은 20~44세 사이의 1,000명의 여성 중 생존 출산(live birth) 수를 말한다

② 출산은 태아가 500 g 이상, 20주 이상일 때로 정의한다

③ 신생아 사망률은 1,000명의 생존 출산(live birth) 중 7일 이내에 사망하는 수를 말한다

④ 만삭 분만은 임신 37주부터 42주까지를 말한다

07

정답 ②

해설

산과학 용어

1. 출산율(fertility rate) : 15세에서 44세의 여성인구 1,000명당 출생 수
2. 출산(birth) : 20주 이후에 태아가 모체로부터 완전히 만출 되었거나 또는 견출되는 것 태아체중이 500 g 미만일 때는 출산이 아닌 유산에 포함)
3. 신생아사망률(neonatal mortality rate) : 1,000명 출생당 신생아 사망 수
4. 만삭아(term neonate) : 38~42주 사이에 태어난 신생아

참고 *Final Check 산과 1, 2 page*

08

다음 중 인구 1,000명당 출생수를 나타내는 것은 무엇인가?

① 신생아 사망률(neonatal mortality rate)

② 출생률(birth rate)

③ 출산율(fertility rate)

④ 주산기 사망률(perinatal mortality rate)

⑤ 사산율(stillbirth rate, fetal death rate)

08

정답 ②

해설

출생률(Birth rate)

: 인구 1,000명당 출생 수

참고 *Final Check 산과 1 page*

09

초기 및 후기 신생아 사망의 정의에 맞는 기간을 고르시오.

	초기 신생아 사망	후기 신생아 사망
①	생후 1일 이내	생후 2일부터 7일까지
②	생후 7일 이내	생후 8일부터 14일까지
③	생후 7일 이내	생후 8일부터 28일까지
④	생후 10일 이내	생후 11일부터 28일까지
⑤	생후 10일 이내	생후 11일부터 30일까지

09

정답 ③

해설

신생아 사망(Neonatal death)

1. 초기 신생아 사망 : 생후 7일 이내의 사망
2. 후기 신생아 사망 : 생후 7일 후부터 28일까지의 사망

참고 *Final Check 산과 2 page*

10

모성 사망(maternal death)의 주 원인에 대한 설명 중 옳은 것은 무엇인가?

① 미국에서는 색전증에 의한 사망이 첫 번째 원인이다

② 한국의 경우는 감염이 사망 원인 1위이다

③ 감염에 의한 사망은 모성 사망 원인의 1% 미만이다

④ 고혈압에 의한 사망은 사망 원인 2위이다

⑤ 개발국은 출혈이 사망 원인 1위이다

11

출산 4주 후 산모가 위암 4기로 사망한 경우, 이를 무엇이라고 하는가?

① 직접 모성 사망(direct maternal death)

② 간접 모성 사망(indirect maternal death)

③ 주산기 사망(perinatal mortality)

④ 비모성 사망(nonmaternal death)

⑤ 생식 사망(reproductive mortality)

12

임신 중 발견된 자궁경부암 4기 환자에서 분만 후 4주 후에 신부전증으로 산모가 사망했을 경우 이는 어디에 속하는가?

① 직접 모성 사망(direct maternal death)

② 간접 모성 사망(indirect maternal death)

③ 비모성 사망(nonmaternal death)

④ 생식 사망(reproductive mortality)

⑤ 주산기 사망(perinatal mortality)

10

정답 ①

해설

임신과 관련된 모성 사망의 원인

1. 한국
   a. 산과적 색전증(33%)
   b. 분만 후 출혈(14%)
   c. 고혈압성 질환(8%)
2. 미국
   a. 산과적 색전증(19.6%)
   b. 분만 후 출혈(17.2%)
   c. 고혈압성 질환(15.7%)
   d. 감염(12.6%)
3. 개발국
   a. 고혈압성 질환(22.2%)
   b. 산과적 색전증(20.5%)
   c. 분만 후 출혈(18.5%)

참고 *Final Check 산과 4 page*

11

정답 ④

해설

비모성 사망(Nonmaternal death)

: 임신과 관계없는 사고 또는 우발적인 원인으로 사망한 경우

참고 *Final Check 산과 3 page*

12

정답 ③

해설

비모성 사망(Nonmaternal death)

: 임신과 관계없는 사고 또는 우발적인 원인으로 사망한 경우

참고 *Final Check 산과 3 page*

13

임신부가 승모판 폐쇄부전증 악화로 사망한 경우, 이에 해당하는 사망을 무엇이라고 하는가?

① 직접 모성 사망(direct maternal death)

② 임신관련 사망(pregnancy-related death)

③ 간접 모성 사망(indirect maternal death)

④ 비모성 사망(nonmaternal death)

⑤ 생식 사망(reproductive mortality)

13

정답 ③

해설

간접 모성 사망(Indirect maternal death)

: 임신부의 임신 전 지병 또는 임신, 분만 그리고 산욕기 중에 발병하였거나 임신부가 임신에 적응하는 과정 중에 악화된 질병에 의한 모성 사망

참고 *Final Check 산과 3 page*

14

대동맥판 협착증을 가진 산모가 임신 중에 대동맥판 협착증 합병증으로 사망하였다. 이를 무엇이라고 하는가?

① 직접 모성 사망(direct maternal death)

② 간접 모성 사망(indirect maternal death)

③ 비모성 사망(nonmaternal death)

④ 생식 사망(reproductive mortality)

⑤ 주산기 사망(perinatal mortality)

14

정답 ②

해설

간접 모성 사망(Indirect maternal death)

: 임신부의 임신 전 지병 또는 임신, 분만 그리고 산욕기 중에 발병하였거나 임신부가 임신에 적응하는 과정 중에 악화된 질병에 의한 모성 사망

참고 *Final Check 산과 3 page*

15

분만 후 임신부가 산후 출혈로 사망하였다. 이와 관련된 산과학의 통계 분류는 무엇인가?

① 직접 모성 사망(direct maternal death)

② 간접 모성 사망(indirect maternal death)

③ 비모성 사망(nonmaternal death)

④ 생식 사망(reproductive mortality)

⑤ 주산기 사망(perinatal mortality)

15

정답 ①

해설

직접 모성 사망(Direct maternal death)

: 임신, 분만, 산욕기의 산과 합병증 또는 부적절한 치료 또는 소홀의 결과 사망한 경우와 상기 사항의 연쇄적인 진행 결과에 의한 모성 사망

참고 *Final Check 산과 3 page*

16

전자간증 산모가 간부전, 신부전으로 분만 중 사망하였다. 산과학의 통계 분류 중 어디에 해당하는가?

① 직접 모성 사망(direct maternal death)

② 간접 모성 사망(indirect maternal death)

③ 비모성 사망(nonmaternal death)

④ 생식 사망(reproductive mortality)

⑤ 주산기 사망(perinatal mortality)

16

정답 ①

해설

직접 모성 사망(Direct maternal death)

: 임신, 분만, 산욕기의 산과 합병증 또는 부적절한 치료 또는 소홀의 결과 사망한 경우와 상기 사항의 연쇄적인 진행 결과에 의한 모성 사망

참고 *Final Check 산과 3 page*

17

우리나라의 출산율이 저조한 이유를 서술하시오.

17

정답

1. 배우자가 있는 여성의 출산 감소
2. 미혼자의 결혼 연기 및 혼인율 감소

참고 *Final Check 산과 5 page*

CHAPTER 02

모체의 해부학(Maternal anatomy)

01

진성 골반(true pelvis)과 거짓 골반(false pelvis)을 나누는 경계는 무엇인가?

① Obstetric conjugate ② True conjugate
③ Diagonal conjugate ④ Linea terminalis
⑤ Iliopectineal line

01

정답 ④

해설

분계선(Linea terminalis)

1. 엉덩뼈의 활꼴선(arcuate line), 두덩뼈빗(pectineal line), 두덩결합(symphysis pubis)의 상연을 지나는 경사면
2. 진성 골반(true pelvis)과 거짓 골반(false pelvis)을 나누는 경계

참고 *Final Check 산과 7 page*

02

내진을 통한 골반의 협착을 의심할 수 있는 골반 상태를 평가하는 항목을 모두 고르시오.

(가) 대각 결합선(diagonal conjugate)의 길이
(나) 중골반(mid pelvis)의 좌골극경(interspinous diameter)
(다) 골반 출구(pelvic outlet)의 좌골종면 간격(intertuberous diameter)
(라) 골반궁(pelvic arch)의 각도

① 가, 나, 다 ② 가, 다
③ 나, 라 ④ 라
⑤ 가, 나, 다, 라

02

정답 ①

해설

내진을 통한 확인

1. (가)는 골반 입구(pelvic inlet), (나)는 중골반(mid pelvis), (다)는 골반 출구(pelvic outlet)를 평가할 때 내진을 통해 확인 가능
2. (라)의 pelvic arch angle은 내진을 통해 확인 불가능

참고 *Final Check 산과 8 page*

03

진성 골반 입구에 있어서 산과적으로 가장 중요한 임상적 의미를 갖는 전후경(anteroposterior diameter)은 무엇인가?

① Obstetric conjugate ② True conjugate
③ Diagonal conjugate ④ Transverse diameter
⑤ Oblique diameter

03

정답 ①

해설

산과 결합선(Obstetric conjugate)

1. Symphysis pubis의 내측면부터 sacral promontory의 중앙까지 거리
2. 정상치 : 10 cm 이상
3. 임상적 의의 : 태아 머리가 지나는 골반 입구(pelvic inlet)의 가장 짧은 전후 직경(A–P diameter)으로서 산과적으로 중요

참고 *Final Check 산과 9 page*

04

그림과 같은 술기를 시행하여 12 cm으로 측정되었다면 예상되는 산과 결합선의 길이는 얼마인가?

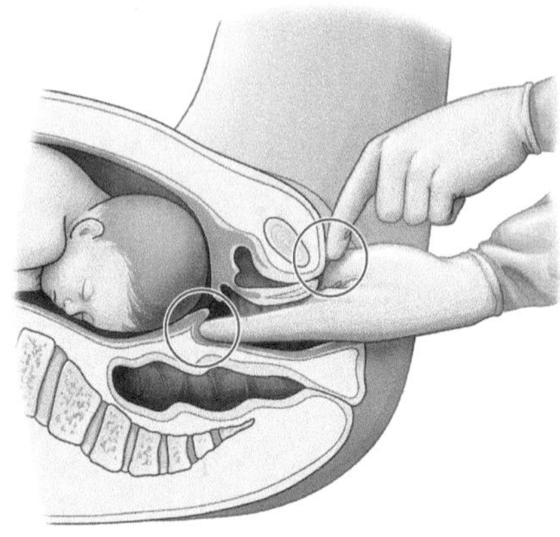

① 8.0 ~ 8.5 cm ② 9.0 ~ 9.5 cm
③ 10.0 ~ 10.5 cm ④ 11.0 ~ 11.5 cm
⑤ 12.0 ~ 12.5 cm

04

정답 ③

해설

산과 결합선(Obstetrical conjugate)의 측정

1. Obstetric conjugate = Diagonal conjugate – (1.5~2 cm)
2. Obstetric conjugate와 diagonal conjugate의 차이가 생기는 이유 : symphysis pubis의 두께와 경사진 각도

참고 *Final Check 산과 9 page*

05

다음 그림과 같은 술기로 측정할 수 있는 것을 쓰시오.(2가지)

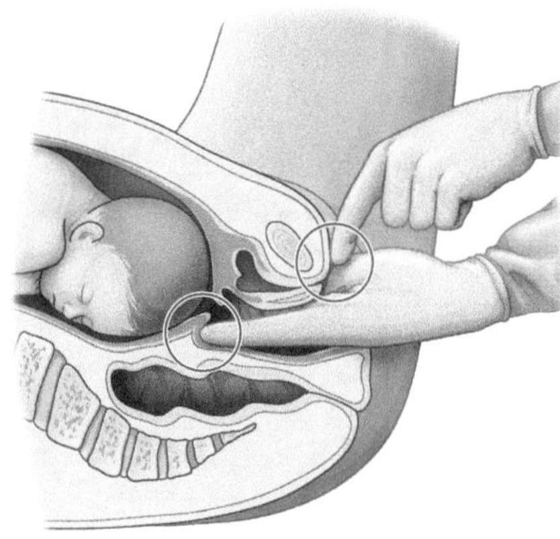

06

다음 그림에 대한 설명으로 옳은 것을 고르시오.

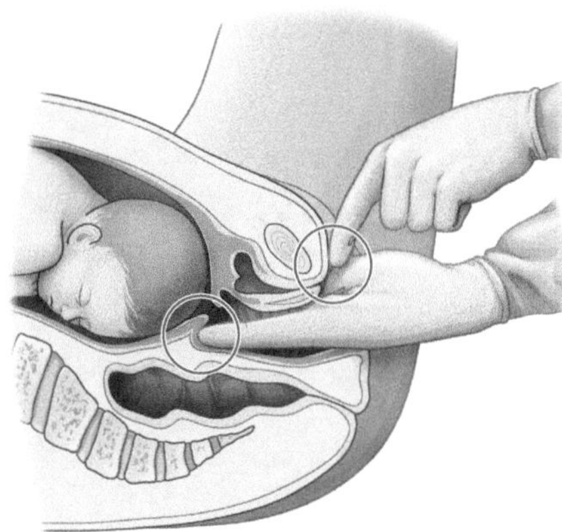

① 대부분 11.5 cm 미만이다

② Symphysis pubis에서 sacral promontory 사이의 가장 짧은 거리이다

③ 1.5 ~ 2 cm을 뺀 것이 산과에서 중요한 길이이다

④ Mid pelvis를 측정하기 위한 것이다

⑤ True conjugate를 의미한다

05

정답

1. 대각 결합선(diagonal conjugate)
2. 산과 결합선(obstetric conjugate)

해설

전후 직경(A–P diameter)

1. Diagonal conjugate = Pubic symphysis 아래에서 sacral promontory 까지의 거리
2. Obstetric conjugate = Diagonal conjugate – (1.5~2 cm)

참고 *Final Check 산과 9 page*

06

정답 ③

해설

대각 결합선(diagonal conjugate)

1. Pubic symphysis의 lower margin에서 sacral promontory까지의 거리
2. 측정 방법 : 내진(vaginal examination)
3. Obstetric conjugate = Diagonal conjugate – (1.5~2 cm)

참고 *Final Check 산과 9 page*

07

아래에서 정상 여성 골반 직경 중 가장 짧은 것을 고르시오.

① Transverse diameter of inlet

② Interspinous diameter of mid pelvis

③ Diagonal conjugate

④ Obstetric conjugate

⑤ True conjugate

08

다음 중 화살표에 해당하는 것을 쓰시오.

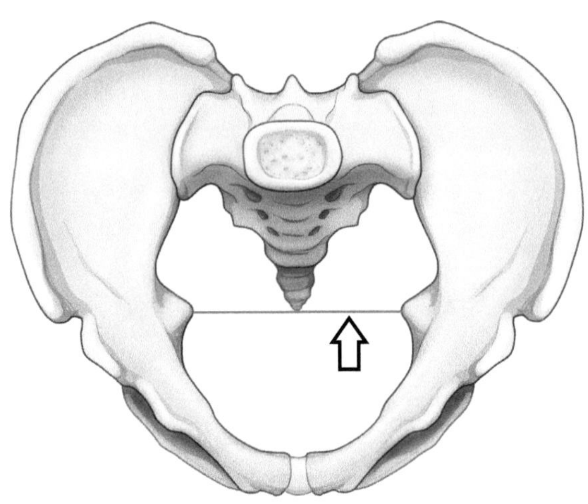

07

정답 ②

해설

Transverse diameter of mid pelvis

1. 기준 : Interspinous diameter
2. 골반 내 직경 중 가장 짧음
3. 정상치 : 10 cm 이상
4. 8 cm 이하인 경우 : 분만이 잘 진행되지 않을 거라 의심

참고 *Final Check 산과 10 page*

08

정답 Interspinous diameter

해설

Interspinous diameter

1. Mid pelvis의 가로 직경(transverse diameter)
2. 골반 내 직경 중 가장 짧음
3. 정상치 : 10 cm 이상
4. 8 cm 이하인 경우 : 분만이 잘 진행되지 않을 거라 의심

참고 *Final Check 산과 10 page*

09

다음의 Caldwell-Moloy 분류에 의한 골반 유형 중 성공적 질식 분만을 기대하기 어려운 것은 무엇인가?

① Gynecoid type ② Anthropoid type
③ Android type ④ Platypelloid type
⑤ Intermediate type

09
정답 ③
해설
남성형 골반(Android type)
1. 골반 입구의 posterior sagittal diameter가 anterior sagittal diameter보다 짧은 형태
2. 질식 분만에 대한 예후가 나쁨
   a. 태아 머리가 posterior space을 이용하여 통과하는 데 어려움
   b. 분만 중 내회전(internal rotation)이 안 됨

참고 *Final Check 산과 11 page*

10

성공적인 질식 분만을 위해 고려해야 할 것들을 모두 고르시오.

(가) 골반뼈의 크기와 모양
(나) 태위와 태향
(다) 태아 머리의 크기
(라) 태아 머리의 주형 능력

① 가, 나, 다 ② 가, 다
③ 나, 라 ④ 라
⑤ 가, 나, 다, 라

10
정답 ⑤
해설
분만 예후에 영향을 미치는 5가지 인자
1. 뼈골반의 크기와 모양
2. 태아 머리의 크기
3. 자궁의 수축 강도
4. 태아 머리의 변형 능력
5. 태위와 태향

참고 *Final Check 산과 14 page*

CHAPTER 03

모체의 변화(Maternal adaptation)

01

다음 중 임신 초기에 자궁 크기 증가의 가장 큰 원인을 고르시오.

① 자궁 내 태아의 성장 ② Estrogen

③ Prolactin ④ hCG

⑤ Relaxin

01

정답 ②

해설

임신 중 자궁 크기 증가의 원인

1. 임신 초기 : 주로 estrogen에 의하며 progesterone도 작용함
2. 임신 12주 이후 : 주로 수태산물의 증가로 인한 압력(pressure effect)이 원인

참고 *Final Check 산과 15 page*

02

마지막 생리일을 정확히 모르는 산모가 내원하였다. 진찰상 자궁저부(fundus)는 치골결합(symphysis pubis) 바로 위에서 촉진되었고, 도플러를 이용하여 태아 심음을 청취할 수 있었다. 이 산모에서 예상되는 임신 주수는 얼마인가?

① 8주 ② 12주

③ 16주 ④ 20주

⑤ 24주

02

정답 ②

해설

임신 주수와 자궁저부의 위치

1. 임신 12주 : 골반 밖으로 나오기 시작
2. 임신 16주 : 치골결합과 배꼽 사이
3. 임신 20주 : 배꼽 높이
4. 임신 32주 : 칼돌기(xiphoid process) 높이
5. 임신 40주 : 임신 36주 때 보다 조금 낮아짐

참고 *Final Check 산과 16 page*

03

8주간 생리가 없어 시행한 소변 임신반응 검사에서 양성을 확인한 25세 여성이 내원하였다. 내원 시 자궁이 치골결합(symphysis pubis) 상방에서 만져졌다면, 이 산모의 다음 처치로 가장 적절한 것을 고르시오.

① 1개월 후 정기 산전 진찰을 시행한다

② 초음파 검사를 시행한다

③ 모체 혈청 태아단백을 측정한다

④ 혈청 융모성선자극호르몬을 측정한다

⑤ 골반 컴퓨터 단층촬영을 시행한다

03

정답 ②

해설

무월경과 소변 임신반응검사

: 무월경 8주지만 자궁고의 높이는 임신 12주이므로 초음파를 통한 태아 및 자궁의 상태 확인이 필요함

참고 *Final Check 산과 16 page*

04

임신 18주인 초산모가 갑작스러운 우측 서혜부 통증을 주소로 내원하였다. 통증은 운동 및 움직임 시 악화되었으나 따뜻한 찜질 시 완화되었고, 배뇨 및 배변 장애는 없다고 하였다. 다음 중 가장 가능성이 높은 진단명은 무엇인가?

① Gallstone

② Renal stone

③ Appendicitis

④ Inguinal hernia

⑤ Round ligament stretching

04

정답 ⑤

해설

자궁 크기의 변화

1. 임신 초기 몇 주 동안 서양 배 모양
2. 임신이 지속됨에 따라 자궁 체부 및 기저부가 구형에 가까워져 3개월 때 거의 구형이 됨
3. 그 후 넓이 보다 길이가 성장하여 난원형이 됨
4. 임신 초기 자궁이 커지면서 광인대(broad ligament) 및 원인대(round ligament)의 신전으로 인해 서혜부 통증이 발생 가능

참고 *Final Check 산과 16 page*

05

다음 중 임신 말기 자궁의 무게는 대략 얼마인가?

① 500 ~ 600 g ② 700 ~ 800 g

③ 800 ~ 900 g ④ 1,000 ~ 1,100 g

⑤ 1,200 ~ 1,300 g

05

정답 ④

해설

임신 전과 만삭 때 자궁의 비교

1. 무게 : 70 g → 1,100 g
2. 용량 : 10 mL → 5~20 L (500~1,000배 증가)

참고 *Final Check 산과 15 page*

06

26세 산모가 임신 36주에 초음파 검사를 받던 중 어지러움과 오심을 호소하였다. 다음 중 이 산모에 대한 올바른 처치는 무엇인가?

① 산소 공급을 해준다

② 자세를 측와위로 한다

③ 10% 포도당을 주입한다

④ 생리 식염수를 주입한다

⑤ 다리를 올려준다

06

정답 ②

해설

누운 자세 저혈압 증후군

1. 정상 임신 말기 누운 자세에서 자궁에 의해 하대정맥이 눌려 하체로부터의 정맥 환류가 감소하여 심장으로 가는 혈류가 감소하고 심박출량도 감소하여 발생하는 동맥 저혈압
2. 임신부의 약 10%에서 발생
3. 치료 : 산모를 왼쪽 측와위 자세로 눕힘

참고 *Final Check 산과 33 page*

07

임신 37주인 27세 초산모가 침대에 누워서 책을 보다가 어지러움과 오심을 호소하였다. 다음 중 이 산모에게 가장 적절한 처치를 고르시오.

① 침대에서 두 발을 높게 위치시킨다

② 눕기 전에 가벼운 운동을 하게 한다

③ 방의 조명을 밝게 한다

④ 옆으로 누워서 책을 보게 한다

⑤ 눕기 전에 가벼운 식사를 하게 한다

07

정답 ④

해설

누운 자세 저혈압 증후군

1. 정상 임신 말기 누운 자세에서 자궁에 의해 하대정맥이 눌려 하체로부터의 정맥 환류가 감소하여 심장으로 가는 혈류가 감소하고 심박출량도 감소하여 발생하는 동맥 저혈압
2. 임신부의 약 10%에서 발생
3. 치료 : 산모를 왼쪽 측와위 자세로 눕힘

참고 *Final Check 산과 33 page*

08

자궁경부 점액을 채취하여 슬라이드에 도말 후 현미경으로 관찰하였더니 아래와 같은 소견이 나타냈다. 이와 같은 성상을 보일 수 있는 경우를 모두 고르시오.

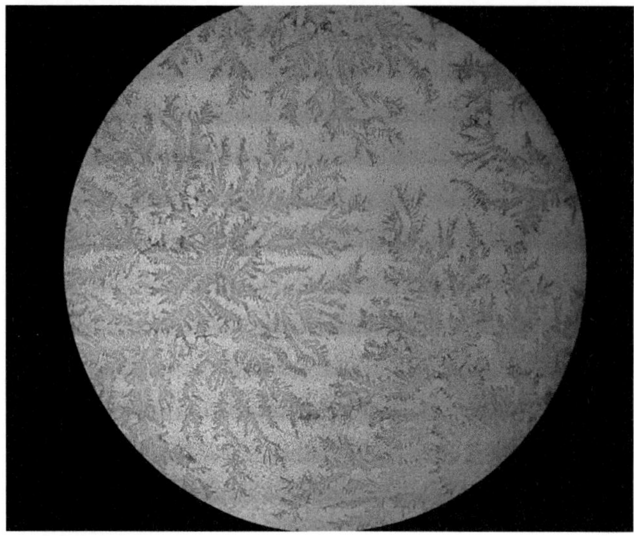

(가) 주로 월경 주기 7~18일 사이에 관찰된다
(나) Estrogen의 영향을 받아 발생한다
(다) 점액 중 염화나트륨의 농도가 1% 이상일 때 관찰된다
(라) 임신 시 흔히 관찰된다

① 가, 나, 다　　② 가, 다
③ 나, 라　　④ 라
⑤ 가, 나, 다, 라

08

정답 ①

해설

자궁경부 점액의 가지 모양(ferning pattern)

1. Estrogen의 영향
2. 양수 누출이 있는 경우
3. 월경 주기 7~18일 사이일 때
4. NaCl >1%

참고 *Final Check 산과 19 page*

09

자궁경부 점액을 채취하여 슬라이드에 도말 후 현미경으로 관찰하였더니 아래와 같은 소견이 나타냈다. 이와 같은 성상을 보이는 경우에 대한 설명으로 올바른 것을 고르시오.

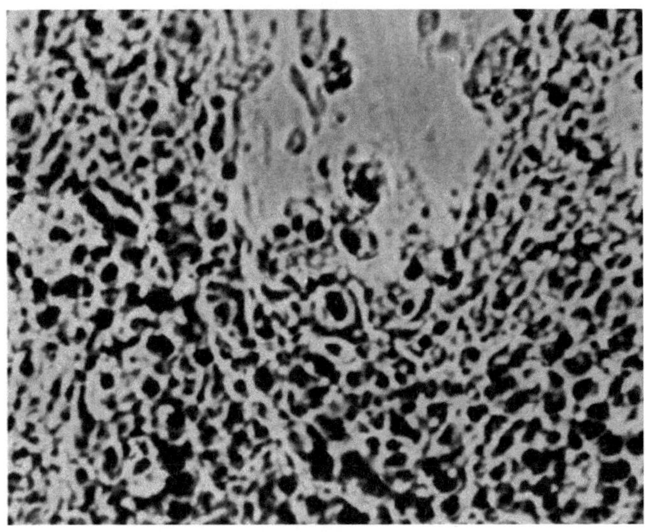

① 생리 시작일로부터 7일 후에 나타난다

② Estrogen의 효과로 나타난다

③ NaCl >1% 이다

④ 임신 32~33주에 나타난다

⑤ 배란의 유무를 알 수 있다

09

정답 ④

해설

자궁경부 점액의 염주 모양(beaded pattern)

1. Progesterone의 영향
2. 정상 임신인 경우
3. 월경 주기 21일 이상일 때
4. NaCl <1%

참고 *Final Check 산과 19 page*

10

임신 전, 후에 발생하는 산모의 탄수화물 대사에 대한 변화로 옳은 것을 고르시오.

① 공복 혈당은 증가한다
② 식후 혈당은 감소한다
③ 인슐린의 혈장 농도는 감소한다
④ 혈당의 말초 흡수는 감소한다
⑤ 글루카곤에 대한 반응은 증가한다

11

다음은 특정 호르몬의 임신 전, 후로 나타난 식전과 식후 변화 그래프이다. 이에 해당하는 호르몬을 고르시오.

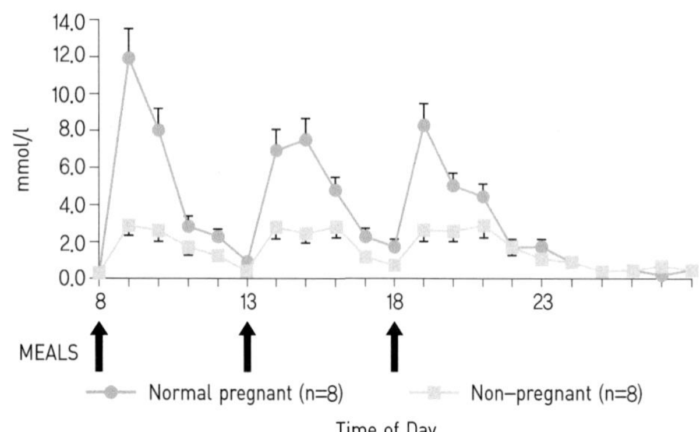

① 인슐린
② 갑상샘 호르몬
③ 에스트로겐
④ 프로게스테론
⑤ 프로락틴

10

정답 ④

해설

임신 중 탄수화물 대사

1. 임신 중 탄수화물 대사의 특징
   a. 공복 시 경증의 저혈당
   b. 식후 고혈당
   c. 고인슐린혈증
2. 인슐린에 대한 말초 조직의 저항성 증가
   a. 혈당에 대한 인슐린 반응의 증가
   b. 혈당의 말초 흡수 감소
   c. 글루카곤의 반응 억제

참고 *Final Check 산과 24 page*

11

정답 ①

해설

임신 중 탄수화물 대사

1. 임신 중 탄수화물 대사의 특징
   a. 공복 시 경증의 저혈당
   b. 식후 고혈당
   c. 고인슐린혈증
2. 인슐린에 대한 말초 조직의 저항성 증가
   a. 혈당에 대한 인슐린 반응의 증가
   b. 혈당의 말초 흡수 감소
   c. 글루카곤의 반응 억제

참고 *Final Check 산과 24 page*

12

임신 자체가 당뇨가 유발되기 쉬운 이유 열거하시오.(3가지)

02

정답

1. Progesterone, hPL, prolactin, cortisol의 인슐린에 대한 조직 저항성 증가, 인슐린의 합성과 분비 촉진 및 free fatty acid 증가
2. TNF- α에 의한 인슐린 저항성의 증가
3. Free fatty acid에 의한 인슐린 감수성의 저하

참고 *Final Check 산과 25 page*

13

임신 36주인 30세 경산모가 정기 산전 진찰을 위해 내원하였다. 산모는 지난 임신에 비하여 배가 더 많이 나오고 식욕이 매우 증가함을 호소하였다. 혈압 130/90 mmHg, 소변 검사는 아래와 같았다. 다음 중 이 산모의 상태가 나타나는데 가장 영향이 적은 것은 무엇인가?

〈Urinalysis〉

• pH 6.0	• Glucose 2+
• RBCs (−)	• Protein (−)
• WBCs (−)	• Protein (−)

① Placental lactogen

② Placental insulinase

③ Progesterone

④ Growth hormone

⑤ Cortisol

13

정답 ②

해설

임신 중 인슐린에 대한 민감도 감소 및 인슐린 저항성의 기전

1. Progesterone, human placental lactogen (hPL), prolactin, cortisol
   a. 직접 또는 간접적으로 인슐린에 대한 조직 저항성을 증가시킴
   b. 인슐린의 합성과 분비를 촉진하고 지방 분해를 증가시켜 유리지방산을 증가시킴
2. Tumor necrosis factor−α (TNF−α)
   a. 임신 중 인슐린의 신호전달체계를 약화시켜, 인슐린 저항성을 증가시킴
   b. 임신 중 인슐린에 대한 민감도를 나타내는 지표로 사용
3. Free fatty acid : 인슐린에 의한 당 섭취가 증가하는 중요 조직인 골격근과 지방조직에서의 인슐린 신호전달체계를 둔화시켜, 인슐린 감수성 저하에 영향을 미침
4. Placental growth hormone : 임신 중기 이후 모체의 인슐린 저항성, 전자간증(preeclampsia)의 발생에 영향

참고 *Final Check 산과 25, 41 page*

14

임신부의 탄수화물 대사에 대한 내용으로 옳지 않은 것을 고르시오.

① 공복 시 혈장 포도당 농도가 약간 증가한다

② 경구로 당을 섭취 시 고혈당이 지속된다

③ 금식 상태가 지속되면 케톤혈증이 급격히 나타난다

④ 인슐린의 반감기는 변화가 없다

⑤ 인슐린에 대한 말초조직 저항이 생긴다

14

정답 ①

해설

임신 중 탄수화물 대사

1. 임신 중 탄수화물 대사의 특징
   a. 공복 시 경증의 저혈당
   b. 식후 고혈당
   c. 고인슐린혈증
2. 인슐린에 대한 말초 조직의 저항성 증가
   a. 혈당에 대한 인슐린 반응의 증가
   b. 혈당의 말초 흡수 감소
   c. 글루카곤의 반응 억제

참고 *Final Check 산과 24 page*

15

임신 중 렙틴(leptin)에 대한 설명으로 잘못된 것을 고르시오.

① 에너지 소비의 조절 역할을 한다

② 주로 지방세포에서 분비된다

③ 임신 중 점차 증가하여 만삭 때 최고치에 도달한다

④ 렙틴의 증가는 정상적인 임신의 몸무게 증가와 부분적으로 연관된다

⑤ 분만 후 산모와 신생아 모두에서 감소된다

15

정답 ③

해설

렙틴(Leptin)

1. 지방세포에서 분비되는 펩타이드 호르몬
2. 몸의 지방과 에너지 소비의 조절에 중추적인 역할
3. 임신 중 점차 증가해서 임신 제2삼분기에 최고치가 되고 임신 말까지 그대로 유지
4. 정상적인 임신의 몸무게 증가와 부분적으로 연관
5. 분만 후 산모와 신생아 모두에서 감소

참고 *Final Check 산과 26 page*

16

정상 단태아 임신에서 태아와 태반에 필요한 철분량은 얼마인가?

① 200 mg ② 300 mg

③ 500 mg ④ 1,000 mg

⑤ 3,000 mg

17

임신 중 특별한 질환이 없더라도 모체의 철결핍성 빈혈이 잘 일어난다. 이와 같은 철결핍성 빈혈의 주 원인은 무엇인가?

① 태아 혈장 부피의 증가

② 모체 혈장 부피의 증가

③ 모체에서 태아로의 출혈

④ 임신성 용혈

⑤ 모체의 음식 섭취량 감소

16

정답 ②

해설

정상 임신 동안의 철 요구량

1. 태아와 태반의 이용 : 300 mg
2. 여러 경로를 통한 배출(주로 위장관계) : 200 mg
3. 모체 적혈구의 증가 : 500 mg

참고 *Final Check 산과 28 page*

17

정답 ②

해설

임신 중 혈액량의 증가

1. 만삭 시 임신부의 혈액량 증가 : 평균 40~45% 증가하지만 개인 차이가 큼
2. 혈장량(plasma volume)의 증가가 적혈구(erythrocyte)의 증가보다 많아 생리적 희석으로 모체 적혈구용적률(hematocrit)이 약간 감소

참고 *Final Check 산과 27 page*

18

철분제를 임신 후반기 이후에 복용해야 하는 이유로 옳은 것을 모두 고르시오.

(가) 임신 초반기에 철제 투여 시 태아의 기형을 유발할 수 있다
(나) 임신 초반에는 철제 소요가 적어서 별도로 보충할 필요가 없다
(다) 임신 초기에는 소화흡수가 잘 안 된다
(라) 임신 초기에 복용 시 오히려 구토를 유발할 수 있다

① 가, 나, 다　② 가, 다
③ 나, 라　④ 라
⑤ 가, 나, 다, 라

18

정답 ③

해설

임신 중 철의 보충

1. 임신 20주까지는 철분의 소요가 적어 별도 보충이 필요하지 않음
2. 임신 20주 이전에 섭취하면 오심이나 구토가 더 심해질 수 있음
3. 수유 시 분만 수주 후까지도 필요

참고 *Final Check 산과 28 page*

19

임신 중 빈혈에 대한 설명으로 올바른 것을 모두 고르시오.

(가) 원인으로는 철결핍성 빈혈이 가장 흔하다
(나) 임신 중 철 요구량은 총 1 g이다
(다) 임신 중 혈장량의 증가에 비해 혈색소의 증가 정도가 적어 발생한다
(라) 철 결합능이 감소되어 있다

① 가, 나, 다　② 가, 다
③ 나, 라　④ 라
⑤ 가, 나, 다, 라

19

정답 ①

해설

임신 중 철의 대사

1. 임신 중 빈혈의 원인 : 철결핍성 빈혈(m/c)
2. 정상 임신 동안의 철 요구량 : 1,000 mg
3. 임신 중 혈장량의 증가가 매우 많기 때문에 조혈작용의 증가에도 불구하고 혈색소 농도와 적혈구용적률은 약간 감소
4. 혈청 내 철 결합능(iron binding capacity, transferrin) 증가

참고 *Final Check 산과 28, 29 page*

20

임신 전에 빈혈이 없었던 임신 30주의 산모가 임신 기간 내내 철분 제제를 복용하지 않았다면 이 임부의 혈청 철과 ferritin의 농도로 맞는 것을 고르시오.

① 임신 전에 비해 철 농도는 낮고 ferritin 농도는 높다

② 임신 전에 비해 철 농도는 낮고 ferritin 농도는 낮다

③ 임신 전에 비해 철 농도는 높고 ferritin 농도는 낮다

④ 임신 전에 비해 철 농도는 높고 ferritin 농도는 높다

⑤ 임신 전에 비해 철 농도와 ferritin 농도는 변화가 없다

20

정답 ②

해설

빈혈이 없는 산모에서 임신 중 철 보충을 하지 않은 경우

1. 혈청 철과 ferritin 감소
2. 혈청 내 철결합력(iron binding capacity, transferrin) 증가

참고 *Final Check 산과 29 page*

21

임신 후반기의 혈액학적 변화에 대한 내용으로 맞는 것을 고르시오.

① Cardiac output 감소

② Heart rate 증가

③ Systemic vascular resistance 증가

④ Colloid osmotic pressure 증가

⑤ Pulmonary capillary wedge pressure 감소

21

정답 ②

해설

임신 후반기의 혈역학적 변화

1. 증가
   a. Heart rate
   b. Stroke volume
   c. Cardiac output
2. 감소
   a. Systemic vascular resistance
   b. Pulmonary vascular resistance
   c. Colloid osmotic pressure
   d. COP–PCWP gradient
3. 변화 없음
   a. Pulmonary capillary wedge pressure
   b. Mean arterial pressure
   c. Central venous pressure
   d. Left ventricular stroke work index

참고 *Final Check 산과 32 page*

22

혈액학적 지표 중 임신 후반기에도 변하지 않는 것을 고르시오.

① Cardiac output

② Heart rate

③ Systemic vascular resistance

④ Colloid osmotic pressure

⑤ Pulmonary capillary wedge pressure

22

정답 ⑤

해설

임신 후반기의 혈역학적 변화 중 변화 없는 지표

1. Pulmonary capillary wedge pressure
2. Mean arterial pressure
3. Central venous pressure
4. Left ventricular stroke work index

참고 *Final Check 산과 32 page*

23

임신 후반기의 혈역학적 변화에 대한 설명으로 옳은 것을 고르시오.

① Cardiac output 감소

② Heart rate 증가

③ Systemic vascular resistance 증가

④ Colloid osmotic pressure 증가

⑤ Pulmonary capillary wedge pressure 감소

23

정답 ②

해설

임신 후반기의 혈역학적 변화

1. 증가
   a. Heart rate
   b. Stroke volume
   c. Cardiac output
2. 감소
   a. Systemic vascular resistance
   b. Pulmonary vascular resistance
   c. Colloid osmotic pressure
   d. COP–PCWP gradient
3. 변화 없음
   a. Pulmonary capillary wedge pressure
   b. Mean arterial pressure
   c. Central venous pressure
   d. Left ventricular stroke work index

참고 *Final Check 산과 32 page*

24

임신 중 심박출량의 최고 증가 시기는 언제인가?

① 임신 8~12주 ② 임신 20~24주
③ 임신 26~30주 ④ 임신 36~40주
⑤ 분만 후

24

정답 ③

해설

임신 중 심박출량(Cardiac output)

1. 심박출량의 증가
   a. 동맥 혈압, 혈관 저항 : 감소
   b. 혈액량, 산모의 체중, 기초 대사량 : 증가
2. 임신 26~30주경 20% 증가(심박출량 최고 증가 시기)
3. 임신 32~34주경 10% 정도 증가

참고 *Final Check 산과 31 page*

25

임신 중 증가하는 폐 기능 지표를 고르시오.

① Tidal volume
② Residual volume
③ Expiratory reserve volume
④ Inspiratory reserve volume
⑤ Functional residual capacity

25

정답 ①

해설

임신 중 증가하는 폐 기능 지표

1. 일회 호흡량(tidal volume)
2. 분당 호흡량(minute ventilatory volume)
3. 분당 산소섭취량(minute oxygen uptake)
4. 들숨 용적(inspiratory capacity)
5. 공기 전도도(airway conductance)

참고 *Final Check 산과 34 page*

26

다음 중 임신 시 감소하는 폐 기능 지표를 고르시오.

① Vital capacity
② Residual volume
③ Tidal volume
④ Forced expiratory volume in 1 minute
⑤ Airway conductance

26

정답 ②

해설

임신 중 감소하는 폐 기능 지표

1. 기능적 잔류용량(functional residual capacity)
2. 잔기량(residual volume)
3. 총 폐저항(total pulmonary resistance)

참고 *Final Check 산과 34 page*

27

임신 중 변하는 산모의 폐 기능으로 올바른 것을 고르시오.

① Vital capacity 감소

② Total pulmonary resistance 상승

③ Residual volume 감소

④ Minute ventilatory volume 감소

⑤ Respiratory rate 증가

27

정답 ③

해설

1. Vital capacity : 변화 없음
2. Total pulmonary resistance : 감소
3. Residual volume : 감소
4. Minute ventilatory volume : 증가
5. Respiratory rate : 변화 없음

참고 *Final Check 산과 34 page*

28

임신 시 변하는 내용 중 잘못된 것을 고르시오.

① Vital capacity는 증가한다

② Minute ventilatory volume은 증가한다

③ Tidal volume은 감소한다

④ Residual volume은 감소한다

⑤ ABGA 상 pH는 약간 알칼리증을 보인다

28

정답 ③

해설

1. Vital capacity : 변화 없음
2. Minute ventilatory volume : 증가
3. Tidal volume : 증가
4. Residual volume : 감소
5. pH : Respiratory alkalosis

참고 *Final Check 산과 34, 35 page*

29

폐 기능 중 임신 동안 가장 많이 변하는 것은 무엇인가?

① Respiratory rate

② Tidal volume

③ Maximal respiratory capacity

④ Residual volume

⑤ Vital capacity

29

정답 ②

임신 시 폐 기능 증가

1. 일회 호흡량(tidal volume) : 임신 중 가장 많이 변화
2. 분당 호흡량(minute ventilatory volume)
3. 분당 산소섭취량(minute oxygen uptake)
4. 들숨 용적(inspiratory capacity)
5. 공기 전도도(airway conductance)
6. pH (Respiratory alkalosis)

참고 *Final Check 산과 34 page*

30

임신 36주 임신부의 검사 결과 중 정상 소견으로 생각할 수 있는 것을 고르시오.

① Hematuria (++)

② Serum Cr = 1.2 mg/mL

③ Serum BUN = 30 mg/mL

④ 24 hrs urine protein = 500 mg

⑤ Mild Rt. hydronephrosis

30

정답 ⑤

해설

임신 중 신장 기능의 변화

1. Hematuria : 검체를 받는 과정 중 오염된 경우를 제외하고는 비정상
2. Creatinine : >0.9 mg/dL인 경우 신장질환을 의심하고 추가 검사를 시행
3. Urea nitrogen : >1.4 mg/dL인 경우 비정상
4. Proteinuria : >300 mg/day인 경우 비정상
5. 임신 중에 신장의 크기가 약간 커짐

참고 *Final Check 산과 36 page*

31

정상 임신 시 증가하는 것은 무엇인가?

① 공복 혈당　② 말초혈관 저항

③ Glomerular filtration rate　④ Serum osmolarity

⑤ BUN

31

정답 ③

해설

사구체 여과율(GFR)

1. 임신 초기에 증가하기 시작하여 만삭까지 지속
2. 임신 2주에 25% 증가, 임신 제2삼분기 초기에 50% 정도까지 증가

참고 *Final Check 산과 36 page*

32

다음 중 임신 시 위양성으로 나올 확률이 가장 많은 것은 무엇인가?

① Proteinuria

② Glycosuria

③ Hematuria

④ Hypercholesterolemia

⑤ Hyperalbuminemia

32

정답 ②

해설

임신 중 요당(glucosuria)

1. 임신 시 소변검사에서 요당이 나온다고 해서 반드시 비정상인 것은 아님
2. 임신 중 소변의 당이 나오는 이유
   a. 사구체 여과율(GFR)의 증가
   b. 유세관의 재흡수 능력 감소
3. 반복적으로 나타날 경우 당뇨의 가능성을 생각해야 함

참고 *Final Check 산과 37 page*

33

정상 임신 중 시행한 간기능 검사에서 간질환이 없어도 현저한 상승을 보이는 것은 무엇인가?

① Alkaline phosphatase

② Aspartate transaminase

③ Clotting time

④ Bilirubin

⑤ Albumin

33

정답 ①

해설

임신 중 간 기능의 변화

증가	감소
Alkaline phosphatase (ALP) Globulin Leucine aminopeptidase	Bilirubin Aspartate transaminase (AST) Alanine transaminase (ALT) γ-glutamyl transpeptidase (GGT) Albumin Protein Clotting time

참고 *Final Check 산과 39 page*

34

다음 중 정상 임신 시 증가하는 것은 무엇인가?

① Albumin

② Alanine transaminase

③ Bilirubin

④ Cholesterol

⑤ Factor XI

34

정답 ④

해설

임신 시 기능의 변화

증가	감소
Alkaline phosphatase (ALP) Globulin Leucine aminopeptidase Cholesterol	Bilirubin Aspartate transaminase (AST) Alanine transaminase (ALT) γ-glutamyl transpeptidase (GGT) Albumin Protein Factor XI

참고 *Final Check 산과 26, 30, 39 page*

35

다음 중 정상 임신 시 감소하는 것은 무엇인가?

① Albumin

② Alkaline phosphatase

③ Globulin

④ Cholesterol

⑤ Fibrinogen

35

정답 ①

해설

임신 시 기능의 변화

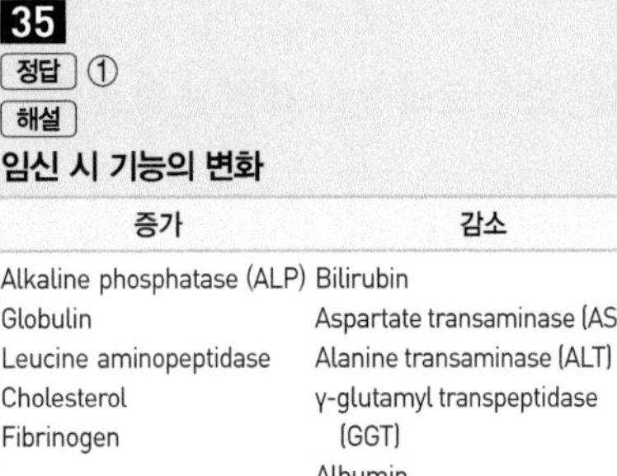

증가	감소
Alkaline phosphatase (ALP) Globulin Leucine aminopeptidase Cholesterol Fibrinogen	Bilirubin Aspartate transaminase (AST) Alanine transaminase (ALT) γ-glutamyl transpeptidase (GGT) Albumin Protein Clotting time

참고 *Final Check 산과 26, 30, 39 page*

36

다음 중 임신 동안에 약간 감소하는 것은 무엇인가?

① Total cholesterol

② Globulin

③ Ceruloplasmin

④ Fibrinogen

⑤ Aspartate transaminase

36

정답 ⑤

해설

임신 시 기능의 변화

증가	감소
Alkaline phosphatase (ALP) Globulin Leucine aminopeptidase Cholesterol, total Ceruloplasmin	Bilirubin Aspartate transaminase (AST) Alanine transaminase (ALT) γ-glutamyl transpeptidase (GGT) Albumin Protein Clotting time

참고 *Final Check 산과 26, 39 page*

37

임신 중 산모의 눈에 대한 변화로 맞는 것을 모두 고르시오.

(가) 각막 두께 증가
(나) 안압의 감소
(다) 원근 조절에 일시적인 장애 발생
(라) 각막 민감도의 감소

① 가, 나, 다　② 가, 다
③ 나, 라　④ 라
⑤ 가, 나, 다, 라

37

정답 ⑤

해설

임신 중 눈의 변화

1. 안압(intraocular pressure)의 감소
2. 각막 민감도(corneal sensitivity)의 감소
3. 원근 조절의 일시적인 장애 발생 가능
4. 각막 두께(corneal thickness)의 약간 증가
5. Krukenberg spindles : 각막 후면 적갈색 혼탁
6. 시력(visual function)은 거의 영향 없음

참고 *Final Check 산과 47 page*

38

유선 및 유즙분비기관의 성장 발육을 자극시키는 데 도움을 주는 호르몬을 모두 고르시오.

(가) Estrogen
(나) Progesterone
(다) Prolactin
(라) Serotonin

① 가, 나, 다　② 가, 다
③ 나, 라　④ 라
⑤ 가, 나, 다, 라

38

정답 ⑤

해설

젖분비호르몬(Prolactin)

1. 젖분비호르몬(prolactin)에 대한 분비 인자
   a. TRH, serotonin : 분비 증가
   b. Dopamine : 분비 감소
2. 산모에 대한 영향
   a. 유방의 꽈리세포(alveolar cells)의 RNA 합성과 젖생산(galactopoiesis)을 시키며 카세인(casein), 락트알부민(lactalbumin), 젖당(lactose), 지방(lipids)의 생산을 증진
   b. 유방의 꽈리세포(alveolar cells)와 유선의 상피세포의 DNA 합성과 유사분열을 유발하여 이들 세포의 estrogen과 progesterone 수용체의 수를 증가

참고 *Final Check 산과 41 page*

CHAPTER 04

생식기계 이상(Reproductive tract abnormalities)

01

자궁경부 협착(cervical stenosis)의 원인이 될 수 있는 것을 모두 고르시오.

(가) 소작술(cauterization)
(나) 낙태에 부식제를 사용한 경우
(다) 자궁경부 절단술(cervical amputation)
(라) 자궁경부의 감염과 조직 손상

① 가, 나, 다
② 가, 다
③ 나, 라
④ 라
⑤ 가, 나, 다, 라

02

두자궁(Uterine didelphys)이 있는 여성의 임신에서 증가하는 산과적 합병증을 쓰시오.

01

정답 ⑤

해설

자궁경부 협착(cervical stenosis)의 원인

1. 자궁경부 원추절제술(conization) : m/c
2. LEEP, 냉동치료, 레이저 치료, cauterization
3. 심한 자궁경부암
4. 낙태에 부식제를 사용한 경우
5. 자궁경부 절단술
6. 자궁경부의 감염과 조직 손상

참고 *Final Check 산과 55 page*

02

정답

1. 유산(miscarriage)
2. 조산(preterm birth)
3. 이상태위(malpresentation)
4. 태아성장제한(fetal growth restriction)
5. 제왕절개술(cesarean section)

해설

두자궁(Uterine didelphys) : Class III

1. 완전히 분리된 두개의 반자궁(hemiuteri)과 자궁경부(cervix) 그리고 대개 두 개의 질(two vaginas)로 구성
2. 예후
   a. 70%에서 성공적인 임신 결과를 보임
   b. 유산, 조산, 이상태위, 태아성장제한, 제왕절개술 등의 증가

참고 *Final Check 산과 52 page*

03

다음 중 자궁경부원형결찰술(cervical cerclage)을 하여 도움이 되는 상황을 모두 고르시오.

(가) DES에 노출된 T-shaped uterus
(나) 두자궁(uterine didelphys)
(다) 자궁경부 절제술의 과거력
(라) 자궁경부의 광범위 원추생검

① 가, 나, 다　② 가, 다
③ 나, 라　④ 라
⑤ 가, 나, 다, 라

04

자궁경(hysteroscopy)으로 임신율을 향상시킬 수 있는 자궁 기형은 무엇인가?

① Bicornuate uterus　② Uterine didelphys
③ Arcuate uterus　④ Septate uterus
⑤ Unicornuate uterus

03

정답 ⑤

해설

뮐러관 기형에서 cervical cerclage의 적응증

1. Partial cervical atresia, cervical hypoplasia은 transabdominal cervical cerclage가 효과적
2. Uterine didelphys, bicornuate uterus는 자궁성형 이후 transabdominal cervical cerclage 시행

참고 *Final Check 산과 53 page*

04

정답 ④

해설

중격자궁(Septate uterus)

1. 자궁경(hysteroscopy)을 통한 격막 절제(septal resection)
2. 임신율의 향상을 기대해 볼 수 있음

참고 *Final Check 산과 53 page*

05

임신 27주인 27세 초산모가 심한 하복통을 주소로 내원하였다. 과거력상 자궁근종의 병력이 있었으며, 진찰상 태아 상태는 정상이었다. 자궁은 직경 6 cm 정도의 압통을 동반한 종괴가 촉지되었고, 다른 소견은 보이지 않았다. 다음 중 가장 가능성이 높은 진단명은 무엇인가?

① Ruptured uterus

② Abruptio placenta

③ Preterm labor

④ Hyaline degeneration of myoma

⑤ Red degeneration of myoma

05

정답 ⑤

해설

적색 또는 출혈성 변성

1. 임신 또는 산욕기 중 자궁근종이 출혈성 경색(hemorrhagic infarction)된 것
2. 호르몬의 영향으로 근종이 자라는 속도에 비해 혈액 공급은 적어서 유발
3. 증상
   a. 국소적인 통증 및 압통
   b. 미열
   c. 중등도의 백혈구 증가

참고 *Final Check 산과 58 page*

06

임신 24주 초산모가 low abdominal pain, low grade fever를 주소로 내원하였다. 산모는 임신 전 근종을 진단받았으나 특별한 치료는 하지 않았다. 혈액 검사상 특별한 이상은 없었으나 leukocytosis가 있었다. 다음 중 이 산모에 대한 처치로 옳지 않은 것을 고르시오.

① 근종의 red degeneration이 가장 의심된다

② Appendicitis, placental abruption, ureteral stone 등을 감별해야 한다

③ 수일 후면 증상이 대개 좋아진다

④ Codeine 등의 analgesia를 사용한다

⑤ 즉시 myomectomy를 해야 한다

06

정답 ⑤

해설

적색 또는 출혈성 변성

1. 감별
   a. 충수염(appendicitis)
   b. 태반 조기박리(placental abruption)
   c. 요로결석(ureteral stone)
   d. 신우신염(pyelonephritis)
2. 치료
   a. 진통제(codeine 등)
   b. 임신 중 연속적으로 초음파 검사를 시행
   c. 출혈, 복통, 자궁수축 등이 나타나는지 관찰
3. 예후 : 대개 수일 내에 증세가 사라지지만 염증에 의해 진통이 유발될 수도 있음

참고 *Final Check 산과 58 page*

07

임신 22주인 임신부가 우측 아랫배의 통증을 주소로 내원하였다. 시행한 초음파 소견이 다음과 같다면 이 산모에게 가장 적절한 처치를 고르시오.

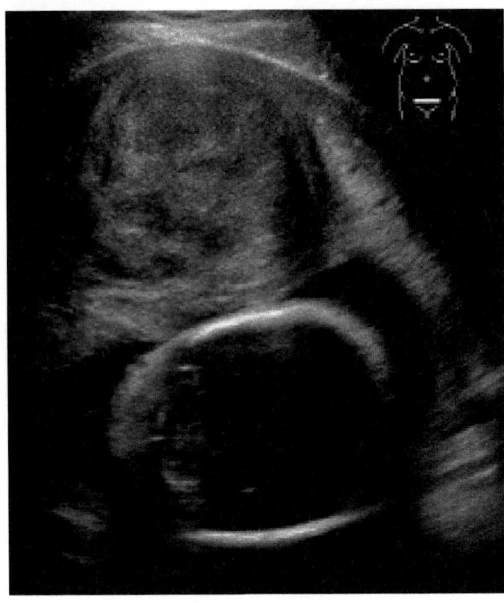

① 진통제

② 항생제

③ 스테로이드

④ 자궁수축억제제

⑤ 생식샘자극호르몬분비호르몬

07

정답 ①

해설

적색 변성(red degeneration)의 치료

1. 진통제(codeine 등)
2. 임신 중 연속적으로 초음파 검사를 시행
3. 출혈, 복통, 자궁수축 등이 나타나는지 관찰

참고 *Final Check 산과 58 page*

08

31세의 초산모가 임신 32주에 검진을 위해 내원하였다. 외진상 태아는 두정위이나 태아의 머리는 떠있는 상태로 쉽게 횡위로 변하였다. 내진상 자궁경부의 우측 후방으로 신생아 머리 크기의 원형의 고정되고 단단한 종괴가 촉지되었다. 자궁경부는 좌측 전방으로 눌려서 전혀 개대되지 않았으며, 태아의 머리를 만질 수 없었다. 산전 초음파 검사에서는 태아의 이상소견은 관찰되지 않았다. 다음 중 이 산모에 대한 처치로 옳은 것을 고르시오.

① 즉시 제왕절개 분만

② 즉시 유도분만

③ 우선 종괴제거술을 시행한 후 만삭에 제왕절개 분만

④ 우선 종괴제거술을 시행한 후 만삭에 자연분만

⑤ 기다리다가 만삭에 제왕절개 분만

08

정답 ⑤

해설

자궁경부 근종과 자궁하절부 근종

1. 태아 머리의 하강을 막거나 진통을 물리적으로 억제(obstructed labor)하여 제왕절개를 시행해야 하는 경우도 있음
2. 임신 초에 산도 내에 있더라도 자궁이 커지면서 위로 올라갈 수 있음
3. 대부분의 경우에서는 진통이 시작되기 이전에는 분만방법을 결정하지 않음

참고 *Final Check 산과 57 page*

09

난소 종양 중 임신 시 가장 흔한 것은 무엇인가?

① Dermoid cyst

② Dysgerminoma

③ Granulosa cell tumor

④ Serous cystadenoma

⑤ Mucinous cystadenoma

09

정답 ①

해설

임신 중 난소 종양의 종류

1. 기형종(cystic teratoma) : 30%
2. 장액성 또는 점액성 낭종(serous or mucinous cystadenoma) : 28%
3. 황체 낭종(corpus luteal cyst) : 13%
4. 임신 시에만 나타나는 난소 종양 : luteoma, theca lutein cyst, ovarian hyperstimulation syndrome

참고 *Final Check 산과 58 page*

10

임신 14주 여성이 복부 진찰에서 배꼽까지 도달하는 종양을 발견하였다. 초음파상 태아는 정상이었으나, 우측 난소에 11 x 10 x 9 cm 크기의 complex, solid mass가 관찰되었다. 다음 중 가장 적절한 조치를 고르시오.

① 주기적 관찰

② 세침흡인 세포진 검사

③ 진단적 복강경 시행

④ 시험적 개복술 시행

⑤ CA-125 측정

10

정답 ④

해설

임신 중 난소 종양에서 악성이 의심되는 경우

1. 악성이 의심되면 치료를 연기하면 안 됨
2. 크기의 증가
3. 증상의 발생
4. 초음파상 악성을 의심할 수 있는 소견
   a. 불규칙한 격막(septum)
   b. 결절성(nodular)
   c. 유두상 돌출물(papillary excrescence)
   d. 큰 고형성분(large solid area)
5. 초음파상 난소 종양의 감별이 어려우면 MRI 시행

참고 *Final Check 산과 59 page*

11

임신 8주인 산모가 검진을 위해 내원하였다. 초음파상 태아 심박동을 확인할 수 있었으나, 산모의 우측 난소에 6 x 5 cm 크기의 투명한 단순 낭포성 음영이 관찰되었다. 다음 중 가장 적절한 처치를 고르시오.

① 임신 중기까지 경과관찰

② 더글라스와 천자 실시

③ 황체호르몬 투여

④ 즉시 개복수술 시행하여 종괴 제거

⑤ 질 출혈 발생 시 종괴절제술 시행

11

정답 ①

해설

임신 중 6 cm 이하의 난소 종양 처치

1. 임신 황체 낭종이 가장 흔함
2. 대부분 임신 14주 정도에 자연적으로 사라짐
3. 낭성 종괴(양성의 가능성)는 계속 관찰

참고 *Final Check 산과 59 page*

12

임신 14주 산모가 매우 심한 좌하복통을 주소로 응급실로 내원하였다. 체온 37.2℃였고, 내진상 좌하복부에 단단한 종괴가 만져졌다. 초음파를 시행하였지만 자궁근종과 난소 낭종의 감별이 안되었다. 다음 중 가장 우선 시행해야 할 적절한 조치는 무엇인가?

① 시험적 개복술

② 진통제

③ MRI

④ Culdocentesis

⑤ 경과관찰

12

정답 ③

해설

임신 중 난소 종양에서 악성이 의심되는 경우

1. 악성이 의심되면 치료를 연기하면 안 됨
2. 크기의 증가
3. 증상의 발생
4. 초음파상 악성을 의심할 수 있는 소견
   a. 불규칙한 격막(septum)
   b. 결절성(nodular)
   c. 유두상 돌출물(papillary excrescence)
   d. 큰 고형성분(large solid area)
5. 초음파상 난소 종양의 감별이 어려우면 MRI 시행

참고 *Final Check 산과 59 page*

13

임신 7주인 여성이 복통을 주소로 내원하였다. 시행한 초음파상 hemoperitoneum이 의심되어 수술을 하였고, hemorrhagic corpus luteum을 발견하여 corpus luteum을 제거하였다. 수술 후 이 산모에게 주사해야 하는 약을 고르시오.

① Estrogen

② hCG

③ Clomiphene citrate

④ 17α-OH progesterone

⑤ Dexamethasone

13

 ④

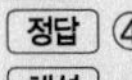

임신 7주 이전 corpus luteum 제거 시

: 17-α-hydroxyprogesterone caproate (250 mg) IM/week

참고 *Final Check 산과 60 page*

CHAPTER 05

착상과 태반 발달 (Implantation and Placental development)

01

다음 중 영양막(trophoblast)의 기능을 모두 고르시오.

(가) 침습성이 있어 주머니배(blastocyst)를 자궁에 부착시킨다
(나) 수태물에 영양을 공급한다
(다) 임신의 유지와 모체의 적응을 위해 필요한 호르몬 분비기관으로 작용한다
(라) 바닥 탈락막(decidua basalis)를 형성하여 발육하는 주머니배(blastocyst)를 둘러싼다

① 가, 나, 다
② 가, 다
③ 나, 라
④ 라
⑤ 가, 나, 다, 라

01

정답 ①

해설

영양막(trophoblast)의 기능

1. 임신 초기 주머니배(blastocyst)가 자궁안 탈락막(decidua)에 부착 가능할 수 있게 하는 역할
2. 수태물에 영양을 공급
3. 많은 호르몬을 합성, 분비하여 임신을 유지시키고 모체가 임신으로 인한 변화에 잘 적응할 수 있게 하는 역할

참고 *Final Check 산과 66 page*

02

다음 중 상실배(morula)가 시작되는 세포수를 고르시오.

① 4 cell
② 8 cell
③ 16 cell
④ 32 cell
⑤ 64 cell

02

정답 ③

해설

상실배(Morula)

1. 12~16개 가량의 할구(blastomere)로 형성된 세포 덩어리의 상태
2. 수정란이 3일간은 나팔관에 머물면서 천천히 난할을 거친 후 자궁내강(uterine cavity)으로 들어갈 때의 세포상태

참고 *Final Check 산과 64 page*

03

58 세포 주머니배(58 cell blastocyst)에서 내세포괴(inner cell mass)에서 분화되는 것은 무엇인가?

① Embryo

② Amnion

③ Chorion

④ Decidua

⑤ Trophoblast

03

정답 ①

해설

58 세포 주머니배(58 cell blastocyst)

1. 5 cells
   a. 내세포괴(inner cell mass)
   b. 한쪽 끝에 세포괴(cell mass)가 모여 있는 부분으로 나중에 배아(embryo)로 발달
2. 53 cells
   a. 외세포괴(outer cell mass)
   b. 영양외배엽(trophectoderm)이라 부르며, 이후 태반 조직을 형성

참고 *Final Check 산과 66 page*

04

다음 중 원시 난황주머니(primitive yolk sac)는 무엇인가?

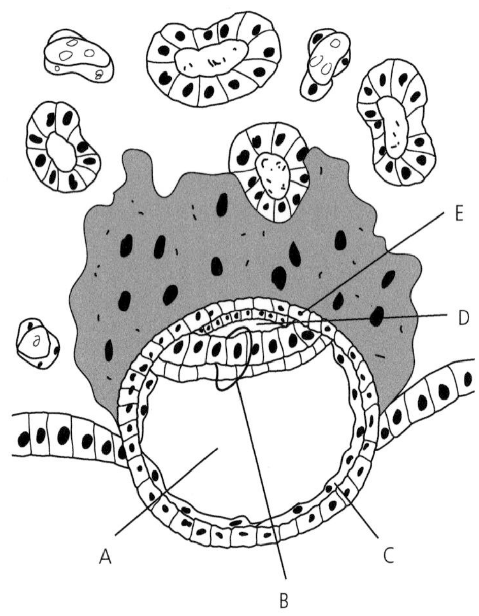

① A　　② B

③ C　　④ D

⑤ E

04

정답 ①

해설

자궁경부 점액의 염주 모양(beaded pattern)

A : Blastocyst cavity
B : Bilaminar embryonic disc
C : Hypoblast
D : Amniotic cavity
E : Cytotrophoblast

참고 *Final Check 산과 67 page*

05

다음 중 양막강(amniotic cavity)은 무엇인가?

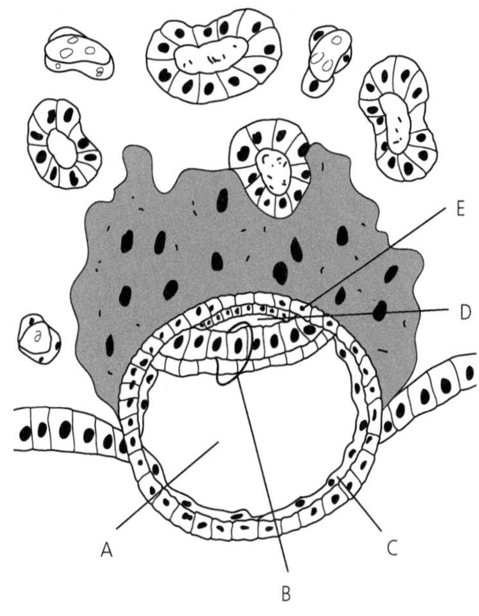

① A ② B
③ C ④ D
⑤ E

05

정답 ④

해설

A : Blastocyst cavity
B : Bilaminar embryonic disc
C : Hypoblast
D : Amniotic cavity
E : Cytotrophoblast

참고 *Final Check 산과 67 page*

06

다음 중 양막강(amniotic cavity)을 고르시오.

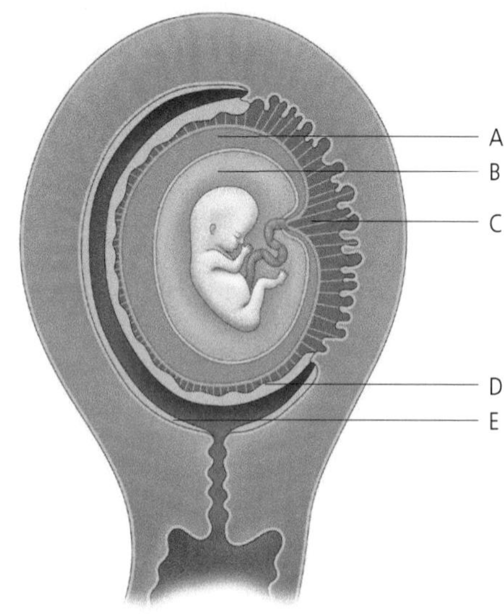

① A ② B
③ C ④ D
⑤ E

06

정답 ②

해설

A : Chorionic cavity
B : Amniotic cavity
C : Chorion frondosum
D : Decidua capsularis
E : Decidua parietalis

참고 *Final Check 산과 62 page*

07

자궁강 내에서 주머니배(blastocyst)가 세포외바탕질(extracellular matrix) 단백질에 부착될 때 중요한 역할을 하는 세포막 물질은 무엇인가?

① Integrin ② Fibronectin
③ MMP-9 ④ Relaxin
⑤ hPL

07

정답 ①

해설

인테그린(Integrin)

1. 세포외바탕질(extracellular matrix) 단백질에 대한 세포 부착을 매개하는 세포표면 수용체(cell surface receptors)
2. 주머니배(blastocyst)가 자궁내막에 부착할 수 있도록 부착 분자의 발현에 관여함

참고 *Final Check 산과 66 page*

08

다음 그림에서 융모막융모(chorionic villi)를 고르시오.

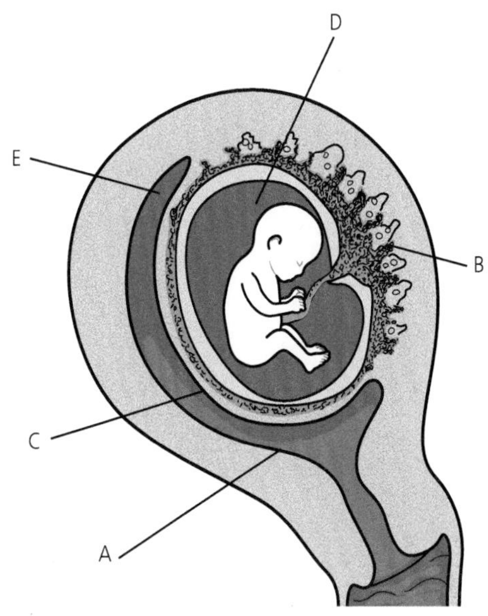

① A　　② B
③ C　　④ D
⑤ E

08

정답 ②

해설

A : Decidua parietalis
B : Chorionic villi
C : Decidua capsularis
D : Exocoelomic cavity
E : Uterine cavity

참고 *Final Check 산과 62 page*

09

각 화살표가 가리키는 구조물들을 쓰시오.

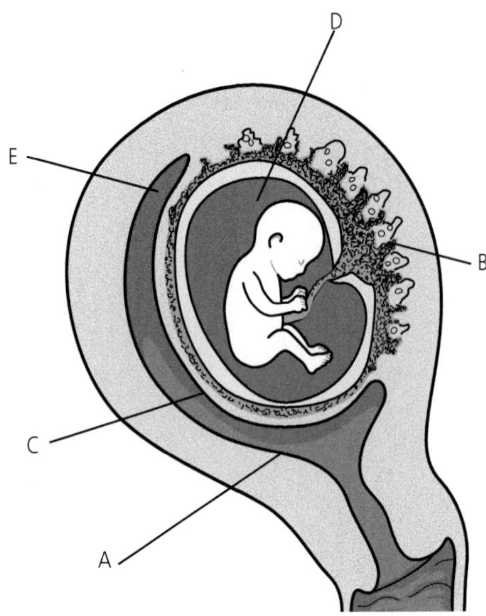

09

정답

A : Decidua parietalis

B : Chorionic villi

C : Decidua capsularis

D : Exocoelomic cavity

E : Uterine cavity

참고 Final Check 산과 62 page

10

분만 후 태반이 떨어지는 층은 (A)와 (B) 사이이다. (A)와 (B)를 쓰시오.

10

정답

(A) : 해면층(Zona spongiosa)

(B) : 바닥층(Zona basalis)

해설

탈락막의 세 층

1. 기능층(zona functionalis) : 두개의 층으로 구성
   a. 표면의 치밀층(zona compacta)
   b. 중간의 해면층(zona spongiosa) : 태반 분리가 일어나는 층
2. 바닥층(zona basalis) : 분만 후에는 바닥층에서 새로운 자궁내막이 형성

참고 Final Check 산과 62 page

11

임신 제1삼분기 초음파상 보이는 구조물의 순서로 나열한 것을 고르시오.

① 임신낭 - 난황 - 양막 - 배아

② 임신낭 - 양막 - 난황 - 배아

③ 난황 - 양막 - 임신낭 - 배아

④ 임신낭 - 배아 - 양막 - 난황

⑤ 배아 - 임신낭 - 난황 - 양막

11

정답 ②

해설

임신 초기 초음파상 보이는 구조물의 순서

1. 임신낭(gestational sac)
2. 양막(amnion)
3. 난황(yolk sac)
4. 배아(embryo)

참고 *Final Check 산과 69 page*

12

다음 중 태반의 성장과 성숙 과정에서 태반의 물질 이동과 교환의 효과가 감소하는 방향으로 진행하는 것이 아닌 경우를 고르시오.

① 융모모세관과 영양막의 기저막의 두께 증가

② 태아 혈관의 소멸

③ 융모의 표면 위의 섬유소 침착

④ 간질의 현저한 감소

12

정답 ④

해설

태반의 성숙

1. 물질 이동과 교환의 효율성을 높이기 위한 태반의 변화
   a. 합포체(syncytium)의 두께 감소
   b. 세포영양막세포의 감소
   c. 간질(stroma)의 감소
   d. 융모모세관이 증가하고 표면에 밀착
2. 만삭 시 태반 교환의 효율을 감소시키는 변화
   a. 융모모세관과 영양막의 기저막이 두꺼워짐
   b. 태아 혈관(fetal vessel)의 소멸
   c. 융모의 표면 위의 섬유소(fibrin)의 침착

참고 *Final Check 산과 72 page*

13

사람의 태반에서 분비되는 물질을 모두 고르시오.

(가) hCG
(나) Inhibin
(다) hPL
(라) CRH

① 가, 나, 다 ② 가, 다
③ 나, 라 ④ 라
⑤ 가, 나, 다, 라

13
정답 ⑤
해설
태반에서 분비되는 호르몬
1. Steroids
   a. Estrogen
   b. Progesterone
2. Protein hormones
   a. hCG, hPL, ACTH, growth hormone variant (hGH-V), PTH-rP, calcitonin, relaxin, inhibin, activin, ANP
   b. Hypothalamic-like releasing hormones (TRH, GnRH, GHRH, CRH, somatostatin)

참고 *Final Check 산과 76 page*

14

임신 초기에 영양막 침습(trophoblast invasion)에 관여하는 물질은 무엇인가?

① Interleukin-1 ② Matrix metalloproteinase-9
③ Prostaglandin ④ Fetal fibronectin
⑤ Integrin

14
정답 ②
해설
Matrix metalloproteinase-9 (MMP-9)
1. 임신 14~16주경 영양막 침습(trophoblast invasion)에 관여
2. 탈락막(decidua)의 세포외바탕질(extracellular matrix) 단백질을 분해
3. 영양막(trophoblast)에서 분비하는 IL-1, hCG에 의해 생성 증가

참고 *Final Check 산과 70 page*

15

임신 초기 영양막(trophoblast)이 탈락막(decidua)에 부착하고 이동하는데 중요한 역할을 하는 물질은 무엇인가?

① Integrin ② Matrix metalloproteinase
③ Interleukin ④ Fibronectin
⑤ Plasma protein-14

15
정답 ④
해설
태아섬유결합소(Fetal fibronectin)
1. 영양막 아교(trophoblastic glue)
2. 영양막(trophoblast)의 탈락막(decidua)으로 이동 및 부착에 중요한 역할
3. 질 분비물에서 태아섬유결합소가 검출될 경우 조기 진통(preterm labor)의 예측 인자로 사용됨

참고 *Final Check 산과 71 page*

16

다음 중 임신의 면역학적 특징으로 옳은 것은 무엇인가?

① 태반은 모체가 태아를 이물질로 인식해서 거부반응을 일으키지 않도록 한다

② 임신부 면역 체계와 접촉하는 태반의 주된 세포 유형은 영양막이다

③ 태아에 대한 모체의 거부반응이 일어나지 않는 기전으로 HLA-G의 역할이 중요하다

④ HLA class I과 II 항원은 모두 세포영양막에서 발현된다

⑤ uNK cell은 영양막(trophoblast)의 세포자멸사(apoptosis)를 유발한다

16

정답 ③

해설

1. 태반은 산모에서 태아를 이물질로 인식하지 않아 거부반응이 일어나지 않도록 함
2. 임신부 면역 체계와 접촉하는 태반의 부위는 탈락막(decidua)임
3. 세포영양막의 HLA-G는 자연살해세포로 하여금 자기로 인식하게 하여 세포 용해로부터 영양막을 보호
4. HLA class I, II antigen은 villous trophoblast에서 발현되지 않음
5. uNK cell은 영양막(trophoblast)의 세포자멸사(apoptosis)를 방지함

참고 *Final Check 산과 73 page*

17

모체가 반동종이식(semiallogenic)인 태아를 받아들이는 기전을 쓰시오.(3가지)

17

정답

1. 영양막(trophoblast)의 항원성 결여(MHC class II Ag 결여)
2. 모체의 CD4 T 림프계(CD4 T lymphocyte) 기능 저하
3. 세포영양막(cytotrophoblast) 세포에서 발현되는 것은 모두 HLA-G (MHC class I)

참고 *Final Check 산과 73 page*

18

정상 초기 임신에서 hCG의 doubling time은 얼마인가?

① 1일　② 2일

③ 3일　④ 4일

⑤ 5일

18

정답 ②

해설

정상 초기 임신

1. hCG doubling time : 2일
2. 혈중 농도가 2일 동안 두 배가 되지 않거나, 오히려 떨어지면 자궁외임신이나 자연 유산 등을 의심
3. 초음파 검사를 병행하면 감별진단이 가능

참고 *Final Check 산과 76 page*

19

임신 중 모체 혈청 내 hCG 농도 변화에 대한 설명 중 맞는 것은 무엇인가?

① LH 상승 3주 후 처음 생성

② 임신 13주경 농도가 최고치

③ 임신 20주경 농도가 최저치

④ 임신 말기 농도 증가

⑤ 농도가 임신 동안 비교적 일정

19

정답 ③

해설

hCG의 분비 양상

1. LH 상승 7~9일 후 주머니배(blastocyst)가 착상될 때 모체의 혈액에서 측정
2. 임신 8~10주경 최고 농도로 상승
3. 임신 10~12주경 감소하기 시작
4. 임신 20주경 최저 농도에 도달
5. 임신 후기에도 낮은 농도지만 지속적으로 검출

참고 *Final Check 산과 76 page*

20

사람 융모생식샘 자극호르몬(hCG)의 생물학적 기능으로 옳은 것을 모두 고르시오.

(가) 황체의 기능 유지
(나) 태아의 고환 자극
(다) 모체의 갑상선 자극
(라) 모체의 프로락틴 분비

① 가, 나, 다 ② 가, 다

③ 나, 라 ④ 라

⑤ 가, 나, 다, 라

20

정답 ①

해설

hCG의 생물리학적 작용

1. 임신 초기 난소 황체의 구출 및 기능 유지
2. 태아 고환 자극 : 태아의 성분화를 촉진
3. 임신부 갑상샘의 자극
4. 스테로이드(steroid hormone)의 합성 촉진 : estrogen, progesterone
5. 면역 억제 : 자궁자연살해세포(uNK cells)를 조절, 모체로부터 태아 거부반응을 억제
6. 자궁혈관과 자궁근육의 이완

참고 *Final Check 산과 78 page*

21

태반에서 형성되는 hCG의 임신 중 생물리학적 역할에 대하여 쓰시오.(3가지)

21

정답

1. 임신 초기 난소 황체의 구출 및 기능 유지
2. 태아 고환 자극 : 태아의 성분화를 촉진
3. 임신부 갑상샘의 자극
4. 스테로이드(steroid hormone)의 합성 촉진 : estrogen, progesterone
5. 면역 억제 : 자궁자연살해세포(uNK cells)를 조절, 모체로부터 태아 거부반응을 억제
6. 자궁혈관과 자궁근육의 이완

참고 *Final Check 산과 78 page*

22

수정 후 황체(corpus luteum)의 기능을 유지하기 위해 필요한 호르몬은 무엇인가?

① Estrogen ② Progesterone
③ hCG ④ ACTH
⑤ hPL

22
정답 ③
해설
hCG의 생물리학적 작용
1. 임신 초기 난소 황체의 구출 및 기능 유지
2. 태아 고환 자극 : 태아의 성분화를 촉진
3. 임신부 갑상샘의 자극
4. 스테로이드(steroid hormone)의 합성 촉진 : estrogen, progesterone
5. 면역 억제 : 자궁자연살해세포(uNK cells)를 조절, 모체로부터 태아 거부반응을 억제
6. 자궁혈관과 자궁근육의 이완

참고 *Final Check 산과 78 page*

23

다음 중 hCG와 α-subunit가 같은 것을 모두 고르시오.

(가) LH
(나) FSH
(다) TSH
(라) Human chorionic thyrotropin

① 가, 나, 다 ② 가, 다
③ 나, 라 ④ 라
⑤ 가, 나, 다, 라

23
정답 ①
해설
hCG의 화학적 구조
1. α-subunit : LH, FSH, TSH와 동일
2. β-subunit : 생물학적 특성(biological activity)을 나타냄

참고 *Final Check 산과 76 page*

24

다음 중 사람 융모생식샘 자극호르몬(hCG)에 관한 설명으로 옳은 것을 고르시오.

① 임신융모질환, 다태임신일 때는 사람 융모생식샘 자극호르몬이 증가한다
② β-subunit는 LH, FSH, TSH와 동일하다
③ 분비되는 장소는 cytotrophoblast이다
④ 태아의 testosterone은 사람 융모생식샘 자극호르몬의 분비가 최고에 이를 때 감소하게 된다
⑤ 사람 융모생식샘 자극호르몬의 생성 장소가 황체에서 태반으로의 이행은 임신 12주에 일어난다

24
정답 ①
해설
1. hCG 호르몬이 증가하는 경우 : 다태임신, 태아적아구증, 임신융모질환, 융모성 상피암, 다운증후군 태아를 임신한 경우
2. α-subunit가 LH, FSH, TSH와 동일
3. 대부분 융합세포영양막(syncytiotrophoblast)에서 합성
4. LH를 대신하여 태아 고환(fetal testis)에서 Leydig cell을 자극하여 testosterone의 합성 및 분비를 자극하고 태아의 성분화를 촉진시킴
5. 임신 6주 이전의 초기에는 세포영양막(cytotrophoblast)에서 발견, 이후에는 융합세포영양막(syncytiotrophoblast)에서 합성

참고 *Final Check 산과 76 page*

25

hCG 수치가 증가되어 있는 경우를 모두 고르시오.

(가) Multifetal pregnancy
(나) Erythroblastosis fetalis
(다) Down syndrome
(라) Ectopic pregnancy

① 가, 나, 다　② 가, 다
③ 나, 라　④ 라
⑤ 가, 나, 다, 라

26

다음 중 융합세포영양막(syncytiotrophoblast)에서 합성되어 산모의 지방분해(lipolysis)를 하고, 혈관 신생을 도우며, 태반의 부피에 비례하여 증가하여 임신 34~36주경 최고치에 이르는 호르몬은 무엇인가?

① Progesterone
② Estrogen
③ hPL
④ Insulin
⑤ Oxytocin

25

정답 ①

해설

hCG 호르몬이 증가하는 경우의 원인

1. 다태임신(multiple pregnancy)
2. 태아적아구증(erythroblastosis fetalis)
3. 임신융모질환(gestational trophoblastic disease)
4. 융모성 상피암(gestational choriocarcinoma)
5. 다운증후군(Down syndrome) 태아를 임신한 경우

참고 *Final Check 산과 77 page*

26

정답 ③

해설

Human placental lactogen (hPL)

1. 융합세포영양막(syncytiotrophoblast)에서 합성
2. 수정 3주째 임신부의 혈액에서 측정되기 시작하여 임신 34~36주까지 점진적으로 증가
3. 태반의 용적 변화와 거의 일치
4. 생물리학적 작용
   a. 지방분해(lipolysis) 작용
   b. 항인슐린 작용(anti-insulin effect)
   c. 강력한 혈관 형성 호르몬

참고 *Final Check 산과 78 page*

27

다음은 임신 중 분비되는 호르몬에 대한 설명이다. 이 호르몬은 무엇인가?

- 황체, 탈락막, 태반, 심장 등에서 분비
- 인슐린이나 인슐린 유사 성장인자 I, II와 유사 구조
- 자궁경부의 생화학적 구조에 영향을 미침
- 프로게스테론과 함께 자궁근의 이완을 촉진시킴

① hCG ② Relaxin
③ hPL ④ PTH-rP
⑤ Estrogen

27

정답 ②

해설

리랙신(Relaxin)

1. 황체, 탈락막, 태반, 뇌, 심장, 신장에서 생성
2. Insulin, insulin-like growth factor와 유사
3. 기능
   a. 프로게스테론과 함께 임신 초기 자궁근육의 이완(relaxation & quiescence)을 유지
   b. 태반과 태아막 내에서 자가분비와 주변분비로 작용하여 출산 후 세포외 기질 분해에 관여
   c. 사구체 여과율 향상

참고 *Final Check 산과 79 page*

28

임신 7주인 초산모가 7 cm 크기의 우측 황체 낭종 꼬임으로 복강경하 우측 난소 낭종 절제술을 시행 받았다. 이 산모의 임신 유지를 위한 다음 처치로 가장 올바른 것을 고르시오.

① 경과 관찰
② Estrogen
③ Betamethasone
④ Progesterone
⑤ GnRH agonist

28

정답 ④

해설

Luteo-placental shift

1. 임신 7주 이전에 황체를 제거하는 경우 산모의 혈중 프로게스테론(progesterone) 농도가 급격히 낮아져 자연 유산(spontaneous abortion)이 유발됨
2. 치료 : 17-α-hydroxyprogesterone caproate (250 mg) IM/week

참고 *Final Check 산과 79 page*

29

29세 여자가 임신 7주에 복통이 있어 산부인과에 내원하였다. 진찰 소견상 혈복강(hemoperitoneum)이 의심되어 수술을 시행하였다. 수술 중 출혈성 황체 낭종(hemorrhagic corpus luteum)이 발견되어 난소 낭종 절제술을 시행하였다. 이 산모에게 임신 유지를 위한 다음 처치로 가장 적절한 것을 고르시오.

① Estrogen

② hCG

③ Clomiphene citrate

④ 17-α-hydroxyprogesterone caproate

⑤ Dexamethasone

29

정답 ④

해설

Luteo-placental shift

1. 임신 7주 이전에 황체를 제거하는 경우 산모의 혈중 프로게스테론(progesterone) 농도가 급격히 낮아져 자연 유산(spontaneous abortion)이 유발됨
2. 치료 : 17-α-hydroxyprogesterone caproate (250 mg) IM/week

참고 *Final Check 산과 79 page*

30

정상 임신 시 태반에서 프로게스테론의 합성이 시작되는 시기는 언제인가?

① 4주 ② 8주

③ 10주 ④ 14주

⑤ 20주

30

정답 ②

해설

Progesterone의 생성 장소

1. 임신 6~7주경까지는 난소의 황체(corpus luteum)에서 생성
2. 임신 8주 이후부터는 대부분 태반(placenta)에서 생성

참고 *Final Check 산과 79 page*

31

23세 여자가 임신 6주에 난소 절제술을 시행하였고 이후 유산이 되었다. 원인이 되는 호르몬은 무엇인가?(1가지)

31

정답

Progesterone

해설

Luteo-placental shift

1. 임신 7주 이전에 황체를 제거하는 경우 산모의 혈중 프로게스테론(progesterone) 농도가 급격히 낮아져 자연 유산(spontaneous abortion)이 유발됨
2. 치료 : 17-α-hydroxyprogesterone caproate (250 mg) IM/week

참고 *Final Check 산과 79 page*

32

다음 그림은 태반 estrogen 생성 기전이다. (가)에 알맞은 것은 무엇인가?

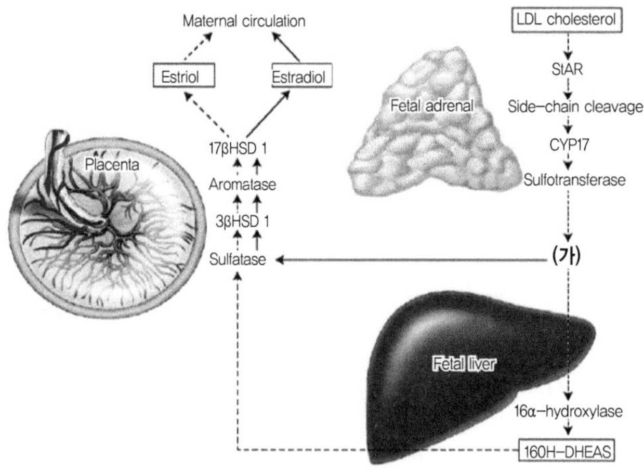

① Dehydroepiandrosterone sulfate

② Estron

③ Estriol

④ Progenenolone

⑤ Progesterone

32
정답 ①
참고 *Final Check 산과 81 page*

33

태반의 estriol의 전구물질을 쓰시오.

33
정답
DHEA-S
참고 *Final Check 산과 81 page*

34

임신 중 DHEA-S가 16αOH-DHEAS로 전환되는 장소를 모두 고르시오

(가) Fetal adrenal gland
(나) Placenta
(다) Fetal liver
(라) Maternal adrenal gland

① 가, 나, 다
② 가, 다
③ 나, 라
④ 라
⑤ 가, 나, 다, 라

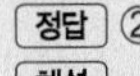

정답 ②

해설

DHEA-S의 전환

1. DHEA-S는 fetal adrenal gland와 fetal liver에서 16αOH-DHEAS로 전환
2. 16αOH-DHEAS는 placenta에서 estrogen으로 전환

참고 *Final Check 산과 81 page*

CHAPTER 06

태반, 탯줄, 태아막의 이상 (Abnormalities of the Placenta, Umbilical cord, Membranes)

01

태반의 만출 직후 육안적으로 관찰해야 할 사항을 쓰시오. (3가지)

01

정답

1. 태반의 무게, 색깔, 크기와 모양
2. 탯줄의 길이, 모양과 혈관 개수
3. 탯줄의 태반 부착위치
4. 태반조기박리 유무

참고 *Final Check 산과 85 page*

02

4주전 임신 40주에 정상 자연분만한 산모가 다량의 질 출혈을 주소로 내원하였다. 이 경우 가장 의심할 수 있는 태반 질환을 고르시오.

① Placenta polyp

② Placenta circumvallate

③ Placenta succenturiate

④ Placenta membranacea

⑤ Vasa previa

02

정답 ③

해설

부태반(succenturiate lobes)

1. 주태반(main placenta)과 떨어져 있는 하나 이상의 다른 엽
2. 태반 혈관이 탯줄의 혈관이 아닌 주태반의 막에서 생성되어 각각의 부태반으로 연결되어 있음
3. 임상적 의의
   a. 부태반이 남아 분만 후 출혈(postpartum hemorrhage), 자궁이완증(uterine atony), 자궁내막염(endometritis) 유발 가능
   b. 태반 혈관이 자궁내구를 덮으면 전치혈관을 형성하여 태아 출혈 유발 가능

참고 *Final Check 산과 86 page*

03

다음 중 태아 성장에 영향을 미치는 것을 고르시오.

① 부태반(succenturiate lobes)

② 윤상태반(ring-shaped placenta)

③ 유창태반(placenta fenestrata)

④ 막태반(placenta membranacea)

⑤ 변연태반(circummarginate placenta)

03

정답 ②

해설

윤상 태반(Ring-shaped placenta)

1. 막태반(placenta membranacea)의 변이형
2. 태반은 고리(annular), 링(ring), 말발굽(horseshoe) 모양
3. 산전 또는 산후 출혈, 태아성장제한의 가능성이 높음

참고 *Final Check 산과 88 page*

04

다음 중 융모판(chorionic plate)이 기저판(basal plate)보다 작은 태반 형태는 무엇인가?

① 막태반(placenta membranacea)

② 부태반(succenturiate lobes)

③ 주획태반(circumvallate placenta)

④ 유창태반(placenta fenestrata)

⑤ 윤상태반(ring-shaped placenta)

04

정답 ③

해설

주획태반(Circumvallate placenta)

1. 변연부의 융모막과 양막이 중첩되어 회백색 모양의 고리가 융기되어 있는 것
2. 융모막 주변부(chorion periphery)
   a. 두 번 접힌 양막(amnion)과 융모막(chorion)
   b. 탈락막 섬유소 축적(fibrin deposition)이 있음

참고 *Final Check 산과 88 page*

05

초음파 검사에서 아래와 같은 태반이 관찰되었다. 태아 기형, 조산, 산전 출혈 등이 증가하는 이 태반 기형은 무엇인가?

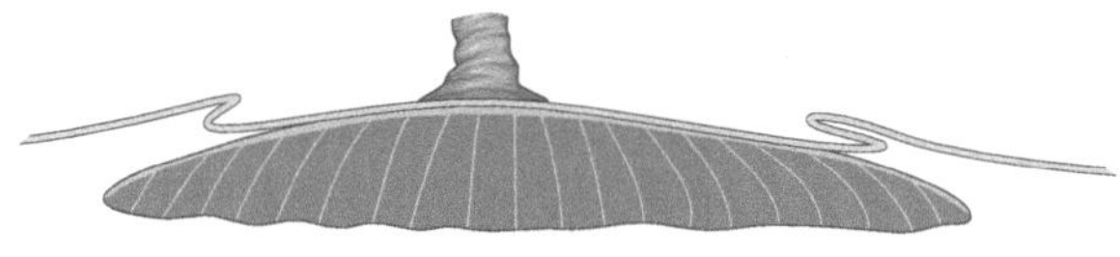

① 윤상태반(ring-shaped placenta)

② 막태반(placenta membranacea)

③ 변연태반(circummarginate placenta)

④ 유창태반(placenta fenestrata)

⑤ 주획태반(circumvallate placenta)

05

정답 ⑤

해설

주획태반에서 증가하는 합병증

1. 산전 출혈(antepartum bleeding)
2. 저체중아, 태반조기박리(placental abruption)
3. 양수감소증
4. 유산, 조산(preterm birth)
5. 태아 사망(fetal demise), 태아 기형(fetal malformation)

참고 *Final Check 산과 88 page*

06

다음 중 거대태반을 볼 수 있는 경우를 모두 고르시오.

(가) Syphilis
(나) Fetal hydrops
(다) Cytomegalovirus
(라) Maternal DM

① 가, 나, 다　　② 가, 다

③ 나, 라　　④ 라

⑤ 가, 나, 다, 라

06

정답 ⑤

해설

거대태반(placentomegaly)의 원인

1. 산모의 당뇨 또는 심한 빈혈
2. 매독(syphilis), 톡소포자충증(toxoplasmosis), 거대세포바이러스(cytomegalovirus), 파르보바이러스(parvovirus)에 의한 태아수종(fetal hydrops), 빈혈, 감염

참고 *Final Check 산과 88 page*

07

다음의 탯줄 기형 중 주산기 사망률이 제일 높은 것은 무엇인가?

① Hematoma

② False knots cord

③ True knots cord

④ Cord cyst

⑤ Hemangioma

07

정답 ③

해설

진짜 매듭 탯줄(true knots cord)

1. 태아의 움직임으로 인해 탯줄이 매듭을 형성하듯 묶인 탯줄
2. Monoamniotic twin에서 잘 나타남
3. 매듭이 단단히 조여져 있는 경우에는 자궁 내 태아사망의 위험이 증가(5~10배 증가)

참고 *Final Check 산과 92 page*

08

임신 20주의 초산모가 내원하여 시행한 초음파에서 다음과 같은 소견이 확인되었다. 다음 검사로 가장 적절한 것을 고르시오.

① 초음파 검사

② 태아의 감염에 대한 검사

③ 양수천자

④ 부모의 염색체 검사

⑤ 경과 관찰

08

정답 ①

해설

단일 탯줄 동맥(single umbilical artery)

1. 태아탯줄 동맥 1개, 탯줄 정맥 1개로만 구성
2. 단일 탯줄 동맥이 진단되면 심장을 포함한 태아의 장기에 대해 초음파 검사를 시행
   a. 흔한 동반기형 부위 : 심혈관계, 비뇨생식기계
   b. 동반기형이 없는 경우 : 예후가 좋음
   c. 동반기형이 있는 경우 : 태아의 이수배수체(aneuploidy) 위험이 증가하므로 양수천자로 확인이 필요

참고 *Final Check 산과 93 page*

09

분만 후 다음과 같은 태반이 관찰되었다면 진단명을 쓰시오.

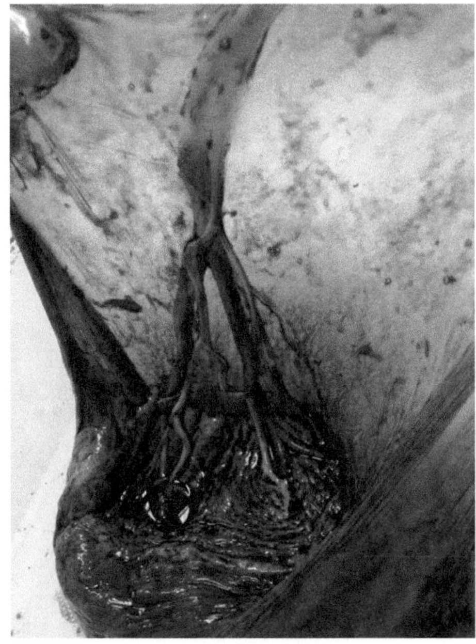

09

정답
양막 부착(velamentous insertion)

참고 Final Check 산과 94 page

10

탯줄이 태반의 가장자리에서 떨어져 양막에 붙어있는 것으로 전치혈관(vasa previa)을 일으키기 때문에 임상적으로 중요한 탯줄 부착 이상을 고르시오.

① 막태반(placenta membranacea)

② 양막 부착(velamentous insertion)

③ 유창태반(placenta fenestrata)

④ 태반 가장자리 부착(marginal insertion)

⑤ 단일 탯줄 동맥(single umbilical artery)

10

정답 ②

해설

양막 부착(Velamentous insertion)

1. 탯줄이 태반의 가장자리에 있는 양막 부위에 부착된 경우
2. 가장자리의 혈관은 Warton 젤리가 없이 양막에 둘러싸여 있어 압박되기 쉬움
3. 산과적 합병증
   a. 태아의 선천성 기형 발생률 증가
   b. 태반 조기박리, 태아발육제한, 조산
   c. 쉽게 눌려 태아 저산소증을 유발, 낮은 Apgar 점수
   d. 전치혈관을 유발

참고 Final Check 산과 94 page

11

태반 혈관의 양막 부착(velamentous insertion)이 있을 때 출산 시 나타날 수 있는 상황을 모두 고르시오.

(가) 자궁 내번증
(나) 자궁이완증
(다) 태반 조기 박리
(라) 태반의 혈관 파열

① 가, 나, 다　　② 가, 다
③ 나, 라　　④ 라
⑤ 가, 나, 다, 라

11

정답 ④

해설

양막 부착의 산과적 합병증

1. 태아의 선천성 기형 발생률 증가
2. 태반 조기박리, 태아발육제한, 조산
3. 쉽게 눌려 태아 저산소증을 유발, 낮은 Apgar 점수
4. 전치혈관을 유발

참고 *Final Check 산과 94 page*

12

전치혈관(vasa previa) 시 태아에 미치는 위험을 모두 고르시오.

(가) 태아 혈관 파열
(나) 산모 혈관 파열
(다) 태아의 출혈
(라) 분만 3기 지연

① 가, 나, 다　　② 가, 다
③ 나, 라　　④ 라
⑤ 가, 나, 다, 라

12

정답 ②

해설

전치혈관(Vasa previa)

1. 양막 부착(velamentous insertion)된 태반에서 혈관이 자궁내구(internal os.)를 지나면서 태아의 선진부와 자궁내구 사이에서 압박을 받을 수 있음
2. 찢어지거나 박리되는 경우 심각한 출혈이 발생
3. 태아의 출혈은 약간만 있어도 태아에게 위험하며, 잘 치료하더라도 예후는 좋지 않음

참고 *Final Check 산과 95 page*

CHAPTER 07

배아 형성과 태아 성장 (Embryogenesis and Fetal development)

01

정상 임신에서 초음파 검사에 의해 태아를 관찰할 때 머리 둘레와 복부 둘레가 비슷한 시기는 언제인가?

① 임신 20~24주

② 임신 24~28주

③ 임신 28~32주

④ 임신 32~36주

⑤ 임신 36~40주

01

정답 ④

해설

임신 32주

1. 태아의 머리엉덩길이(CRL)는 28 cm, 무게는 1,800 g
2. 피부 표면은 아직 붉은 빛을 띠고 주름지어 있음
3. 임신 32~36주경 태아 머리 둘레와 복부 둘레는 비슷함

참고 *Final Check 산과 102 page*

02

다음 중 태아의 성장과 발달에 대한 내용으로 옳은 것을 고르시오.

① 외부 성기는 임신 14주 이후 뚜렷이 구분된다

② 연하운동은 임신 20주부터 시작된다

③ 골화 중심은 임신 24주에 처음 발견된다

④ 골수의 혈액 생성은 임신 28주 이후 시작된다

⑤ 듣기는 임신 32주 이후 가능하다

02

정답 ①

해설

1. 임신 14주경 외부 생식기를 주의 깊게 관찰하면 성별 확인 가능
2. 연하운동은 임신 10~12주경 시작
3. 골화 중심은 임신 12주경 발견
4. 적혈구 및 골수구 생성은 임신 20주에 시작
5. 듣기는 임신 24~26주경 시작

참고 *Final Check 산과 101, 113, 116 page*

03

다음 구조물들 중 분만 내진 시 만져지지 않는 구조물을 고르시오.

① Frontal bone ② Occipital bone
③ Lambdoid suture ④ Temporal suture
⑤ Coronal suture

03

정답 ④

해설

측두봉합(temporal suture)

: 좌우 양측의 두정골 하변과 측두골 상변 사이, 내진 시 만져지지 않음

참고 *Final Check 산과 102 page*

04

태아와 태반의 발달 중 주변분비축(paracrine arm)의 기능을 모두 고르시오.

(가) 임신의 유지
(나) 영양
(다) 양수량의 항상성 유지
(라) 내분비

① 가, 나, 다 ② 가, 다
③ 나, 라 ④ 라
⑤ 가, 나, 다, 라

04

정답 ②

해설

Paracrine arm의 기능

1. 임신의 유지
2. 반동종이식인 태아를 받아들임
3. 양수량의 항상성 유지
4. 태아의 신체 보호
5. 분만

참고 *Final Check 산과 104 page*

05

임신 기간 동안 태아가 상대적으로 낮은 산소 분압에 적응하는 기전을 쓰시오.(3가지)

05

정답

1. 태아 체중에 비해 높은 심박출량
2. 성인 헤모글로빈보다 태아 헤모글로빈의 산소 친화도가 높음
3. 성인에 비해 높은 혈색소에 의해 낮은 산소 장력을 효과적으로 보상

참고 *Final Check 산과 102 page*

06

임신 중 태아에게 가장 중요한 영양 성분을 고르시오.

① Lipid

② Protein

③ Glucose

④ Fatty acid

⑤ Amino acid

06

정답 ③

해설

태아의 에너지원

1. 포도당 : 태아 성장과 에너지의 주영양소
2. 태아는 영양에 관해 전적으로 산모에 의존하지만, 수동적 기생체(passive parasite)가 아닌 능동적 기능도 가짐
3. 임신 중기에 태아의 포도당 농도는 산모의 혈당과 상관이 없고, 때로는 그보다도 높은 경우도 있음

참고 *Final Check 산과 108 page*

07

다음 중 사람의 태반에 대한 설명으로 잘못된 것을 모두 고르시오.

(가) 임신 중에는 혈액융모 태반형성(hemochorial placentation)이 이루어진다

(나) 태반은 탈락막, 태아 혈액, 산모 혈액으로 구성된다

(다) 융합세포영양막(syncytiotrophoblast)은 산모 혈액과는 직접 접하나 태아 혈액과는 만나지 않는다

(라) 산모 혈액과 태아 혈액은 직접 만난다

① 가, 나, 다　　② 가, 다

③ 나, 라　　④ 라

⑤ 가, 나, 다, 라

07

정답 ③

해설

1. 탈락막이 침윤하는 영양막 세포와 상호작용을 하며 혈액융모 태반형성이 이루어짐
2. 태반의 구성 : 합포체(syncytium), 산모 혈액, 태아 혈액
3. 산모 혈액에서 운반되는 물질은 융합세포영양막, 융모사이공간의 간질, 태아 모세혈관벽을 거쳐 태아 혈액으로 전달
4. 태아의 혈액과 산모의 혈액이 직접적으로 섞이지 않음

참고 *Final Check 산과 104 page*

08

다음 중 태반을 통과하지 않는 것은 무엇인가?

① TRH ② TSH
③ 산모의 T4 ④ 산모의 T3
⑤ Propylthiouracil

08
정답 ②
해설
갑상샘 호르몬의 태반 통과
1. TRH : 태반 통과 가능
2. TSH : 태반을 통과하지 못함
3. T3, T4 : 아주 제한적으로만 태반을 통과
4. PTU : 태반 통과 가능

참고 *Final Check 산과 122 page*

09

탯줄(umbilical cord)에 있는 정상적인 혈관의 개수를 고르시오.

① 동맥 2개, 정맥 1개
② 동맥 1개, 정맥 2개
③ 동맥 1개, 정맥 1개
④ 동맥 2개, 정맥 2개

09
정답 ①
해설
탯줄(Umbilical cord)
1. 탯줄동맥(umbilical artery) : 2개
2. 탯줄정맥(umbilical vein) : 1개

참고 *Final Check 산과 111 page*

10

다음 중 양수량이 가장 많은 시기는 언제인가?

① 20주 ② 26주
③ 30주 ④ 34주
⑤ 40주

10
정답 ④
해설
양수량
1. 임신 중기에 400 mL
2. 임신 34주에 1,000 mL 정도로 최대가 됨
3. 만삭이 가까워지면 양수량은 감소하며, 분만 예정일을 넘기면 그 양은 더욱 적어지게 되므로 양수과소에 유의해야 함

참고 *Final Check 산과 110 page*

11

다음 중 양수에 관한 설명으로 올바른 것을 모두 고르시오.

(가) 양수 검사로 태아의 폐성숙을 알 수 있다
(나) 양수의 pH는 5.0~6.0 정도이다
(다) 양수는 태아가 운동할 수 있는 매개체 역할을 한다
(라) 임신 40주에 양수량이 최고에 달한다

① 가, 나, 다　　② 가, 다
③ 나, 라　　④ 라
⑤ 가, 나, 다, 라

11
정답 ②
해설
1. L/S ratio 2:1 이상은 폐성숙을 의미
2. 양수의 pH : 7.0~7.5(약알칼리성)
3. 양수는 태아의 움직임을 용이하게 하여 성장을 도움
4. 양수량은 임신 34주에 1,000 mL 정도로 최대가 됨

참고 *Final Check 산과 110, 111, 120 page*

12

임신 중인 태아의 혈액 순환에서 가장 산소 농도가 높은 곳을 고르시오.

① 정맥관(ductus venosus)
② 하대정맥(inf. vena cava)
③ 난원공(foramen ovale)
④ 상대정맥(sup. vena cava)
⑤ 동맥관(ductus arteriosus)

12
정답 ①
해설
산소 농도가 높은 순서
1. 탯줄정맥(umbilical vein)
2. 정맥관(ductus venosus)
3. 난원공(foramen ovale)
4. 탯줄동맥(umbilical artery)
5. 동맥관(ductus arteriosus)

참고 *Final Check 산과 111 page*

13

다음 중 태아의 혈액 순환에서 산소 농도가 가장 높은 혈관을 고르시오.

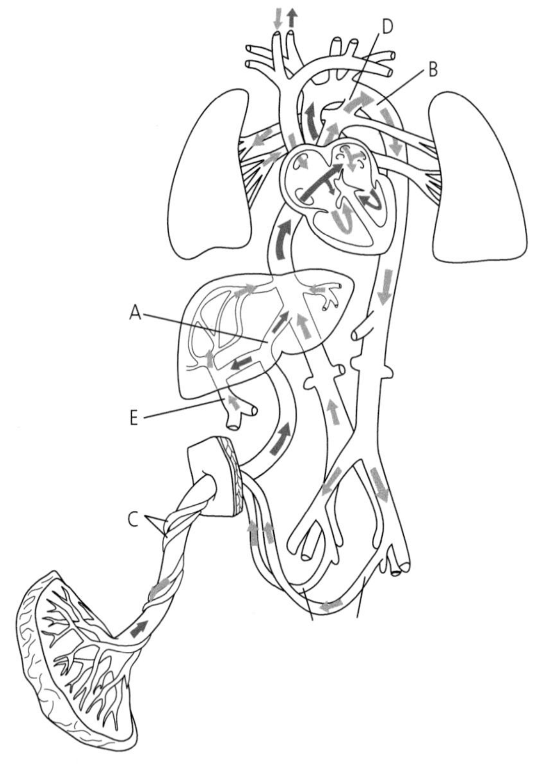

① A　　② B
③ C　　④ D
⑤ E

13

정답 ①

해설

A : Ductus venosus
B : Aorta
C : Umbilical artery
D : Ductus arteriosus
E : Portal vein

참고 *Final Check 산과 111 page*

14

임신 중 태아의 혈액 순환에서 혈중 산소의 함유량이 높은 곳부터 낮은 곳으로의 순서가 올바른 것을 고르시오.

(가) 탯줄정맥(umbilical vein)
(나) 탯줄동맥(umbilical artery)
(다) 난원공(foramen ovale)
(라) 동맥관(ductus arteriosus)

① 가 > 나 > 다 > 라
② 가 > 다 > 라 > 나
③ 가 > 다 > 나 > 라
④ 가 > 라 > 나 > 다
⑤ 가 > 나 > 라 > 다

14

정답 ③

해설

산소 농도가 높은 순서

1. 탯줄정맥(umbilical vein)
2. 정맥관(ductus venosus)
3. 난원공(foramen ovale)
4. 탯줄동맥(umbilical artery)
5. 동맥관(ductus arteriosus)

참고 *Final Check 산과 111 page*

15

다음 중 출생 후 정상적으로 폐쇄되는 해부학적 구조물을 모두 고르시오.

(가) 동맥관(ductus arteriosus)
(나) 난원공(foramen ovale)
(다) 정맥관(ductus venosus)
(라) 탯줄 혈관(umbilical vessels)

① 가, 나, 다
② 가, 다
③ 나, 라
④ 라
⑤ 가, 나, 다, 라

15

정답 ⑤

해설

분만 후 태아 순환의 변화

1. 동맥관 : 출생 후 10~96시간까지 기능적으로 막히게 되며 해부학적으로 2~3주 후에 막힘
2. 난원공 : 출생 직후 기능적 폐쇄, 1년 후 해부학적 폐쇄
3. 정맥관 : 출생 후 수축되고 그 내강은 폐쇄
4. 탯줄 혈관 : 출생 후 3~4일 내에 위축 또는 폐쇄

참고 *Final Check 산과 112 page*

16

출생 후 정상적으로 폐쇄되는 태아의 해부학적 구조물을 쓰시오.(3가지)

16

정답
1. 동맥관(ductus arteriosus)
2. 정맥관(ductus venosus)
3. 탯줄 혈관(umbilical vessels)
4. 난원공(foramen ovale)

참고 *Final Check 산과 112 page*

17

다음 설명에 해당하는 태아 세포를 고르시오.

- 초기에는 핵이 있다
- 알칼리에 변색되지 않는다
- 성인 세포보다 수명이 짧다

① 적혈구 ② 백혈구
③ 림프구 ④ 단핵구
⑤ 대망세포

17

정답 ①

해설

태아 적혈구
1. 처음에는 원시형의 유핵 적혈모구를 형성하지만, 점차 무핵 적혈모구를 형성
2. Apt test에서 알칼리 저항력 때문에 색이 변하지 않아 분홍색을 나타냄
3. 정상 성인 혈색소의 2/3 정도로 수명이 짧음

참고 *Final Check 산과 113 page*

18

다음 중 태아에서 조혈 기능의 역할을 하는 기관을 모두 고르시오.

(가) 골수(bone marrow)
(나) 난황낭(yolk sac)
(다) 비장(spleen)
(라) 부신(adrenal gland)

① 가, 나, 다 ② 가, 다
③ 나, 라 ④ 라
⑤ 가, 나, 다, 라

18

정답 ①

해설

임신 주수에 따른 조혈기관의 변화
1. 난황낭 : 임신 2~10주
2. 간 : 임신 6주~출생
3. 비장 : 임신 4~28주(주로 8~16주)
4. 골수, 림프절 : 임신 20주~출생 후 계속

참고 *Final Check 산과 113 page*

19

태아에서 조혈 기능 역할을 하는 기관을 각각의 빈 칸에 맞게 쓰시오.

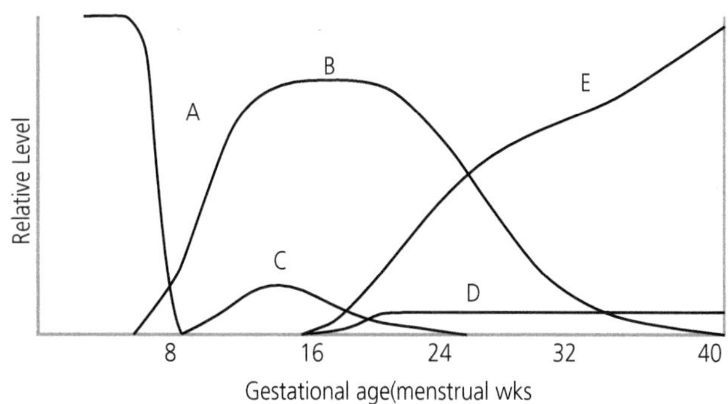

20

다음 중 태아의 간에서 조혈 기능이 일어나는 시기를 고르시오.

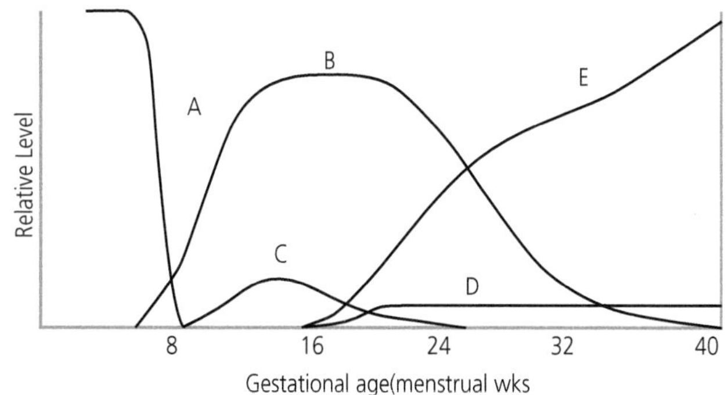

① A ② B
③ C ④ D
⑤ E

19

정답
A : 난황낭(yolk sac)
B : 간(liver)
C : 비장(spleen)
D : 림프절(lymph node)
E : 골수(bone marrow)
참고 *Final Check 산과 113 page*

20

정답 ②
해설
A : 난황낭(yolk sac)
B : 간(liver)
C : 비장(spleen)
D : 림프절(lymph node)
E : 골수(bone marrow)
참고 *Final Check 산과 113 page*

21

다음 중 태아의 호흡기계에서 표면활성제(surfactant)를 구성하는 성분으로 가장 많은 것은 무엇인가?

① Phosphatidylglycerol

② Phosphatidylcholine

③ Phosphatidylethanolamine

④ Phosphatidylinositol

⑤ Phosphatidylserine

21

정답 ②

해설

표면활성제의 구성성분

1. Phosphatidylcholine (PC) : 50%
2. Unsaturated phosphatidylcholine : 20%
3. Phosphatidylglycerol (PG) : 8~15%
4. Phosphatidylethanolamine : 5%
5. Phosphatidylinositol (PI) : 4%
6. Other PG : 4%

참고 *Final Check 산과 119 page*

22

다음은 태아 폐성숙에 관여하는 물질들이다. A, B, C에 해당하는 물질을 순서대로 쓰시오.

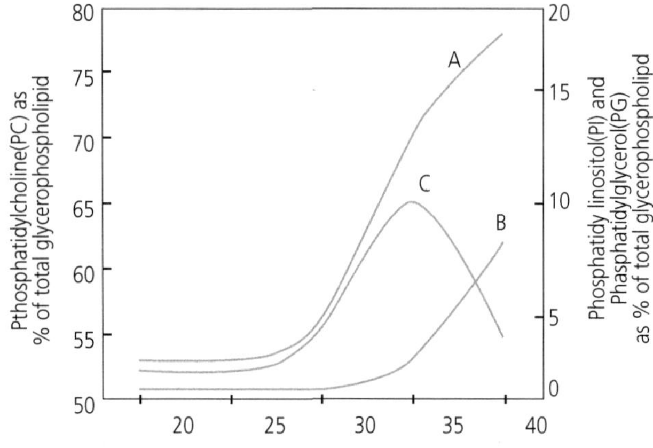

<Relation between Glycerophospholipids in Amnionic fluid>

22

정답

A : Phosphatidylcholine (PC)

B : Phosphatidylglycerol (PG)

C : Phosphatidylinositol (PI)

참고 *Final Check 산과 119 page*

23

다음 중 태아의 폐에서 표면활성제 생성을 증가시키는 호르몬을 모두 고르시오.

(가) Cortisol
(나) TSH
(다) Thyroxin
(라) Progesterone

① 가, 나, 다　　② 가, 다
③ 나, 라　　④ 라
⑤ 가, 나, 다, 라

24

L/S 비율이 2:1 이상인 경우에도 태아 호흡곤란증이 나타날 수 있는 경우를 열거하시오.(3가지)

23

정답 ②

해설

표면활성제의 형성에 관여하는 호르몬

1. Cortisol
2. Thyroxine, TRH
3. Epidermal growth factor (EGF)
4. Platelet-activating factor (PAF)
5. Fibroblast pneumocyte factor (FPF)
6. Prolactin
7. Estrogen

참고 *Final Check 산과 120 page*

24

정답

1. Maternal gestational DM
2. Acidosis
3. Sepsis
4. Phosphatidylglycerol의 결핍

참고 *Final Check 산과 120 page*

25

다음 중 뮐러관 억제물질(Müllerian inhibiting substance)에 대한 설명으로 잘못된 것은 무엇인가?

① Sertoli cell에서 분비한다

② 전신적으로 작용한다

③ 자궁, 나팔관, 질 상부로의 발생을 억제한다

④ 한쪽에만 고환이 없다면 그쪽의 난관은 생길 수 있다

⑤ 임신 7주경부터 분비되기 시작한다

25

정답 ②

해설

Müllerian inhibiting substance (MIS)

1. 임신 7~8주경 Sertoli cell에서 분비
2. Anti-Müllerian hormone(AMH)이라고도 불림
3. 뮐러관이 자궁, 나팔관, 질 상부로의 발달을 억제
4. 측분비인자(paracrine factor)로써 형성된 장소 근처에 국소적으로 작용
5. 한쪽의 고환이 없다면 그쪽의 뮐러관은 지속되어 그쪽 편의 자궁과 나팔관이 발생

참고 *Final Check 산과 123 page*

CHAPTER 08

임신 전 관리(Preconceptional care)

01

태아의 신경관결손(neural tube defects) 예방에 효과적인 물질로 알려진 것은 무엇인가?

① Pyridoxine ② Iron
③ Folic acid ④ Zine
⑤ Magnesium

01
정답 ③
해설
엽산(Folic acid)
1. 비타민 B9으로 아미노산, 핵산(DNA) 합성, 세포 분열과 성장 등에 중요
2. 임신 전 엽산 복용은 신경관결손(neural tube defect) 예방에 도움이 됨

참고 *Final Check 산과 133 page*

02

무뇌아를 출산한 경험이 있는 28세 여자가 임신 계획을 상담하기 위해 내원하였다. 이 여성에게 임신 1개월 전부터 섭취하라고 권장해야 할 엽산의 양을 고르시오.

① 200 μg ② 400 μg
③ 800 μg ④ 4 mg
⑤ 8 mg

02
정답 ④
해설
엽산(Folic acid)의 예방적 복용
1. 가임 여성 : 매일 400 μg/day 권장
2. 일반 산모 : 임신 전 1개월부터 임신 제1삼분기 동안 400~800 μg/day 권장
3. 고위험 산모 : 임신 전 1개월부터 임신 제1삼분기 동안 4 mg/day 권장
   a. 신경관결손(neural tube defect) 임신의 과거력
   b. 임신 전 당뇨(pregestational DM)
   c. 간질약(anticonvulsant) 복용자 : valproic acid

참고 *Final Check 산과 133 page*

03

이전 임신에서 척수수막류(meningomyelocele) 태아를 분만한 과거력이 있는 산모가 임신을 확인하여 내원하였다. 이 환자에게 가장 적절한 엽산 복용 시기와 용량을 고르시오.

① 임신 제1삼분기	400 ㎍
② 임신 제1, 2삼분기	4 mg
③ 임신 제1, 2삼분기	400 ㎍
④ 임신 전 1개월~임신 제1삼분기	400 ㎍
⑤ 임신 전 1개월~임신 제1삼분기	4 mg

03

정답 ⑤

해설

엽산(Folic acid)의 예방적 복용

1. 가임 여성 : 매일 400 μg/day 권장
2. 일반 산모 : 임신 전 1개월부터 임신 제1삼분기 동안 400~800 μg/day 권장
3. 고위험 산모 : 임신 전 1개월부터 임신 제1삼분기 동안 4 mg/day 권장
   a. 신경관결손(neural tube defect) 임신의 과거력
   b. 임신 전 당뇨(pregestational DM)
   c. 간질약(anticonvulsant) 복용자 : valproic acid

참고 *Final Check 산과 133 page*

04

신경관결손 태아를 분만한 과거력이 있는 여성이 임신 준비를 위해 복용해야 하는 것과 용량을 쓰시오.

04

정답

엽산(Folic acid), 4 mg

해설

엽산(Folic acid)의 예방적 복용

1. 가임 여성 : 매일 400 μg/day 권장
2. 일반 산모 : 임신 전 1개월부터 임신 제1삼분기 동안 400~800 μg/day 권장
3. 고위험 산모 : 임신 전 1개월부터 임신 제1삼분기 동안 4 mg/day 권장
   a. 신경관결손(neural tube defect) 임신의 과거력
   b. 임신 전 당뇨(pregestational DM)
   c. 간질약(anticonvulsant) 복용자 : valproic acid

참고 *Final Check 산과 133 page*

05

임신을 계획 중인 여성이 상담을 위해 내원하였다. 현재 항경련제 복용 중으로 약을 중단할 수 없는 상태이고 몇 개월 전 한종류의 항경련제로 바꾸어 복용 중이었다. 이 여성에게 임신 전 가장 먼저 시행할 것을 고르시오.

① 엽산 복용　② Vit.C 복용
③ Vit.K 복용　④ 복합 항경련제로 교체
⑤ 항경련제 중단

05

정답 ①

임신과 간질(epilepsy)

1. 간질 여성은 구조적 이상의 태아 발생률이 2~3배 높음
2. 임신에 앞서 1년간 발작 증세가 없었던 경우, 임신 중 경련(seizure)의 위험성이 50~70% 감소하여 임신 전 항경련제의 투여를 중지해 볼 수 있음
3. 약물의 중지가 어려운 경우 기형 발생이 적은 약, 가급적이면 한가지 약물로 투여하고 엽산(folic acid)을 같이 복용

참고 *Final Check 산과 143 page*

06

32세의 여성이 3개월 후 임신 계획을 하고 임신 전 상담을 위해 병원에 내원하였다. 여성은 현재 현성 당뇨병을 가지고 있고, 다른 질환 및 산과적 특이 소견은 없었다. 다음 중 임신할 때까지 올바른 혈당 조절 방법과 엽산 1일 투여 용량을 고르시오.

혈당 조절 방법	엽산 용량(μg)
① 운동, 식이요법, 인슐린	100
② 운동, 경구 혈당강하제	100
③ 운동, 식이요법, 경구 혈당강하제	400
④ 운동, 식이요법, 인슐린	400
⑤ 운동, 식이요법, 인슐린	4,000

07

다음 중 고령 임신에서 증가하는 임신부의 위험성을 모두 고르시오.

(가) 전치 태반
(나) 임신성 고혈압
(다) 임신성 당뇨병
(라) 주산기 이환율과 사망률

① 가, 나, 다 ② 가, 다
③ 나, 라 ④ 라
⑤ 가, 나, 다, 라

06

정답 ⑤

해설

임신 전 당뇨 환자의 혈당 조절

1. 목표 혈당
   a. 공복 혈당 ≤95 mg/dL
   b. 식후 1시간 혈당 ≤140 mg/dL
   c. 식후 2시간 혈당 ≤120 mg/dL
2. 혈당 조절 방법 : 식이요법, 운동요법, 인슐린
3. 고위험 산모 : 임신 전 1개월부터 임신 제1삼분기 동안 4 mg/day 권장

참고 *Final Check 산과 130, 133 page*

07

정답 ⑤

해설

고령 임신에서 증가하는 임신부의 위험성

1. 임신성 당뇨병
2. 임신성 고혈압
3. 조산
4. 저체중 출생아
5. 전치 태반
6. 태반 조기 박리
7. 제왕절개분만의 빈도
8. 주산기 이환율과 사망률, 사산

참고 *Final Check 산과 145 page*

08

임신을 계획하고 있는 41세 여성이 상담을 위해 내원하였다. 이 여성에게 다운증후군 이외에 증가할 수 있는 질환으로 설명해야 하는 것을 고르시오.

① 빈혈 ② Monozygotic twin
③ 거대아 ④ 지연임신
⑤ 제왕절개술

08

정답 ⑤

해설

고령 임신에서 증가하는 임신부의 위험성

1. 임신성 당뇨병
2. 임신성 고혈압
3. 조산
4. 저체중 출생아
5. 전치 태반
6. 태반 조기 박리
7. 제왕절개분만의 빈도
8. 주산기 이환율과 사망률, 사산

참고 *Final Check 산과 145 page*

09

다음 중 15세 여성이 임신을 확인하여 내원하였다. 이 산모에게서 증가할 수 있는 위험성을 모두 고르시오.

(가) 자간증
(나) 조산
(다) 저출생체중
(라) 염색체 이상

① 가, 나, 다 ② 가, 다
③ 나, 라 ④ 라
⑤ 가, 나, 다, 라

09

정답 ①

해설

청소년 임신에서 증가하는 위험성

1. 임신성 고혈압(preeclampsia, eclampsia)
2. 빈혈
3. 태아성장제한(fetal growth restriction)
4. 조기 진통(preterm labor)
5. 태반 조기 박리
6. 양수 내 감염
7. 영아 사망률
8. 성병

참고 *Final Check 산과 149 page*

10

15세의 여학생이 임신을 하여 부모와 함께 내원하였다. 다음 중 이 산모와 태아의 예후로 가장 가능성이 높은 것을 고르시오.

① 염색체 이상의 빈도가 높다
② 분만 진통 시간이 길어진다
③ 거대아 분만 증가
④ 전자간증의 빈도가 높다
⑤ 산후 출혈의 빈도가 높다

10

정답 ④

해설

청소년 임신에서 증가하는 위험성

1. 임신성 고혈압(preeclampsia, eclampsia)
2. 빈혈
3. 태아성장제한(fetal growth restriction)
4. 조기 진통(preterm labor)
5. 태반 조기 박리
6. 양수 내 감염
7. 영아 사망률
8. 성병

참고 *Final Check 산과 149 page*

CHAPTER 09

산전 관리(Prenatal care)

01

생존 능력이 있는 태아를 1회 분만한 여성을 부르는 올바른 용어를 고르시오.

① 산부(Parturient)

② 초임부(Primigravida)

③ 미분만부(Nullipara)

④ 초산부(Primipara)

⑤ 다분만부(Multipara)

01

정답 ④

해설

초산부(Primipara)

: 생존 또는 사망한 태아를 임신 20주(20주 0일) 이후에 분만한 횟수가 1번인 여성

참고 *Final Check 산과 139 page*

02

평소 생리가 규칙적이었던 30세 여성이 생리 예정일이 14일이 지나서 발생한 적은 양의 질 출혈을 주소로 내원하였다. 시행한 소변 임신 반응 검사가 양성으로 확인되었다면 다음으로 시행해야 하는 검사를 고르시오.

① 질 초음파

② 복부 컴퓨터단층촬영

③ 비수축검사(Nonstress test)

④ 수축자극검사(Contraction stress test)

⑤ 혈액 hCG

02

정답 ①

해설

초음파 검사에 의한 임신의 확인

1. 임신 확인 후 가장 먼저 시행해야 하는 검사
2. 방법 차이에 따른 임신 초음파 소견
   a. 복부 초음파
      - 임신 5주 : 임신낭 확인
      - 임신 6주 : 태아 심박동 확인
   b. 질 초음파
      - 임신 4주 : 임신낭 확인
      - 임신 5주 : 난황주머니 확인
      - 임신 6주 직전 : 태아 심박동 확인

참고 *Final Check 산과 137 page*

03

초기 임신 시 초음파 검사에서 (A)와 (B)는 어느 해부학적 구조물을 나타내는 것인가?

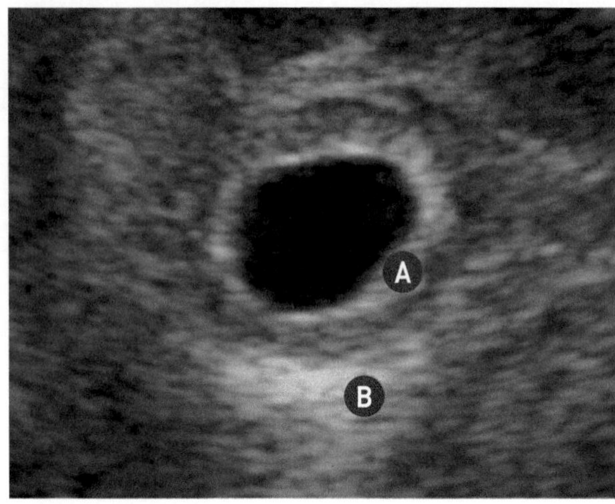

① Decidua vera + Decidua basalis

② Decidua parietalis + Decidua capsularis

③ Decidua basalis + Chorion frondosum

④ Decidua vera

⑤ Decidua capsularis

03

정답 ②

해설

이중 탈락막 징후(Double decidual sign)

1. 무에코의 임신낭을 둘러싼 두 겹의 탈락막
2. 피막 탈락막(decidua capsularis)과 벽쪽 탈락막(decidua parietalis)

참고 *Final Check 산과 137 page*

04

다음 중 임신 16~18주 사이에 시행하는 산전 진단검사를 모두 고르시오.

(가) 50 g OGTT
(나) MSAFP
(다) Chorionic villus sampling
(라) Amniocentesis

① 가, 나, 다
② 가, 다
③ 나, 라
④ 라
⑤ 가, 나, 다, 라

05

임신부가 임신 중반 이후 산전 진찰을 위해 병원을 방문할 때마다 정기적으로 확인해야 할 검사가 아닌 것을 고르시오.

① 혈압
② 체중
③ 태아 심장박동
④ 자궁 바닥의 높이
⑤ 혈색소

04

정답 ③

해설

임신 주수별 산전 관리

1. 최초 방문 시 : 초음파 검사, 빈혈 검사, 혈액형 검사, 풍진 항체 검사, B형 간염 검사, 에이즈 검사, 소변 검사, 자궁경부 세포진 검사
2. 임신 9~13주 : 초음파 검사(목덜미투명대 11~13주), 이중 표지자 검사(PAPP-A, hCG), 융모막융모생검
3. 임신 15~20주 : 삼중 검사(α-fetoprotein, β-hCG, estriol), 사중 검사(α-fetoprotein, β-hCG, estriol, inhibin-A), Maternal serum AFP, 양수 검사
4. 임신 20~24주 : 정밀 초음파, 태아 심장 초음파
5. 임신 24~28주 : 임신성 당뇨 선별검사, 빈혈 검사, Rh 음성인 경우 면역글로불린 주사
6. 임신 29~41주 : 초음파 검사(태아 체중, 태반 위치, 양수량), 분만 전 검사, 수술 전 검사, 태아 안녕 검사(NST)

참고 *Final Check 산과 143 page*

05

정답 ⑤

해설

정상적인 임신의 산전 관리 일정

1. 임신 28주까지 : 4주에 한 번
2. 임신 36주까지 : 2주에 한 번
3. 임신 36주 이후 : 매주 정기적으로 방문
4. 매 방문 시 임신부의 혈압, 체중, 자궁저부의 높이, 태아의 심음, 크기, 양수량, 태동 등을 평가

참고 *Final Check 산과 142 page*

06

산모가 병원을 방문하는 시기와 검진 사항이 틀린 것을 모두 고르시오.

(가) 임신 15~20주 : 산모 혈청 검사
(나) 임신 24~28주 : 임신성 당뇨 검사
(다) 임신 28주 : D 음성 산모의 항체 검사
(라) 매 방문 시 : 혈압, 체중, 자궁저부 높이, 빈혈 검사

① 가, 나, 다　② 가, 다
③ 나, 라　④ 라
⑤ 가, 나, 다, 라

07

산부인과에 처음 내원한 36세 여자가 임신 7주로 진단을 받았다. 다음 중 우선적으로 시행해야 할 검사를 고르시오.

① 융모융모막생검
② 비수축검사
③ AFP
④ Pap smear
⑤ 질 분비물의 GBS 검사

06

정답 ④

해설

임신 주수별 산전 관리

1. 최초 방문 시 : 초음파 검사, 빈혈 검사, 혈액형 검사, 풍진 항체 검사, B형 간염 검사, 에이즈 검사, 소변 검사, 자궁경부 세포진 검사
2. 임신 9~13주 : 초음파 검사(목덜미투명대 11~13주), 이중 표지자 검사(PAPP-A, hCG), 융모막융모생검
3. 임신 15~20주 : 삼중 검사(α-fetoprotein, β-hCG, estriol), 사중 검사(α-fetoprotein, β-hCG, estriol, inhibin-A), Maternal serum AFP, 양수 검사
4. 임신 20~24주 : 정밀 초음파, 태아 심장 초음파
5. 임신 24~28주 : 임신성 당뇨 선별검사, 빈혈 검사, Rh 음성인 경우 면역글로불린 주사
6. 임신 29~41주 : 초음파 검사(태아 체중, 태반 위치, 양수량), 분만 전 검사, 수술 전 검사, 태아 안녕 검사(NST)

참고 *Final Check 산과 143 page*

07

정답 ④

해설

임신 확인 후 처음 내원 시 시행하는 검사

: 초음파 검사, 빈혈 검사, 혈액형 검사, 풍진 항체 검사, B형 간염 검사, 에이즈 검사, 소변 검사, 자궁경부 세포진 검사

참고 *Final Check 산과 143 page*

08

단태아를 임신한 산모에게 추천되는 BMI에 따른 적절한 체중 증가의 범위를 쓰시오.

08

정답

1. 저체중 (<18.5 kg/m^2) : 12.5~18 kg
2. 정상 (18.5~24.9 kg/m^2) : 11.5~16 kg
3. 과체중 (25~29.9 kg/m^2) : 7~11.5 kg
4. 비만 (≥30 kg/m^2) : 5~9 kg

참고 *Final Check 산과 145 page*

09

다음 중 임신 중 과량 섭취 시 기형을 유발할 수 있는 것은 무엇인가?

① Vitamin A

② Vitamin B_6

③ Vitamin B_{12}

④ Vitamin C

⑤ Caffeine

09

정답 ①

해설

Vitamin A

1. 임신 중 고농도(>10,000 IU/day)로 섭취 시 태아의 기형 증가
2. Vitamin A derivative isotretinoin : 기형유발물질(potent teratogen)
3. 과일이나 채소에 들어있는 베타카로틴(beta-carotene)은 태아에게 독성이 없음
4. 임신부가 비타민 A 보충제를 추가로 섭취할 필요는 없음
5. 부족 시 야맹증(night blindness), 산모의 빈혈(anemia), 조산(preterm birth) 등이 증가

참고 *Final Check 산과 149 page*

10

다음 중 부족하면 난쟁이증(dwarfism)을 유발하는 물질을 고르시오.

① Vitamin A ② Calcium

③ Zinc ④ Copper

⑤ Iron

10

정답 ③

해설

아연(zinc)

1. 한국인의 아연 섭취 권고안 : 10.5 mg/day
2. 아연 결핍 시 증가하는 위험성
   a. 식욕 부진, 성장 저하, 상처 치유의 지연
   b. 태아의 난쟁이증(dwarfism), 생식샘저하증(hypogonadism)

참고 *Final Check 산과 129 page*

11

다음 중 채식주의자인 산모에서 결핍되기 쉬운 비타민은 무엇인가?

① Vitamin A
② Vitamin B_{12}
③ Vitamin B_6
④ Vitamin D
⑤ Vitamin E

11

정답 ②

해설

Vitamin B_{12}(cobalamin)

1. 공급원이 동물이므로 채식주의자에게 섭취 권고해야 함
2. 임신 전에 감소된 경우 신경관결손의 위험이 증가
3. Vitamin C의 과량 섭취는 vitamin B_{12}의 농도를 낮춤

참고 *Final Check 산과 149 page*

12

다음 중 산모에서 운동을 제한해야 하는 경우가 아닌 것은 무언인가?

① Twin pregnancy
② Intrauterine growth restriction
③ Pregnancy induced hypertension
④ Cardiovascular disease
⑤ Epilepsy

12

정답 ⑤

해설

임신 중 운동의 절대 금기증(ACOG, 2017)

1. 심혈관 질환(cardiovascular disease) 또는 폐질환(pulmonary disease)이 있는 경우
2. 조기진통(preterm labor)의 위험성이 있는 경우 : 원형결찰술, 다태아 임신, 질 출혈, 조기진통, 조기양막파수
3. 임신 합병증이 있는 경우 : 전자간증, 전치태반, 빈혈, 잘 조절되지 않는 당뇨 또는 간질, 병적으로 심한 비만, 태아성장제한

참고 *Final Check 산과 150 page*

13

임신 중 유산소 운동 금기인 산모의 질환은 무엇인가?

① 빈혈
② 비만
③ 임신성 당뇨
④ 전자간증
⑤ 심부정맥

13

정답 ④

해설

임신 중 운동의 절대 금기증(ACOG, 2017)

1. 심혈관 질환(cardiovascular disease) 또는 폐질환(pulmonary disease)이 있는 경우
2. 조기진통(preterm labor)의 위험성이 있는 경우 : 원형결찰술, 다태아 임신, 질 출혈, 조기진통, 조기양막파수
3. 임신 합병증이 있는 경우 : 전자간증, 전치태반, 빈혈, 잘 조절되지 않는 당뇨 또는 간질, 병적으로 심한 비만, 태아성장제한

참고 *Final Check 산과 150 page*

14

임신 중 산모의 활동에 대한 설명 중 틀린 것을 고르시오.

① 직장 생활을 할 수 있다

② 이전부터 지속하던 조깅은 계속할 수 있다

③ 임신 중 비행기 여행은 비교적 자유롭게 해도 된다

④ 임신 중 에어로빅은 분만에 도움이 된다

⑤ 임신 중 사우나는 비교적 자유롭게 해도 된다

14

정답 ⑤

해설

임신 중 산모의 활동

1. 합병증이 없으면 진통이 시작될 때까지 업무가 가능
2. 임신 중의 운동을 제한할 필요는 없음
3. 임신 36주까지 비행기를 탈 수 있음
4. 규칙적인 에어로빅, 조깅을 한 여성 : 분만 기간이 짧았고, 제왕절개의 빈도가 낮음
5. 임신 초 100°F (37.7℃) 이상 노출 시 유산, NTD 증가

참고 *Final Check 산과 150 page*

15

25세 임신부가 산전 진찰을 위해 병원에 내원하였다. 산모는 키 160 cm, 임신 전 체중 95 kg, 병원 방문 시 체중 96 kg이었다. 이 환자에 대한 관리로 옳은 것은 무엇인가?

① 체중 증가를 5 kg 이내로 제한한다

② 최대 심박수가 100회/min 이상인 운동이 적절하다

③ 체중감소를 위해 사우나에서 발한 시킨다

④ 하루 100 kcal를 소모하는 운동을 권장한다

⑤ 무릎 관절의 보호를 위하여 조깅을 피한다

15

정답 ⑤

해설

비만 여성의 임신 중 관리

1. 비만 (≥30 kg/m^2)의 체중 증가 범위는 5~9 kg
2. 일반적으로 제한할 필요 없으나 너무 심한 피로감, 부상이 초래되지 않도록 해야함
3. 임신 초 100°F (37.7℃) 이상 노출 시 유산, NTD 증가
4. 임신 중 운동을 권하기 전에 철저한 임상적인 평가가 필요

참고 *Final Check 산과 127, 150 page*

16

무월경 20주인 여성이 산전 진찰을 받기 위해 내원하였다. 검사상 특이 소견은 보이지 않았다. 의사로서 상담 시 내용으로 부적절한 것을 고르시오.

① 부부 생활은 삼가도록 한다

② 가벼운 운동을 하도록 격려한다

③ 철분제를 복용하도록 권유한다

④ 4주 후 다시 진찰을 받도록 한다

⑤ 여행을 하여도 되지만 긴 여행 중에는 자주 쉬도록 충고한다

16

정답 ①

해설

임신 중 성교(Coitus)

1. 임신 마지막 4주 전까지는 임신 중 성교를 제한할 필요는 없음
2. 유산이나 조산의 위험이 있는 경우는 피하거나 콘돔을 사용
3. 임신 중 성교의 주의 사항
   a. 금기증 : 유산이나 조산의 위험, 전치태반이 있는 경우
   b. 남성 상위 자세(male superior position) : 양막파수 가능성이 2배 증가
   c. 구강-질 성교는 일부 해롭다는 보고가 있어 임신 중에는 바람직하지 않음

참고 *Final Check 산과 151 page*

17

산모가 임신 중 여행에 대해 상담하기 위해 내원하였다. 다음 중 옳은 상담을 고르시오.

① 비행기 이용한 장거리 여행은 30주까지 허용된다

② 비행기 여행 중 매 4시간마다 5분 정도 걷도록 한다

③ 비행기 여행 중 2점식 좌석 벨트 이용한다

④ 자동차 좌석의 무릎 벨트는 배 아래쪽과 양쪽 허벅지 상부를 지나도록 한다

⑤ 자동차 에어백은 임신부에게 오히려 위험할 수 있으므로 작동하지 않게 한다

17

정답 ④

해설

임신 중 여행(Travel)

1. 자동차 여행(automobile travel)
   a. 3점 형식의 안전벨트를 착용
   b. 안전벨트 하단을 복부 아래에 위치시키고 허벅지 상부를 가로 지르도록 착용
2. 비행기 여행(air travel)
   a. 임신 36주까지 가능
   b. 장시간 앉아서 하는 여행은 정맥 혈액의 정체와 혈전색전증의 위험을 증가시키므로 적어도 한 시간마다 하지를 규칙적으로 움직여 정맥 순환을 촉진시켜 주어야 함

참고 *Final Check 산과 151 page*

18

다음 중 임신 중 가능한 예방접종을 고르시오.

① 풍진(Rubella) ② 홍역(Measles)

③ 볼거리(Mumps) ④ B형 간염(Hepatitis B)

⑤ 수두(Varicella)

18

정답 ④

해설

임신 중 금기인 예방접종

1. 홍역(Measles)
2. 볼거리(Mumps)
3. 풍진(Rubella)
4. 수두(Varicella)
5. 두창(Smallpox)

참고 *Final Check 산과 155 page*

19

다음 중 임신 제2삼분기 이후 예방접종이 가능한 것을 고르시오.

① 풍진(Rubella) ② 홍역(Measles)

③ 볼거리(Mumps) ④ 수두(Varicella)

⑤ 인플루엔자(Influenza)

19

정답 ⑤

해설

임신 중 금기인 예방접종

1. 홍역(Measles)
2. 볼거리(Mumps)
3. 풍진(Rubella)
4. 수두(Varicella)
5. 두창(Smallpox)

참고 *Final Check 산과 155 page*

20

다음 중 기형유발물질(teratogen)인 것을 모두 고르시오.

(가) Varicella zoster
(나) Measles
(다) Toxoplasmosis
(라) Influenza

① 가, 나, 다 ② 가, 다
③ 나, 라 ④ 라
⑤ 가, 나, 다, 라

20
정답 ②
해설
1. Congenital varicella syndrome : chorioretinitis, microphthalmia, cerebral cortical atrophy, FGR, hydrocephalus, skin & bone defects
2. Measles : 유산, 조산, 저체중출생은 증가, 기형유발은 없음
3. Congenital toxoplasmosis : chorioretinitis, intracranial calcification, hydrocephalus
4. Influenza : 임신 및 기형에 영향을 주지 않음

※ 임신 중 접종 금기가 기형유발 효과(teratogenic effect) 때문이 아님

참고 *Final Check 산과 155 page*

21

임신 중 노출되었을 때 예방적 면역글로불린이 필요한 경우를 모두 고르시오.

(가) B형 간염(Hepatitis B)
(나) 광견병(Rabies)
(다) 파상풍(Tetanus)
(라) 수두(Varicella)

① 가, 나, 다 ② 가, 다
③ 나, 라 ④ 라
⑤ 가, 나, 다, 라

21
정답 ⑤
해설
임신 중 감염 노출 시 예방적 면역글로불린 접종
1. A형 간염(hepatitis A)
2. B형 간염(hepatitis B)
3. 광견병(rabies)
4. 파상풍(tetanus)
5. 홍역(measles)
6. 수두(varicella)

참고 *Final Check 산과 156 page*

22

임신 12주 산모가 백일해 예방접종 상담을 위해 내원하였다. 다음 중 가장 적절한 시기를 고르시오.

① 즉시 접종

② 4주 후 접종

③ 임신 제3삼분기에 접종

④ 출산 후 접종

⑤ 수유 완료 후 접종

23

임신 중 예방접종이 불가능한 것은 모두 고르시오.(2가지)

〈R-Type〉

① Listeria monocytogens	⑥ Influenza
② HPV	⑦ GBS
③ Varicella zoster	⑧ Toxoplasmosis
④ Rabies	⑨ CMV
⑤ HBV	⑩ Measles

22

정답 ③

해설

백일해(Pertussis)

1. 임신 27~36주 사이에 Tdap 접종을 권고
2. 임신 중에 접종하지 못한 경우 분만 후 신속하게 접종할 것을 권장

참고 *Final Check 산과 155 page*

23

정답 ③, ⑩

해설

임신 중 금기인 예방접종

1. 홍역(Measles)
2. 볼거리(Mumps)
3. 풍진(Rubella)
4. 수두(Varicella)
5. 두창(Smallpox)

참고 *Final Check 산과 155 page*

CHAPTER 10

산과 영상(Fetal imaging)

01

초기 자궁 내 임신에서 초음파상 태아의 심박동이 관찰되기 시작하는 시기는 언제인가?

① 임신 4주　② 임신 5주
③ 임신 6주　④ 임신 7주
⑤ 임신 8주

02

평소 생리가 불규칙한 25세 여성이 소변 임신검사상 양성으로 확인되어 내원하였다. 다음 중 이 여성의 임신 주수의 추정에 가장 적절한 것을 고르시오.

① Biparietal diameter (BPD)
② Abdominal circumference (AC)
③ Femur length (FL)
④ Mean sac diameter (MSD)
⑤ Crown rump length (CRL)

01

정답 ③

해설

임신 제1삼분기의 초기 초음파 소견

1. 임신낭(gestational sac)이 보이는 시기
   a. 질 초음파(TVUS)상 임신 5주
   b. 복부 초음파(TAUS)상 임신 6주
2. 배아와 심박동(embryo with cardiac activity)이 보이는 시기
   a. 질 초음파(TVUS)상 임신 6주
   b. 복부 초음파(TAUS)상 임신 7주

참고 *Final Check 산과 158 page*

02

정답 ②

해설

임신 주수의 추정

1. 제1삼분기 : CRL이 가장 유용(3~5일 오차)
2. 제2삼분기(임신 14~26주)
   a. BPD가 가장 유용(7~10일 오차)
   b. FL도 BPD와 잘 연관됨(7~11일 오차)
3. 임신 26주 이후에는 모두 정확하지 않음

참고 *Final Check 산과 163 page*

03

다음 중 임신 제1삼분기에 임신 주수를 알 수 있는 가장 정확한 초음파 소견은 무엇인가?

① Mean sac diameter (MSD)

② Crown rump length (CRL)

③ Femur length (FL)

④ Biparietal diameter (BPD)

⑤ Abdominal circumference (AC)

03

정답 ②

해설

임신 주수의 추정

1. 임신 제1삼분기 : CRL이 가장 유용(3~5일 오차)
2. 임신 제2삼분기(임신 14~26주)
   a. BPD가 가장 유용(7~10일 오차)
   b. FL도 BPD와 잘 연관됨(7~11일 오차)
3. 임신 26주 이후에는 모두 정확하지 않음

참고 *Final Check 산과 163 page*

04

다음 중 초음파로 태아의 주수를 가장 정확하게 알 수 있는 것을 고르시오.

① 임신 10주의 CRL

② 임신 15주의 BPD

③ 임신 30주의 BPD

④ 임신 30주의 AC

⑤ 임신 30주의 FL

04

정답 ①

해설

임신 주수의 추정

1. 임신 제1삼분기 : CRL이 가장 유용(3~5일 오차)
2. 임신 제2삼분기(임신 14~26주)
   a. BPD가 가장 유용(7~10일 오차)
   b. FL도 BPD와 잘 연관됨(7~11일 오차)
3. 임신 26주 이후에는 모두 정확하지 않음

참고 *Final Check 산과 163 page*

05

다음 중 초음파로 임신 주수를 가장 정확하게 측정할 수 있는 것은 무엇인가?

① 임신 4~5주 : MSD

② 임신 8~12주 : CRL

③ 임신 16~20주 : FL

④ 임신 21~26주 : BPD

⑤ 임신 30~34주 : AC

05

정답 ②

임신 주수의 추정

1. 임신 제1삼분기 : CRL이 가장 유용(3~5일 오차)
2. 임신 제2삼분기(임신 14~26주)
   a. BPD가 가장 유용(7~10일 오차)
   b. FL도 BPD와 잘 연관됨(7~11일 오차)
3. 임신 26주 이후에는 모두 정확하지 않음

참고 *Final Check 산과 163 page*

06

임신 27주로 알고 있는 30세 임산부가 산전 진찰을 위해 내원하였다. 초음파 검사에서 태아의 모든 계측이 임신 23주로 나타났다. 다음 중 가장 먼저 시행해야 하는 것을 고르시오.

① 월경력에 대한 문진

② 수축자극검사

③ 비수축검사

④ 양수천자

⑤ 탯줄천자

06

정답 ①

해설

임신 주수의 추정

1. 임신 제1삼분기 : CRL이 가장 유용(3~5일 오차)
2. 임신 제2삼분기(임신 14~26주)
   a. BPD가 가장 유용(7~10일 오차)
   b. FL도 BPD와 잘 연관됨(7~11일 오차)
3. 임신 26주 이후에는 모두 정확하지 않음
4. 산모가 알고 있는 임신 주수와 초음파 검사에서의 임신 주수가 차이가 날 경우 가장 먼저 월경력에 대한 문진을 시행해야 함

참고 *Final Check 산과 163 page*

07

산모에서 초음파를 시행할 때 태아와 산모 각각에서 여러 요인에 의하여 태아 기형의 발견이 어렵다. 다음 중 이러한 요인들에 해당하는 것을 고르시오.

(가) Hyperflexed fetus
(나) Maternal obesity
(다) Oligohydramnios
(라) Fetal head engage

① 가, 나, 다　　② 가, 다

③ 나, 라　　④ 라

⑤ 가, 나, 다, 라

07

정답 ⑤

해설

초음파 검사에 영향을 주는 요인들

1. 모체의 비만(maternal obesity)
2. 태반의 자궁 전면 위치
3. 양수과다증(hydramnios), 양수과소증(oligohydramnios)
4. 태아의 위치 및 자세

참고 *Final Check 산과 162 page*

08

다음 중 임신 제1삼분기의 초음파 검사 시행 시 반드시 확인해야 하는 것을 모두 고르시오.

(가) 태아 심박동(fetal heart tone)
(나) 머리엉덩길이(crown–rump length)
(다) 임신낭(gestational sac)의 위치
(라) 태위(fetal presentation)

① 가, 나, 다　② 가, 다
③ 나, 라　④ 라
⑤ 가, 나, 다, 라

08

정답 ①

해설

임신 제1삼분기 초음파 검사의 목적

1. 임신의 진단
   a. 정상 자궁 내 임신(임신낭, 난황낭, 배아, 배아의 수, 태아 크기, 태아 심박동 등)
   b. 비정상 임신(유산, 자궁외임신, 임신성 융모질환 등)
2. 임신 주수의 확인
3. 자궁 및 부속기 확인
4. 태아 목덜미 투명대(nuchal translucency) 두께 측정

참고 *Final Check 산과 157 page*

09

정상 자궁 내 임신의 제1삼분기 초음파에서 확인해야 할 사항을 열거하시오.

09

정답

1. 임신의 진단(임신낭, 난황낭, 배아, 배아의 수, 태아 크기, 태아 심박동 등)
2. 임신 주수의 확인
3. 자궁 및 부속기 확인
4. 태아 목덜미 투명대 두께 측정

참고 *Final Check 산과 157 page*

10

임신 15주에 태아의 상태를 확인하기 위하여 초음파를 시행하였을 때, 확인 가능한 것들을 모두 고르시오.

(가) Biparietal diameter
(나) Choroid plexus
(다) Fetal spine
(라) Fetal bladder

① 가, 나, 다
② 가, 다
③ 나, 라
④ 라
⑤ 가, 나, 다, 라

11

다음 중 임신 15주에 진단할 수 없는 것은 무엇인가?

① 다태아 임신(multifetal pregnancy)
② 포상기태(H-mole)
③ 척추이분증(spina bifida)
④ 전치태반(placenta previa)
⑤ 자궁근종(myoma)

10

정답 ⑤

해설

임신 제2, 3삼분기의 기본 초음파 검사

1. 머리 : lateral ventricle, choroid plexus cyst, corpus callosum, cavum septi pellucidi, thalamus, cerebellum, cisterna magna, nuchal fold thickness, orbits, maxillary arch, mandibular arch, tongue, lips, nasal bone & nostrils, ears
2. 복부 : diaphragm, stomach, spleen, liver, gall bladder, umbilical vein, portal veins, ductus venosus, adrenal glands, kidneys, urinary bladder, rectum, umbilical arteries, umbilical cord insertion, external genitalia
3. 근골격계 : clavicle, humerus, ulna and radius, hands and fingers, femur, tibia and fibula, foot and toes

참고 *Final Check 산과 161 page*

11

정답 ④

해설

전치태반(placenta previa)

1. 임신 중기에 internal os를 덮고 있는 태반 중 약 40%는 분만 시까지 전치태반으로 지속
2. 임신 제2, 3삼분기 초에 internal os를 덮지 않고 가까이 위치한 태반은 자궁저부(fundus)로 이동할 가능성이 높음
3. 임신 30주 이전에 초음파로 확인된 전치태반의 지속 빈도는 5% 미만

참고 *Final Check 산과 230 page*

12

임신 12주인 36세 산모의 태아 초음파가 다음과 같다면 다음 처치로 가장 적절한 것을 고르시오.

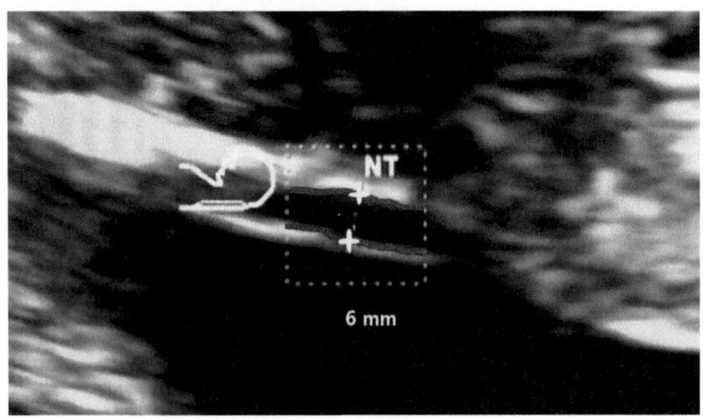

① 초음파 추적 관찰

② 모체 혈청 융모생식샘자극호르몬 검사

③ 융모막융모생검

④ 양수천자

⑤ 치료적 유산

12

정답 ③

해설

목덜미 투명대(nuchal translucency, NT)

1. 검사 시기 : 임신 11주 0일에서 13주 6일
2. 검사 방법
   a. 태아가 화면의 75% 이상 되도록 확대
   b. 중앙 시상면(midsagittal plane)에서 측정
   b. 태아의 코뼈, 코 피부, 구개가 보여야 함
   c. 태아의 목은 중립 위치(neutral position)
   d. 캘리퍼를 투명대 내측에서 연조직 내측(inner to inner)에 위치하여 최대 두께를 측정
   e. 최소 3회 이상 측정한 후 가장 높은 값을 최종 결과로 기록

참고 *Final Check 산과 159 page*

13

임신 11주 태아의 초음파가 다음과 같이 측정될 때 다음 처치로 가장 알맞은 것은 무엇인가?

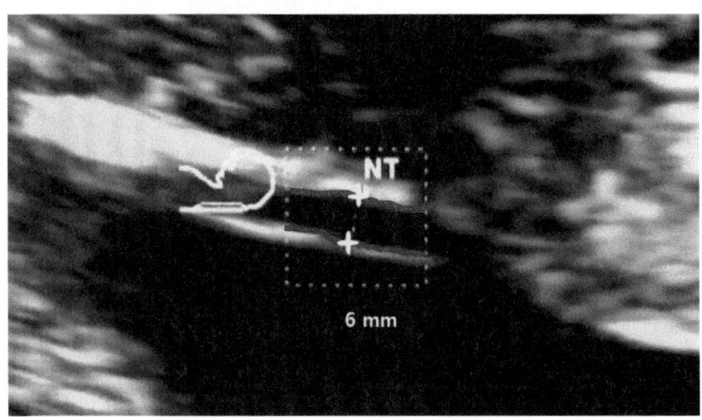

① Karyotyping

② Amniocentesis

③ Abortion

④ MSAFP 측정

⑤ hCG 측정

13

정답 ①

해설

목덜미 투명대(nuchal translucency, NT)

1. 검사 시기 : 임신 11주 0일에서 13주 6일
2. 검사 방법
   a. 태아가 화면의 75% 이상 되도록 확대
   b. 중앙 시상면(midsagittal plane)에서 측정
   b. 태아의 코뼈, 코 피부, 구개가 보여야 함
   c. 태아의 목은 중립 위치(neutral position)
   d. 캘리퍼를 투명대 내측에서 연조직 내측(inner to inner)에 위치하여 최대 두께를 측정
   e. 최소 3회 이상 측정한 후 가장 높은 값을 최종 결과로 기록

참고 *Final Check 산과 159 page*

14

목덜미 투명대(nuchal translucency)에 대한 설명으로 옳은 것을 고르시오.

① 임신 8~10주에 측정한다

② 관상면(coronal plane)에서 측정한다

③ 태아가 화면의 1/3을 차지해야 한다

④ 투명대 내측에서 연조직 내측까지 측정한다

⑤ 비정상은 ≥6 mm이다

14

정답 ④

해설

1. 검사 시기 : 임신 11주 0일~13주 6일
2. 중앙 시상면(midsagittal plane)에서 측정
3. 태아가 화면의 75% 이상 되도록 확대
4. 투명대 내측에서 연조직 내측까지 측정
5. 정상 : <2.5~3 mm, ≤95 percentile

참고 *Final Check 산과 159 page*

15

32세, 임신 11주 산모가 초음파 검사상 목덜미 투명대(NT)가 6 mm로 측정되었다. 이 환자에게 올바른 다음 처치는 무엇인가?

① 임신 중절

② TORCH 검사

③ 1주일 후 재검

④ 1주일 후 triple test

⑤ 16주에 양수천자

15

정답 ⑤

해설

목덜미 투명대의 증가 확인

1. 염색체 핵형 검사(karyotyping)를 시행
2. NT가 증가했지만 정상 염색체 핵형인 경우
   a. 태아 심초음파(fetal echocardiography)
   b. 정밀 초음파(detailed ultrasonography)

참고 *Final Check 산과 160 page*

16

다음 중 목덜미 투명대(NT)가 증가할 수 있는 상황을 모두 고르시오.

(가) Trisomy 21

(나) Turner syndrome

(다) Trisomy 18

(라) DiGeorge syndrome

① 가, 나, 다　　② 가, 다

③ 나, 라　　④ 라

⑤ 가, 나, 다, 라

16

정답 ①

해설

목덜미 투명대(NT)가 증가되는 질환

1. 염색체 이상 : Trisomy 21, Trisomy 18, Trisomy 13, Turner syndrome
2. 선천성 심장 기형
3. 선천성 근골격계 기형
4. 대사이상 질환
5. 유전 증후군

참고 *Final Check 산과 160 page*

17

22세 임신 24주 초산모가 내원하였다. 시행한 초음파가 다음과 같을 때 진단명은 무엇인가?

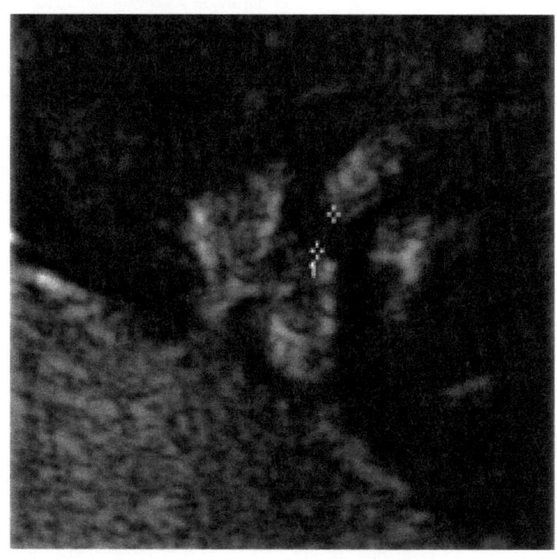

① Cleft lip ② Spina bifida
③ Macroglossia ④ Micrognathia
⑤ Thyromegaly

17
정답 ①
해설
입술갈림증(Cleft lip)
1. Complete cleft lip : Cleft extends to naris
2. Incomplete cleft lip : Cleft does not extend to naris
3. Cleft palate seen with both complete and incomplete cleft lip : Involves alveolar ridge (primary palate)
4. Isolated cleft palate (only secondary palate involved) : Intact lip and alveolar ridge

참고 *Final Check 산과 179 page*

18

Arnold–Chiari II malformation의 초음파 소견이 아닌 것은 무엇인가?

① Lemon sign
② Dangling sign
③ Banana sign
④ Posterior fossa cyst
⑤ Cisterna magna obliteration

18
정답 ④
해설
Arnold–Chiari II malformation
1. 양쪽마루뼈지름 감소(small BPD)
2. 뇌실확장증(ventriculomegaly)
3. 레몬 징후(lemon sign) : 이마뼈(frontal bone)가 뾰족해지는(scalloping) 모양
4. 바나나 징후(banana sign) : 소뇌(cerebellum)가 큰구멍(foramen magnum)쪽으로 빠지면서 정상적인 아령 모양을 잃고 바나나 모양으로 변형
5. 대조(cisterna magna)가 작거나 보이지 않음

참고 *Final Check 산과 169 page*

19

다음 초음파 소견 중 태아에서 척추이분증(spina bifida)이 있을 때 관찰되는 것을 모두 고르시오.

(가) Cerebral ventriculomegaly
(나) Frontal scalloping
(다) Banana sign
(라) Increased size of cerebellum

① 가, 나, 다　② 가, 다
③ 나, 라　④ 라
⑤ 가, 나, 다, 라

20

척추이분증(spina bifida)에서 나타나는 초음파에서 두개골 소견(cranial signs)을 쓰시오.

19

정답 ①

해설

척추이분증(spina bifida)의 cranial signs

1. 양쪽마루뼈지름 감소(small BPD)
2. 뇌실확장증(ventriculomegaly)
3. 레몬 징후(lemon sign) : 이마뼈(frontal bone)가 뾰족해지는(scalloping) 모양
4. 바나나 징후(banana sign) : 소뇌(cerebellum)가 큰구멍(foramen magnum)쪽으로 빠지면서 정상적인 아령 모양을 잃고 바나나 모양으로 변형
5. 대조(cisterna magna)가 작거나 보이지 않음

참고 *Final Check 산과 169 page*

20

정답

1. Frontal bone scalloping : lemon sign
2. Ventriculomegaly
3. Obliteration of cisterna magna
4. Small BPD
5. Elongated cerebellum : banana sign

참고 *Final Check 산과 169 page*

21

임신 16주인 28세 초임부에게 시행한 초음파 검사 결과 0.7 cm 크기의 맥락막총 낭종(choroid plexus cysts)이 양측성으로 보였다. 정밀 초음파상에서 다른 기형의 소견은 보이지 않았고, 삼중 표지물질 검사(triple marker test)는 정상이었다. 다음으로 이 산모에게 가장 적합한 처치는 무엇인가?

① 정기적인 산전 진찰

② 일주일 후 초음파 재검사

③ 탯줄천자

④ 양수천자

⑤ 임신 종결

22

다음 영상에 해당하는 진단명은 무엇인가?

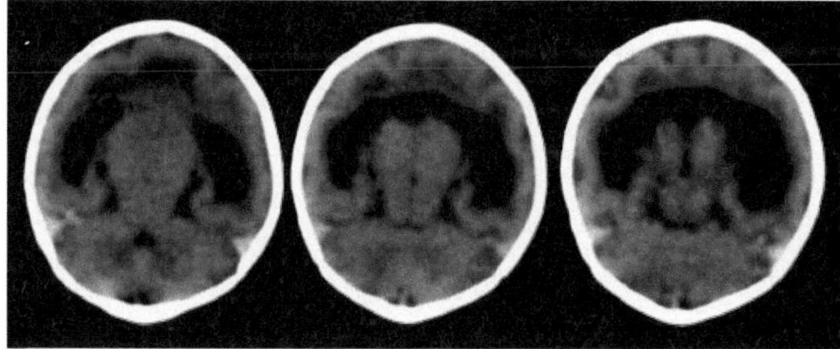

① Arnold-Chiari malformation

② Holoprosencephaly

③ Schizencephaly

④ Prosencephaly

⑤ Dandy-Walker malformation

21

정답 ①

해설

Choroid plexus cyst (CPC)

1. Almost always benign & transient finding
2. 비정상적인 소견
   a. Large(>1 cm), bilateral, persist ≥22 weeks
   b. 1/3 in trisomy 18
3. 처치 및 예후
   a. 태아 기형의 확인 필요
   b. 초음파상 다른 이상이 보이면 염색체 검사(karyotyping), 보이지 않으면 경과 관찰
   c. 출생 후 동반 기형이 없는 경우 정상 발달을 보임

참고 *Final Check 산과 172 page*

22

정답 ②

해설

완전전뇌증(Holoprosencephaly)

1. 전뇌의 대뇌 반구로의 분할 이상에 의해 발생한 대뇌 기형
2. 정중 기형(midline anomaly)과 trisomy 13과 동반이 흔함
3. 처치 : 태아 염색체 검사(karyotyping), TORCH screening

참고 *Final Check 산과 175 page*

23

다음 중 핵형 검사를 권장해야 하는 태아 기형이 아닌 것은 무엇인가?

① Duodenal atresia

② Diaphragmatic hernia

③ Omphalocele

④ Cystic hygroma

⑤ Gastroschisis

23

정답 ⑤

해설

1. Duodenal atresia : 30% 정도 다운증후군 연관
2. Diaphragmatic hernia : 1/2 정도에서 다른 기형이나 염색체 이상과 동반
3. Omphalocele : 50% 이상에서 홀배수체 및 기타 주기형 동반
4. Cystic hygroma : 60% 정도 aneuploidy 동반
5. Gastroschisis : 염색체 이상과 관련이 적음

참고 *Final Check 산과 180, 188, 213, 216, 217 page*

24

림프물주머니(cystic hygroma)가 의심되는 태아에서, 나쁜 예후를 의심할 수 있는 초음파 소견을 모두 고르시오.

(가) 피부 두께가 15 mm 이상
(나) 다른 기형 동반
(다) Septated cyst
(라) 전후 흉벽의 hydrops

① 가, 나, 다　② 가, 다
③ 나, 라　④ 라
⑤ 가, 나, 다, 라

24

정답 ⑤

해설

Cystic hygroma의 나쁜 예후 인자

1. 다발성 병변
2. Large, multiseptated
3. 염색체 이상, 다른 기형이 있는 경우
4. 피부 두께가 두꺼운 경우
5. 전후 흉벽의 hydrops가 있는 경우

참고 *Final Check 산과 181 page*

25

다음 중 염색체 이상이 가장 많이 나타나는 것은 무엇인가?

① Cystic hygroma

② Hydranencephaly

③ Gastroschisis

④ Small bowel obstruction

⑤ Single umbilical artery

25

정답 ①

해설

Cystic hygroma의 염색체 이상 빈도

1. 50% 이하에서 60% 이상까지 다양
2. 터너 증후군(45,X) : 가장 흔함(75%)
3. 세염색체 증후군(21, 18, 13) 및 모자이크 비배수체(mosaic aneuploidy) 등과 연관

참고 *Final Check 산과 181 page*

26

태아 심장 초음파 검사 중 적합한 설명을 모두 고르시오.

(가) 4 chamber view는 심방 크기, 흉부에서의 위치, 축, 심방, 심실 등의 평가에 유용하다
(나) M mode는 태아 부정맥 및 심실벽 기능 평가에 유용하다
(다) 항경련제 복용 임부는 태아 심장 초음파 검사가 필요하다
(라) 심장 기형이 발견되면 염색체 검사가 필요하다

① 가, 나, 다　　② 가, 다

③ 나, 라　　④ 라

⑤ 가, 나, 다, 라

26

정답 ⑤

해설

1. 사방 단면도(4 chambers view) : 심장의 위치, 축, 크기, 박동수 등을 확인
2. M mode : 태아 부정맥 및 심실벽 기능 평가에 유용
3. 항경련제 : 임신 중 노출 시 심장 기형 발생 증가
4. 태아 심장 기형을 포함하는 유전 증후군이 많으므로 염색체 검사가 필요

참고 *Final Check 산과 191, 192, 193, 272 page*

27

다음 중 4 chamber view에서 진단할 수 없는 것은 무엇인가?

① VSD

② Ebstein anomaly

③ Endocardial cushion defect

④ Transposition of great vessels

⑤ Hypoplastic left heart syndrome

27

정답 ④

해설

4 chamber view에서 진단하기 어려운 질환

1. 완전 대혈관전위(transposition of great arteries, TGA)
2. 팔로사징(tetralogy of Fallot, TOF)
3. 심실중격결손(ventricular septal defect, VSD)
4. 대동맥축착(coarctation of aorta, CoA)
5. 하대정맥단절(interruption of IVC)
6. 대동맥협착(aortic stenosis)
7. 폐동맥판협착(pulmonary stenosis)

참고 *Final Check 산과 191 page*

28

다음 중 태아 심장 초음파의 4 chamber view에서 진단이 용이한 질환은 무엇인가?

① Transposition of great aorta

② Pulmonary stenosis

③ Aortic stenosis

④ Anomalous pulmonary venous return

⑤ Endocardial cushion defect

28

정답 ⑤

해설

4 chamber view에서 진단하기 어려운 질환

1. 완전 대혈관전위(transposition of great arteries, TGA)
2. 팔로사징(tetralogy of Fallot, TOF)
3. 심실중격결손(ventricular septal defect, VSD)
4. 대동맥축착(coarctation of aorta, CoA)
5. 하대정맥단절(interruption of IVC)
6. 대동맥협착(aortic stenosis)
7. 폐동맥판협착(pulmonary stenosis)

참고 *Final Check 산과 191 page*

29

26세 초산모가 임신 28주에 정기 검진을 위해 내원하였다. 시행한 초음파 검사에서 태아의 배꼽탈출증(omphalocele)이 관찰되었다면 이 태아의 예후 결정에 가장 중요한 인자는 무엇인가?

① 태아 체중

② 복벽 손상의 크기

③ 분만 방법

④ 분만 후 수술까지의 시간

⑤ 동반 기형의 유무

29

정답 ⑤

해설

배꼽탈출증(Omphalocele)

1. 중앙 융합 실패로 복벽의 중앙에 결손
2. 염색체 검사를 포함한 자세한 검사가 필요
3. 예후 인자
   a. 동반된 기형의 정도(가장 중요)
   b. 결손의 크기

참고 *Final Check 산과 217 page*

30

임신 11주인 임산부의 초음파에서 태아 장관이 proximal umbilical cord 내로 탈장 된 것이 발견되었다. 다음 중 가장 적절한 조치는 무엇인가?

① 즉시 모체 혈청 AFP 측정

② 융모막융모생검으로 태아 염색체 검사 시행

③ 조기 양수천자로 양수 내 Ach-E 측정

④ 임신 14주 이후에 다시 초음파 검사 시행

⑤ 임신 중절 시행

31

배벽갈림증(gastroschisis)에 관한 설명 중 맞는 것은 무엇인가?

① 복막에 싸여 있다

② 보통 탯줄의 오른쪽에 결함이 있다

③ 간, 위장과 함께 나오는 경우가 흔하다

④ 배꼽탈출증(omphalocele)보다 염색체 이상이 흔하다

⑤ 주산기 사망률은 배벽갈림증(gastroschisis)이 배꼽탈출증(omphalocele)보다 높다

30

정답 ④

해설

생리적 중간창자 탈장(physiologic midgut herniation)

1. 임신 8주경에 탯줄을 따라 장이 나오는 현상
2. 대개 1 cm 미만이며 임신 11~12주까지 보일 수 있는 정상적인 소견
3. 복벽 결손 여부는 임신 12주 이후 확인

참고 *Final Check 산과 158 page*

31

정답 ②

해설

배벽갈림증(Gastroschisis)

1. 복벽의 외측벽이 임신 6주에 닫히지 못하여 결손이 발생하여 장관이 탈장 되는 것
2. 배꼽의 우측에 호발
3. 낭이 없고, 장관은 염증성 삼출물로 덮여 있음
4. 염색체 이상과 관련이 적음
5. 동반 이상 : 장관 이상(jejunal atresia), 발육 부전
6. 예후는 좋으며 적어도 90%에서 생존

참고 *Final Check 산과 216 page*

32

다음은 임신 30주 산모의 초음파 소견이다. 이 질환과 연관된 것을 모두 고르시오.

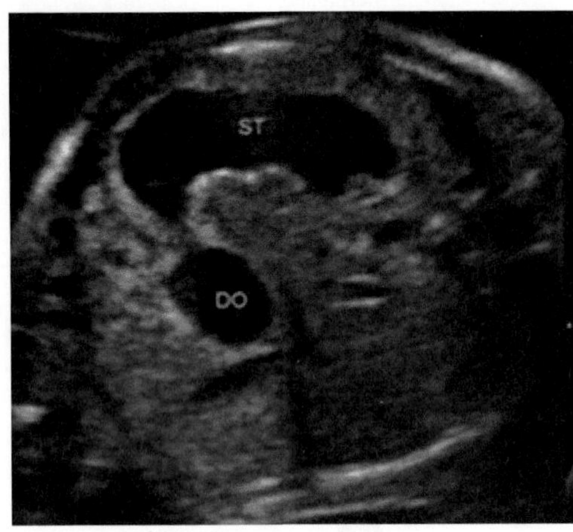

(가) 임신 10주에 초음파로 확인할 수 있다
(나) 양수과소증이 나타난다
(다) 신장무형성(renal agenesis)과 관련이 있다
(라) 다운증후군과 관련이 있다

① 가, 나, 다　② 가, 다
③ 나, 라　④ 라
⑤ 가, 나, 다, 라

32

정답 ④

해설

샘창자폐쇄(Duodenal atresia)

1. 부분적 또는 완전한 폐색으로 인한 정상적인 샘창자의 관 형성 부족으로 발생
2. 특징
   a. 임신 24주 이전에는 진단이 어려움
   b. 약 40~50%에서 다른 주요 기형을 동반 : 척추, 심장, 위장관기형 등
   c. 다운증후군이 20~50%에서 동반
3. 초음파 소견
   a. 쌍기포징후(double-bubble sign)
   b. 양수과다증(polyhydramnios)
   c. 위의 연동항진(hyperperistalsis of stomach)
   d. 샘창자에 차 있는 물은 항상 비정상 소견

참고 *Final Check 산과 213 page*

33

25세 초임부가 임신 27주에 내원하였다. 산모 자궁고의 높이(height of fundus)가 주수에 비하여 높아 초음파 검사를 시행하였다. 시행한 검사에서 양수가 주수에 비하여 많은 양수과다증의 소견을 보였고, duodenal atresia 소견이 보일 때 가장 가능성이 가장 높은 것은 무엇인가?

① Down syndrome ② Turner syndrome

③ Edward syndrome ④ 47,XXY

⑤ 45,XO/46,XY

33

정답 ①

해설

십이지장 폐쇄(Duodenal atresia)의 특징

1. 임신 24주 이전에는 진단이 어려움
2. 약 40~50%에서 다른 주요 기형을 동반 : 척추, 심장, 위장관기형 등
3. 다운증후군이 20~50%에서 동반

참고 *Final Check 산과 213 page*

34

임신 12주와 26주의 초음파 소견이 다음과 같을 때 가장 가능성이 높은 것을 고르시오.

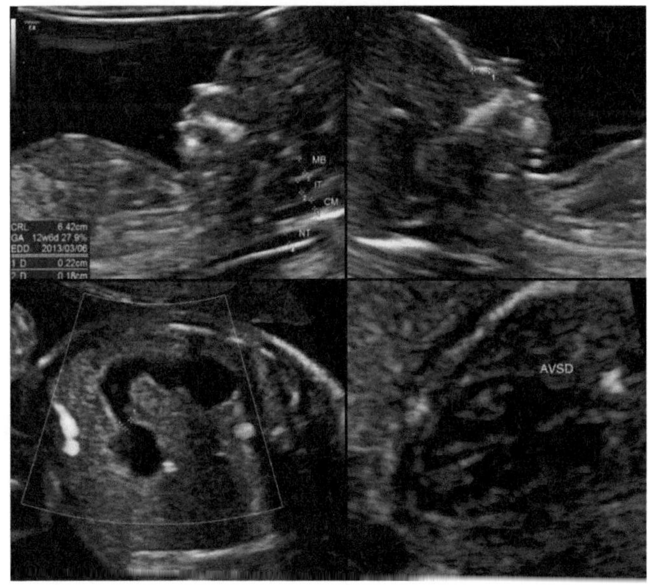

① Down syndrome ② Edwards syndrome

③ Patau syndrome ④ Turner syndrome

⑤ Noonan syndrome

34

정답 ①

해설

다운증후군의 초음파

1. NT increase : 가장 초기에 볼 수 있는 소견
2. Nasal bone hypoplastic
3. AVSD
4. Duodenal obstruction
5. Minor sign : clinodactyly, sandal gap, short long bone, mild renal pelvic dilatation, hyperechoic bowel

참고 *Final Check 산과 181 page*

35

다음 중 다운증후군에서 볼 수 있는 초음파 소견을 모두 고르시오.

(가) NT의 증가
(나) Duodenal obstruction
(다) Cardiac anomaly
(라) Ventriculomegaly

① 가, 나, 다　　② 가, 다
③ 나, 라　　④ 라
⑤ 가, 나, 다, 라

35
정답 ①
해설
다운증후군의 초음파
1. NT increase : 가장 초기에 볼 수 있는 소견
2. Nasal bone hypoplastic
3. AVSD
4. Duodenal obstruction
5. Minor sign : clinodactyly, sandal gap, short long bone, mild renal pelvic dilatation, hyperechoic bowel

참고 *Final Check 산과 181 page*

36

다운증후군의 임신 초기 초음파 소견 중 가장 특징적인 소견은 무엇인가?

① Echogenic bowel
② Intracardiac echogenic foci
③ Nuchal fold thickness increase
④ Short femur
⑤ Short humerus

36
정답 ③
해설
다운증후군의 초음파
1. NT increase : 가장 초기에 볼 수 있는 소견
2. Nasal bone hypoplastic
3. AVSD
4. Duodenal obstruction
5. Minor sign : clinodactyly, sandal gap, short long bone, mild renal pelvic dilatation, hyperechoic bowel

참고 *Final Check 산과 181 page*

37

임신 22주의 산모에서 시행한 정밀 초음파상 AVSD, duodenal obstruction, nasal bone hypoplastic 등의 소견이 보였다. 이 태아에서 가장 가능성이 높은 진단명을 쓰시오.

37

정답

다운증후군(Down syndrome, trisomy 21)

해설

다운증후군의 초음파

1. NT increase
2. Nasal bone hypoplastic
3. AVSD
4. Duodenal obstruction
5. Minor sign : clinodactyly, sandal gap, short long bone, mild renal pelvic dilatation, hyperechoic bowel

참고 *Final Check 산과 181 page*

38

Trisomy 21의 초음파 소견을 쓰시오.(4가지)

38

정답

1. Nuchal translucency increase
2. Nasal bone hypoplastic
3. AVSD
4. Duodenal obstruction
5. Minor sign : clinodactyly, sandal gap, short long bone, mild renal pelvic dilatation, hyperechoic bowel

참고 *Final Check 산과 181 page*

39

임신 29주에 시행한 초음파상 태아 예상 체중은 29주 크기, 양수량은 AFI = 10 cm, 소장의 지름 8 mm, 장천공의 소견은 없었다. 이 산모에게 올바른 처치는 무엇인가?

① 경과 관찰　　② 탯줄천자

③ 양수 주입　　④ 자궁 내 태아 수술

⑤ 임신 종결

39

정답 ①

해설

Jejunal & Ileal atresia 초음파 확인 순서

1. Fetal growth → Polyhydramnios → Increasing bowel dilatation → Perforation
2. 약간의 소장 확장 이외에는 정상소견 → 경과 관찰

참고 *Final Check 산과 214 page*

40

산전 초음파에서 태아 복부의 석회화 관찰되었다. 다음 중 가장 많은 원인은 무엇인가?

① Meconium peritonitis
② Ureteral stone
③ Gallstone
④ Teratoma
⑤ Duodenal obstruction

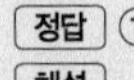

40

정답 ①

해설

Meconium peritonitis의 초음파 소견

1. Peritoneal calcification
2. Ascites
3. Dilated bowel

참고 *Final Check 산과 226 page*

41

임신 20주에 시행하는 level II sonography로 찾기 힘든 태아 기형은 무엇인가?

① Cleft lip
② Omphalocele
③ Spina bifida
④ Small bowel obstruction
⑤ Dandy-Walker malformation

41

정답 ④

해설

기형의 진단 시기

1. Cleft lip : 16~24주 이후
2. Omphalocele : 12주 이후
3. Spina bifida : 14주 이후
4. Small bowel obstruction : 24주 이후
5. Dandy-Walker malformation : 14주 이후

참고 *Final Check 산과 214 page*

42

규칙적으로 생리를 하던 24세 여성이 8주간의 무월경과 소변 임신반응 검사상 임신을 확인하고 내원하였다. 이 여성에게 초음파를 시행하였을 때 질환이 있다면 진단이 가능한 것을 모두 고르시오.

(가) Duodenal atresia
(나) Spina bifida
(다) Down syndrome
(라) Twin pregnancy

① 가, 나, 다　② 가, 다
③ 나, 라　④ 라
⑤ 가, 나, 다, 라

42

정답 ④

해설

진단 시기

1. Duodenal atresia : 임신 24주 이전에는 진단이 어려움
2. Spina bifida : 14주 이후
3. Down syndrome : 11~14주에 NT 측정으로 선별 검사 시행
4. Twin pregnancy : 임신 제1삼분기 초기

참고 *Final Check 산과 157, 159, 169, 213 page*

43

임신 20주 초음파에서 ventriculomegaly, thin cortex, normal cavum septum pellucidum, normal cistern magna를 보일 때 가장 적절한 진단명은 무엇인가?

① Aqueductal stenosis
② Dandy-Walker malformation
③ Holoprosencephaly
④ Hydranencephaly
⑤ Agenesis of corpus callosum

43

정답 ①

해설

뇌실확장증(Ventriculomegaly)의 원인

1. CNS abnormality : Dandy-Walker malformation, holoprosencephaly
2. Obstructive process : aqueductal stenosis
3. Destructive process : porencephaly, intracranial teratoma

참고 *Final Check 산과 172 page*

44

임신 20주인 초임부가 산전 진찰을 위해 내원하였다. 진찰상 자궁고의 높이는 27 cm, 태아 심음은 정상, 초음파 검사에서 단태 임신이었고, 생체 계측치(BPD, AC, FL)는 모두 임신 주수와 일치하였다. 다음 중 가능성이 적은 질환은 무엇인가?

① Down syndrome

② Cleft palate

③ Tetralogy of Fallot

④ Tracheoesophageal fistula

⑤ Potter syndrome

44

정답 ⑤

해설

포터증후군(Potter sequence)

1. 여러 원인에 의해 심한 양수과소증이 발생하고 이차적으로 태아가 압박을 당하여 여러 기형이 나타나는 것
2. 특징
   a. 폐형성저하증(pulmonary hypoplasia)
   b. 안면 이상(납작한 코, 낮게 위치한 귀, 들어간 턱, 두드러진 눈밑 주름, 넓은 눈 간격)
   c. 사지 형태의 이상(사지 구축, clubbed hands and feet)
   d. VACTERL association 확인이 필요

참고 *Final Check 산과 219 page*

45

Doppler 혈류 파형의 산부인과적 적응증을 모두 고르시오.

(가) Pregnancy induced hypertension
(나) Placenta previa
(다) Fetal anemia
(라) Preterm labor

① 가, 나, 다　② 가, 다

③ 나, 라　④ 라

⑤ 가, 나, 다, 라

45

정답 ②

해설

도플러(Doppler) 혈류 파형의 적응증

1. 자궁 내 태아성장제한(intrauterine growth restriction)
2. 태아 저산소증(fetal hypoxia)
3. 태아절박가사(fetal distress)
4. 임신성 고혈압(gestational hypertension)
5. 태아 빈혈(fetal anemia)
6. 전자간증(preeclampsia)

참고 *Final Check 산과 165 page*

46

32주 산모가 정기검진에서 시행한 초음파상 탯줄동맥(umbilical artery) 도플러에서 다음과 같은 소견이 있었다. 이 환자에 대한 처치로 맞는 것은 무엇인가?

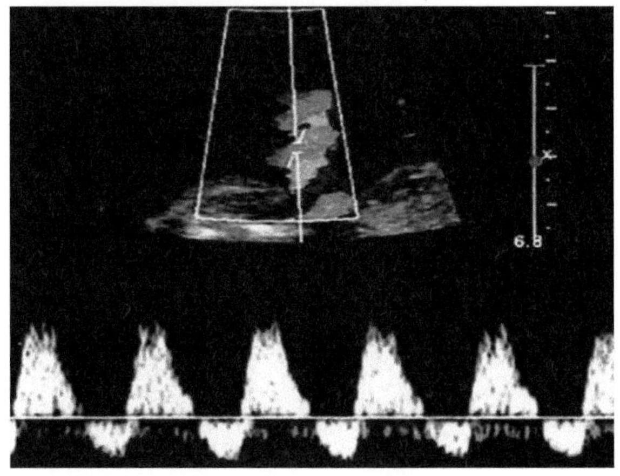

① 비수축검사(Nonstress test, NST)

② 수축자극검사(Contraction stress test, CST)

③ 유도 분만

④ 응급 제왕절개

⑤ 경과 관찰

46

정답 ①

해설

Umbilical artery의 reverse end-diastolic flow

1. 자궁태반관류 저하(uteroplacental insufficiency)를 의미
2. 비수축검사(NST)로 태아의 상태를 확인하는 것이 필요

참고 *Final Check 산과 164 page*

47

초음파 도플러에서 정상적으로 탯줄정맥(umbilical vein)의 pulsation이 보일 수 있는 주수는 언제인가?

① 15주 ② 20주

③ 25주 ④ 30주

⑤ 35주

47

정답 ①

해설

탯줄정맥(umbilical vein) 도플러

1. 임신 15주까지는 UV pulsation 보일 수 있음
2. 임신 주수가 증가하면서 빈도 감소
3. 임신 후반기에 나타나는 pulsation은 비정상 소견

참고 *Final Check 산과 165 page*

48

다음은 임신 32주, 임신성 고혈압 산모의 탯줄정맥(umbilical vein) 도플러에서 pulsation 소견이 보였다. 이와 관련하여 다음 중 옳은 것은 무엇인가?

① 정상적인 소견으로 1주 후 다시 추적 관찰한다
② Pulsatile index는 1이하일 것이다
③ Resistance index는 0.5 정도일 것이다
④ NST상에서 late deceleration이 나타날 가능성이 높다
⑤ 즉시 제왕절개를 시행해야 한다

48

정답 ④

해설

임신 후반기 umbilical vein pulsation

1. 비정상 소견(abnormal finding)
2. uteroplacental insufficiency, fetal congenital heart failure

참고 *Final Check 산과 165 page*

49

다음 태아 혈류파동검사에서 즉각적 분만을 고려해야하는 경우는 무엇인가?

① 양측 자궁동맥 이완기 혈류 패임
② 탯줄동맥 이완기 혈류 소실
③ 중간대뇌동맥 혈류량 증가
④ 내림대동맥 이완기 혈류 감소
⑤ 탯줄정맥 혈류 파동성

49

정답 ⑤

해설

임신 후반기 umbilical vein pulsation

1. 비정상 소견(abnormal finding)
2. uteroplacental insufficiency, fetal congenital heart failure

참고 *Final Check 산과 165 page*

50

Doppler velocimetry를 이용해 태아가사(fetal distress)를 진단할 때 가장 많이 이용되는 혈관과 도플러 혈류 파형에 영향을 미치는 인자들을 쓰시오.

50

정답

1. 혈관 : 탯줄동맥(umbilical artery)
2. 영향을 주는 인자 : 태아의 호흡운동, 측정 위치, 탯줄의 감김(coiling)

참고 *Final Check 산과 164 page*

51

임신 중 정상적으로 이완기 혈류(diastolic flow)가 없는 혈관을 고르시오.

① External iliac artery

② Fetal descending aorta

③ Umbilical vein

④ Uterine artery

⑤ Arcuate artery

51

정답 ①

해설

Umbilical artery reverse end-diastolic flow

1. 자궁태반관류 저하(uteroplacental insufficiency)를 의미
2. 비수축검사(NST)로 태아의 상태를 확인하는 것이 필요
3. Ext. iliac artery의 diastolic flow가 없거나 reverse flow는 정상 소견

참고 *Final Check 산과 164 page*

52

다음 도플러 초음파 소견 중 예후가 가장 불량한 것은 무엇인가?

① 임신 말기 external iliac artery의 end diastolic velocity reverse

② 임신 말기 umbilical artery의 end diastolic velocity reverse

③ 임신 초기 umbilical artery의 end diastolic velocity reverse

④ 태아 MCA의 S/D ratio >4

⑤ 임신 말기 umbilical artery S/D <2.6

52

정답 ②

해설

Umbilical artery reverse end-diastolic flow

1. 자궁태반관류 저하(uteroplacental insufficiency)를 의미
2. 비수축검사(NST)로 태아의 상태를 확인하는 것이 필요
3. Ext. iliac artery의 diastolic flow가 없거나 reverse flow는 정상 소견

참고 *Final Check 산과 164 page*

53

Rh(−)인 산모가 시행한 NST에서 nonreactive 소견을 보였다. 이 산모에서 태아의 상태 및 진단 위해 doppler를 측정하는 혈관을 고르시오.

① Middle cerebral artery

② Uterine artery

③ Umbilical artery

④ External iliac artery

⑤ Internal iliac artery

53

정답 ①

해설

중대뇌동맥(middle cerebral artery) 도플러

1. 태아 빈혈(fetal anemia) : MCA 최대수축속도(peak systolic velocity)의 증가
2. MCA PI는 임신 주수가 증가하면서 작아짐

참고 *Final Check 산과 165 page*

54

다음은 임신 23주 임산부의 초음파 소견이다. 다음과 같은 소견이 관찰되었다면 태아의 예후에 가장 크게 영향을 미치는 것은 무엇인가?

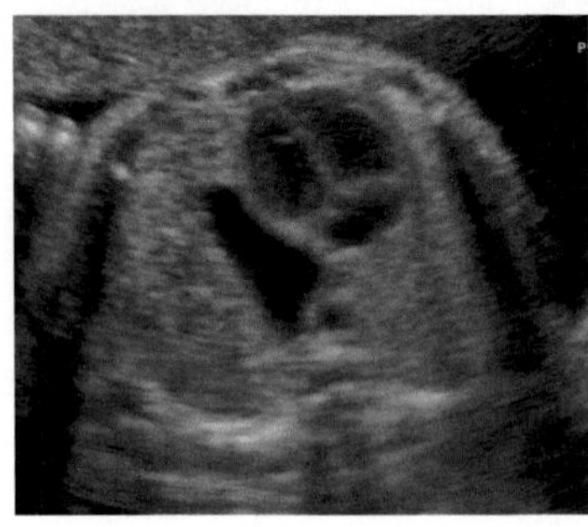

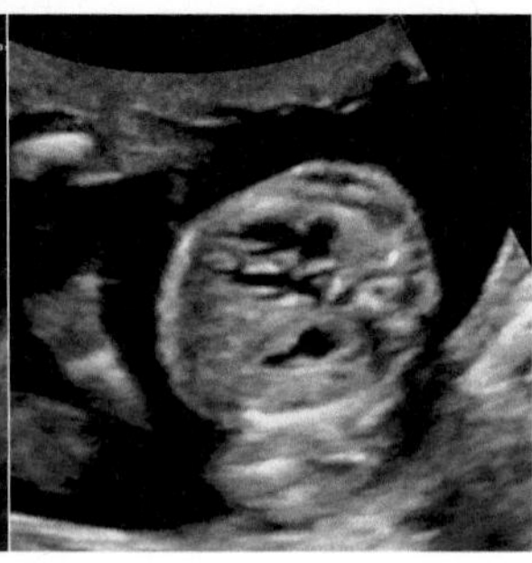

① 위 탈장

② 비장 탈장

③ 소장 탈장

④ 대장 탈장

⑤ 폐형성저하증

54

정답 ⑤

해설

선천성 횡격막 탈장(Congenital diaphragmatic hernia)

1. 1/2 정도에서 다른 기형이나 염색체 이상과 동반되므로 정밀 초음파(detailed ultrasonography) 및 염색체 검사(karyotyping) 시행
2. 폐형성저하증의 정도와 다른 기형의 동반 여부가 중요

참고 *Final Check 산과 189 page*

CHAPTER 11

양수(Amnionic fluid)

01

임신 중 양수가 가장 많은 시기를 고르시오.

① 임신 16~20주

② 임신 26~28주

③ 임신 30~32주

④ 임신 34~36주

⑤ 임신 38~40주

01

정답 ④

해설

정상 양수량

1. 임신 10주 : 약 30 mL
2. 임신 16주 : 약 200 mL
3. 임신 제3삼분기 중반 : 약 800 mL
4. 임신 36주까지 1 L 정도로 증가하고, 이후 약간 감소함

참고 *Final Check 산과 236 page*

02

다음 중 양수과다증의 원인이 아닌 것은?

① Maternal DM

② Diaphragmatic hernia

③ Esophageal atresia

④ Duodenal atresia

⑤ Large bowel obstruction

02

정답 ⑤

해설

양수과다증의 원인

1. 태아 기형
   a. Anencephaly, spina bifida
   b. Esophageal atresia, duodenal atresia
   c. Diaphragmatic hernia
   d. Cardiac hypertrophy
   e. Cleft lip & palate
2. 산모의 당뇨병
3. 면역성 및 비면역성 태아수종
4. 일란성 쌍태아 수혈증후군

참고 *Final Check 산과 238 page*

03

다음 중 양수과다증의 원인을 고르시오.

① 지연임신

② 임신성 고혈압

③ 상부 위장관 폐쇄

④ 콩팥 무형성증

⑤ Prostaglandin 합성효소 억제제 사용

03

정답 ③

해설

양수과다증의 원인

1. 태아 기형
   a. Anencephaly, spina bifida
   b. Esophageal atresia, duodenal atresia
   c. Diaphragmatic hernia
   d. Cardiac hypertrophy
   e. Cleft lip & palate
2. 산모의 당뇨병
3. 면역성 및 비면역성 태아수종
4. 일란성 쌍태아 수혈증후군

참고 *Final Check 산과 238 page*

04

다음 중 양수과다증의 가장 흔한 원인은 무엇인가?

① 다태 임신 ② 당뇨병

③ 원인 불명 ④ 태반 기형

⑤ 태아 기형

04

정답 ③

해설

양수과다증의 원인에 따른 발생 빈도

1. 2/3은 원인 불명으로 발생
2. 1/3은 태아 기형, 모체 당뇨, 다태 임신과 관계 있음

참고 *Final Check 산과 238 page*

05

임신 36주 초산모가 내원하였다. 검사상 혈압 120/80 mmHg, 양수지수(AFI) 35 cm, proteinuria (−), glycosuria (−)로 확인되었다. 향후 이 산모에게 예상되는 합병증을 모두 고르시오.

(가) Abnormal fetal presentation
(나) Potter syndrome
(다) Preterm labor
(라) Meconium aspiration

① 가, 나, 다 ② 가, 다

③ 나, 라 ④ 라

⑤ 가, 나, 다, 라

05

정답 ②

해설

양수과다증의 합병증

1. 태아의 합병증
   a. 태아 기형 및 염색체 이상, 주산기 사망
   b. 조산
   c. 거대아, 자궁 내 태아성장제한
   d. 비정상 태위, 탯줄 탈출
2. 산모의 합병증
   a. 호흡곤란
   b. 비정상 태위에 의한 수술적 분만의 위험 증가
   c. 조기양막파수, 태반조기박리
   d. 자궁수축력 기능장애, 자궁이완증
   e. 산후 출혈

참고 *Final Check 산과 239 page*

06

임신 39주인 30세 임산부가 분만을 위해 내원하였다. 양수지수가 30 cm로 확인되었고 다른 특이 소견은 없었다. 분만 중 일어날 가능성이 가장 높은 것을 고르시오.

① 급속 분만　② 질 열상
③ 자궁내번증　④ 유착 태반
⑤ 산후 자궁이완증

06
정답 ⑤
해설
양수과다증 산모에서 증가하는 위험성
1. 호흡곤란
2. 비정상 태위에 의한 수술적 분만의 위험 증가
3. 조기양막파수, 태반조기박리
4. 자궁기능장애, 자궁이완증
5. 산후 출혈

참고 *Final Check 산과 240 page*

07

임신 30주의 여성이 복부 팽만과 호흡곤란을 주소로 내원하였다. 자궁고의 높이(height of fundus)는 35 cm, 초음파 검사상 특이 소견은 없었으나 양수지수가 33 cm로 확인되었다. 다음 중 이 산모에게 가장 올바른 처치는 무엇인가?

① 이뇨제　② 염분 제한
③ 수분 제한　④ 양수천자
⑤ 유도 분만

07
정답 ④
해설
양수과다증의 치료
1. 양수천자(amniocentesis)
2. 양막파수(rupture of membranes)
3. 인도메타신(indomethacin)
4. 이뇨제 투여, 수분, 염분의 제한 : 효과 없음

참고 *Final Check 산과 240 page*

08

임신 28주 임산부가 호흡곤란을 주소로 내원하였다. 내원 시 초음파상 특이 소견은 없었으나 양수지수가 45 cm로 확인되었다. 다음 중 이 산모에게 사용할 수 있는 약을 고르시오.

① Ritodrine　② Indomethacin
③ Oxytocin　④ Betamethasone
⑤ Diuretics

08
정답 ②
해설
인도메타신(indomethacin)
1. 폐액(fetal lung liquid) 생산의 감소 또는 흡수의 촉진
2. 태아의 소변량 감소
3. 태아막(fetal membrane)을 통한 양수의 이동 증가

참고 *Final Check 산과 240 page*

09

임신 32주 산모가 정기 산전검사를 위해 내원하였다. 산전 초음파상 특이 소견은 없었고, 양수지수가 40 cm로 측정되었다. 다음 중 시도할 수 있는 내과적 약물은 무엇인가?

① Indomethacin ② Captopril
③ Aspirin ④ Labetalol
⑤ Betamethasone

09

정답 ①

해설

인도메타신(indomethacin)

1. 폐액(fetal lung liquid) 생산의 감소 또는 흡수의 촉진
2. 태아의 소변량 감소
3. 태아막(fetal membrane)을 통한 양수의 이동 증가

참고 *Final Check 산과 240 page*

10

임신 29주인 31세 여성이 심한 복부 팽만감을 주소로 내원하였다. 산모는 혈압 120/80 mmHg, 맥박 88회/min., 체온 36.5℃, 복부 초음파상 태아와 태반에 이상 소견은 보이지 않았으나 양수지수가 35 cm으로 확인되었다. 산모는 임신성 당뇨 선별검사에서 정상이었고, NST상 특이 소견도 관찰되지 않았으며, 자궁경부의 소실 및 확장 소견도 없었다. 다음 중 이 산모에게 가장 적절한 치료는 무엇인가?

① 아스피린 ② 옥시토신
③ 페니토인 ④ 인도메타신
⑤ 하이드랄라진

10

정답 ④

해설

인도메타신(indomethacin)

1. 폐액(fetal lung liquid) 생산의 감소 또는 흡수의 촉진
2. 태아의 소변량 감소
3. 태아막(fetal membrane)을 통한 양수의 이동 증가

참고 *Final Check 산과 240 page*

11

임신 29주 임산부가 2주 전부터 조기진통과 양수과다증으로 indomethacin 사용 중이다. 다음 중 초음파 doppler로 주의 깊게 관찰해야 하는 태아 혈관은 무엇인가?

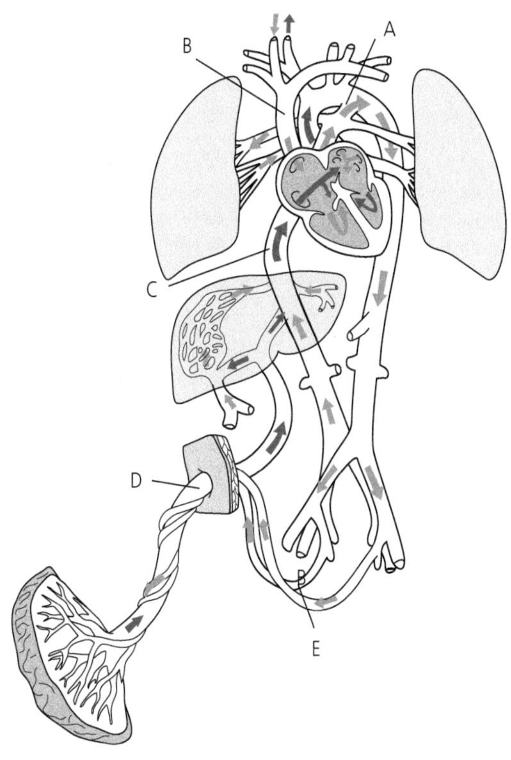

① A ② B

③ C ④ D

⑤ E

11

정답 ①

해설

Indomethacin 투여와 동맥관(ductus arteriosus)

1. 임신 주수가 증가할수록 동맥관 조기폐쇄의 위험성이 증가
2. 가역적이므로 약물 중단 후 24시간 정도면 수축이 없어짐

참고 *Final Check 산과 240 page*

12

임신 30주인 30세 초산모가 산전 검사에서 자궁고의 높이(HOF)는 24 cm, 양수지수(AFI)는 4 cm으로 확인되었다. 다음 중 이 질환의 태아측 원인을 모두 고르시오.

(가) 식도 폐쇄
(나) 무뇌증
(다) 한쪽 콩팥 무형성
(라) 태아성장제한

① 가, 나, 다　　② 가, 다
③ 나, 라　　④ 라
⑤ 가, 나, 다, 라

12

정답 ④

해설

양수과소증의 태아측 원인

1. 양막파수
2. 지연임신
3. 과숙임신
4. 태아성장제한
5. 염색체 이상
6. 태아 기형
7. 태아 사망

참고 *Final Check 산과 241 page*

13

32세의 초산모가 임신 34주에 산전 진찰을 받기 위해 내원하였다. 환자는 태동을 잘 느끼지 못한다고 하였으며, 진찰상 자궁고의 높이(HOF)는 26 cm, 태아 심음은 좌하복부에서 정상적으로 들렸다. 초음파 검사상 양수지수(AFI)는 4 cm으로 확인되었다면, 이 상태를 유발할 수 있는 원인을 모두 고르시오.

(가) Fetal renal agenesis
(나) Fetal growth restriction
(다) Premature rupture of membrane
(라) Fetal meningomyelocele

① 가, 나, 다　　② 가, 다
③ 나, 라　　④ 라
⑤ 가, 나, 다, 라

13

정답 ①

해설

양수과소증의 원인

1. 태아 : 양막파수, 지연임신, 과숙임신, 태아성장제한, 염색체 이상, 태아 기형, 태아 사망
2. 태반 : 태반조기박리, 쌍태아 수혈증후군, 태반경색
3. 모체 : 자궁태반관류 저하, 만성 고혈압, 전자간증, 신장질환
4. 약물 : ACE inhibitors, Angiotensin-receptor blockers, NSAIDs

참고 *Final Check 산과 241 page*

14

다음 중 양수과소증의 산모측 원인을 모두 고르시오.

(가) Uteroplacental insufficiency
(나) Hypotension
(다) Preeclampsia
(라) Placenta previa

① 가, 나, 다 ② 가, 다
③ 나, 라 ④ 라
⑤ 가, 나, 다, 라

14

정답 ②

해설

양수과소증의 산모측 원인

1. 자궁태반관류 저하
2. 만성 고혈압
3. 전자간증
4. 신장질환

참고 *Final Check 산과 241 page*

15

양수과소증을 일으키는 모체측 요인(A)과 태아측 요인(B)을 쓰시오.

15

정답

(A) 자궁태반관류 저하, 만성 고혈압, 전자간증, 신장질환
(B) 양막파수, 지연임신, 과숙임신, 태아성장제한, 염색체 이상, 태아 기형, 태아 사망

해설

양수과소증의 원인

1. 태아 : 양막파수, 지연임신, 과숙임신, 태아성장제한, 염색체 이상, 태아 기형, 태아 사망
2. 태반 : 태반조기박리, 쌍태아 수혈증후군, 태반경색
3. 모체 : 자궁태반관류 저하, 만성 고혈압, 전자간증, 신장질환
4. 약물 : ACE inhibitors, Angiotensin–receptor blockers, NSAIDs

참고 *Final Check 산과 241 page*

16

다음 중 임신 후반기 양수과소증과 연관이 있는 것을 모두 고르시오.

(가) 사산
(나) 태변 흡인
(다) 자궁 내 태아성장제한
(라) 변이성 태아심박동감소

① 가, 나, 다 ② 가, 다
③ 나, 라 ④ 라
⑤ 가, 나, 다, 라

16

정답 ⑤

해설

임신 후반의 양수과소증의 위험성

1. 태아성장제한
2. 탯줄 압박, 태아절박가사 : Variable or Prolonged deceleration
3. 제왕절개술 : 약 5배 증가
4. 태변 착색, 태변 흡인 : 분만 중 태변 착색이 있더라도 전자태아감시에 이상이 없는 경우에는 특별한 처치가 필요 없음

참고 *Final Check 산과 242 page*

17

다음 중 양수과소증을 일으키는 약물을 모두 고르시오.

(가) Aspirin
(나) Calcium blocker
(다) Captopril
(라) Smoking

① 가, 나, 다 ② 가, 다
③ 나, 라 ④ 라
⑤ 가, 나, 다, 라

17

정답 ②

해설

양수과소증을 일으키는 약물

1. ACE inhibitors
2. Angiotensin-receptor blockers
3. NSAIDs

참고 *Final Check 산과 241 page*

18

다음 중 양수과소증이 있는 태아에서 발생할 수 있는 질환을 모두 고르시오.

(가) Anencephaly
(나) Club foot
(다) Macrosomia
(라) Pulmonary hypoplasia

① 가, 나, 다 ② 가, 다
③ 나, 라 ④ 라
⑤ 가, 나, 다, 라

18

정답 ③

해설

양수과소증 태아의 합병증

1. Fetal anomaly
2. Fetal growth restriction
3. Pulmonary hypoplasia
4. Musculoskeletal deformity
5. Cord compression
6. Fetal distress
7. Meconium aspiration

참고 *Final Check 산과 242 page*

19

다음 중 양수과소증이 있는 산모의 태아에서 자주 동반되는 질환은 무엇인가?

① 십이지장 폐쇄 ② 요관 폐쇄
③ 식도 기관 샛길 ④ 가로막 탈장
⑤ 무뇌증

19

정답 ②

해설

양수과소증의 비뇨생식기계 기형

1. 태아가 소변 생성을 못하는 경우
   a. Bilateral renal agenesis
   b. Bilateral multicystic dysplastic kidney
   c. Unilateral renal agenesis with contralateral multicystic dysplastic kidney
   d. Infantile form of autosomal recessive polycystic kidney disease
2. 태아의 방광 출구 막힘
   a. Posterior urethral valves
   b. Urethral atresia or stenosis
   c. Megacystis microcolon intestinal hypoperistalsis syndrome
3. 복합적인 비뇨생기기계 이상
   a. Persistent cloaca
   b. Sirenomelia

참고 *Final Check 산과 242 page*

20

양수과소증과 잘 동반되는 것을 모두 고르시오.

(가) 태동 감소
(나) 태변 흡입
(다) 태아성장제한
(라) 폐형성저하증

① 가, 나, 다 ② 가, 다
③ 나, 라 ④ 라
⑤ 가, 나, 다, 라

21

양수과소증의 태아측 합병증을 쓰시오.

20

정답 ⑤

해설

양수과소증 태아의 합병증

1. Fetal anomaly
2. Fetal growth restriction
3. Pulmonary hypoplasia
4. Musculoskeletal deformity
5. Cord compression
6. Fetal distress
7. Meconium aspiration

참고 *Final Check 산과 242 page*

21

정답

1. Fetal anomaly
2. Fetal growth restriction
3. Pulmonary hypoplasia
4. Musculoskeletal deformity
5. Cord compression
6. Fetal distress
7. Meconium aspiration

참고 *Final Check 산과 242 page*

22

다음 중 양수과소증이 태아에 미치는 영향으로 옳은 것을 모두 고르시오.

(가) 지연임신에서 신생아 태변 흡인 증후군의 위험을 증가시킨다
(나) 진통 중 제대를 압박하고 태아 심박동의 변화를 가중시킨다
(다) 임신 중기에 발생한 양수과소증은 태아의 폐형성 부전을 초래한다
(라) 일찍 발생한 양수과소증에서 태아의 예후는 특히 나쁘다

① 가, 나, 다
② 가, 다
③ 나, 라
④ 라
⑤ 가, 나, 다, 라

22

정답 ⑤

해설

양수과소증의 예후

1. 임신 제1삼분기
   a. 유산의 위험이 높음
   b. 초음파 검사로 양수량의 변화, 태아 심박동 등의 추적 관찰 필요
2. 임신 제2삼분기
   a. 조산, 근골격계 기형, 폐형성저하증 등이 발생
   b. 초음파 검사로 양수량의 변화, 태아 성장과 안녕상태 등의 확인 필요
3. 임신 제3삼분기
   a. 정상적으로 임신 36주 이후에는 양수의 양이 감소
   b. 양수지수가 적을수록 정상인 산모보다 태아 기형의 발생이 흔함
   c. 태아 기형이 없더라도 증가하는 위험성

참고 *Final Check 산과 242 page*

23

양수과소증에 관한 설명 중 틀린 것은 무엇인가?

① Largest diameter가 2 cm 미만이다
② Late deceleration이 가장 많다
③ Fetal lung growth에 영향을 준다
④ Club foot을 초래할 수 있다
⑤ Chronic leakage가 원인이 될 수 있다

23

정답 ②

해설

양수과소증에서 증가하는 주산기 위험

1. 탯줄 압박 및 태아 곤란증 : Variable or Prolonged deceleration
2. 제왕절개술 빈도 증가 : 5배
3. 태변 착색, 태변 흡인 증후군 : 분만 중 태변 착색이 있더라도 전자 태아감시에 이상이 없는 경우에는 특별한 처치가 필요 없음

참고 *Final Check 산과 242 page*

24

양수 내 태변 착색에 대한 설명으로 옳은 것은 무엇인가?

① 제2삼분기 양수에 태변 착색 시 태아 사망의 가능성이 높다

② 분만진통 전의 양수 내 태변 착색은 태아산혈증을 증가시킨다

③ 분만 중 태변 착색이 있더라도 전자태아감시에 이상이 없는 경우에는 특별한 처치가 필요 없다

④ 임신 34주 미만의 미숙아에게는 태변 착색의 빈도가 증가한다

⑤ 지연임신의 경우 태변 착색이 증가하는 이유는 양수가 감소되기 때문이다

정답 ③

해설

양수과소증에서 증가하는 주산기 위험

1. 탯줄 압박 및 태아 곤란증 : Variable or Prolonged deceleration
2. 제왕절개술 빈도 증가 : 5배
3. 태변 착색, 태변 흡인 증후군 : 분만 중 태변 착색이 있더라도 전자 태아감시에 이상이 없는 경우에는 특별한 처치가 필요 없음

참고 *Final Check 산과 242 page*

CHAPTER 12

기형학과 기형유발물질(Teratology & Teratogens)

01

태아의 선천성 기형 발생 원인 중 그 빈도가 가장 높은 것은 무엇인가?

① 원인 불명
② 태아 염색체 이상
③ 태아 풍진 감염
④ 산모의 당뇨병
⑤ 임신 중 약물 복용

02

ACE inhibitor의 임신 중 노출 시 부작용에 해당하는 것을 모두 고르시오.

(가) Oligohydramnios
(나) Fetal growth restriction
(다) Neonatal hypotension
(라) Premature closure of ductus arteriosus

① 가, 나, 다
② 가, 다
③ 나, 라
④ 라
⑤ 가, 나, 다, 라

01

정답 ①

해설

태아의 선천성 결함 발생 원인

1. 원인 불명(unknown) : 80%
2. 염색체 원인(chromosomal) : 15%
3. 유전적 원인(genetic) : 4%
4. 당뇨(diabetes) : 0.6%
5. 쌍태아 관련(twin related) : 0.3%
6. 감염(infection) : 0.2%
7. 약물(medication) : 0.1%

참고 *Final Check 산과 245 page*

02

정답 ①

해설

ACE inhibitor의 태아에 대한 영향

1. Hypotension, hypoperfusion, anuria
2. Oligohydramnios, fetal growth restriction
3. Pulmonary hypoplasia, limb contractures, death

참고 *Final Check 산과 257 page*

03

다음 중 임신 중 노출 시 양수과소증, 폐형성저하증, 신부전, 사지 구축 등을 유발하는 약물을 고르시오.

① Nicardipine ② Clonidine
③ Hydralazine ④ Captopril
⑤ Verapamil

03
정답 ④
해설
ACE inhibitor의 태아에 대한 영향
1. Hypotension, hypoperfusion, anuria
2. Oligohydramnios, fetal growth restriction
3. Pulmonary hypoplasia, limb contractures, death

참고 *Final Check 산과 257 page*

04

다음 중 임신 시 안전하게 사용할 수 있는 고혈압 약제를 고르시오.

① Captopril ② Losartan
③ Atenolol ④ Hydrazine
⑤ Verapamil

04
정답 ④
해설
항고혈압제(Antihypertensive drugs)
1. Captopril : 태아의 신장과 순환계에 영향
2. Losartan : 태아의 신장과 순환계에 영향
3. Atenolol : 자궁 내 태아성장제한과 관련
4. Hydrazine : 임신 후반기에 태아에 대한 부작용 없음
5. Verapamil : 자궁혈류를 감소시켜 임신 제1삼분기에서 limb defect 유발

참고 *Final Check 산과 257 page*

05

다음 중 임신 중에 투여하면 안되는 약물은 무엇인가?

① Isotretinoin ② Oral contraceptive agent
③ Naproxen ④ Glucocorticoid
⑤ Heparin

05
정답 ①
해설
이소트레티노인(Isotretinoin)
1. Vitamin A isomers
2. 강력한 teratogen 중 하나
   a. 주로 임신 제1삼분기 노출과 관련
   b. CNS, cranium, face, heart, thymus의 기형 유발
3. 반감기는 약 50시간이며 마지막 투여 후 10일 이내에 대부분 체외로 배설됨
4. 최소한 임신 시도 1개월 전에는 사용을 중단해야 함

참고 *Final Check 산과 263 page*

06

초기 임신 중에 과량 섭취 시 태아 기형을 유발할 위험이 가장 높은 비타민은 무엇인가?

① Vitamin A ② Vitamin B_6

③ Vitamin B_{12} ④ Vitamin C

⑤ Folic acid

06

정답 ①

해설

Vitamin A

1. 자연 형태의 vitamin A
   a. β–carotene, retinol
   b. 기형 유발 안함
2. Vitamin A isomers
   a. isotretinoin, etretinate, acitretin
   b. 강력한 기형유발물질

참고 *Final Check 산과 263 page*

07

다음 약물 중 산모에게 사용되면 안되는 것을 모두 고르시오.

(가) Isotretinoin
(나) Tretinoin
(다) Etretinate
(라) Benzoyl peroxide

① 가, 나, 다 ② 가, 다

③ 나, 라 ④ 라

⑤ 가, 나, 다, 라

07

정답 ②

해설

Retinoids

1. Isotretinoin
   a. Cystic acne의 치료제
   b. CNS, cranium, face, heart, thymus의 기형 유발
2. Etretinate
   a. Isotretinoin과 비슷한 기형 유발.
   b. Lipophilic하여 치료 후 체내에 3년 이상 잔존
3. Tretinoin
   a. 여드름 치료약인 Gel 형태는 기형 유발 안함
   b. 백혈병에 사용하는 경구약은 기형 유발 가능

참고 *Final Check 산과 263 page*

08

태아에게 기형을 유발할 것으로 강력히 알려진 물질을 모두 고르시오.

(가) Alcohol
(나) Isotretinoin
(다) ACE inhibitor
(라) Warfarin

① 가, 나, 다
② 가, 다
③ 나, 라
④ 라
⑤ 가, 나, 다, 라

08

정답 ⑤

해설

기형유발물질(Teratogens)

1. Alcohol : 강력한 기형유발물질
2. Isotretinoin : 강력한 기형유발물질
3. ACE inhibitor : 태아의 신장과 순환계에 영향을 미침
4. Warfarin : 분자량이 낮아서 쉽게 태반을 통과하며 기형을 유발

참고 *Final Check 산과 254, 257, 263, 264 page*

09

장기 복용 시 임신부에게 periventricular leukomalacia를 일으킬 수 있는 약은 어느 것인가?

① Phenytoin
② Radioactive iodide
③ Cocaine
④ Coumarin
⑤ Alcohol

09

정답 ③

해설

코카인(Cocaine)

1. 강력한 기형유발물질
2. 위험성
   a. 태반조기박리 : 가장 흔함
   b. 사산(stillbirth)
   c. MI, arrhythmia, aortic rupture, stroke, seizure, bowel ischemia, hyperthermia, sudden death
   d. Skull defects, cutis aplasia, porencephaly, ileal atresia, heart anomaly, brain infarction(periventricular leukomalacia) 등
   e. 인지 장애의 위험이 증가하며 발육 장애의 위험이 2배 증가

참고 *Final Check 산과 265 page*

10

다음 항경련제 중 Vit. K dependent coagulation factor deficiency를 유발하는 것은 무엇인가?

① Carbamazepine
② Trimethadione
③ Phenytoin
④ Diazepam
⑤ Valproate

10

정답 ③

해설

Phenytoin

1. Vit. K dependent coagulation factor deficiency
2. Fetal hydantoin syndrome
   a. Craniofacial anomalies
   b. Fingernail hypoplasia
   c. Growth deficiency
   d. Developmental delay
   e. Cardiac defects
   f. Cleft lip & palate

참고 *Final Check 산과 256 page*

11

다음 중 태반을 통과하지 않는 물질은 무엇인가?

① Heparin
② Warfarin
③ Aspirin
④ Propylthiouracil
⑤ Penicillin

11

정답 ①

해설

1. Heparin : 분자량이 커서 태반 통과 안함
2. Warfarin : 태반 통과
3. Aspirin : 태반 통과
4. PTU : 태반 통과
5. Penicillin : 태반 통과

참고 *Final Check 산과 265 page*

12

34세 초산모가 임신을 확인 후 상담을 위해 내원하였다. 10년간 흡연의 과거력이 있을 때 임신 중 증가하는 위험성을 고르시오.

① 과숙 임신
② 산후 출혈
③ 전자간증
④ 태반조기박리
⑤ 임신성 당뇨

12

정답 ④

해설

흡연(Tobacco)의 위험성

1. 산모에 대한 영향
   a. Fetal growth restriction
   b. Preterm birth
   c. Placenta previa
   d. Placenta abruption
   e. Spontaneous abortion
2. 태아에 대한 영향
   a. Hydrocephaly, microcephaly
   b. Umphalocele, gastroschisis
   c. Cleft lip & palate
   d. Hand abnormality
   e. Sudden infant death syndrome
   f. Childhood asthma & obesity
3. 임신성 고혈압은 비흡연자에서 더 많이 발생

참고 *Final Check 산과 266 page*

13

흡연이 임신에 미치는 영향에 대한 설명 중 틀린 것은 무엇인가?

① 임신성 고혈압이 증가한다
② 전치태반이 증가한다
③ 저출생체중의 빈도가 증가한다
④ 태반조기박리가 증가한다
⑤ 자연 유산이 증가한다

13

정답 ①

해설

흡연(Tobacco)의 위험성

1. 산모에 대한 영향
   a. Fetal growth restriction
   b. Preterm birth
   c. Placenta previa
   d. Placenta abruption
   e. Spontaneous abortion
2. 태아에 대한 영향
   a. Hydrocephaly, microcephaly
   b. Omphalocele, gastroschisis
   c. Cleft lip & palate
   d. Hand abnormality
   e. Sudden infant death syndrome
   f. Childhood asthma & obesity
3. 임신성 고혈압은 비흡연자에서 더 많이 발생

참고 *Final Check 산과 266 page*

14

임신 중 흡연으로 인해 발생 빈도가 증가하는 것을 모두 고르시오.

(가) 조산
(나) 태반조기박리
(다) 저출생체중
(라) 전자간증

① 가, 나, 다　　② 가, 다
③ 나, 라　　④ 라
⑤ 가, 나, 다, 라

14

정답 ①

해설

흡연(Tobacco)의 위험성

1. 산모에 대한 영향
   a. Fetal growth restriction
   b. Preterm birth
   c. Placenta previa
   d. Placenta abruption
   e. Spontaneous abortion
2. 태아에 대한 영향
   a. Hydrocephaly, microcephaly
   b. Omphalocele, gastroschisis
   c. Cleft lip & palate
   d. Hand abnormality
   e. Sudden infant death syndrome
   f. Childhood asthma & obesity
3. 임신성 고혈압은 비흡연자에서 더 많이 발생

참고 *Final Check 산과 266 page*

15

하루에 담배를 한 갑씩 피워 온 산모가 내원하였다. 다음 중 이 산모에서 발생 빈도가 증가할 수 있는 질환을 모두 고르시오.

(가) 자연 유산
(나) 저출생체중
(다) 태반조기박리
(라) 조산

① 가, 나, 다 ② 가, 다
③ 나, 라 ④ 라
⑤ 가, 나, 다, 라

15

정답 ⑤

해설

양수과소증의 원인

1. 산모에 대한 영향
   a. Fetal growth restriction
   b. Preterm birth
   c. Placenta previa
   d. Placenta abruption
   e. Spontaneous abortion
2. 태아에 대한 영향
   a. Hydrocephaly, microcephaly
   b. Omphalocele, gastroschisis
   c. Cleft lip & palate
   d. Hand abnormality
   e. Sudden infant death syndrome
   f. Childhood asthma & obesity
3. 임신성 고혈압은 비흡연자에서 더 많이 발생

참고 *Final Check 산과 266 page*

16

임신 초기에만 산전 진찰을 받고 이후에는 받지 않던 34세 임신부가 만삭에 분만을 하였다. 태아는 임신 주수에 비해 작고, 얼굴은 짧은 눈꺼풀 주름, 낮은 코, 평평한 인중, 귀의 기형, 소뇌증 소견이 보였다. 다음 중 원인으로 가장 가능성 높은 것은 무엇인가?

① 임신부의 아스피린 만성 과다복용
② 임신부의 알코올 만성 과다복용
③ 자궁 내 CMV 감염
④ 흡연
⑤ 임신 제3삼분기의 Rubella 감염

16

정답 ②

해설

알코올(Alcohol)

1. Ethanol, ethylalcohol : 강력한 기형유발물질
2. 태아 알코올증후군(fetal alcohol syndrome)
   a. 안면 기형 : 짧은 안검열, 길고 편평한 인중, 얇은 윗입술
   b. 출생 전 또는 후의 성장제한
   c. 중추신경계의 이상 : 뇌성장저하, 뇌기형, 지능저하
   d. 감각 이상, 뇌성마비, 간질

참고 *Final Check 산과 254 page*

17

임신 중 지속적으로 술을 마신 산모의 신생아에서 발생할 수 있는 것을 모두 고르시오.

① 황달

② 빈혈

③ 고칼슘 혈증

④ 혈소판 감소증

⑤ 자궁 내 태아성장제한

18

다음 중 태아 알코올증후군(fetal alcohol syndrome)의 임상 소견을 모두 고르시오.

(가) 자궁 내 태아성장제한
(나) 정신지체
(다) 출생 후 성장장애
(라) 선천성 심장기형

① 가, 나, 다　　② 가, 다
③ 나, 라　　④ 라
⑤ 가, 나, 다, 라

17

정답 ⑤

해설

알코올(Alcohol)

1. Ethanol, ethylalcohol : 강력한 기형유발물질
2. 태아 알코올증후군(fetal alcohol syndrome)
   a. 안면 기형 : 짧은 안검열, 길고 편평한 인중, 얇은 윗입술
   b. 출생 전 또는 후의 성장제한
   c. 중추신경계의 이상 : 뇌성장저하, 뇌기형, 지능저하
   d. 감각 이상, 뇌성마비, 간질

참고 *Final Check 산과 254 page*

18

정답 ⑤

해설

태아 알코올증후군(fetal alcohol syndrome)

1. 안면 기형 : 짧은 안검열, 길고 편평한 인중, 얇은 윗입술
2. 출생 전 또는 후의 성장제한
3. 중추신경계의 이상 : 뇌성장저하, 뇌기형, 지능저하
4. 감각 이상, 뇌성마비, 간질

참고 *Final Check 산과 254 page*

19

태아에 대한 약물의 부작용으로 옳은 것을 모두 고르시오.

(가) Tetracycline – yellowish brown discoloration
(나) Phenytoin – craniofacial anomalies
(다) ACE inhibitor – renal dysgenesis
(라) Valproic acid – neural tube defect

① 가, 나, 다　② 가, 다
③ 나, 라　④ 라
⑤ 가, 나, 다, 라

19
정답 ⑤
해설
기형발생 물질(Teratogens)
1. Tetracycline : 아기의 치아 변색(yellow–brown discoloration), 골성장지연
2. Phenytoin : Fetal hydantoin syndrome
3. ACE inhibitor : renal ischemia, renal tubular dysgenesis, anuria
4. Valproic acid : neural tube defect, cleft lip & palate

참고 *Final Check 산과 250, 256, 257, 259 page*

20

노란 색깔의 치아를 보이는 아이가 있다. 이 아이의 엄마가 임신 중 사용했을 가능성이 가장 높은 항생제는 무엇인가?

① Phenytoin　② ACE inhibitor
③ Corticosteroids　④ Tetracycline
⑤ Azathioprine

20
정답 ④
해설
테트라사이클린(tetracycline)
1. 임신 25주 이후 복용 시 치아의 석회화로 인해 출생 이후 아기의 치아 변색(yellow–brown discoloration), 골성장지연을 유발
2. 치아 변색은 영구적인 변화이나 골성장지연은 투약을 중단하면 회복

참고 *Final Check 산과 259 page*

21

다음 중 임신 10주 임신부에게 사용할 수 있는 두드러기 약은 무엇인가?

① Dapsone

② Colchicine

③ Hydroxyzine

④ Dexamethasone

⑤ Chlorpheniramine

21

정답 ⑤

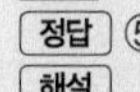

해설

항히스타민제(Antihistamine)

1. 임신 중 비교적 안전
2. Chlorpheniramine 등 대부분의 약제는 기형과 연관이 없음
3. Brompheniramine 및 terfenadine은 임신 중 사용을 자제하는 것이 좋음

참고 *Final Check 산과 260 page*

22

다음 중 임신부에게 투여하여도 비교적 안전하다고 알려진 약물은 무엇인가?

① Diethylstilbestrol

② Erythromycin

③ Isotretinoin

④ Danazol

⑤ Lithium

22

정답 ②

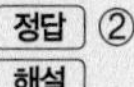

해설

1. Diethylstilbestrol : Structural and functional abnormality 증가
2. Erythromycin : 기형 유발 없음
3. Isotretinoin : 강력한 기형유발물질
4. Danazol : virilization, dose-related pattern of clitoromegaly, fused labia, and urogenital sinus malformation, most of which required surgical correction
5. Lithium : Congenital cardiovascular abnormality (Ebstein anomaly)

참고 *Final Check 산과 259, 261, 262, 263 page*

23

임신 20주의 임신부가 고열, 두통, 기침, 가래 등을 주소로 내원하였다. 검진 상 태아에 특이 소견은 없었고, 산모는 기관지염이 의심되었다. 이 산모에게 사용할 수 있는 약물을 모두 고르시오.

(가) Tetracycline
(나) Piperacillin
(다) Trimethadione
(라) Acetaminophen

① 가, 나, 다　② 가, 다
③ 나, 라　④ 라
⑤ 가, 나, 다, 라

23
정답 ③
해설
임신 중 사용 가능한 항생제(Antimicrobials)
1. Penicillin
2. Cephalosporin
3. Erythromycin
4. Azithromycin
5. Clindamycin
6. Vancomycin
7. Aztreonam
8. Imipenem
9. Chloramphenicol
10. Nitrofurantoin
11. Quinolone

참고 *Final Check 산과 259 page*

24

다음 중 임신부가 감염이 되었을 때 우선적으로 투여를 고려할 수 있는 항생제를 모두 고르시오.

(가) Aminoglycoside
(나) Cephalothin
(다) Tetracycline
(라) Ampicillin

① 가, 나, 다　② 가, 다
③ 나, 라　④ 라
⑤ 가, 나, 다, 라

24
정답 ③
해설
안전하지 않은 약제
1. Tetracycline : 유치의 변색(yellow-brown discoloration)
2. Aminoglycosides : 일부 약제에서 1~2%에서 ototoxicity
3. Sulfonamides : 조산아에서 분만 가까이 사용 시 hyperbilirubinemia

참고 *Final Check 산과 259 page*

25

다음 중 태아에게 영향을 줄 수 있어 임신 중 피해야 할 약물을 모두 고르시오.

(가) Cephalosporin
(나) Penicillin
(다) Erythromycin
(라) Tetracycline

① 가, 나, 다
② 가, 다
③ 나, 라
④ 라
⑤ 가, 나, 다, 라

25

정답 ④

해설

안전하지 않은 약제

1. Tetracycline : 아기의 유치 변색(yellow–brown discoloration)
2. Streptomycin : 출생 후 이독성(ototoxicity)이 보고
3. Sulfonamide : 조산아에서 분만 가까이 사용 시 고빌리루빈혈증(hyperbilirubinemia) 발생 가능

참고 *Final Check 산과 259 page*

CHAPTER 13

유전학(Genetics)

01

다음 그림과 맞는 출생 결함을 A-B-C 순서대로 바르게 연결한 것을 고르시오.

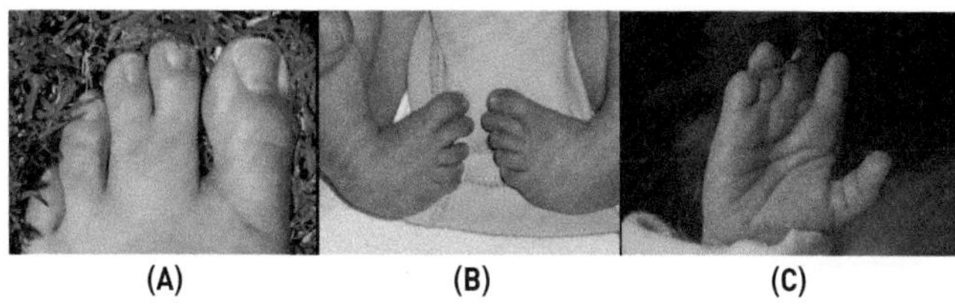

(A) (B) (C)

① 기형 - 변형 - 파열

② 변형 - 기형 - 파열

③ 기형 - 파열 - 변형

④ 변형 - 파열 - 기형

⑤ 파열 - 기형 - 변형

01

정답 ①

해설

출생 결함의 기전에 따른 분류

1. 기형(malformation) : 비정상적인 유전자에 의한 결함
2. 변형(deformation) : 유전적으로 정상이지만 자궁의 환경에 의한 물리적 힘으로 인해 비정상적 모양으로 발달한 것
3. 파열(disruption) : 유전적으로 정상이지만 특정 손상에 의해 변형된 것

참고 *Final Check 산과 268 page*

02

양수과소증이나 둔위에 의해 곤봉발(club foot)이 발생하였다. 이러한 출생 결함의 기전을 설명하는 용어는 무엇인가?

① 붕괴(Disruption) ② 변형(Deformation)

③ 이형성증(Dysplasia) ④ 연쇄(Sequence)

⑤ 연관(Association)

02

정답 ②

해설

변형(Deformation)

1. 유전적으로는 정상
2. 자궁의 환경에 의한 물리적 힘으로 인해 비정상적 모양으로 발달한 것

참고 *Final Check 산과 268 page*

03

다음 중 산모의 나이가 증가함에 따라 발생 빈도가 증가하는 염색체 질환이 아닌 것은 무엇인가?

① Trisomy 21　② Trisomy 13
③ Trisomy 18　④ 45,X
⑤ 47,XXX

04

다음 가계도의 유전방식은 무엇인가?

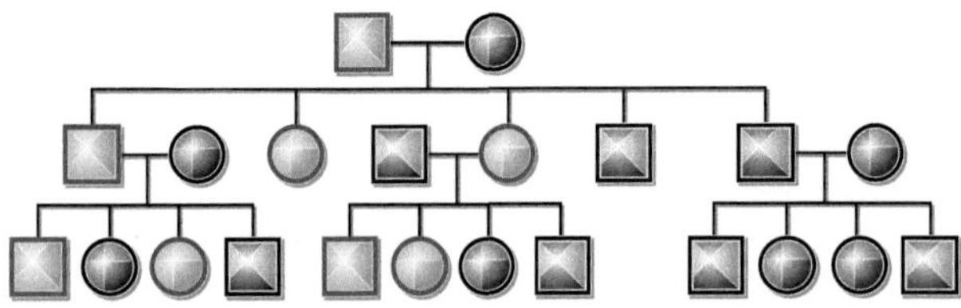

Unaffected female

① 보통염색체 우성유전
② 보통염색체 열성유전
③ X 연관성 우성유전
④ X 연관성 열성유전
⑤ 상호 우성유전

03
정답 ④
해설
산모 나이와 비례하여 증가하는 염색체 질환
1. Trisomy 21
2. Trisomy 18
3. Trisomy 13
4. 47,XXX : 산모의 나이와 약하게 관련

참고 *Final Check 산과 269, 274 page*

04
정답 ①
해설
보통염색체 우성유전
1. 돌연변이 유전자가 하나만 있어도 표현형이 나타남
2. 수직 전파(vertical transmission)
   a. 세대를 거르지 않고 모든 세대에서 보임
   b. 부부의 한 쪽은 정상이고 한 쪽은 비정상인 경우, 자녀의 50%에서 질환이 발생
   c. 질환이 생긴 자녀의 자손 50%에서 이환

참고 *Final Check 산과 289 page*

05

다음의 가계도에서 보이는 질환의 유전양식은 무엇인가?

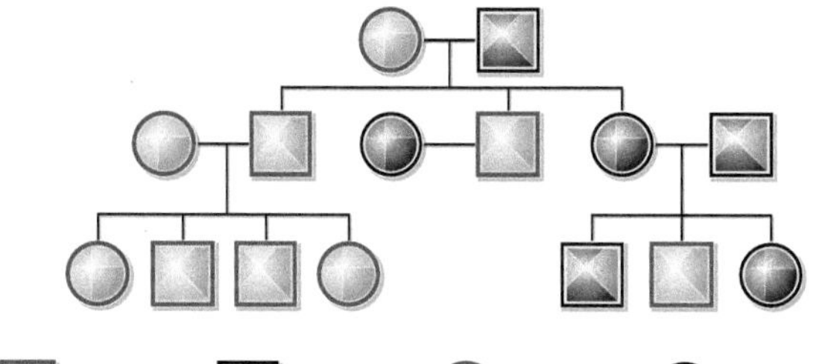

① 보통염색체 우성유전 ② 보통염색체 열성유전
③ X 연관성 우성유전 ④ X 연관성 열성유전
⑤ 상호 우성유전

06

다음은 어느 환아의 염색체 소견이다. 이 질환의 발생과 관련된 가장 중요한 인자는 무엇인가?

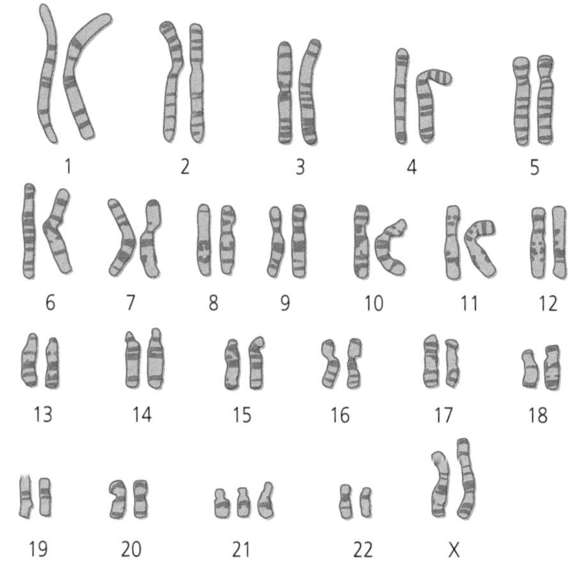

① 인종 ② 가족력 ③ 엽산 결핍
④ 어머니의 나이 ⑤ 아버지의 나이

05

정답 ④

해설

X 연관성 열성유전

1. X 연관성 질환의 대부분은 열성유전
2. 사선 전파(oblique transmission)
   a. 주로 남자에게만 발생 – 남자는 반접합(hemizygous) 상태이므로 어머니가 보인자일때 아들의 50%에서 질환이 발생
   b. 여자가 보인자(carrier)로서 이접합체(heterozygous)인 경우에는 정상으로 보임

참고 *Final Check 산과 291 page*

06

정답 ④

해설

21 세염색체 증후군(Trisomy 21 syndrome)

1. 원인 : 모계의 21번 염색체의 비분리 현상
2. 특징
   a. 가장 흔한 세염색체 이상
   b. 산모의 나이가 많을수록 발생 증가
3. 핵형(karyotype)
   a. Trisomy 21 (47,XY,+21) : 가장 흔한 형태(95%)
   b. 나머지 : 전위(translocation), 섞임증(mosaicism)

참고 *Final Check 산과 270 page*

07

40세의 고령 임산부가 임신 16주에 양수천자를 시행하였고, 다운증후군으로 진단을 받았다. 다음 중 가장 흔한 핵형을 고르시오.

① XY,+21 ② 47,XY,+21

③ 46,+21,XY ④ 47,+21,XY

⑤ 47,XY,21+

07

정답 ②

해설

다운증후군의 핵형(karyotype)

1. Trisomy 21 (47,XY,+21) : 95%, 가장 흔한 형태
2. 나머지 : 섞임증(mosaicism), 전위(translocation)

참고 *Final Check 산과 270 page*

08

다운증후군의 재발 위험도에 대한 설명으로 옳은 것을 모두 고르시오.

(가) 부모의 염색체가 정상인 경우의 재발 위험도는 엄마가 35세 미만인 경우 1~2% 이다

(나) 엄마 염색체에 13-15;21 또는 21;22 전위가 있을 경우 재발 위험도는 약 10~15% 이다

(다) 아빠 염색체에 13-15;21 또는 21;22 전위가 있을 경우 재발 위험도는 약 1~2.5% 이다

(라) 21;21 전위인 경우 어느 부모에 있든지 100% 다운증후군이 발생한다

① 가, 나, 다 ② 가, 다

③ 나, 라 ④ 라

⑤ 가, 나, 다, 라

08

정답 ⑤

해설

다운증후군의 재발 위험

1. 부모의 염색체가 정상인 경우 : 약 1%이고, 임신부 나이가 많은 경우 나이에 따른 다운증후군 위험률과 같음
2. 로버트슨전위(Robertsonian translocation)가 있는 경우
   a. 다운증후군 발생은 임신부의 연령과 무관
   b. 엄마 염색체에 전위 (+) : 10~15%
   c. 아빠 염색체에 전위 (+) : 1~2.5%
3. 부모가 보인자인 경우
   a. 재발률이 높아 부모의 염색체 검사가 필요
   b. 착상전 유전자검사(PGD) : 다운증후군 예방
4. 다운증후군 여성 : 임신이 가능하지만 1/3에서 다시 다운증후군 아이를 가짐

참고 *Final Check 산과 272 page*

09

다음 영상은 임신 16주에 유산된 태아의 초음파와 육안적 소견이다. 가장 가능성이 높은 질환은 무엇인가?

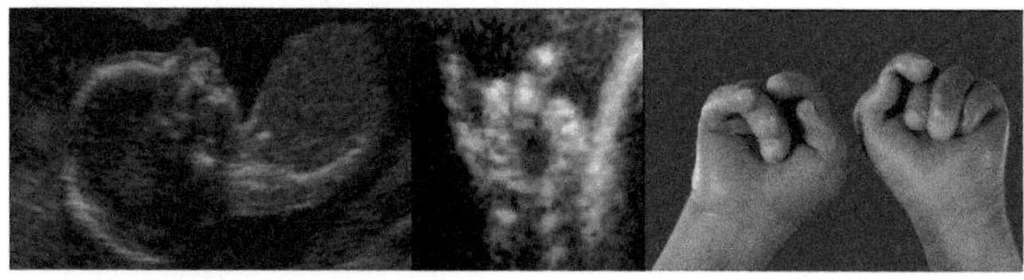

① 파타우증후군
② 에드워드증후군
③ 다운증후군
④ 터너증후군
⑤ 클라인펠터증후군

10

터너증후군에 관한 내용으로 잘못된 것을 고르시오.

① 유산 조직에서 보이는 가장 흔한 염색체 수적 이상이다
② 작은 키를 나타내는 경우가 많다
③ 부모의 나이 증가와 관련이 있는 염색체 질환이다
④ 지능은 대부분 정상이다
⑤ 30~50% 정도에서 심장기형이 발생한다

09

정답 ②

해설

Trisomy 18 (Edward syndrome)의 특징

1. Clenched hands, Rocker–bottom foot
2. Cardiac defect (VSD, ASD, PDA)
3. Horseshoe kidney
4. Hemivertebrae (meningomyelocele)
5. Omphalocele, Diaphrasmatic hernia
6. Imperforated anus
7. Micrognathia
8. Choroid plexus cyst (CPC)
9. Diastasis, radial bone aplasia 등

참고 *Final Check 산과 272 page*

10

정답 ③

해설

45,X (Turner syndrome, 터너증후군)

1. 유산 조직에서 보이는 가장 흔한 염색체 수적 이상
2. 산모의 나이와 발생은 관계가 없음
3. 정상 지능지수
4. 출생 후 특징
   a. 작은 키(140 cm 정도)
   b. 손발의 림프부종(lymphedema)
   c. 물갈퀴목(webbed neck)
   d. 방패가슴(양쪽 유두의 폭과 가슴이 넓음)
   e. 낮은 두발선

참고 *Final Check 산과 274 page*

11

유전체 내의 CpG dinucleotide의 cytosine에 작용하여 transcription을 방해하는 기전은 무엇인가?

① 아세틸화(acetylation)

② 염색질 재형성(chromatin remodeling)

③ 돌연변이(mutation)

④ 메틸화(methylation)

⑤ 재조합(recombination)

11

정답 ④

해설

메틸화(methylation)

: 유전체 내의 CpG dinucleotide의 cytosine에 작용하여 transcription을 방해하는 기전

참고 *Final Check 산과 292 page*

12

다음 염색체의 구조적 이상은 무엇인가?

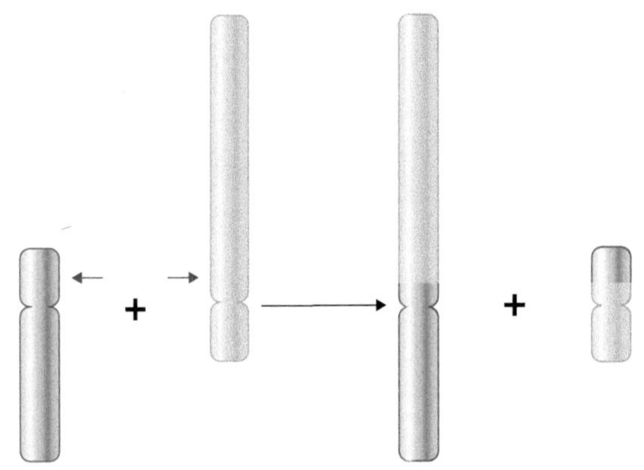

① Reciprocal translocation

② Robertsonian translocation

③ Isochromosome

④ Inversion

⑤ Deletion

12

정답 ②

해설

로버트슨전위(Robertsonian translocations)

1. 두 개의 끝결매듭 염색체(acrocentric chromosome)들 장완이 중심절에서 결합된 형태
2. 끝결매듭 염색체 : 염색체 13, 14, 15, 21, 22
3. 중심절 부위에서의 결합으로 인해 한쪽 중심절과 염색체 단완의 위성체 부위를 잃게 됨
4. 습관성 유산의 원인 중 약 5% 미만을 차지

참고 *Final Check 산과 280 page*

13

부모 중 한 명이라도 가지고 있다면 아기를 갖지 못하도록 피임 수술을 권해야 하는 염색체 이상을 고르시오.

① 46,XY,t(7;9)

② 46,XX,t(13;14)

③ 46,XX,t(14;21)

④ 46,XX,t(21;22)

⑤ 46,XX,t(21;21)

13

정답 ⑤

해설

균형전위 보인자(Balanced translocation carrier)

1. 유전자 기능은 영향을 받지 않고 정상 표현형을 보이는 경우
2. 비정상 자손이 생길 수 있는 불균형 생식세포를 만들 수 있음
3. 부모 중 한 명이 염색체 전위를 나타내면 피임 수술을 권함

참고 *Final Check 산과 279 page*

14

산전 검사상 태아의 핵형이 46,XX,t(11;12)(q23;q22)로 확인되었다. 다음 중 맞는 설명을 모두 고르시오.

(가) 염색체 조각의 가감이 없다
(나) 부모의 염색체 검사를 시행한다
(다) 비정상적인 자손 출생이 가능하다
(라) 부모가 정상 핵형이면 태아는 대부분 비정상이다

① 가, 나, 다 ② 가, 다

③ 나, 라 ④ 라

⑤ 가, 나, 다, 라

14

정답 ①

해설

상호전위(Reciprocal translocations)

1. 두 개의 다른 염색체에서 절단(break)이 생긴 후 서로 자리바꿈을 한 상태
   a. 유도된 염색체(derivative, der) : 재배열된 염색체
   b. 균형전위(balanced translocation) : 염색체 양의 증감이 없는 경우
2. 균형전위 보인자(balanced translocation carrier)
   a. 유전자 기능은 영향을 받지 않고 정상 표현형을 보이는 경우
   b. 비정상 자손이 생길 수 있는 불균형 생식세포를 만들 수 있음
   c. 부모 중 한명이 염색체 전위를 나타내면 피임 수술을 권함
3. 전위 보인자는 습관성 유산이나 기형 출산(5~30%)의 위험이 있으므로 매 임신 시 마다 산전진단 또는 착상전 유전자검사(PGD)를 받아야 함

참고 *Final Check 산과 279 page*

15

다음 그림은 어떠한 염색체 변형을 나타내는 것인가?

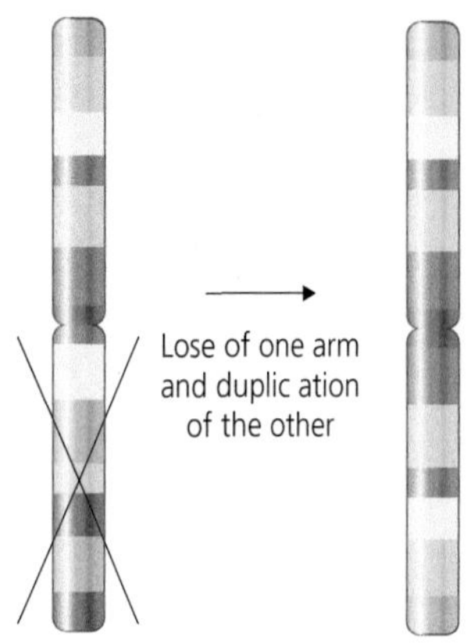

① 결손(deletion) ② 역전(inversion)
③ 섞임증(mosaicism) ④ 등완염색체(isochromosome)
⑤ 상호전위(reciprocal translocations)

15

정답 ④

해설

등완염색체(Isochromosome)

1. 단완부(p arm)나 장완부(q arm) 중 한쪽이 소실되고 남은 쪽이 거울상으로 복제된 형태
2. 원인
   a. 제2감수분열(meiosis) 시기에 동원체가 종단 분리가 되지 못하고 횡단 분리가 되어 발생
   b. 로버트슨전위가 되어 발생

참고 *Final Check 산과 282 page*

16

다음 그림은 어떠한 염색체 변형을 나타내는 것인가?

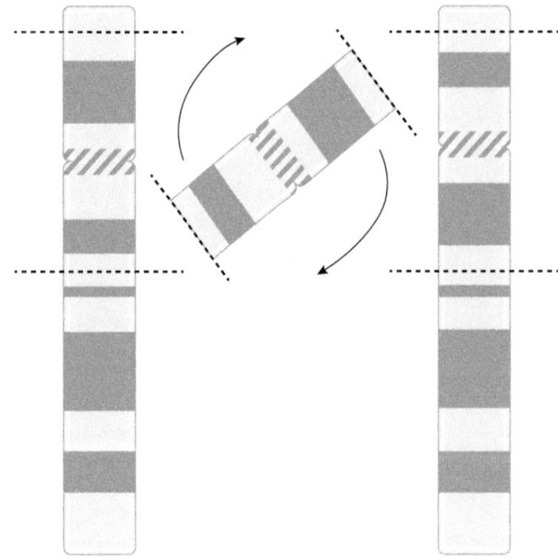

① 결손(deletion) ② 역전(inversion)
③ 섞임증(mosaicism) ④ 등완염색체(isochromosome)
⑤ 상호전위(reciprocal translocations)

16

정답 ②

해설

염색체 역전(chromosomal inversions)

1. 한 염색체에 두 개의 절단점이 생기고 중간 유전물질의 방향이 바뀔 때 발생
   a. 유전 물질의 손실이나 중복이 없음
   b. 재배열로 인한 유전자 기능의 변화 발생 가능
2. 중심절편측역전(paracentric inversion) : 한쪽 팔에서만 역전이 일어나고 중심절은 역전된 부분에 포함되지 않음
3. 중심절포함역전(pericentric inversion) : 절단점이 한 염색체의 각 팔에 존재하고, 역전된 유전물질은 중심절을 포함

참고 *Final Check 산과 283 page*

17

임신 15주인 36세 여성이 유전자 검사 상담을 위해 내원하였다. 2주 전 임신 13주에 시행한 목덜미투명대가 4.5 mm로 확인되었고, 추가로 시행한 검사 결과는 아래와 같았다. 산모에게는 염색체 이상의 증상들을 관찰할 수 없었다면 다음 중 가장 적절한 처치를 고르시오.

- 융모막융모 생검 : 46,XY,inv(9)(q11q13)
- 모체 염색체검사 : 46,XX,inv(9)(q11q13)
- 부체 염색체검사 : 46,XY

① 경과 관찰
② 모체 혈청 DNA 선별검사
③ Quad test
④ 양수천자
⑤ 치료적 유산

17

정답 ①

해설

중심절편측역전(Paracentric inversion)

1. 한쪽 팔에서만 역전이 발생(중심절 미포함)
2. 중심절편측역전의 보인자
   a. 정상 또는 균형된 생식세포를 만들거나 아주 비정상적인 수정 불가능한 생식세포 형성
   b. 불임의 문제가 있기는 하지만 비정상의 자손의 위험률은 매우 낮음

참고 *Final Check 산과 283 page*

18

아버지의 나이가 많을 때 증가하는 질환을 모두 고르시오.

(가) 다운증후군(Down syndrome)
(나) 연골무형성증(Achondroplasia)
(다) 터너증후군(Turner syndrome)
(라) 치사성이형성증(Thanatophoric dysplasia)

① 가, 나, 다
② 가, 다
③ 나, 라
④ 라
⑤ 가, 나, 다, 라

18

정답 ③

해설

아버지 나이 증가에 따라 증가하는 질환

1. Craniosynostosis syndromes
2. Achondroplasia
3. Thanatophoric dysplasia
4. Osteogenesis imperfecta
5. Endocrine neoplasia syndromes

참고 *Final Check 산과 274 page*

19

다음 중 유약 X 증후군(Fragile X syndrome)에 대한 내용으로 맞는 것을 모두 고르시오.

(가) 정신 지체의 가장 흔한 유전적 원인이다
(나) 남성에서 지능저하가 더 심하다
(다) FMR-1 유전자의 변이에 의해 발생한다
(라) Trinucleotide repeat disorder의 일종이다

① 가, 나, 다
② 가, 다
③ 나, 라
④ 라
⑤ 가, 나, 다, 라

19

정답 ⑤

해설

유약 X 증후군(Fragile X syndrome)

1. 유전성 정신지체의 가장 흔한 원인
2. 남성에서 더 흔하고, 지능저하도 심함
3. Xq27.3 부위에서 CGG repeats가 증가
4. 뇌에서 활성을 보이는 FMR1 단백질 생성 중단
5. 선별검사의 적응증
   a. 정신지체의 가족력
   b. 원인 불명의 발달 지체
   c. 자폐증

참고 *Final Check 산과 292 page*

20

산과력 1-0-0-1인 35세 여성이 임신 전 상담을 위해 방문하였다. 7살인 첫째 아이는 정신지체, 자폐증, 언어장애 등이 있었고, 이학적 소견상 길고 좁은 얼굴에 큰 턱과 귀가 두드러져 보였고, 또래보다 고환이 컸다. 가족력상 시동생의 첫째 아이도 비슷한 소견이라면 가장 가능성이 높은 첫째 아이의 상태는 무엇인가?

① 다운증후군(Down syndrome)
② 유약 X 증후군(Fragile X syndrome)
③ 터너증후군(Turner syndrome)
④ 클라인펠터증후군(Klinefelter syndrome)
⑤ 고양이울음증후군(Cri du chat syndrome)

20

정답 ③

해설

유약 X 증후군(Fragile X syndrome)

1. 유전성 정신지체(familial mental retardation)의 가장 흔한 원인
2. 자폐증(autism), 대화와 언어장애, 주의력결핍 과다활동장애(ADHD) 등
3. 신체적 특징
   a. 길고 좁은 얼굴에 큰 턱과 돌출된 귀
   b. 결합조직 이상
   c. 큰고환증(macroorchidism)

참고 *Final Check 산과 292 page*

21

47,XXY 염색체의 주요 기형 및 외형적 특징을 모두 고르시오.

(가) 유환관증(eunuchoidism)
(나) 큰 키
(다) 정상적인 사춘기 발달
(라) 정상 지능

① 가, 나, 다　② 가, 다
③ 나, 라　④ 라
⑤ 가, 나, 다, 라

21
정답 ⑤
해설
47,XXY (Klinefelter syndrome)
1. 주요 기형(major anomaly)
   a. 정상 외모(phenotypically normal)
   b. 정상적인 사춘기 발달
   c. 성선발생장애(gonadal dysgenesis)
   d. 남성화 장애 및 불임(고환 위축, 무정자증 등)
   e. 정상 지능, 일부 발달장애
2. 외형적 특징(characteristic features)
   a. 큰 키(taller than average)
   b. 여성형 유방(gynecomastia)
   c. 유환관증(eunuchoidism)
   d. 비만이 흔함

참고 *Final Check 산과 275 page*

22

DiGeorge 증후군, velo-cardio-facial 증후군 등을 일으킬 수 있으며, 팔로4징(TOF) 등의 뿔줄기 기형(conotruncal anomaly)이 진단된 경우 확인해야하는 염색체 이상은 무엇인가?

① 4p16.3　② 5p15.2
③ 17p13.3　④ 22q11.2
⑤ Xp22.3

22
정답 ④
해설
22q 미세결손증후군
1. 22번 염색체 22q11.2의 미세결손에 의한 질환
2. 같은 염색체 위치의 결손과 관련된 2개의 극단적인 형태
   a. Shprintzen 증후군(velo-cardio-facial 증후군)
   b. DiGeorge 증후군
3. 팔로4징(TOF) 등의 뿔줄기 기형이 임신 중 진단된 경우 시행
   a. 태아의 염색체 검사(karyotyping)
   b. 형광제자리부합법(FISH)

참고 *Final Check 산과 278 page*

23

다음 중 성장제한과 정신지체를 보이며 고양이 울음소리를 나타내는 질환을 고르시오.

① 4p16.3　② 5p15.2
③ 17p13.3　④ 22q11.2
⑤ Xp22.3

23
정답 ②
해설
5p 결손(deletion 5p)
1. 5번 염색체 단완의 부분 결손(5p15.2-15.3)
2. 고양이울음증후군(Cri du chat syndrome)
3. 비정상적인 후두 발달에 의한 고양이 울음과 비슷한 특징적인 울음소리
4. 소두증, 성장제한, 근긴장도 저하, 심한 정신지체 동반

참고 *Final Check 산과 278 page*

24

Fluorescent in situ hybridization (FISH)에 대해 설명할 때 가장 주요한 장점은 무엇인가?

① 검사 결과를 빠른 시일 안에 알 수 있다
② 기존 염색체 검사를 대신할 수 있다
③ 기존 염색체 검사보다 정확도가 높다
④ 모든 균형전위를 발견할 수 있다
⑤ 염색체 띠 구조를 알 수 있다

24
정답 ①
해설
형광제자리부합법(Fluorescent in situ hybridization)
1. 특정 DNA에 형광물질을 결합시켜 염색체 상의 위치를 확인하는 방법
2. 이용
a. 세염색체 증후군 같이 염색체 개수가 증가된 경우의 진단
b. 미세결손(microdeletion)의 진단
3. 대개 24~48시간 내에 결과를 확인할 수 있어서 흔한 염색체 수적 이상에 대해 빠르게 결과를 제공

참고 *Final Check 산과 286 page*

25

산모의 혈액에서 태아세포를 분리하여 비침습적 산전 진단을 할 때 가장 이상적인 태아세포는 무엇인가?

① Cytotrophoblast
② Syncytiotrophoblast
③ Lymphocyte
④ Nucleated RBC
⑤ Monocyte

25
정답 ④
해설
Nucleated red blood cell
1. 가장 쉽게 분리 가능
2. 비침습적 산전 진단에서 가장 이상적으로 사용되는 태아 세포
3. Genetic diseases 평가, FISH를 이용한 karyotyping 가능
4. Sensitivity는 염색체 이상이 있는 경우 더 높았으며, 적어도 하나의 aneuploid cell이 aneuploid fetuses의 74%에서 FISH에 의해 검출

참고 *Final Check 산과 288 page*

26

다음 중 NIPT 검사를 통해 가장 잘 감별할 수 있는 질환은 무엇인가?

① 69,XXY
② 47,XY,+21
③ 46, XX t(21:21)
④ 22q11.2
⑤ Xp22.3

26
정답 ②
해설
태아 DNA 선별검사
1. 방법 : NIPT(Non-Invasive Prenatal Testing)
2. 체혈청선별검사에 비해 높은 검출률
3. 높은 다운증후군 검출률 : 약 99%
4. 다운증후군(trisomy 21), 에드워드증후군(trisomy 18), 파타우증후군(trisomy 13)에 대해 0.5% 미만의 낮은 위양성률과 98%의 높은 질환 검출률을 나타냄

참고 *Final Check 산과 289 page*

CHAPTER 14

산전 진단(Prenatal Diagnosis)

01

분만력 0-1-3-0인 여성이 무월경 10주에 임신을 확인하고 내원하였다. 산모는 3차례의 자연 유산 과거력이 있었으나 내과적 질환의 과거력 및 이학적 검사상 특이소견은 없었다. 시행한 염색체 검사상 남편은 46,XY, 본인은 46,XX,t(11;22)(q23;q11.2)로 확인되었다. 이 여성에 대한 처치로 올바른 것은 무엇인가?

① 치료적 소파술을 시행한다

② 융모막융모생검을 시행한다

③ 임신 15주까지 기다린 후 양수천자를 시행한다

④ 자궁경부 원형결찰술을 시행한다

⑤ 저용량 아스피린을 처방한다

01

정답 ②

해설

융모막융모생검(CVS)

1. 검사 시기 : 임신 10~13주
2. 검사 목적
   a. 생화학 및 분자 진단
   b. 유전자 수준의 유전 질환을 진단

참고 *Final Check 산과 311 page*

02

임신 11주 산모에서 태아의 염색체 이상 유무를 확인하기 위해 할 수 있는 검사를 쓰시오.(2가지)

02

정답

1. 병합선별검사 : NT, hCG, PAPP-A
2. 융모막융모생검(CVS)

참고 *Final Check 산과 302, 311 page*

03

다음 중 태아의 염색체 검사를 할 수 있는 방법을 모두 고르시오.

(가) 양수천자(amniocentesis)
(나) 탯줄천자(cordocentesis)
(다) 태아의 간과 피부의 조직검사
(라) 모체혈청 알파태아단백(MSAFP)

① 가, 나, 다　② 가, 다
③ 나, 라　④ 라
⑤ 가, 나, 다, 라

03

정답 ①

해설

태아 염색체 검사를 할 수 있는 방법

1. 양수천자(amniocentesis)
2. 융모막융모생검(CVS)
3. 탯줄천자(cordocentesis)
4. 태아조직검사(fetal tissue biopsy)
5. 태아DNA선별검사(NIPT)
6. 착상전유전진단(PGD)

→ 산전진단검사+태아DNA선별검사+착상전검사

참고 *Final Check 산과 298 page*

04

임신 주수에 따른 모체와 태아의 알파태아단백(AFP) 변화 그림이다. 각각 올바르게 연결한 것을 고르시오.

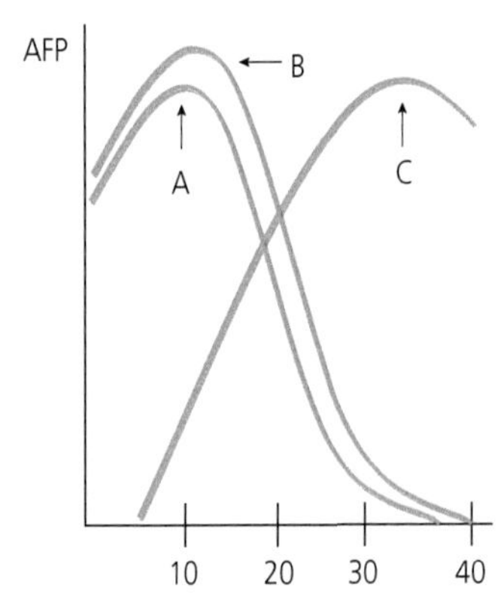

	A	B	C
①	모체 혈청	양수	태아 혈청
②	태아 혈청	모체 혈청	양수
③	양수	태아 혈청	모체 혈청
④	태아 혈청	양수	모체 혈청
⑤	모체 혈청	태아 혈청	양수

04

정답 ③

해설

Alpha-Fetoprotein(AFP)의 농도

1. 태아 혈청과 양수 내의 AFP는 13주에 최고, 그 후 급격히 감소
2. 산모 혈청에서는 임신 12주 이후에 꾸준히 증가, 임신 36~38주에 최고치 도달
3. 피부 결손이 있는 개방형 체벽 결함(open body wall defect)의 경우 더 많은 양의 AFP가 양수로 빠져나오게 되고 결국 산모의 혈청에서도 증가를 보임

참고 *Final Check 산과 298 page*

05

임산부의 혈청 AFP가 최고에 이르는 주수는 언제인가?

① 12~14주

② 16~18주

③ 24~26주

④ 37~41주

⑤ 36~38주

06

아래 그림은 산모의 혈청 AFP의 중앙값과 질환들의 관계를 나타낸 그래프이다. A, B, C에 해당하는 질환을 고르시오.

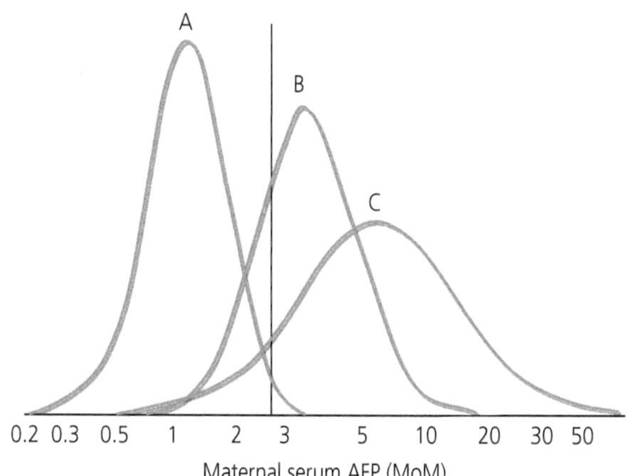

	A	B	C
①	정상	척추이분증	무뇌증
②	정상	무뇌증	척추이분증
③	무뇌증	정상	척추이분증
④	척추이분증	정상	무뇌증
⑤	척추이분증	무뇌증	정상

05

정답 ⑤

해설

알파태아단백(AFP)의 농도

1. 태아 혈청과 양수 내의 AFP는 임신 13주에 최고, 그 후 급격히 감소
2. 산모 혈청에서는 임신 12주 이후에 꾸준히 증가, 임신 36~38주에 최고치 도달

참고 *Final Check 산과 298 page*

06

정답 ①

해설

모체혈청 알파태아단백(MSAFP)

1. 해당 임신 주수 중앙치의 몇 배 인지로 표시(MoM)
2. 상한 기준치 : 2.0 MoM
3. 고위험군 기준치 : 2.5 MoM
4. MSAFP의 증가에 비례하여 태아 이상이 증가

참고 *Final Check 산과 299 page*

07

사중표지물질검사(quad test)의 항목 4가지를 쓰시오.

07

정답
1. AFP
2. hCG
3. uE3
4. Inhibin-A

해설
임신 제2삼분기 선별검사
1. Triple test : AFP, hCG, uE3
2. Quad test : AFP, hCG, uE3, inhibin-A

참고 *Final Check 산과 302 page*

08

산전 선별검사 중에서 사중표지물질검사(quad test)에 대한 설명으로 옳은 것은 무엇인가?

① 임신 제1삼분기에 실시한다
② 알파태아단백, 에스트리올, 사람융모성성선자극호르몬, 임신관련혈장단백-A로 이루어진다
③ 다운증후군 고위험군으로 나올 경우 재검을 시행한다
④ 신경관결손 진단의 민감율이 삼중표지물질검사보다 높다
⑤ 다운증후군 진단의 민감율이 삼중표지물질검사보다 높다

08

정답 ⑤

해설
사중표지물질검사(Quad test)
1. 구성 : AFP, hCG, uE3, inhibin-A
2. 다운증후군 검출률
   a. Triple test : 60~69%
   b. Quad test : 67~81%
3. 선별검사 양성인 경우 염색체 검사를 시행

참고 *Final Check 산과 302, 303 page*

09

임신 중 시행하는 사중표지물질검사(quad test)시 검사 결과에 영향을 주는 임상적 요인을 모두 고르시오.

(가) 다태아
(나) 임신 주수
(다) 산모의 체중
(라) 당뇨병

① 가, 나, 다 ② 가, 다
③ 나, 라 ④ 라
⑤ 가, 나, 다, 라

10

임신 중 선별검사에 대한 설명으로 잘못된 것을 모두 고르시오.

(가) 삼중표지물질검사(triple test)는 AFP, uE3, hCG를 이용한다
(나) 당뇨 산모에서는 MSAFP가 증가하므로 이를 보정해야 한다
(다) 임신 제2삼분기에 임신을 처음 알게 된 경우에 사중표지물질검사(quad test)를 시행한다
(라) 분할식 순차적검사(contingent sequential test)에서 고위험군으로 나올 경우 재검을 한 후 다시 고위험군으로 확인되면 염색체 검사를 한다

① 가, 나, 다 ② 가, 다
③ 나, 라 ④ 라
⑤ 가, 나, 다, 라

09

정답 ⑤

해설

산모 혈청 AFP (MSAFP)에 영향을 주는 요인

1. 다태아 : 다태임신에서 수치 증가
2. 임신 주수 : 주수가 증가할수록 수치 증가
3. 산모 체중 : 체중이 증가할수록 수치 감소
4. 모체 당뇨 : 산모의 당뇨 시 수치 감소

참고 *Final Check 산과 300 page*

10

정답 ③

해설

1. Triple test의 구성 : AFP, hCG, uE3
2. 당뇨 산모에서는 MSAFP 감소
3. 임신 제1삼분기에 염색체 선별검사를 시행하지 않았거나, 임신 제2삼분기에 임신을 처음 알게 된 경우에 사중표지물질검사(quad test)를 시행
4. 분할식 순차적검사의 고위험군 : 침습적진단검사를 시행

참고 *Final Check 산과 300, 302 page*

11

다음 중 모체의 AFP이 상승하는 경우를 모두 고르시오.

(가) 다태 임신
(나) Trisomy 21
(다) 태아의 신경관결손
(라) 모체의 비만

① 가, 나, 다 ② 가, 다
③ 나, 라 ④ 라
⑤ 가, 나, 다, 라

12

단태아를 임신한 임신 16주 산모가 시행한 모체혈청 알파태아 단백(MSAFP)이 6.5 MoM으로 확인되었다. 산모는 키 160 cm, 몸무게 58 kg, 임신 전 생리는 규칙적이었고, 내과적 과거력은 없었다. 분할식 순차적검사(contingent sequential test)상 다운증후군 위험도는 1:450으로 확인되었다면 다음으로 시행해야 할 검사를 고르시오.

① 태아혈청 AFP 검사 ② 정밀 초음파
③ 유전자 검사 ④ 탯줄천자
⑤ 2주 후 재검

11

정답 ②

해설

1. 다태 임신 : MSAFP 증가
2. Trisomy 21 : MSAFP 감소
3. Neural tube defect : MSAFP 증가
4. 모체의 비만 : MSAFP 감소

참고 *Final Check 산과 300 page*

12

정답 ②

해설

MSAFP의 평가 알고리즘

1. 2.0 MoM 이상 상승
   a. 기본 초음파 검사 시행
   b. 정확한 임신 주수, 태아 수 및 생존 확인
2. 2.5 MoM 이상 상승
   a. 정밀 초음파(targeted ultrasonography)
   b. 양수천자(amniocentesis)

참고 *Final Check 산과 300 page*

13

단태아를 임신한 임신 16주인 산모가 시행한 검사상 AFP가 3.5 MoM으로 확인되었다. 산모는 임신 전 생리는 규칙적이었고 평소 복용하는 약은 없었다. 다음 중 가장 먼저 시행해야 할 처치는 무엇인가?

① 유산
② 탯줄천자
③ 유전자 검사
④ 정밀 초음파
⑤ 2주 후 재검

13
정답 ④
해설
MSAFP의 평가 알고리즘
1. 2.0 MoM 이상 상승
   a. 기본 초음파 검사 시행
   b. 정확한 임신 주수, 태아 수 및 생존 확인
2. 2.5 MoM 이상 상승
   a. 정밀 초음파(targeted ultrasonography)
   b. 양수천자(amniocentesis)

참고 *Final Check 산과 300 page*

14

임신 전 생리가 불규칙했던 29세 여성이 임신 17주에 검사한 MSAFP가 2.8 MoM으로 상승하여 내원하였다. 이 산모의 다음 처치로 가장 적절한 것을 고르시오.

① 초음파 검사를 실시하여 정확한 임신 주수를 다시 확인한다
② 다운증후군의 위험이 높으므로 유산을 권유한다
③ 양수천자를 시행한다
④ 탯줄천자를 시행한다
⑤ 혈청 acetylcholinesterase를 측정한다

14
정답 ①
해설
MSAFP의 평가 알고리즘
1. 2.0 MoM 이상 상승
   a. 기본 초음파 검사 시행
   b. 정확한 임신 주수, 태아 수 및 생존 확인
2. 2.5 MoM 이상 상승
   a. 정밀 초음파(targeted ultrasonography)
   b. 양수천자(amniocentesis)

참고 *Final Check 산과 300 page*

15

산전 검사를 잘 받지 않은 임신 18주 산모가 시행한 검사상 AFP 2.5 MoM 증가하여 내원하였다. 이 산모의 다음 처치로 가장 적절한 것을 고르시오.

① 2주 후 AFP 재검
② 양수천자
③ 초음파 검사
④ 치료적 유산
⑤ 태아 유전자 검사

15
정답 ③
해설
MSAFP의 평가 알고리즘
1. 2.0 MoM 이상 상승
   a. 기본 초음파 검사 시행
   b. 정확한 임신 주수, 태아 수 및 생존 확인
2. 2.5 MoM 이상 상승
   a. 정밀 초음파(targeted ultrasonography)
   b. 양수천자(amniocentesis)

참고 *Final Check 산과 300 page*

16

31세 임신부가 정기 검진을 위해 내원하였다. 임신 주수는 17주 2일이었고, 초음파상 태아의 BPD와 예상 체중은 17주 정도였다. 혈액 검사상 AFP 2.8 MoM으로 측정되었다면 이 산모에 대한 올바른 처치는 무엇인가?

① Serum AFP 재검

② Serum Acetylcholinesterase 측정

③ Amnionic fluid AFP 측정

④ 태아 염색체 검사

⑤ 정밀 초음파

16

정답 ⑤

해설

MSAFP의 평가 알고리즘

1. 2.0 MoM 이상 상승
   a. 기본 초음파 검사 시행
   b. 정확한 임신 주수, 태아 수 및 생존 확인
2. 2.5 MoM 이상 상승
   a. 정밀 초음파(targeted ultrasonography)
   b. 양수천자(amniocentesis)

참고 *Final Check 산과 300 page*

17

단태아를 임신한 산모가 임신 16주에 시행한 검사상 AFP 5.3 MoM으로 확인되어 내원하였다. 초음파 검사상 태아는 16주에 맞는 크기와 몸무게였으며, 산모의 내 · 외과적 과거력은 없었다. 이 산모에게 먼저 시행해야 할 검사는 무엇인가?

① 정밀 초음파

② MSAFP 재검

③ 양수 내 AFP 측정

④ 양수천자

⑤ 인공 유산 상담

17

정답 ①

해설

MSAFP의 평가 알고리즘

1. 2.0 MoM 이상 상승
   a. 기본 초음파 검사 시행
   b. 정확한 임신 주수, 태아 수 및 생존 확인
2. 2.5 MoM 이상 상승
   a. 정밀 초음파(targeted ultrasonography)
   b. 양수천자(amniocentesis)

참고 *Final Check 산과 300 page*

18

임신 16주인 30세 초산모가 사중표지물질검사상 AFP 3.8 MoM으로 확인되어 내원하였다. 산모는 평소 정기 산전검사를 잘 받았고, 임신 10주의 초음파상 CRL은 10주 크기였다. 초음파 검사상 산모와 태아의 이상소견은 관찰되지 않았다면 다음으로 가장 적절한 처치를 고르시오.

① 정기 검진
② 모체 AFP 재검사
③ 양수 AFP 검사
④ 태아 염색체 검사
⑤ 정밀 초음파

18

정답 ⑤

해설

MSAFP의 평가 알고리즘

1. 2.0 MoM 이상 상승
   a. 기본 초음파 검사 시행
   b. 정확한 임신 주수, 태아 수 및 생존 확인
2. 2.5 MoM 이상 상승
   a. 정밀 초음파(targeted ultrasonography)
   b. 양수천자(amniocentesis)

참고 *Final Check 산과 300 page*

19

25세의 임신부가 2주 전 임신 16주(최종 월경일 기준)에 보건소에서 시행한 삼중표지물질검사(triple test)에서 다운증후군 위험도가 높게 나와 산부인과 외래로 내원하였다. 시행한 초음파상 태아의 BPD와 예상 체중은 임신 16주 크기로 확인되었다. 이 산모의 다음 처치로 가장 적절한 것을 고르시오.

① 경과 관찰
② 융모막융모생검
③ 사중표지물질검사
④ 양수천자
⑤ 정밀 초음파

19

정답 ③

해설

임신 제2삼분기 선별검사

1. 시기 : 임신 16~18주
2. 검사
   a. Triple test : AFP, hCG, uE3
   b. Quad test : AFP, hCG, uE3, inhibin-A
   c. 초음파검사 : 임신 주수의 확인
3. 임신 제1삼분기에 염색체 선별검사를 시행하지 않았거나, 임신 제2삼분기에 임신을 처음 알게 된 경우에 사중표지물질검사(quad test)를 시행

참고 *Final Check 산과 302 page*

20

32세 다분만부가 임신 16주에 시행한 사중표지물질검사(quad test)의 결과가 아래와 같았다. 다음으로 시행할 처치로 가장 적절한 것을 고르시오.

- AFP : 5.0 MoM
- hCG : 0.9 MoM
- uE3 : 1.1 MoM
- Inhibin-A : 0.8 MoM

① 정밀 초음파
② 인공 유산
③ 사중표지물질검사 재검
④ 양수천자
⑤ 탯줄천자

20

정답 ①

해설

MSAFP의 평가 알고리즘

1. 2.0 MoM 이상 상승
   a. 기본 초음파 검사 시행
   b. 정확한 임신 주수, 태아 수 및 생존 확인
   c. 필요시 MSAFP 수치의 재계산
2. 2.5 MoM 이상 상승
   a. 정밀 초음파(targeted ultrasonography)
   b. 양수천자(amniocentesis)

참고 *Final Check 산과 300 page*

21

28세 초산부가 임신 16주에 시행한 사중표지물질검사(quad test)상 다운증후군의 위험도가 1:150 고위험군으로 확인되어 상담을 위해 내원하였다. 산모는 임신 전 생리가 불규칙하였고, 키 162 cm, 몸무게 60 kg이었다. 시행한 초음파 검사에서 태아 크기는 임신 14주였다면 이 산모의 다음 검사로 가장 적절한 것을 고르시오.

① 경과 관찰
② 사중표지물질검사 재검
③ 양수천자
④ 탯줄천자
⑤ 임신 종결

21

정답 ②

해설

임신 제2삼분기 선별검사

1. 시기 : 임신 16~18주
2. 검사
   a. Triple test : AFP, hCG, uE3
   b. Quad test : AFP, hCG, uE3, inhibin-A
   c. 초음파검사 : 임신 주수의 확인
3. 임신 제1삼분기에 염색체 선별검사를 시행하지 않았거나, 임신 제2삼분기에 임신을 처음 알게 된 경우에 사중표지물질검사(quad test)를 시행

참고 *Final Check 산과 302 page*

22

임신력 0-0-1-0인 37세 산모가 임신 17주에 내원하였다. 태아 심음은 정상적으로 확인되었고, 산모의 내외과적 과거력 및 가족력상 특이소견은 없었다. 산모에게 2회 연속으로 시행한 MSAFP는 0.1 MoM으로 측정되었다. 다음 중 가장 가능성이 적은 것은 무엇인가?

① 다운증후군

② 산모의 비만

③ 에드워드증후군

④ 적게 측정된 임신 주수

⑤ 당뇨

22

정답 ④

해설

Maternal serum AFP의 감소

1. 과하게 측정된 임신 주수
2. 산모의 비만
3. 당뇨
4. Trisomy 21 (Down syndrome)
5. Trisomy 18 (Edward syndrome)
6. Gestational trophoblastic diseases
7. 태아 사망

참고 *Final Check 산과 300 page*

23

삼중표지물질검사(triple test) 결과가 다음과 같을 때 가장 가능성 높은 질환은 무엇인가?

- AFP : 0.7 MoM
- hCG : 2.7 MoM
- E3 : 0.4 MoM

① Fragile X syndrome

② Trisomy 18

③ Trisomy 21

④ Trisomy 13

⑤ 41,X

23

정답 ③

해설

다운증후군의 선별검사 결과

1. 1st trimester screening
   a. hCG 증가
   b. PAPP-A 감소
   c. NT 증가
2. 2nd trimester screening
   a. AFP 감소
   b. hCG 증가
   c. uE3 감소
   d. Inhibin-A 증가

참고 *Final Check 산과 302 page*

24

다음 사중표지물질검사 결과 중 다운증후군을 시사하는 소견을 고르시오.

	AFP	uE3	hCG	Inhibin-A
①	증가	감소	감소	증가
②	감소	감소	증가	증가
③	감소	증가	증가	증가
④	감소	감소	감소	감소
⑤	감소	증가	증가	감소

24

정답 ②

해설

Down syndrome의 사중표지물질검사

1. AFP 감소
2. uE3 감소
3. hCG 상승
4. Inhibin-A 상승

참고 *Final Check 산과 302 page*

25

선별검사 결과가 다운증후군의 가능성이 낮은 것을 고르시오.

① 1st trimester에 측정한 free hCG 증가

② 1st trimester에 측정한 PAPP-A의 감소

③ 1st trimester에 측정한 nuchal translucency 3 mm 미만

④ 2nd trimester에 측정한 AFP의 감소

⑤ 2nd trimester에 측정한 uE3의 감소

25

정답 ③

해설

다운증후군의 선별검사 결과

1. 1st trimester screening
   a. hCG 증가
   b. PAPP-A 감소
   c. NT 증가
2. 2nd trimester screening
   a. AFP 감소
   b. hCG 증가
   c. uE3 감소
   d. Inhibin-A 증가

참고 *Final Check 산과 302 page*

26

삼중표지물질검사(triple test)에서 hCG AFP, uE3가 모두 감소하는 질환은 무엇인가?

① Trisomy 21 ② Trisomy 13

③ Trisomy 18 ④ Turner syndrome

⑤ Klinefelter syndrome

26

정답 ③

해설

에드워드증후군의 선별검사 결과

1. hCG 감소
2. AFP 감소
3. uE3 감소

참고 *Final Check 산과 302 page*

27

34세의 다분만부가 임신 16주에 시행한 삼중표지물질검사(triple test)가 아래와 같아 상담을 위해 내원하였다. 이 산모의 태아에게 가장 가능성이 높은 진단명을 고르시오.

- AFP : 0.5 MoM
- hCG : 0.1 MoM
- uE3 : 0.5 MoM

① Trisomy 13

② Trisomy 18

③ Trisomy 21

④ Turner syndrome

⑤ 47, XXY

27

정답 ②

해설

에드워드증후군의 선별검사 결과

1. hCG 감소
2. AFP 감소
3. uE3 감소

참고 *Final Check 산과 302 page*

28

융모막융모생검 시 조직을 채취하는 부위(A)와 시기(B)를 쓰시오.

28

정답

(A) 부위 : 융모(Chorion frondosum)

(B) 시기 : 10~13주

해설

융모막융모생검(CVS)

1. 검사 시기 : 10~13주에 시행
2. 자궁경부 또는 복부를 경유하여 융모(chorionic frondosum)를 채취
3. 초음파를 이용하여 카테터 혹은 바늘이 초기 태반 안으로 잘 접근하는지 확인하고 융모를 흡인하여 채취
4. 결과까지 6~8일 정도 소요

참고 *Final Check 산과 311 page*

29

융모막융모생검으로 산전 진단할 수 있는 것을 모두 고르시오.

(가) 듀센 근이영양증
(나) 다운증후군
(다) 혈우병
(라) 톡소플라즈마증

① 가, 나, 다　② 가, 다
③ 나, 라　④ 라
⑤ 가, 나, 다, 라

30

적당한 융모막융모생검 후 조직 배양으로부터 정확한 세포 유전을 진단하는 데 요구되는 기간은 얼마인가?

① 1~2일
② 6~8일
③ 10~14일
④ 18~24일
⑤ 28~32일

29

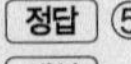

정답 ⑤

해설

융모막융모생검(CVS)의 적응증

1. Karyotype analysis
2. Lysosomal storage disease (Tay–Sachs, Gaucher, Niemann–Pick)
3. Amino acid disorder
4. Urea cycle defect
5. Hemoglobinopathy, cystic fibrosis, hemophilia A&B, Duchenne or Becker muscular dystrophy
6. Fetal infection

참고 *Final Check 산과 311 page*

30

정답 ②

해설

융모막융모생검(CVS)

1. 검사 시기 : 10~13주에 시행
2. 자궁경부 또는 복부를 경유하여 융모(chorionic frondosum)를 채취
3. 초음파를 이용하여 카테터 혹은 바늘이 초기 태반 안으로 잘 접근하는지 확인하고 융모를 흡인하여 채취
4. 결과까지 6~8일 정도 소요

참고 *Final Check 산과311 page*

31

탯줄천자(cordocentesis)의 적응증을 모두 고르시오.

(가) 비면역성 태아 수종
(나) 태아 염색체 검사
(다) 선천성 감염
(라) 산염기 평형 상태 평가

① 가, 나, 다　② 가, 다
③ 나, 라　④ 라
⑤ 가, 나, 다, 라

31

정답 ⑤

해설

제대혈 천자(Cordocentesis) 적응증

1. 적혈구와 혈소판 동종면역의 진단과 치료
   a. 태아 빈혈의 평가 및 적혈구 수혈
   b. 혈소판 동종면역 평가와 치료
2. 태아 염색체 검사, 대사와 혈액학적 연구, 산염기 분석, 바이러스 배양, PCR 등

참고 *Final Check 산과312 page*

32

다음 중 탯줄천자(cordocentesis)로 진단할 수 없는 것은 무엇인가?

① 풍진
② 혈액응고인자 VIII
③ 다운증후군
④ 대사성산증
⑤ 태아의 폐성숙

32

정답 ⑤

해설

제대혈 천자(Cordocentesis) 적응증

1. 적혈구와 혈소판 동종면역의 진단과 치료
   a. 태아 빈혈의 평가 및 적혈구 수혈
   b. 혈소판 동종면역 평가와 치료
2. 태아 염색체 검사, 대사와 혈액학적 연구, 산염기 분석, 바이러스 배양, PCR 등

참고 *Final Check 산과 312 page*

33

탯줄천자 후 산모 혈액과 태아 혈액의 감별에 사용할 수 있는 방법을 모두 고르시오.

(가) MCV >100
(나) Kleihauer–Betke test
(다) i Ag
(라) Apt test

① 가, 나, 다 ② 가, 다
③ 나, 라 ④ 라
⑤ 가, 나, 다, 라

34

임신 중 유전질환을 진단하기 위한 양수천자에 대한 설명으로 맞는 것을 모두 고르시오.

(가) 산전 진단을 위한 양수천자는 보통 임신 16~18주 사이에 시행한다
(나) 양수천자는 초음파 검사상 태아 기형이 의심되면 시행할 수 있다
(다) 양수천자를 통하여 태아의 염색체 이상 및 신경관결손을 진단할 수 있다
(라) 쌍태아 임신의 양수천자 시 양수 구별을 위해 methylene blue를 사용한다

① 가, 나, 다 ② 가, 다
③ 나, 라 ④ 라
⑤ 가, 나, 다, 라

33

정답 ⑤

해설

태아 혈액과 산모 혈액의 감별

1. Kleihauer–betke test
2. Alkali denaturation test (Apt test)
3. Ii blood group system
4. 혈액 도말검사
5. 태아혈액의 특성
   a. Hb F>Hb A
   b. Hct 53%
   c. MCV >110 fl/cell
   d. MCH 30~42 pg
   e. MCHC 33g/dL – 성인과 비슷함

참고 *Final Check 산과 313 page*

34

정답 ①

해설

쌍태임신의 양수천자

1. 첫 번째 임신낭 시술 후 바늘을 제거하기 전에 소량의 인디고카민(Indigo carmine dye)을 주입하여, 두 번째 임신낭 시술 시 첫 번째 임신낭과 구분함
2. Methylene blue는 용혈성 빈혈, methemoglobinemia, 장 폐쇄를 유발할 수 있어 금기

참고 *Final Check 산과 310 page*

35

다음 중 양수천자(amniocentesis)의 적응증에 해당하는 것을 모두 고르시오.

(가) 임신 17주의 triple test 다운증후군 위험도 1:450로 확인된 33세 산모
(나) 초음파로 확인된 심내막완충결손(endocardial cushion defect)
(다) 임신 22주에 일측성 choroid plexus cyst가 확인된 32세 산모
(라) 산모 또는 남편이 균형전위 보인자(balanced translocation carrier)

① 가, 나, 다
② 가, 다
③ 나, 라
④ 라
⑤ 가, 나, 다, 라

35

정답 ③

해설

양수천자의 적응증

1. 35세 이상의 임산부
2. 염색체 이상 태아 분만의 과거력
3. 부모 중 염색체 이상이 있는 경우
4. 가까운 친척 중 다운증후군이나 다른 염색체 이상이 있는 경우
5. 3번 이상의 자연 유산 과거력
6. 심각한 X 연관성 열성유전 질환의 위험성이 있는 임신에서 태아의 성별을 확인할 때
7. 심각한 장애의 위험이 있는 임신에서 생화학적 연구를 위해
8. 정기 선별검사상 산모의 혈청 AFP가 비정상적으로 높을 때

참고 *Final Check 산과 309 page*

36

37세 초산부가 임신 17주에 시행한 삼중표지물질검사가 다음과 같았다. 초음파 검사와 최종 월경일에 의한 임신 주수는 같았다면 다음 단계 처치로 옳은 것은 무엇인가?

- AFP : 1.5 MoM
- hCG : 0.9 MoM
- uE3 : 1.1 MoM

① 경과 관찰
② 삼중표지물질검사 다시 시행
③ 정밀 초음파 검사
④ 양수천자
⑤ 양수 내 AFP 측정

36

정답 ④

해설

양수천자의 적응증

1. 35세 이상의 임산부
2. 염색체 이상 태아 분만의 과거력
3. 부모 중 염색체 이상이 있는 경우
4. 가까운 친척 중 다운증후군이나 다른 염색체 이상이 있는 경우
5. 3번 이상의 자연 유산 과거력
6. 심각한 X 연관성 열성유전 질환의 위험성이 있는 임신에서 태아의 성별을 확인할 때
7. 심각한 장애의 위험이 있는 임신에서 생화학적 연구를 위해
8. 정기 선별검사상 산모의 혈청 AFP가 비정상적으로 높을 때

참고 *Final Check 산과 309 page*

37

태아 염색체 이상(fetal aneuploidy)이 의심되어 양수 검사를 시행해야 하는 경우를 쓰시오.(3가지)

37

정답

1. 35세 이상의 임산부
2. 염색체 이상 태아 분만의 과거력
3. 부모 중 염색체 이상이 있는 경우
4. 가까운 친척 중 다운증후군이나 다른 염색체 이상이 있는 경우
5. 3번 이상의 자연 유산 과거력
6. 심각한 X 연관성 열성유전 질환의 위험성이 있는 임신에서 태아의 성별을 확인할 때
7. 심각한 장애의 위험이 있는 임신에서 생화학적 연구를 위해
8. 정기 선별검사상 산모의 혈청 AFP가 비정상적으로 높을 때

참고 *Final Check 산과 309 page*

38

다운증후군 아이의 분만 경험이 있는 23세의 다분만부가 임신 15주로 산부인과 외래에 내원하였다. 이 산모에 대한 검사 계획으로 옳은 것을 고르시오.

① 다운증후군 선별검사 후 위험도에 따라 양수천자 시행 여부를 결정한다

② 임신 22주에 정밀 초음파를 시행한다

③ 양수천자를 통해 염색체 검사를 시행한다

④ 부모의 염색체 검사 결과에 따라 양수천자 시행 여부를 결정한다

⑤ 임신 26주에 탯줄천자를 시행한다

38

정답 ③

해설

양수천자의 적응증

1. 35세 이상의 임산부
2. 염색체 이상 태아 분만의 과거력
3. 부모 중 염색체 이상이 있는 경우
4. 가까운 친척 중 다운증후군이나 다른 염색체 이상이 있는 경우
5. 3번 이상의 자연 유산 과거력
6. 심각한 X 연관성 열성유전 질환의 위험성이 있는 임신에서 태아의 성별을 확인할 때
7. 심각한 장애의 위험이 있는 임신에서 생화학적 연구를 위해
8. 정기 선별검사상 산모의 혈청 AFP가 비정상적으로 높을 때

참고 *Final Check 산과 309 page*

39

양수천자 시술 후 나타날 수 있는 합병증을 모두 고르시오.

(가) 태아 외상
(나) 유산 또는 조산
(다) 감염
(라) 전치태반

① 가, 나, 다　　② 가, 다
③ 나, 라　　④ 라
⑤ 가, 나, 다, 라

39

정답 ①

해설

양수천자의 합병증

1. 바늘에 의한 태아의 손상
2. 감염, 융모양막염
3. 유산 태아 소실
4. 조기진통, 조기양막파수
5. 태반 천공

참고 *Final Check 산과 310 page*

40

양수에 태아 혈액이 섞였을 때 나타날 수 있는 소견을 모두 고르시오.

(가) 태아 세포의 배양을 방해한다
(나) 양수가 갈색 또는 녹색을 띤다
(다) 태아의 예후와는 관련이 없다
(라) 양수의 AFP가 낮게 나온다

① 가, 나, 다　　② 가, 다
③ 나, 라　　④ 라
⑤ 가, 나, 다, 라

40

정답 ①

해설

태아 혈액이 양수 내에 있을 때

1. 양수 내 AFP 치가 증가할 수 있고, 이 때는 acetylcholinesterase 측정이 감별에 도움이 됨
2. 태아 세포의 배양을 방해됨
3. 태아의 예후와는 관계없음

참고 *Final Check 산과 310 page*

CHAPTER 15

태아 질환(Fetal Disorders)

01

이전의 임신에서 2회의 유산 과거력을 가진 임신 11주 산모가 산전 검사상 Rh(−) A형으로 확인되었다. 시행한 간접쿰스검사(indirect Coombs test)에서 양성으로 확인되었다면 이 산모에 대한 다음 처치를 고르시오.

① 직접쿰스검사(direct Coombs test)

② 탯줄천자(cordocentesis)

③ 양수천자(amniocentesis)

④ 항체역가(antibody titer) 측정

⑤ 유산(abortion)

01

정답 ④

해설

동종면역의 가능성이 있는 임신

1. 첫 산전진찰에서 혈액형(ABO, Rh) 검사
2. Rh 음성 확인 → 산모의 간접쿰스검사 실시
3. 산모에서 D 항체 확인 : IgG, IgM 유무 확인
4. 결과에 따라 관리

참고 *Final Check 산과 328 page*

02

임신 14주 산모가 산전 진찰을 위해 내원하였다. 산모의 혈액형은 B형, Rh(−) 였고, 이전에 자궁경관개대 및 소파술을 받았지만 RhIG를 투여 받은 적은 없다고 하였다. 다음 중 이 산모에게 시행해야 할 다음 처치를 고르시오.

① 간접쿰스검사(indirect Coombs test)

② 직접쿰스검사(direct Coombs test)

③ RhoGAM 주사

④ 혈청 빌리루빈(bilirubin) 수치 확인

⑤ 경과 관찰

02

정답 ①

해설

동종면역의 가능성이 있는 임신

1. 첫 산전진찰에서 혈액형(ABO, Rh) 검사
2. Rh 음성 확인 → 산모의 간접쿰스검사 실시
3. 산모에서 D 항체 확인 : IgG, IgM 유무 확인
4. 결과에 따라 관리

참고 *Final Check 산과 328 page*

03

임신 14주 다분만부가 산전검사에서 Rh(−) 임을 확인하고 내원하였다. 첫째 아이는 Rh(+)였으며 첫째 임신 당시 면역글로불린을 투여하지 않았다고 한다. 다음 처치로 가장 적절한 것을 고르시오.

① anti-D 항체 검사

② 중뇌동맥 최고 수축기 속도 감시

③ anti-D 면역글로불린 투여

④ 양수천자

⑤ 치료적 유산

03

정답 ①

해설

동종면역의 가능성이 있는 임신

1. 첫 산전진찰에서 혈액형(ABO, Rh) 검사
2. Rh 음성 확인 → 산모의 간접쿰스검사 실시
3. 산모에서 D 항체 확인 : IgG, IgM 유무 확인
4. 결과에 따라 관리

참고 *Final Check 산과 328 page*

04

임신 38주 산모가 분만진통을 주소로 내원하여 3,200 g의 남아를 질식분만 하였다. 신생아는 생후 6시간 후부터 황달과 경도의 빈혈 소견을 보였다. 이 신생아에게 시행해야 할 가장 우선적인 조치는 무엇인가?

① 신생아 황달이므로 경과 관찰한다

② 신생아의 혈소판 수치를 검사한다

③ 신생아와 산모의 ABO, Rh 혈액형을 검사한다

④ 신생아와 산모의 혈액에서 균 배양 검사를 한다

⑤ 신생아의 뇌 초음파 검사를 한다

04

정답 ③

해설

동종면역의 가능성이 있는 임신

1. 첫 산전진찰에서 혈액형(ABO, Rh) 검사
2. Rh 음성 확인 → 산모의 간접쿰스검사 실시
3. 산모에서 D 항체 확인 : IgG, IgM 유무 확인
4. 결과에 따라 관리

참고 *Final Check 산과 328 page*

05

27세 다분만부가 임신 21주에 산전 진찰을 위해 내원하였다. 산모의 혈액형은 O형, Rh(−)로 확인되었고, 이전 임신에서는 정상 질식분만을 하였다. 이번 임신 상태를 평가하기 위해 조기에 해야 할 검사는 무엇인가?

① 직접쿰스검사(direct Coombs test)

② 간접쿰스검사(indirect Coombs test)

③ C 항체 역가 측정

④ D 항체 역가 측정

⑤ E 항체 역가 측정

05

정답 ②

해설

동종면역의 가능성이 있는 임신

1. 첫 산전진찰에서 혈액형(ABO, Rh) 검사
2. Rh 음성 확인 → 산모의 간접쿰스검사 실시
3. 산모에서 D 항체 확인 : IgG, IgM 유무 확인
4. 결과에 따라 관리

참고 *Final Check 산과 328 page*

06

Rh(−), A형인 임신 20주 산모가 내원하였다. 시행한 초음파상 이상소견은 없었고, 간접쿰스검사(indirect Coombs test)에서 역가치는 1:32로 확인되었다. 이 산모의 다음 처치로 맞는 것을 고르시오.

① 양수천자를 시행하여 ΔOD450값을 측정한다

② 4주 후 외래 추적관찰을 한다

③ 임신종결을 한다

④ 자궁 내 수혈을 한다

⑤ 탯줄천자를 한다

06

정답 ⑤

해설

탯줄천자를 이용한 태아 혈액검사가 필요한 경우

1. ΔOD_{450}값이 증가하거나 일정하게 고원(plateau)을 유지하여 zone 2의 80th percentile에 도달한 경우
2. Queenan 그래프의 자궁 내 수혈영역(intrauterine transfusion zone)에 도달한 경우
3. 임신 25주 이전에 심한 빈혈이 의심되는 경우

참고 *Final Check 산과 328 page*

07

임신 26주인 초산모가 혈액형이 B형, Rh(−)로 확인되어 내원하였다. 시행한 간접쿰스검사(indirect Coombs test)상 역가치가 1:32로 확인 되었다면 이 산모의 다음 처치를 쓰시오.(1가지)

08

혈액형 A형, Rh (−)인 임신 32주 산모가 Rh 혈액형 부적합성으로 추적관찰 중이다. 양수천자 후 시행한 검사상 ΔOD_{450} = 0.3으로 확인되었다면 현재 태아의 상태를 고르시오.

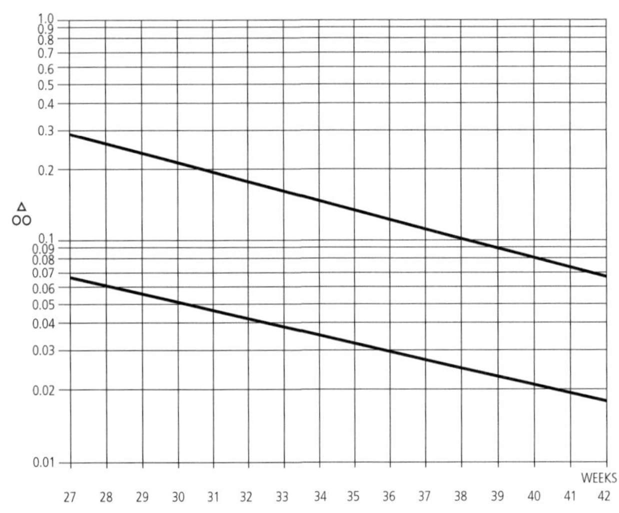

① 정상 태아
② 태아 저혈당
③ 태아 저칼슘혈증
④ 태아 빈혈
⑤ RhD 음성 태아

07

정답

양수천자(amniocentesis)

해설

적혈구 동종면역의 진단

1. 간접쿰스검사의 임계역가
   a. 심각한 용혈성 질환이 발생할 수 있는 역가치
   b. 이 수치 이상의 역가치를 보이면 주의 깊은 태아감시가 필요
   c. 대개 1:16이 기준
2. 양수 내 빌리루빈 흡광도 검사
   a. 면역반응에 의해 용혈이 일어나면 빌리루빈 생성이 증가
   b. 양수 내 빌리루빈의 양은 용혈 정도와 상관관계를 보이며, 간접적으로 태아 빈혈의 정도를 예측할 수 있음

참고 *Final Check 산과 325, 326, 328 page*

08

정답 ④

해설

Liley 그래프

1. Zone 1 : 이환되지 않은 태아, 향후 경증 질환의 가능성
2. Zone 2 : 중등도 또는 중증의 상태, 반복적 검사 필요
   a. Lower zone 2 : Hb 11.0~13.9 g/dL
   b. Upper zone 2 : Hb 8.0~10.9 g/dL
3. Zone 3 : Hb 8.0 미만의 심한 질환, 이환된 태아로서 7~10일 내 사망 가능하므로 수혈이나 즉각적 분만 실시

참고 *Final Check 산과 326 page*

09

임신 31주 다분만부가 혈액형 검사에서 Rh(−)을 확인하고 내원하였다. 첫 아이는 질식분만을 하였고 아이의 혈액형은 Rh(+)라고 하였다. 시행한 양수천자에서 ΔOD_{450} = 0.3으로 확인되었다면 다음으로 시행해야 할 처치를 모두 고르시오.

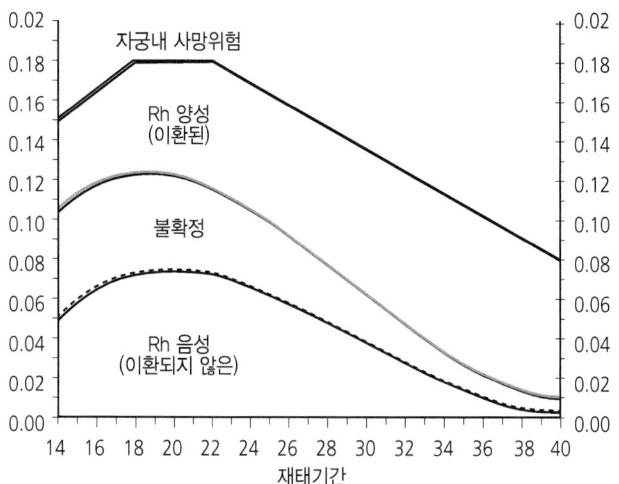

(가) 즉시 분만 실시
(나) 광선치료
(다) 자궁 내 태아 수혈 고려
(라) 외래 추적관찰

① 가, 나, 다　　② 가, 다
③ 나, 라　　④ 라
⑤ 가, 나, 다, 라

09

정답 ②

해설

Queenan 그래프

1. Rh 음성(unaffected)
2. 불확정 영역(indeterminate) : 임신 중기의 정상적인 고빌리루빈 농도 때문에 나타남
3. Rh 양성(affected)
4. 자궁 내 사망위험(intrauterine death risk) : 태아 상태 확인, 태아채혈술, 조기분만 필요

참고 *Final Check 산과 327 page*

10

28세 임신 30주 다분만부가 혈액형 검사에서 Rh(−), A형으로 확인되어 내원하였다. 간접쿰스검사(indirect Coombs test)상 항체의 역가치가 1:32로 확인되어 양수천자와 초음파 검사를 시행하였다. 초음파 검사상 태아의 이상소견은 관찰되지 않았고, 양수천자의 ΔOD_{450} = 0.5로 측정되었다. 이 산모에 대한 처치로 옳은 것을 고르시오.

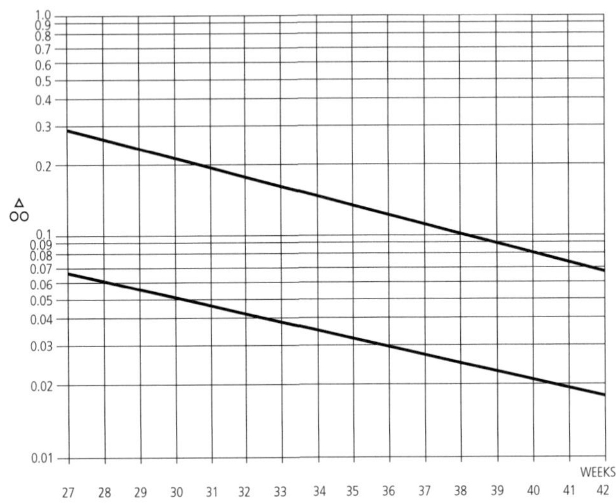

① 양수천자를 1~2주 후에 반복 검사한다

② 태아의 혈색소 수치는 11~13.9 g/dL 정도이다

③ 태아의 용혈은 안정적인 수준이거나 태아가 영향을 받지 않은 상태이다

④ 즉각적인 태아 수혈이나 분만을 시행한다

⑤ 탯줄천자를 1~2주 후에 시행한다

10

 ④

해설

Liley 그래프

1. Zone 1 : 이환되지 않은 태아, 향후 경증 질환의 가능성
2. Zone 2 : 중등도 또는 중증의 상태, 반복적 검사 필요
   a. Lower zone 2 : Hb 11.0~13.9 g/dL
   b. Upper zone 2 : Hb 8.0~10.9 g/dL
3. Zone 3 : Hb 8.0 미만의 심한 질환, 이환된 태아로서 7~10일 내 사망 가능하므로 수혈이나 즉각적 분만 실시

참고 *Final Check 산과 326 page*

11

CDE 혈액형 부적합성 평가 시 양수천자와 비교해 태아채혈술의 장점을 쓰시오.(2가지)

11

정답

1. 태아 혈색소(Hb)와 빌리루빈의 수치를 정확히 측정 가능
2. 즉시 태아 수혈(fetal transfusion) 가능

해설

태아채혈술(Fetal blood sampling)의 장점

1. 방법 : 초음파 유도 하 탯줄천자(cordocentesis) 시행
2. 장점
   a. 태아 혈색소와 빌리루빈의 수치를 정확히 측정 가능
   b. 즉시 태아 수혈(fetal transfusion) 가능

참고 *Final Check 산과 323 page*

12

임신 28주인 29세 초산모가 혈액형 검사상 Rh(−)를 주소로 내원하였다. 출산력 0−0−0−0, 과거력상 특이소견은 없었고, 남편의 혈액형은 Rh(+)로 확인되었다. 이 산모의 D−immune globulin 투여에 대한 내용으로 올바른 것을 고르시오.

① 즉시 투여한다

② 투여하지 않는다

③ 분만 후 72시간 내에만 투여한다

④ 간접쿰스검사 역가치가 1:16 이상일 때 투여한다

⑤ 직접쿰스검사 역가치가 1:16 이상일 때 투여한다

12

정답 ①

해설

태아와 신생아 RhD 용혈성 질환의 예방

1. Rho (D) immune globulin (RhIG) 300 μg
2. 투여 시기
   a. 임신 28주경 및 신생아가 RhD 양성을 보이면 분만 72시간 이내
   b. 유산, 포상기태, 자궁외임신 치료, 양수천자
   c. 자궁출혈이 있는 경우
   d. 태아−모체 출혈이 의심되는 경우
   e. 수혈

참고 *Final Check 산과 330 page*

13

Rh(−) 혈액형의 산모가 산전검사를 위해 내원했다. 다음 중 적절한 진료가 아닌 것을 고르시오.

① 혈액형을 다시 확인한다

② 임신 초기에 예방적으로 RhIG를 주사한다

③ 간접쿰스검사(indirect Coombs test)로 모체의 이환 유무를 확인한다

④ 이환 되지 않은 여성에게는 임신 28~32주에 RhIG를 초회 주사한다

⑤ 태아가 출산 후 신생아 동안 혈액형 검사에 따라 RhIG를 재접종한다

13

정답 ②

해설

태아와 신생아 RhD 용혈성 질환의 예방

1. Rho (D) immune globulin (RhIG) 300 μg
2. 투여 시기
   a. 임신 28주경 및 신생아가 RhD 양성을 보이면 분만 72시간 이내
   b. 유산, 포상기태, 자궁외임신 치료, 양수천자
   c. 자궁출혈이 있는 경우
   d. 태아–모체 출혈이 의심되는 경우
   e. 수혈

참고 *Final Check 산과 330 page*

14

임신 38주 초산모가 3,200 g의 남아를 질식분만 하였다. 산전검사 및 초음파에서 태아는 이상소견이 없었으나, 출생 시 Apgar 점수 2/4점이었고 피부가 창백하였다. 신생아의 CBC에서 Hb 6.9 g/dL로 확인되었다면 원인 확인을 위해 산모에게 시행해야 할 검사를 고르시오.

① β-thalassemia 확인

② D 항체 확인

③ 간접쿰스검사(indirect Coombs test)

④ Kleihauer-Betke test

⑤ Cytomegalovirus (CMV) 확인

14

정답 ④

해설

태아–모체 출혈(Fetomaternal hemorrhage)

1. 모체의 순환에서 태아의 혈액이 30 mL 이상 나타나는 것
2. 위험인자 : 역아 외회전술, 복부 외상, 태반조기박리, 전치태반, 자궁 내 태아사망, 제왕절개, 태반의 용수제거술, 양수천자 등
3. 태아로부터 모체로의 대량 출혈 진단법
   a. Kleihauer–Betke (KB) test
   b. 유세포 분석(flow cytometry)
   c. 고성능 액체 크로마토그래피

참고 *Final Check 산과 319 page*

15

임산부 말초 혈액에서 시행하는 Kleihauer–Betke test는 무엇을 확인하기 위한 방법(A)이고, 어떠한 경우에 양성(B)으로 나타날 수 있는지 쓰시오.

16

비면역성 태아수종(nonimmune hydrops fetalis)의 원인을 모두 고르시오.

(가) 선천성 심장차단(Congenital heart block)
(나) 다운증후군(Down syndrome)
(다) 림프물주머니(Cystic hygroma)
(라) Gaucher병

① 가, 나, 다　② 가, 다
③ 나, 라　④ 라
⑤ 가, 나, 다, 라

15

정답
(A) 태아–모체 출혈(fetomaternal hemorrhage)
(B) 역아 외회전술, 복부 외상, 태반조기박리, 전치태반, 자궁 내 태아사망, 제왕절개, 태반의 용수제거술, 양수천자 등

해설
태아–모체 출혈(Fetomaternal hemorrhage)
1. 모체의 순환에서 태아의 혈액이 30 mL 이상 나타나는 것
2. 위험인자 : 역아 외회전술, 복부 외상, 태반조기박리, 전치태반, 자궁 내 태아사망, 제왕절개, 태반의 용수제거술, 양수천자 등
3. 태아로부터 모체로의 대량 출혈 진단법
   a. Kleihauer–Betke (KB) test
   b. 유세포 분석(flow cytometry)
   c. 고성능 액체 크로마토그래피

참고 *Final Check 산과 319 page*

16

정답 ⑤

해설
비면역성 태아수종의 원인
1. 심혈관계 이상 : 선천성 심장질환, 부정맥
2. 염색체 이상
   a. 45,X : cystic hygroma, coarctation of aorta
   b. T21, T18, T13 등
3. 쌍둥이 : 쌍둥이간 수혈증후군(TTTS)
4. 선천성 감염 :
5. 흉부질환 : 선천성 낭성샘모양기형(CCAM)
6. 선천적인 대사 이상 : 리소솜축적병, Gaucher병, Tay–Sachs병 등

참고 *Final Check 산과 333 page*

17

비면역성 태아수종(nonimmune hydrops fetalis)의 원인을 모두 고르시오.

(가) 톡소포자충증(Toxoplasmosis)
(나) 다운증후군(Down syndrome)
(다) 림프물주머니(Cystic hygroma)
(라) 쌍둥이간 수혈증후군(Twin–twin transfusion syndrome)

① 가, 나, 다 ② 가, 다
③ 나, 라 ④ 라
⑤ 가, 나, 다, 라

17

정답 ⑤

해설

비면역성 태아수종의 원인

1. 심혈관계 이상 : 선천성 심장질환, 부정맥
2. 염색체 이상
   a. 45,X : cystic hygroma, coarctation of aorta
   b. T21, T18, T13 등
3. 쌍둥이 : 쌍둥이간 수혈증후군(TTTS)
4. 선천성 감염 :
5. 흉부질환 : 선천성 낭성샘모양기형(CCAM)
6. 선천적인 대사 이상 : 리소솜축적병, Gaucher병, Tay–Sachs병 등

참고 *Final Check 산과 333 page*

18

다음 중 비면역성 태아수종의 진단을 위한 검사를 모두 고르시오.

(가) 태아 염색체 검사
(나) Kleihauer–Betke 검사
(다) 정밀 초음파
(라) 100 g OGTT

① 가, 나, 다 ② 가, 다
③ 나, 라 ④ 라
⑤ 가, 나, 다, 라

18

정답 ⑤

해설

비면역성 태아수종의 진단을 위한 검사

1. 모체 : 간접쿰스검사, CBC, 헤모글로빈 전기영동, 화학검사, Kleihauer–Betke 검사, 매독 및 TORCH 역가, 정밀 초음파, 태아 심초음파, 경구 당부하 검사
2. 양수천자 : 태아 염색체 검사, 양수배양, AFP
3. 태아혈액 : 특이적인 대사 검사, 빠른 염색체 검사, 배양검사, 혈청검사(특이 IgM), 태아 혈장 알부민, CBC, Plt, AST/ALT, 혈액가스분석

참고 *Final Check 산과 334 page*

CHAPTER 16

태아 치료(Fetal therapy)

01

비면역성 태아수종의 원인들 중 내과적(A) 혹은 외과적(B)으로 치료가 가능한 질환을 각각 2가지씩 열거하고 치료법을 쓰시오.

01

정답

(A)

1. 상실성빈맥(SVT), 심방조동(atrial flutter) – Digoxin, flecainide, amiodarone 등의 항부정맥약제
2. 완전 방실차단(Complete AV block) – β-adrenergic agonist, betamethasone, dexamethasone

(B)

1. 쌍둥이간 수혈증후군(TTTS) – 태아경하 선택적 레이저응고술
2. 선천성 낭성샘모양기형(CCAM) – 태아 단락술(Shunt therapy)

참고 *Final Check 산과 333, 344 page*

CHAPTER 17

태아 검사(Fetal Assessment)

01

다음 중 태아의 태동 횟수가 가장 많은 시기는 언제인가?

① 임신 첫 3주

② 임신 18~24주

③ 임신 28~34주

④ 임신 37~41주

⑤ 분만진통 중

01

정답 ③

해설

태아 활동의 특징

1. 임신부의 수면-각성 주기와 독립적으로 나타남
2. 임신이 진행되면 약한 움직임은 감소하고 대신 강한 움직임이 증가하다가 만삭에는 다시 감소(태동의 최고조는 임신 32주경)
3. 태동의 증가는 임신 36주까지 지속
4. 양수량 및 자궁 내 공간의 감소로 인해 임신이 진행될수록 약한 움직임 감소

참고 *Final Check 산과 348 page*

02

임신 34주 산모에서 시행한 비수축검사(NST)가 무반응성으로 확인되었다. 산모는 평소 태아가 잘 놀았고, 지금은 잠을 자는 시간인 것 같다고 하였다. 태아 수면 주기를 고려하여 깨울 수 있는 방법을 고르시오.

① 배를 흔들어 태아를 자극

② 산모에게 경구 당 투여

③ Phenobarbital 투여

④ 음향자극검사

⑤ 산모를 옆으로 눕힘

02

정답 ④

해설

음향자극검사(Acoustic stimulation test)

1. 외적 진동성 음향자극은 태아에게 놀람반사(startle reflex)를 일으켜 태아의 반응성을 증가시키고 무반응성 비수축검사의 빈도를 효과적으로 감소시킴
2. 비수축검사에 병용 시 검사 시간을 줄이고, 위양성(false-nonreactive)의 빈도가 감소

참고 *Final Check 산과 356 page*

03

임신 33주인 초산모에서 시행한 20분 간의 비수축검사에서 무반응성 소견이 확인되었다. 임신 전 산모의 혈압은 정상이었고 현재 산모의 혈압은 140/80 mmHg로 확인되었으며, 요단백은 음성이었다. 이 산모에 대한 다음 처치로 적절한 것을 고르시오.

① 비수축검사를 20분간 더 연장한다
② 24시간 후 비수축검사를 다시 시행한다
③ 수축자극검사를 시행한다
④ Oxytocin으로 유도분만을 시행한다
⑤ 응급 제왕절개술을 시행한다

04

태아의 안녕평가검사 중 위양성률이 가장 높은 것을 고르시오.

① 수축자극검사
② 비수축검사
③ 음향자극검사
④ 생물리학계수
⑤ 수정 생물리학계수

03

정답 ①

해설

비수축검사(Nonstress test)의 검사 방법

1. 임신부가 약간 옆으로 기울여 누운 자세 혹은 세미파울러(semi-Fowler) 자세에서 외부 탐촉자를 이용하여 태아의 심박수를 측정하여 기록
2. 태아의 심박수가 기저선(baseline)으로부터 적어도 분당 15회 이상으로 상승하여 15초 이상 지속되는 가속이 있는지 관찰하며, 최소한 20분 이상 시행
3. 20분 간 무반응성인 경우 수면주기를 고려해 20분 간 검사를 더 지속

참고 *Final Check 산과 353 page*

04

정답 ②

해설

무반응성 비수축검사가 나타나는 경우

1. 가장 흔한 경우 : 태아의 수면주기
2. 장기간 지속되는 경우 : 태아의 산혈증, 저산소증, 태아의 미성숙, 산모의 약물에 의한 중추신경계 억제(진정제, 황산마그네슘), 흡연 등
3. 무반응성의 위양성도는 50~60% 정도로 높음
4. 감별 방법 : 음향자극검사, 수축자극검사, 생물리학계수, 도플러 등 추가 검사 시행

참고 *Final Check 산과 354 page*

05

수축자극검사(CST) 시 10분 내에 3번, 60~90초 정도의 수축이 있었고, 가속(acceleration)은 관찰되었지만 늦은 감속(late deceleration)은 보이지 않았다면 검사 결과를 다음 중 고르시오.

① 양성(positive)

② 음성(negative)

③ 불확실-의심(equivocal-suspicious)

④ 불확실-과수축(equivocal-hyperstimulatory)

⑤ 불충분(unsatisfactory)

05

정답 ②

수축자극검사(CST) 결과의 판정

1. 음성(negative) : 늦은 감속(late deceleration) 혹은 의미 있는 다양 감속(significant variable deceleration)이 없음
2. 양성(positive) : 자궁수축의 50% 이상에서 반복적인 늦은 감속(late deceleration)이 있음(수축 빈도가 10분에 3회 미만이라도)
3. 불확실-의심(equivocal-suspicious) : 간헐적 늦은 감속(intermittent late deceleration) 또는 의미 있는 다양 감속(significant variable deceleration)
4. 불확실-과수축(equivocal-hyperstimulatory) : 자궁수축 사이의 간격이 2분 미만이거나 수축이 90초 이상 지속되면서 발생한 태아 심박수 감속(fetal heart rate decelerations)
5. 불충분(unsatisfactory) : 자궁수축의 빈도가 10분에 3회 미만 또는 해석 불가능한 기록

참고 *Final Check 산과 352 page*

06

임신 36주인 31세 여성이 만성 고혈압과 자궁 내 성장제한의 소견을 보여 내원하였다. 시행한 수축자극검사에서 양성(positive)의 소견을 보였다면 이 환자에게 적절한 처치는 무엇인가?

① 수축자극검사를 일주일에 2회 시행

② 소변 estriol 측정

③ 비수축검사

④ 양수천자

⑤ 즉시 분만

06

정답 ⑤

해설

수축자극검사(Contraction stress test)

1. 기저에 태반기능저하로 인해 산소공급이 충분하지 못한 태아에서 자궁수축을 유발시키면 일시적인 산소공급 저하로 늦은 감속(late deceleration) 양상의 심박수 변화 발생
2. 분만 중 태아 감시와 거의 비슷한 결과를 보임
3. 수축자극검사가 양성인 경우 태아가 분만진통의 스트레스에 더 취약할 수 있어 분만 중 세심한 관찰이 필요함

참고 *Final Check 산과 351 page*

07

임신 36주의 산모가 시행한 검사상 AFI <3 cm, 수축자극검사는 양성 소견을 보였다. 이 산모의 다음 처치로 올바른 것을 고르시오.

① 1주일 뒤 정기 검진 시행

② 3일 뒤 비수축검사, 생물리학계수 확인

③ 유도분만 시행

④ 입원하여 수액 요법 시행

⑤ 양수주입술 시행

07

정답 ③

해설

수축자극검사(Contraction stress test)

1. 기저에 태반기능저하로 인해 산소공급이 충분하지 못한 태아에서 자궁수축을 유발시키면 일시적인 산소공급 저하로 늦은 감속(late deceleration) 양상의 심박수 변화 발생
2. 분만 중 태아 감시와 거의 비슷한 결과를 보임
3. 수축자극검사가 양성인 경우 태아가 분만진통의 스트레스에 더 취약할 수 있어 분만 중 세심한 관찰이 필요함

참고 *Final Check 산과 351 page*

08

종말 심박자궁수축도(terminal cardiotocogram)의 검사 양상(A)을 쓰고, 이와 관련된 산과적 의미(B)은 무엇인지 쓰시오.

08

정답

(A)

1. 기저선의 진동폭이 5 bpm 미만
2. 가속이 없는 심박수(absent acceleration)
3. 자연적으로 발생한 자궁수축으로 늦은 감속(late deceleration)이 발생

(B) 주산기에 매우 불량한 예후를 보이는 태아 심박수의 형태

참고 *Final Check 산과 354 page*

09

다음 중 태아안녕상태 확인을 위하여 일주일에 2회 이상 비수축검사를 시행해야 하는 경우를 모두 고르시오.

(가) 지연임신(postterm pregnancy)
(나) 전자간증(preeclampsia)
(다) 태아성장제한(fetal growth restriction)
(라) 제1형 당뇨(type I DM)

① 가, 나, 다 ② 가, 다
③ 나, 라 ④ 라
⑤ 가, 나, 다, 라

09
정답 ⑤
해설
주당 2회 이상 비수축검사를 실시하는 경우
1. 지연임신(postterm pregnancy)
2. 다태아 임신(multifetal pregnancy)
3. 임신 전 당뇨(pregestational diabetes), 제1형 당뇨(type I DM)
4. 태아성장제한(fetal growth restriction)
5. 임신성 고혈압(gestational hypertension), 전자간증(preeclampsia)

참고 *Final Check 산과 355 page*

10

다음 중 태아안녕상태 확인을 위하여 일주일에 2회 이상 비수축검사(NST)를 시행해야 하는 경우가 아닌 것을 고르시오.

① 태아성장제한(fetal growth restriction)
② 조기양막파수(premature rupture of membranes)
③ 심한 만성고혈압(severe chronic hypertension)
④ Doppler상 이완기 혈류의 역류(reverse diastolic flow)
⑤ 잘 조절되고 있는 갑상샘항진증(hyperthyroidism)

10
정답 ⑤
해설
주당 2회 이상 비수축검사를 실시하는 경우
1. 지연임신(postterm pregnancy)
2. 다태아 임신(multifetal pregnancy)
3. 임신 전 당뇨(pregestational diabetes), 제1형 당뇨(type I DM)
4. 태아성장제한(fetal growth restriction)
5. 임신성 고혈압(gestational hypertension), 전자간증(preeclampsia)

참고 *Final Check 산과 355 page*

11

일주일에 2회 이상 태아안녕평가(NST, BPP 등)를 실시해야 하는 경우를 쓰시오.(3가지)

11

정답
1. 지연임신(postterm pregnancy)
2. 다태아 임신(multifetal pregnancy)
3. 임신 전 당뇨(pregestational diabetes), 제1형 당뇨(type I DM)
4. 태아성장제한(fetal growth restriction)
5. 임신성 고혈압(gestational hypertension), 전자간증(preeclampsia)

참고 *Final Check 산과 355 page*

12

산전 검사에서 비수축검사(NST)가 정상으로 확인되었으나 1주 후 갑작스러운 태아사망을 확인하였다. 다음 중 원인으로 가장 흔한 것은 무엇인가?

① 임신 전 당뇨(pregestational diabetes)

② 목덜미 탯줄(nuchal cord)

③ 자궁 내 성장제한(intrauterine growth restriction)

④ 지연임신(postterm pregnancy)

⑤ 탯줄 탈출(cord prolapse)

12

정답 ④

해설

위음성 비수축검사의 원인
1. 지연임신 : 가장 흔한 원인
2. 태변 흡인 : 가장 흔한 부검 소견
3. 태반조기박리, 탯줄의 이상 : 급성 가사 상황
4. 자궁 내 태아성장제한, 양수과소증, 중증 거대아에 동반한 대사이상질환 등 : 위음성도가 매우 높게 증가할 수 있음

참고 *Final Check 산과 356 page*

13

임신 40주의 산모가 정기 산전 진찰을 위해 내원하였다. 시행한 검사에서 초음파상 특이 소견은 없었고, 생물리학계수(biophysical profile)는 10점으로 측정되었다. 일주일 후 추적 관찰에서 태아는 사망한 상태로 확인되었다. 이러한 경우 가능한 원인을 쓰시오.(2가지)

13

정답
1. 지연임신(postterm pregnancy)
2. 태변 흡인(meconium aspiration)
3. 태반조기박리, 탯줄의 이상
4. 자궁 내 태아성장제한, 양수과소증, 중증 거대아에 동반한 대사이상질환 등

참고 *Final Check 산과 356 page*

14

태아의 건강을 평가하는 생물리학계수(biophysical profile)의 구성 요소가 아닌 것을 고르시오.

① 태아 호흡(fetal breathing)

② 태아 운동(fetal movement)

③ 비수축검사(nonstress test)

④ 태반의 위치(placental location)

⑤ 양수량(amnionic fluid volume)

14

정답 ④

해설

생물리학계수(biophysical profile)의 구성 요소

1. 비수축검사(nonstress test)
2. 태아 호흡(fetal breathing)
3. 태아 운동(fetal movement)
4. 태아 긴장성(fetal tone)
5. 양수량(amnionic fluid volume)

참고 *Final Check 산과 357 page*

15

초음파에서 1분간 지속되는 태아의 호흡 운동이 보일 때 평가할 수 있는 지표는 무엇인가?

① 태아의 심장 발달의 평가

② 태아의 폐 성숙의 평가

③ 태아의 건강의 징후

④ 태아의 저산소증의 징후

⑤ 진통이 임박한 징후

15

정답 ③

해설

생물리학계수(Biophysical profile)

1. 초음파로 양수량, 태아 호흡 및 운동 등을 관찰하여 초음파를 이용한 태아안녕평가와 비수축검사를 통합한 산전 태아안녕평가 지표
2. 5가지 요소를 검사함으로써 위양성 및 위음성을 줄임

참고 *Final Check 산과 357 page*

16

다음 중 생물리학계수(biophysical profile)의 구성 요소 중 가장 늦게 소실되는 지표를 고르시오.

① 태아 운동(fetal movement)

② 비수축검사(nonstress test)

③ 태아 호흡(fetal breathing)

④ 태아 긴장성(fetal tone)

⑤ 양수량(amnionic fluid volume)

16

정답 ⑤

해설

태아가사 시 생물리학계수의 소실 순서

1. 태아 심박수 → 태아 호흡 → 태아 운동 → 태아 긴장성 → 양수량
2. 태아 심박수는 태아 저산소증 상태에서 가장 먼저 비정상 소견을 보임

참고 *Final Check 산과 358 page*

17

다음 중 태아의 생물리학계수(biophysical profile) 중에서 태아가 저산소증 상태가 되면 가장 먼저 비정상이 되는 것은 무엇인가?

① 태아 긴장성 ② 태아 호흡

③ 태아 운동 ④ 태아 심박수

⑤ 양수량

17

정답 ④

해설

태아가사 시 생물리학계수의 소실 순서

1. 태아 심박수 → 태아 호흡 → 태아 운동 → 태아 긴장성 → 양수량
2. 태아 심박수는 태아 저산소증 상태에서 가장 먼저 비정상 소견을 보임

참고 *Final Check 산과 358 page*

18

태아 가사를 반영하는 만성 표지자를 쓰시오.(1가지)

18

정답

양수량(amnionic fluid volume)

해설

태아의 상태를 반영하는 표지자

1. 급성 표지자(acute marker)
   a. 저산소증 및 산증에 민감한 태아 중추신경계에 의해 조절
   b. 종류 : 태아 심박수, 태아 호흡, 태아 운동
2. 만성 표지자(chronic marker)
   a. 태아의 산–염기 상태에 영향을 받지 않는 만성적 상태를 반영
   b. 종류 : 양수량

참고 *Final Check 산과 357 page*

19

임신 32주 산모가 태동 감소를 주소로 내원하였다. 내원 시 혈압 110/80 mmHg, 초음파상 태아예상체중 1,100 g, 양수지수(AFI) 2 cm으로 확인되었다. 탯줄동맥 도플러와 비수축검사가 다음과 같았다면 이 산모에게 가장 적절한 다음 처치를 고르시오.

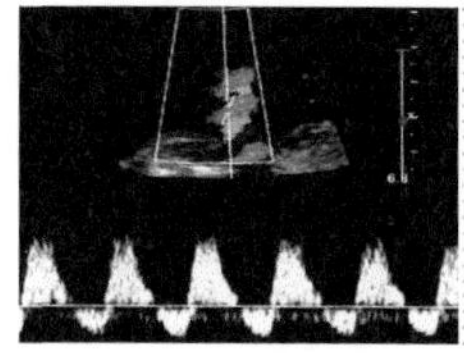

① 1일 후 재검
② 1주일 후 재검
③ 태아 수혈
④ 양수주입술
⑤ 즉시 분만

19

정답 ⑤

해설

검사 결과의 판정

1. 양수과소증
   a. 단일 최대양수포켓(SDP) ≤2 cm
   b. 양수지수(AFI) ≤5 cm
   c. 만성적인 태반기능을 반영
2. 무반응성 비수축검사
   a. 가장 흔한 경우 : 태아의 수면주기
   b. 장기간 지속되는 경우 : 태아의 산혈증, 저산소증, 태아의 미성숙, 산모의 약물에 의한 중추신경계 억제, 흡연 등
3. 탯줄동맥 이완기 혈류의 역류(reversed)
   a. 태반융모의 혈관형성 저하로 인해 발생
   b. 태아성장제한의 심한 경우에 나타남

참고 *Final Check 산과 354, 359, 360 page*

20

임신 41주 산모가 태동이 없음을 주소로 내원하였다. 생물리학계수(biophysical profile)는 아래와 같았고, Bishop 점수는 7점으로 확인되었다. 이 산모의 다음 처치로 가장 적절한 것을 고르시오.

- 호흡 : 30분 동안 40초의 호흡 1회
- 운동 : 30분 동안 2회
- 긴장성 : 30분 동안 2회
- 양수량 : 단일 최대 양수포켓 1.5 cm
- 비수축검사 : 무반응성(nonreactive)

① 경과 관찰
② 2~3주 후 재검
③ 유도분만
④ 양수주입술
⑤ 제왕절개 분만

20

정답 ⑤

해설

생물리학계수의 판정 및 처치 권고안

BPP score	Management
10	산과 처치 필요 없음, 1주 후 재검 (당뇨와 과숙임신 시는 1주에 2회)
8/10(양수과소증)	분만
6	양수량이 비정상이면 분만 양수량이 정상이면, 36주 이후이고 자궁경부가 양호하면 분만 재검 시 6 이하면 분만 재검 시 6 초과면, 관찰 및 재검
4	당일 재검하여 6 이하면 분만
0~2	분만

참고 *Final Check 산과 493 page*

21

임신 35주의 산모에서 시행한 비수축검사(NST)는 무반응성(nonreactive), 초음파상 태아 호흡은 없었으며, 태아 운동 2회, 태아 긴장성 2회, 양수지수(AFI) 2 cm로 확인되었다. 이 산모에게 가장 적절한 처치는 무엇인가?

① 경과 관찰
② 1주 후 생물리학계수 다시 측정
③ 당일 재검사하여 6점 이하면 분만
④ 즉시 제왕절개
⑤ 양수주입술 시행

21

정답 ④

해설

생물리학계수의 판정 및 처치 권고안

BPP score	Management
10	산과 처치 필요 없음, 1주 후 재검 (당뇨와 과숙임신 시는 1주에 2회)
8/10(양수과소증)	분만
6	양수량이 비정상이면 분만 양수량이 정상이면, 36주 이후이고 자궁경부가 양호하면 분만 재검 시 6 이하면 분만 재검 시 6 초과면, 관찰 및 재검
4	당일 재검하여 6 이하면 분만
0~2	분만

참고 *Final Check 산과 493 page*

22

임신 35주 산모의 검사 소견이 다음과 같다면 다음 처치로 가장 적절한 것을 고르시오.

- Bishop score : 2점
- 비수축검사(nonstress test) : 20분 동안 태아 심박수의 상승이 20 bpm 이상으로 15초간 지속되는 것이 1회
- 태아 호흡(fetal breathing) : 30분 동안 40초 1회
- 태아 운동(fetal movement) : 30분 동안 1회
- 태아 긴장성(fetal tone) : 30분 동안 1회
- 양수량(amnionic fluid volume)
  : 가장 큰 포켓이 수직으로 2.5 cm

① 즉시 유도분만
② 즉시 제왕절개분만
③ 6시간 내에 생물리학계수를 다시 측정하여 6점 이하이면 분만
④ 1주일에 2회씩 생물리학계수를 시행하면서 관찰
⑤ 1주일 후에 다시 생물리학계수를 시행

22

정답 ③

해설

생물리학계수의 판정 및 처치 권고안

BPP score	Management
10	산과 처치 필요 없음, 1주 후 재검 (당뇨와 과숙임신 시는 1주에 2회)
8/10(양수과소증)	분만
6	양수량이 비정상이면 분만 양수량이 정상이면, 36주 이후이고 자궁경부가 양호하면 분만 재검 시 6 이하면 분만 재검 시 6 초과면, 관찰 및 재검
4	당일 재검하여 6 이하면 분만
0~2	분만

참고 *Final Check 산과 357, 493 page*

23

임신 41주인 32세 산모가 정기검진상 태아예상체중 3,200 g, AFI <3 cm, single deepest pocket <1 cm의 소견을 보였다. NST상 반응성(reactive) 소견을 보였다면 이 산모에게 올바른 다음 처치는 무엇인가?

① 1주일 뒤 정기검진을 시행한다
② 3일 뒤 비수축검사와 생물리학계수를 시행한다
③ 유도분만을 한다
④ 입원하여 수액 요법을 시행한다
⑤ 제왕절개를 시행한다

23

정답 ③

해설

생물리학계수의 판정 및 처치 권고안

BPP score	Management
10	산과 처치 필요 없음, 1주 후 재검 (당뇨와 과숙임신 시는 1주에 2회)
8/10(양수과소증)	분만
6	양수량이 비정상이면 분만 양수량이 정상이면, 36주 이후이고 자궁경부가 양호하면 분만 재검 시 6 이하면 분만 재검 시 6 초과면, 관찰 및 재검
4	당일 재검하여 6 이하면 분만
0~2	분만

참고 *Final Check 산과 493 page*

24

임신 36주 초산모가 태동 감소를 주소로 내원하였다. 비수축검사(NST)상 15초 이상 분당 15회 이상 태아 심박동 상승이 3회 있었고, 초음파 검사상 태아의 태동, 태아 호흡, 태아의 긴장도, 양수량 모두 정상이었다. 다음 중 이 산모의 다음 처치로 가장 적절한 것은 무엇인가?

① 24시간 후 생물리학계수 재검
② 1주에 2번 생물리학계수 검사
③ 1주일 후 생물리학계수 재검
④ 즉시 유도분만
⑤ 즉시 제왕절개분만

24

정답 ③

해설

생물리학계수의 판정 및 처치 권고안

BPP score	Management
10	산과 처치 필요 없음, 1주 후 재검 (당뇨와 과숙임신 시는 1주에 2회)
8/10(양수과소증)	분만
6	양수량이 비정상이면 분만 양수량이 정상이면, 36주 이후이고 자궁경부가 양호하면 분만 재검 시 6 이하면 분만 재검 시 6 초과면, 관찰 및 재검
4	당일 재검하여 6 이하면 분만
0~2	분만

참고 *Final Check 산과 493 page*

25

임신 34주 산모에서 시행한 생물리학계수(BPP)가 다음과 같다면 이 산모의 다음 처치로 가장 적절한 것을 고르시오.

- 비수축검사(nonstress test) : 무반응성(nonreactive)
- 태아 호흡(fetal breathing) : 없음
- 태아 운동(fetal movement) : 없음
- 태아 긴장성(fetal tone) : 정상
- 양수량(amnionic fluid volume) : AFI 3 cm

① 즉시 분만
② 같은 날 생물리학계수 재검
③ 도플러를 통한 탯줄동맥 평가
④ 부신피질호르몬 투여
⑤ 폐성숙 평가를 위해 양수천자 시행

25

정답 ②

해설

생물리학계수의 판정 및 처치 권고안

BPP score	Management
10	산과 처치 필요 없음, 1주 후 재검 (당뇨와 과숙임신 시는 1주에 2회)
8/10(양수과소증)	분만
6	양수량이 비정상이면 분만 양수량이 정상이면, 36주 이후이고 자궁경부가 양호하면 분만 재검 시 6 이하면 분만 재검 시 6 초과면, 관찰 및 재검
4	당일 재검하여 6 이하면 분만
0~2	분만

참고 *Final Check 산과 493 page*

26

임신 37주 산모가 시행한 비수축검사(NST)상 40분 동안 무반응성 소견이 나타났고, 태아 호흡(breathing)과 운동(movement), 긴장도(tone)는 30분 동안 각각 10초, 3회, 1회로 나타났으며, 양수과소증은 없었다. Bishop 점수는 6점으로 확인되었다면 이 환자에게 올바른 처치는 무엇인가?

① 탯줄동맥 도플러
② 6시간 후 생물리학계수 재검
③ 24시간 후 생물리학계수 재검
④ 1주 후 생물리학계수 재검
⑤ 즉시 분만

26

정답 ⑤

해설

생물리학계수의 판정 및 처치 권고안

BPP score	Management
10	산과 처치 필요 없음, 1주 후 재검 (당뇨와 과숙임신 시는 1주에 2회)
8/10(양수과소증)	분만
6	양수량이 비정상이면 분만 양수량이 정상이면, 36주 이후이고 자궁경부가 양호하면 분만 재검 시 6 이하면 분만 재검 시 6 초과면, 관찰 및 재검
4	당일 재검하여 6 이하면 분만
0~2	분만

참고 *Final Check 산과 493 page*

27

임신 35주 산모가 복통은 없으나 태동이 감소했다고 응급실로 내원하였다. 양수지수는 정상이었고, 비수축검사에서 반응성 소견을 보였으나, 생물리학계수(BPP)는 6점이었다. 이 환자에게 올바른 다음 조치는 무엇인가?

① 경과 관찰

② 생물리학계수 재검

③ 탯줄동맥 도플러 초음파

④ 유도분만

⑤ 응급 제왕절개술

27

정답 ②

해설

생물리학계수의 판정 및 처치 권고안

BPP score	Management
10	산과 처치 필요 없음, 1주 후 재검 (당뇨와 과숙임신 시는 1주에 2회)
8/10(양수과소증)	분만
6	양수량이 비정상이면 분만 양수량이 정상이면, 36주 이후이고 자궁경부가 양호하면 분만 재검 시 6 이하면 분만 재검 시 6 초과면, 관찰 및 재검
4	당일 재검하여 6 이하면 분만
0~2	분만

참고 *Final Check 산과 493 page*

28

임신 37주 산모가 정기 산전 진찰을 위해 내원하였다. 초음파상 태아 호흡, 운동, 긴장성, 양수량은 모두 정상 소견이었고, 비수축검사에서 수축은 없었으나 산모의 체위 변경으로 인해 비수축검사가 흔들려서 검사되었다. 이 산모에 대한 가장 올바른 처치를 다음 중 고르시오.

① 1주일 후 비수축검사 시행

② 4시간 뒤 추적 관찰

③ 유도분만

④ 제왕절개술

⑤ 내진

28

정답 ①

해설

생물리학계수의 판정 및 처치 권고안

BPP score	Management
10	산과 처치 필요 없음, 1주 후 재검 (당뇨와 과숙임신 시는 1주에 2회)
8/10(양수과소증)	분만
6	양수량이 비정상이면 분만 양수량이 정상이면, 36주 이후이고 자궁경부가 양호하면 분만 재검 시 6 이하면 분만 재검 시 6 초과면, 관찰 및 재검
4	당일 재검하여 6 이하면 분만
0~2	분만

참고 *Final Check 산과 493 page*

29

임신 37주인 초산모가 태동 감소를 주소로 내원하였다. 내진상 자궁경부 개대 1 cm, 숙화도 30%, 비수축검사 상 이상 소견은 보이지 않았고, 초음파상 태아 호흡은 30분 동안 40초, 태아 움직임은 30분에 1회, 태아 긴장성은 30분에 1회, single deepest pocket 1.5 cm으로 측정되었다. 다음 중 이 산모에게 올바른 처치는 무엇인가?

① 1주일 뒤 추적 관찰

② 생물리학계수 재검

③ 제왕절개술

④ 유도분만

⑤ 양수주입술

29

정답 ④

해설

생물리학계수의 판정 및 처치 권고안

BPP score	Management
10	산과 처치 필요 없음, 1주 후 재검 (당뇨와 과숙임신 시는 1주에 2회)
8/10(양수과소증)	분만
6	양수량이 비정상이면 분만 양수량이 정상이면, 36주 이후이고 자궁경부가 양호하면 분만 재검 시 6 이하면 분만 재검 시 6 초과면, 관찰 및 재검
4	당일 재검하여 6 이하면 분만
0~2	분만

참고 *Final Check 산과 493 page*

30

임신 40주 산모가 태동 감소를 주소로 내원하였다. 시행한 초음파상 태아의 예상체중은 3,200 g 정도였고, 비수축검사(NST)는 반응성(reactive)소견, 생물리학계수(BPP)상 다른 이상 소견은 없었으나 AFI = 2 cm으로 확인되었다. 다음 중 이 환자에게 적절한 다음 처치는 무엇인가?

① 경과 관찰

② 옥시토신

③ 제왕절개

④ 스테로이드 투여

⑤ 양수주입술

30

정답 ②

해설

생물리학계수의 판정 및 처치 권고안

BPP score	Management
10	산과 처치 필요 없음, 1주 후 재검 (당뇨와 과숙임신 시는 1주에 2회)
8/10(양수과소증)	분만
6	양수량이 비정상이면 분만 양수량이 정상이면, 36주 이후이고 자궁경부가 양호하면 분만 재검 시 6 이하면 분만 재검 시 6 초과면, 관찰 및 재검
4	당일 재검하여 6 이하면 분만
0~2	분만

참고 *Final Check 산과 493 page*

31

임신 37주 산모가 태동 감소를 주소로 내원하였다. 시행한 비수축검사(NST)에서 무반응성(nonreactive) 소견이 나타났고, 초음파상 AFI = 3 cm으로 측정되었으나 태아 호흡, 운동, 긴장성은 모두 정상이었다. 다음 중 이 산모에게 올바른 다음 처치를 고르시오.

① 경과 관찰
② 양수주입술
③ 스테로이드 투여
④ 자궁수축억제제 투여
⑤ 즉시 분만

31

정답 ⑤

해설

생물리학계수의 판정 및 처치 권고안

BPP score	Management
10	산과 처치 필요 없음, 1주 후 재검 (당뇨와 과숙임신 시는 1주에 2회)
8/10(양수과소증)	분만
6	양수량이 비정상이면 분만 양수량이 정상이면, 36주 이후이고 자궁경부가 양호하면 분만 재검 시 6 이하면 분만 재검 시 6 초과면, 관찰 및 재검
4	당일 재검하여 6 이하면 분만
0~2	분만

참고 *Final Check 산과 493 page*

32

임신 32주 산모가 태동 감소를 주소로 내원하였다. 산모의 이학적 검사상 이상 소견은 없었고 비수축검사(NST)가 정상이었을 때, 이 산모의 다음 처치로 옳은 것을 고르시오.

① 다음날 생물리학계수 시행
② 일주일 뒤 추적 관찰
③ 바로 생물리학계수 시행
④ 유도분만
⑤ 바로 수축자극검사 시행

32

정답 ③

해설

생물리학계수(Biophysical profile)

1. 초음파로 양수량, 태아 호흡 및 운동 등을 관찰하여 초음파를 이용한 태아안녕평가와 비수축검사를 통합한 산전 태아안녕평가 지표
2. 5가지 요소를 검사함으로써 위양성 및 위음성을 줄임

참고 *Final Check 산과 357 page*

33

다음 중 산전 태아안녕평가로 정상인 소견은 무엇인가?

① 수축자극검사 양성

② 비수축검사의 박동 대 박동 변이의 소실

③ 양수지수 4 cm

④ 탯줄동맥혈 pH 7.3

⑤ 탯줄동맥 이완기 혈류의 역류

33

정답 ④

해설

검사 결과의 의미

1. 수축자극검사 양성 : 태반기능저하
2. 박동 대 박동 변이의 소실 : 태아 자율신경계 및 중추신경계의 이상
3. 양수지수 ≤5 cm : 만성적인 태반기능저하
4. 탯줄동맥 이완기 혈류의 역류 : 태아성장제한의 심한 경우

참고 *Final Check 산과 352, 353, 359, 360 page*

CHAPTER 18

유산(Abortion)

01

평소 생리 주기가 불규칙한 29세 여성이 5주간의 무월경과 소변 임신반응검사 양성 소견을 주소로 내원하였다. 시행한 질 초음파상 자궁 안과 밖에서 임신낭이 관찰되지 않았다면 다음 처치로 가장 적절한 것을 고르시오.

① 경과관찰　② Progesterone
③ Methotrexate　④ 진단적 소파술
⑤ 진단적 복강경

01
정답 ①
해설
초음파상 자궁 내에 임신낭이 없을 때
1. 정확한 임신 주수 다시 확인
2. 질 출혈 동반 시 완전 유산의 소견일 수도 있으나 자궁외임신을 완전히 배제해야만 진단이 가능
3. hCG 1,500~2,000 mIU/mL인 경우 자궁 내 임신낭이 보이지 않으면 자궁외임신 고려

참고 *Final Check 산과 363 page*

02

36세 여성이 무월경을 주소로 내원하였다. 이 여성은 결혼 후 5년 간 임신을 못하였었고, 평소 생리 주기는 40~60일로 불규칙 하였으며 최근 마지막 생리 후 60일 정도 지났으나 생리가 없었다고 한다. 이학적 검사 및 내진 소견상 자궁은 약간 커져 있었고 부드러웠다. 초음파상 자궁 내에 임신낭으로 보이는 음영은 보였지만 심박동은 확인할 수 없었다. 소변 임신반응 검사상 음성으로 확인되었다면 이 여성에게 적절한 처치는 무엇인가?

① 소파술(D&C) 시행　② 입원하여 경과관찰
③ 1주 후 다시 초음파 시행　④ 소변 에스트리올 측정
⑤ Progesterone 100 mg IM

02
정답 ③
해설
초음파상 자궁 내에 임신낭이 없을 때
1. 정확한 임신 주수 다시 확인
2. 질 출혈 동반 시 완전 유산의 소견일 수도 있으나 자궁외임신을 완전히 배제해야만 진단이 가능
3. hCG 1,500~2,000 mIU/mL인 경우 자궁 내 임신낭이 보이지 않으면 자궁외임신 고려

참고 *Final Check 산과 363 page*

03

28세 여성이 60일 동안 생리가 없어 내원하였다. 평소 생리 주기는 40~50일 정도였고, 소변 임신검사에서 양성이 나왔다. 시행한 초음파상 난황은 관찰되었고 태아주머니는 15 mm로 측정되었으나 배아는 보이지 않았다. 이 환자에 대한 처치 중 옳은 것을 모두 고르시오.

(가) 1주일 후 추적관찰 한다
(나) 유산이 확실하므로 D&C 한다
(다) β-hCG 추적관찰 한다
(라) 자궁외임신이다

① 가, 나, 다　② 가, 다
③ 나, 라　④ 라
⑤ 가, 나, 다, 라

03

정답 ②

해설

자연 유산의 확실한 진단

1. CRL ≥7 mm and no FHB
2. MSD ≥25 mm and no Embryo
3. G-sac − Y-sac and after ≥2 weeks no Embryo with FHB
4. G-sac + Y-sac and after ≥11 days no Embryo with FHB

참고 *Final Check 산과 362 page*

04

28세 여성이 한 시간 전부터 발생한 하복통, 질 출혈을 주소로 내원하였다. 환자는 6주간의 무월경이 있었고, 1주전 소변 임신검사상 양성으로 확인되었다고 했다. 환자는 질 출혈 시 덩어리가 나왔었다고 하였고, 현재는 출혈이 멈추었으나 복통은 아직 남아있다고 하였다. 검사상 질강 내에 고여 있는 것은 많지 않았고, 출혈은 멈춘 상태였다. 초음파상 자궁내막은 깨끗하였으며 두께는 6 mm로 확인되었고, 양측 부속기에 특이 소견은 보이지 않았다. 다음 중 이 환자에게 올바른 처치는 무엇인가?

① β-hCG 추적 관찰하며 경과관찰　② Progesterone 투여
③ Methotrexate 투여　④ 자궁경부 개대 및 소파술
⑥ 진단적 복강경

04

정답 ①

해설

임신 제1삼분기 질 출혈의 검사

1. 문진과 진찰
2. 혈액 검사 : CBC, ABO/Rh, 혈청 hCG, 임질과 클라미디아 검사
3. 질 분비물의 액상도말 검사
4. 초음파 검사

참고 *Final Check 산과 362 page*

05

임신 8주의 초산모가 하복통과 출혈을 주소로 내원하였다. 2주 전에 시행한 초음파 검사상 태아 심박동이 관찰되었으며, 정상 자궁내임신 소견이었다. 금일 내원하여 시행한 초음파 검사상 G-sac이 자궁경부에서 관찰되었다면 다음 처치로 가장 올바른 것을 고르시오.

① 경과관찰　② 황체호르몬 투여
③ 자궁경부 개대 및 소파술　④ 자궁절제술
⑤ 자궁경부원형결찰술

05

정답 ③

불가피 유산(Inevitable abortion) 치료

1. 복통과 출혈이 없을 때
   a. 생리적으로 양막과 융모막 사이의 액체가 흘러나오는 경우가 있으므로, 출혈이나 발열, 통증이 없이 발생한 갑작스러운 분비물이 발생하면 48시간 경과 관찰
   b. 이후에 추가로 액체가 배출되지 않고 출혈이나 통증, 발열이 발생하지 않는다면 일상 생활로 재개를 고려해 볼 수 있음
2. 출혈이나 통증 발열을 수반하는 액체의 배출이 발생 시 : 소파술(D&C)을 고려

참고 *Final Check 산과 368 page*

06

자연 유산된 태아의 염색체 검사 소견 중 가장 흔히 관찰되는 것을 고르시오.

① 45,X　② Trisomy
③ Triploidy　④ Tetraploidy
⑤ 정상

06

정답 ⑤

해설

유산에서의 염색체 소견

Chromosomal studies	Incidence rage (%)
Embryonic	~50
Euploid	
46,XY and 46,XX	45~55
Aneuploid	
Autosomal trisomy	22~32
Monosomy X(45,X)	5~20
Triploidy	6~8
Tetraploidy	2~4
Structural anomaly	2
Anembryonic(Blighted ovum)	~50

참고 *Final Check 산과 363 page*

07

임신 초기에 자연 유산된 태아의 염색체 검사 소견 중 가장 흔히 관찰되는 이상 핵형을 고르시오.

① 45,X　② Trisomy
③ Triploidy　④ Tetraploidy
⑤ Translocation

07

정답 ②

해설

보통염색체 세염색체증(autosomal trisomy)

1. 임신 제1삼분기의 유산 원인 중 가장 흔함
2. 발생 원인
   a. 유리된 염색체의 비분리(nondisjunction)
   b. 모계 또는 부계 염색체의 균형전위(balanced translocation)
   c. 균형역전(balanced inversion)

참고 *Final Check 산과 363 page*

08

다음 중 염색체 이상의 빈도가 가장 높게 나타나는 경우는 무엇인가?

① 출생 영아 ② 사산아
③ 신생아 사망 ④ 임신 초기 자연 유산
⑤ 조산아

08
정답 ④
해설
자연 유산의 빈도
1. 임신을 준비하는 남녀 4명 중 1명에서 발생
2. 80% 이상이 임신 첫 12주 이내에 발생
   a. 최소한 약 반수에서 염색체 이상이 원인
   b. 유산이 일어나는 시기가 빠를수록 염색체 이상에 의한 유산의 발생 가능성이 증가

참고 *Final Check 산과 362 page*

09

26세 여자가 소변 임신검사에서 양성으로 확인되어 내원하였다. 산과력은 0-0-0-0, 평소 생리는 규칙적이었으며, 현재 무월경 7주라고 하였다. 초음파상 태아주머니는 보이지만 태아가 보이지 않아 β-hCG를 측정하였고 9,000 mIU/mL로 확인되었다. 2일 후 다시 시행한 β-hCG는 8,000 mIU/mL로 확인되었고, 초음파상 태아주머니는 25 mm 크기로 아래 사진과 같았다. 이 여성의 진단으로 가장 적절한 것을 고르시오.

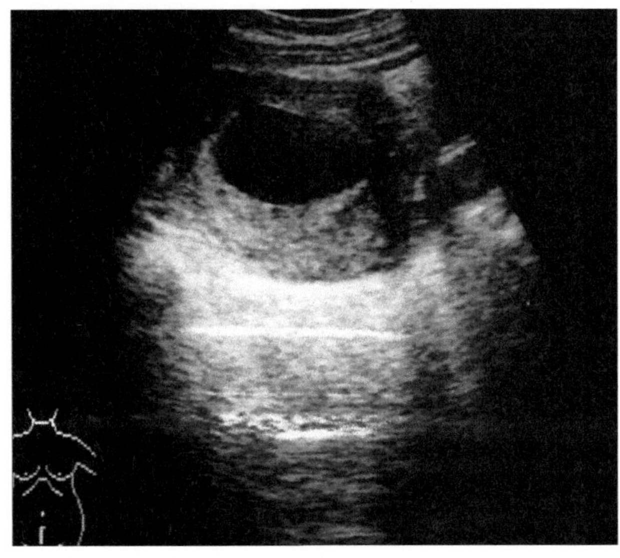

① 포상기태 ② 불완전 유산
③ 고사난자 ④ 자궁외임신
⑤ 절박 유산

09
정답 ③
해설
자연 유산의 확실한 진단
1. CRL ≥7 mm and no FHB
2. MSD ≥25 mm and no Embryo
3. G-sac − Y-sac and after ≥2 weeks no Embryo with FHB
4. G-sac + Y-sac and after ≥11 days no Embryo with FHB

참고 *Final Check 산과 362 page*

10

산과력 1-0-0-1인 24세 여성이 9주간의 무월경과 소량의 질 출혈을 주소로 내원하였다. 환자는 평소 28일 주기로 규칙적으로 생리를 했다고 하였다. 초음파상 자궁 내에는 임신 주수에 비해 크기가 작고 찌그러진 임신낭이 보였고, 배아는 보이지 않았다. 다음 중 가장 가능성이 높은 진단명은 무엇인가?

① 자궁외임신(Ectopic pregnancy)

② 패혈성 유산(Septic abortion)

③ 포상기태(Hydatidiform mole)

④ 고사난자(Blighted ovum)

⑤ 절박 유산(Threatened abortion)

10

정답 ④

해설

유산(Abortion)

1. 자연 유산(spontaneous abortion) : 의학적 시술을 시행하지 않은 상태에서 임신 20주 이전에 임신이 종결되는 것
2. 고사난자(blighted ovum) : 임신낭에 태아가 없는 것

참고 *Final Check 산과 361 page*

11

다음 중 패혈성 유산(septic abortion)에 대한 내용으로 틀린 것을 고르시오.

① 원인균은 주로 pseudomonas이다

② 세균의 endotoxin에 의한 shock이 발생한다

③ 출혈이 없더라도 systolic pressure가 70 mmHg 이하로 떨어진다

④ 자궁 내용물을 완전히 적출해야 한다

⑤ 항생제를 대량 투여해야 한다

11

정답 ①

해설

패혈성 유산(Septic abortion)

1. 중증의 치명적인 감염이 유산에 동반되는 것
2. 원인균
   a. 대부분 정상 질 내 세균총 중 일부
   b. 혐기성균(anaerobic bacteria)이 2/3를 차지 : Coliforms가 가장 흔함
3. 치료
   a. 입원하여 광범위 항생제를 투여
   b. 잔유물이 있다면(suction curettage) 시행
   c. 대부분은 하루 이틀 내에 반응하며, 열이 없다면 퇴원(후속 경구 항생제는 필요 없음)

참고 *Final Check 산과 370 page*

12

무월경 12주인 32세 다분만부가 3일 전부터 양수 누출이 있었으며 복통과 질 출혈을 주소로 내원하였다. 환자는 열이 있었고 치골 상부에서 자궁이 촉진되었으며 압통이 심하였다. 옥시토신을 즉시 정주하여 태아와 태반을 배출시켰다. 체온 40℃, 혈압 90/50 mmHg, 맥박 120회/min., 백혈구수 25,000/mm^{3}이었다. 다음 중 가장 가능성이 높은 진단명은 무엇인가?

① 자궁외임신 ② 패혈성 유산
③ 완전 유산 ④ 절박 유산
⑤ 자궁 파열

13

29세 여성이 이전 연속 3회의 자연 유산 원인을 확인하기 위해 내원하였다. 이 환자에게 시행해야 할 검사가 아닌 것은 무엇인가?

① 부모의 염색체 검사(karyotyping)
② 초음파자궁경(sonohysterography)
③ 자궁내막생검(endometrial biopsy)
④ 루푸스 항응고인자(lupus anticoagulant) 검사
⑤ 항핵항체(antinuclear antibody) 검사

12

정답 ②

해설

패혈성 유산의 독성쇼크증후군

1. 모세혈관의 심각한 내피 세포 손상
2. 저혈압, 심한 백혈구 증가증, 혈액 농축

참고 *Final Check 산과 370 page*

13

정답 ⑤

해설

반복 유산의 검사 항목

1. 필수 검사
   a. 부모의 염색체 검사
   b. Lupus anticoagulant
   c. Anticardiolipin antibody
   d. Anti–β2–glycoprotein I antibody
2. 도움이 되는 검사
   a. Sonohysterography, Hysterosalpingography
   b. Endometrial biopsy
   c. 프로게스테론 수치 확인
   d. 수태산물의 염색체 검사
   e. 임상적이거나 과거력에 따른 다른 혈액 검사 (예 : thyrotropin 측정, 당뇨 선별검사)

참고 *Final Check 산과 375 page*

14

27세 여성이 3회의 연속적인 임신 초기 자연 유산을 주소로 내원하였다. 월경 주기는 평소 23~35일이었고, 내진상 특이 소견은 없었다. 이 환자의 반복적인 자연 유산의 원인을 찾기 위해서 시행해야 할 검사들을 모두 고르시오.

(가) 자궁내막생검
(나) 자궁난관조영술
(다) 부모의 염색체 검사
(라) 항정자항체 검사

① 가, 나, 다
② 가, 다
③ 나, 라
④ 라
⑤ 가, 나, 다, 라

14

정답 ①

해설

반복 유산의 검사 항목

1. 필수 검사
   a. 부모의 염색체 검사
   b. Lupus anticoagulant
   c. Anticardiolipin antibody
   d. Anti-β2-glycoprotein I antibody
2. 도움이 되는 검사
   a. Sonohysterography, Hysterosalpingography
   b. Endometrial biopsy
   c. 프로게스테론 수치 확인
   d. 수태산물의 염색체 검사
   e. 임상적이거나 과거력에 따른 다른 혈액 검사 (예 : thyrotropin 측정, 당뇨 선별검사)

참고 *Final Check 산과 375 page*

15

다음 중 반복 유산의 원인 확인에서 가장 유용하지 않은 검사는 무엇인가?

① 부모의 염색체 검사
② 자궁난관조영술
③ 항인지질항체(antiphopholipid antibody)
④ 항핵항체(antinuclear antibody)
⑤ 항갑상샘항체(antithyroid antibody)

15

정답 ④

해설

반복 유산의 검사 항목

1. 필수 검사
   a. 부모의 염색체 검사
   b. Lupus anticoagulant
   c. Anticardiolipin antibody
   d. Anti-β2-glycoprotein I antibody
2. 도움이 되는 검사
   a. Sonohysterography, Hysterosalpingography
   b. Endometrial biopsy
   c. 프로게스테론 수치 확인
   d. 수태산물의 염색체 검사
   e. 임상적이거나 과거력에 따른 다른 혈액 검사 (예 : thyrotropin 측정, 당뇨 선별검사)

참고 *Final Check 산과 375 page*

16

3번 이상 유산한 과거력이 있는 29세 여성이 내원하였다. 이 환자의 원인을 찾기 위한 검사로 올바른 것을 모두 고르시오.

(가) 부모의 염색체 검사(chromosome analysis)
(나) 자궁난관조영술(hysterosalpingography)
(다) 자궁내막생검(endometrial biopsy)
(라) 부모의 사람백혈구항원(HLA) 검사

① 가, 나, 다　　② 가, 다
③ 나, 라　　④ 라
⑤ 가, 나, 다, 라

17

반복 유산의 원인들 중 치료 및 예방 효과가 가장 적은 것을 고르시오.

① 유전적 요인　　② 내분비적 요인
③ 해부학적 요인　　④ 면역학적 요인
⑤ 원인 불명

16

정답 ①

해설

반복 유산의 검사 항목

1. 필수 검사
   a. 부모의 염색체 검사
   b. Lupus anticoagulant
   c. Anticardiolipin antibody
   d. Anti–β2–glycoprotein I antibody
2. 도움이 되는 검사
   a. Sonohysterography, Hysterosalpingography
   b. Endometrial biopsy
   c. 프로게스테론 수치 확인
   d. 수태산물의 염색체 검사
   e. 임상적이거나 과거력에 따른 다른 혈액 검사 (예 : thyrotropin 측정, 당뇨 선별검사)

참고 *Final Check 산과 375 page*

17

정답 ①

해설

반복 유산의 유전적 요인(Genetic factors)

1. 전체 반복 유산의 2~4%
2. 치료 및 예방이 가장 어려움
3. 가족력이 없거나 이전에 만삭 분만을 한 과거력이 있다고 해서 부모의 염색체 이상을 배제할 수 없음

참고 *Final Check 산과 371 page*

18

항인지질항체증후군(antiphospholipid antibody syndrome)에 대한 검사를 시행해야 하는 적응증을 모두 쓰시오.(3가지)

19

항인지질항체증후군으로 진단받은 여성이 임신 초기 3회 이상의 반복 유산을 주소로 내원하였다. 과거력상 혈전증은 없었고, 유산은 모두 임신 6주 정도에 발생하였다. 이 여성의 치료로 가장 적절한 것을 고르시오.

① Low dose aspirin + Prednisone + hCG

② Low dose aspirin + Progesterone

③ Low dose aspirin + Low molecular weight heparin

④ Paternal leukocyte immunization

⑤ Immunoglobulin

18

정답

1. 반복 유산
2. 원인불명의 제2, 3삼분기 유산
3. 중증 전자간증의 이른 발병
4. 원인불명의 태아성장제한
5. 동정맥 혈전증
6. 자가면역질환 또는 결합조직질환
7. 매독 혈청 검사상 위양성 소견
8. 응고시간 지연
9. 자가항체 검사 양성

참고 *Final Check 산과 373 page*

19

정답 ③

해설

항인지질항체증후군의 치료

1. 혈전증의 과거력이 없는 여성
   a. 반복적인 임신 초기 유산 : 저용량 아스피린 ± 미분획화 헤파린 병용요법
   b. 기존 태아사망 또는 전자간증, 태반부전 : 저용량 아스피린 + 미분획화 헤파린
2. 혈전증의 과거력이 있는 여성 : 저용량 아스피린 + 미분획화 헤파린
3. 미분획화 헤파린은 저분자량 헤파린(LMWH)으로 교체 가능

참고 *Final Check 산과 374 page*

20

반복 유산의 원인 중 면역학적 요인의 치료에 대한 내용으로 옳은 것을 고르시오.

① Antiphospholipid Ab를 가진 경우 저용량 아스피린과 헤파린의 병합 요법을 사용한다

② 저용량 아스피린과 단독 치료가 저용량 헤파린과의 병합 요법보다 치료 효과가 높다

③ 저용량 아스피린의 단독 치료가 prednisone과의 병합 요법보다 치료 효과가 높다

④ Glucocorticoid 치료가 저용량 아스피린 치료보다 치료 효과가 높다

⑤ Glucocorticoid 또는 저용량 아스피린 치료는 임신 3개월 이내에만 사용해야 한다

20

정답 ①

해설

항인지질항체증후군의 치료

1. 혈전증의 과거력이 없는 여성
   a. 반복적인 임신 초기 유산 : 저용량 아스피린 ± 미분획화 헤파린 병용요법
   b. 기존 태아사망 또는 전자간증, 태반부전 : 저용량 아스피린 + 미분획화 헤파린
2. 혈전증의 과거력이 있는 여성 : 저용량 아스피린 + 미분획화 헤파린
3. 미분획화 헤파린은 저분자량 헤파린(LMWH)으로 교체 가능

참고 *Final Check 산과 374 page*

21

임신 10주 이전에 3회 연속의 자연 유산을 경험한 환자가 상담을 위해 내원하였다. 시행한 혈액 검사에서 lupus anticoagulant antibody와 anticardiolipin antibody가 양성으로 확인되었다. 다음 임신에서의 유산을 예방하기 위해 투여해야 하는 약물을 쓰시오.(2가지)

21

정답

1. 아스피린(aspirin)
2. 헤파린(heparin)

해설

항인지질항체증후군의 치료

1. 혈전증의 과거력이 없는 여성
   a. 반복적인 임신 초기 유산 : 저용량 아스피린 ± 미분획화 헤파린 병용요법
   b. 기존 태아사망 또는 전자간증, 태반부전 : 저용량 아스피린 + 미분획화 헤파린
2. 혈전증의 과거력이 있는 여성 : 저용량 아스피린 + 미분획화 헤파린
3. 미분획화 헤파린은 저분자량 헤파린(LMWH)으로 교체 가능

참고 *Final Check 산과 374 page*

22

저용량 아스피린(low dose aspirin)의 산과적 적응증을 쓰시오.(2가지)

23

임신 25주인 24세 초산모가 태동이 느껴지지 않는다며 내원하였다. 시행한 초음파 검사상 자궁 내 태아 사망으로 확인되었다. 현재 자궁수축은 없고 자궁경부는 숙화 되지 않았다면 다음 처치로 가장 적절한 것을 고르시오.

① 프로스타글라딘 E1 질정 삽입

② 제왕절개술

③ 양수 내 생리식염수 주입

④ 자궁경부 개대 및 제거술

⑤ 자궁절제술

22

정답

1. 반복되는 심한 태아성장제한
2. 전자간증(preeclampsia), 자간증(eclampsia)
3. 항인지질항체증후군(APAS)에서의 반복 유산

참고 *Final Check 산과 374 page*

23

정답 ①

해설

임신 제2삼분기 유산 방법

1. 프로스타글란딘 E1 (PGE_1)
2. 프로스타글란딘 E2 (PGE_2)
3. 옥시토신(oxytocin)
4. 자궁경부 개대 및 제거술(D&E)
5. 자궁경부 개대 및 적출술(D&X)

참고 *Final Check 산과 390 page*

24

임신 15주 산모가 몰래 인공 유산을 받으려 laminaria 한 개를 삽입하였다. 다음 날 산모는 마음이 바뀌어 laminaria를 제거하였고, 임신 지속을 원하여 산부인과에 내원하였다. 이 환자에 대한 처치로 적절한 것을 고르시오.

① 유산 가능성이 높다고 설명한다
② 항생제를 투여한다
③ Ritodrine을 투여한다
④ 자궁경부원형결찰술을 시행한다
⑤ 정기검진을 시행한다

24
정답 ⑤
해설
흡습성 자궁경부 확장물
1. 자궁경부를 확장함으로써 발생할 수 있는 외상을 최소화하기 위해 자궁경부를 서서히 넓혀주는 기구
2. 종류 : 라미나리아(laminaria), 딜라판-S(dilapan-S)
3. 라미나리아 삽입 후 마음이 바뀌어 제거 후 임신을 유지하는 경우 유산의 가능성이 높지 않음

참고 *Final Check 산과 387 page*

25

반복 유산 환자에서 면역학적 검사 중 가장 가치가 있는 것은 무엇인가?

① 항인지질항체(antiphopholipid antibody)
② 항핵항체(antinuclear antibody)
③ 부모의 사람백혈구항원(human leukocyte antigen)
④ 항부성항체(antipaternal antibody)
⑤ 혼합림프구배양(mixed lymphocyte culture)

25
정답 ①
해설
항인지질항체(antiphopholipid antibody)
1. 루푸스항응고인자(lupus anticoagulant, LAC)
2. 항카디오리핀항체(anticardiolipin antibody, ACA)
3. 항베타당단백 I 항체(anti-β2-glycoprotein I antibody)
4. 이러한 항체가 높으면서 초기 유산 경험이 있는 경우 약 70%는 재발성 유산 발생

참고 *Final Check 산과 366 page*

26

자궁경부부전증이 있는 환자에서 자궁경부원형결찰술 전 확인해야 하는 사항들을 모두 쓰시오.

26

정답
1. 초음파 검사
2. 양수천자

해설

자궁경부원형결찰술 시행 전과 후의 관리

1. 시행 전 관리
   a. 초음파 검사 : 임신 주수, 태아의 상태, 기형 유무를 확인
   b. 양수천자 : 감염 시 수술 시행 안함
2. 시행 후 관리
   a. 실의 제거 시기
   b. 초음파 검사 : 원형결찰술의 시술 위치 확인, 자궁경부의 길이 관찰

참고 *Final Check 산과 382 page*

27

산과력 0-0-2-0인 임신 21주 산모가 소량의 질 출혈을 주소로 내원하였다. 질경 검사 소견이 아래와 같았고, 초음파상 자궁경부 개대가 약 3 cm 정도로 확인되었다면 다음 처치로 가장 적절한 것을 고르시오.

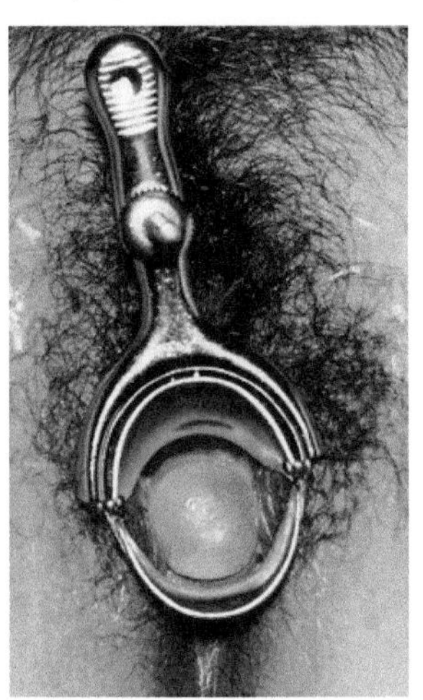

① 임신 종결

② 복부로 양수천자 후 cerclage

③ Transabdominal cerclage

④ 젖은 거즈로 밀어 넣어준다

⑤ 진정제를 투여하고 관찰

27

정답 ②

해설

응급 원형결찰술(rescue cerclage)

1. 자궁경부의 소실과 개대가 되어있고, 양막 돌출이 동반되어 있을 때 시행
2. 팽윤된 양막을 자궁으로 밀어 넣는 방법
   a. 트렌델렌버그 위치 방법
   b. 방광 내 식염수 투입
   c. 30 cc 폴리카테터 삽입
   d. 스폰지집게로 자궁강으로 밀어 넣는 방법
   e. 치료적 양수천자를 이용한 양수감압술

참고 *Final Check 산과 384 page*

28

임신 18주 여성이 정기검진을 위해 내원하였다. 이 산모는 과거에 26주에 조산한 과거력을 가지고 있었다. 시행한 초음파상 자궁경부 길이 1 cm, 깔대기변화(funneling)가 관찰되어 자궁경부원형결찰술을 시행하려 할 때 수술을 할 수 없는 경우를 모두 고르시오.

(가) 출혈이 있을 때
(나) 자궁수축이 있을 때
(다) 양막이 파열되었을 때
(라) 양막의 돌출이 관찰될 때

① 가, 나, 다
② 가, 다
③ 나, 라
④ 라
⑤ 가, 나, 다, 라

28

정답 ①

해설

자궁경부원형결찰술의 금기증

1. 자궁 내 감염
2. 양막파수
3. 진행되는 진통
4. 질 출혈
5. 자궁 내 태아사망
6. 심각한 태아 기형

참고 *Final Check 산과 382 page*

29

자궁경부부전증이 있는 산모에서 자궁경부원형결찰술(cervical cerclage)의 금기증을 쓰시오.(3가지)

29

정답

1. 자궁 내 감염
2. 양막파수
3. 진행되는 진통
4. 질 출혈
5. 자궁 내 태아사망
6. 심각한 태아 기형

참고 *Final Check 산과 382 page*

30

응급 자궁경부원형결찰술을 시행한 산모에게 발생할 수 있는 합병증을 모두 고르시오.

(가) 감염
(나) 양막파수
(다) 자궁파열
(라) 자궁경부 손상

① 가, 나, 다　　② 가, 다
③ 나, 라　　④ 라
⑤ 가, 나, 다, 라

30
정답 ⑤
해설
자궁경부원형결찰술의 합병증
1. 자궁 내 감염
2. 양막파수
3. 조기진통
4. 자궁 및 자궁경부 손상

참고 *Final Check 산과 382 page*

31

환자의 자궁경부에 해부학적 기형이 있어 자궁경부결찰술을 실패하였다면 시도해볼 수 있는 수술방법을 고르시오.

① Shirodkar cerclage
② Modified Shirodkar cerclage
③ Transabdominal cerclage
④ Transvaginal cerclage
⑤ Observation

31
정답 ③
해설
자궁경부원형결찰술(cervical cerclage)의 종류
1. McDonald cerclage
2. Shirodkar cerclage
3. Modified Shirodkar cerclage
4. Transabdominal cerclage

참고 *Final Check 산과 383 page*

32

현행 모자보건법상 임신 20주에 인공 임신중절 수술이 가능한 것을 고르시오.

① 무뇌아

② 다운증후군

③ 선천성 풍진감염

④ 양측 신장 무형성증

⑤ 복합 심장기형

32

정답 ③

해설

인공임신중절수술의 허용한계

1. 임신 24주일 이내인 사람만 가능
2. 우생학적 또는 유전학적 정신장애나 신체질환은 연골무형성증, 난성섬유증 및 그 밖의 유전성 질환으로서 그 질환이 태아에 미치는 위험성이 높은 질환이어야 함
3. 풍진, 톡소플라즈마증 및 그 밖에 의학적으로 태아에 미치는 위험성이 높은 전염성 질환

참고 *Final Check 산과 386 page*

33

임신 32주에 조기양막파수로 조산한 과거력이 있는 임신 20주 산모가 질 분비물 증가를 주소로 내원하였다. 활력 징후는 양호하였으나 질경 검사상 자궁경부 개대 1 cm, 개대된 자궁경부 사이로 양막이 보였다. 나이트라진 검사와 질 분비물 염증 검사 모두 음성이었고, 비수축검사상 자궁수축은 없었다면 이 산모에게 필요한 처치를 모두 고르시오.(2가지)

〈R–Type〉

① Glucocorticoid	⑥ ACE inhibitor
② Progesterone	⑦ 자궁경부원형결찰술
③ Ritodrine	⑧ 질식분만
④ Atosiban	⑨ 제왕절개분만
⑤ Magnesium sulfate	⑩ Amnioinfusion

33

정답 ②, ⑦

해설

자궁경부부전증(cervical insufficiency)의 치료

1. Progesterone : 고위험 산모에서 progesterone (17α–hydroxyprogesterone caproate, 천연 프로게스테론 100 mg 질정 등) 투여, 조기진통 및 조산의 위험을 감소
2. 자궁경부원형결찰술(cervical cerclage) : 조기진통이 임박한 상황에서 자궁경부가 짧아진 경우

참고 *Final Check 산과 381, 732 page*

CHAPTER 19

자궁외임신(Ectopic pregnancy)

01

평소 생리 주기가 불규칙했던 30세 여성이 소변 임신검사 양성으로 내원하였다. 시행한 질 초음파상 자궁 안과 밖에서 임신낭은 관찰되지 않았다. 이 여성에 대한 다음 처치로 가장 적절한 것은 무엇인가?

① 추적관찰

② Progesterone

③ Aspirin

④ Methotrexate

⑤ Diagnostic pelviscopy

01

정답 ①

해설

소변 임신검사(Urinary pregnancy tests)

1. 무월경 및 임신 의심 시 가장 먼저 시행
2. 자궁외임신의 99%에서 양성으로 확인
3. 20일 잠복기 : 소변 임신검사 양성이 나온 후 초음파에서 임신낭이 보이기까지의 기간

참고 *Final Check 산과 399 page*

02

26세 여성이 하복부의 통증과 소량의 질 출혈을 주소로 응급실에 내원하였다. 마지막 생리는 8주 전이었고, 골반 내진상 하복부에 압통이 있었다. 환자는 체온 36.5℃, 맥박 97회/min., 혈압 100/70 mmHg로 확인되었다. 이 환자의 진단을 위해 가장 먼저 시행해야 할 것은 무엇인가?

① 소변 임신검사

② 질 초음파

③ 소파술

④ 더글라스와천자

⑤ 진단적 복강경

02

정답 ①

해설

소변 임신검사(Urinary pregnancy tests)

1. 무월경 및 임신 의심 시 가장 먼저 시행
2. 자궁외임신의 99%에서 양성으로 확인

참고 *Final Check 산과 399 page*

03

다음 중 자궁외임신이 가장 잘 생기는 부위는 어디인가?

① 자궁각(cornual portion)

② 협부(isthmic portion)

③ 팽대부(ampullary portion)

④ 채부(fimbrial portion)

⑤ 간질부(interstitial portion)

03

정답 ③

해설

난관 임신(Tubal pregnancy)

1. 자궁외임신의 89~93%가 난관 임신
2. 난관 내 발생 부위
   a. 팽대부(ampulla) : 70%
   b. 협부(isthmic) : 12%
   c. 채부(fimbrial) : 11%
   d. 간질부(interstitial) : 2%

참고 *Final Check 산과 393 page*

04

자궁외임신의 발생 빈도를 증가시키는 위험인자를 모두 고르시오.

(가) 골반 염증의 과거력
(나) 난관 임신의 과거력
(다) 불임으로 난관 수술을 받았던 과거력
(라) 현재 경구 피임약을 사용하고 있는 경우

① 가, 나, 다　　② 가, 다

③ 나, 라　　④ 라

⑤ 가, 나, 다, 라

04

정답 ①

해설

자궁외임신의 위험인자

1. 이전 자궁외임신
2. 난관 손상
   a. 난관 수술 : 난관결찰술, 난관복원술, 난관성형술
   b. 난관 주변의 유착 : Chlamydia 감염, 난관염, 자궁내막증, 충수염, 골반 수술 등
3. 보조생식술(ART)
4. 피임의 실패
5. 흡연

참고 *Final Check 산과 395 page*

05

다음 중 자궁외임신을 증가시키는 위험인자를 모두 고르시오.

(가) 흡연
(나) 보조 생식술
(다) 골반염의 과거력
(라) 난관 수술의 과거력

① 가, 나, 다
② 가, 다
③ 나, 라
④ 라
⑤ 가, 나, 다, 라

06

임신력 0-0-2-0인 27세 여성이 무월경 8주에 소량의 질 출혈과 하복부 통증을 주소로 내원하였다. 평소 생리 주기는 규칙적이었고, 과거력상 특별한 질환은 없었다. 질 초음파가 아래와 같은 소견을 보인다면 가장 가능성이 높은 진단명은 무엇인가?

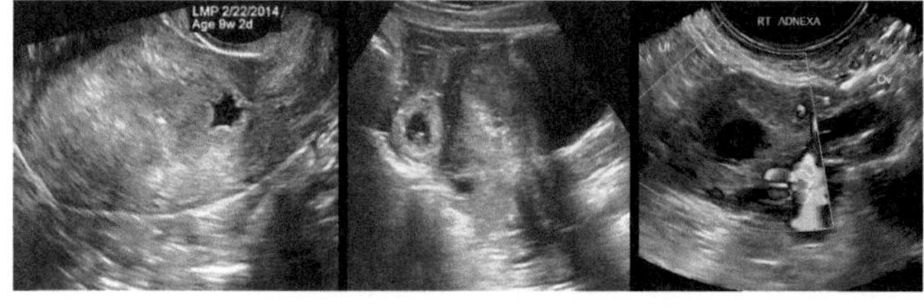

① 자궁근종
② 난소암
③ 자연 유산
④ 자궁외임신
⑤ 자궁내막증

05

정답 ⑤

해설

자궁외임신의 위험인자

1. 이전 자궁외임신
2. 난관 손상
   a. 난관 수술 : 난관결찰술, 난관복원술, 난관성형술
   b. 난관 주변의 유착 : Chlamydia 감염, 난관염, 자궁내막증, 충수염, 골반 수술 등
3. 보조생식술(ART)
4. 피임의 실패
5. 흡연

참고 *Final Check 산과 395 page*

06

정답 ④

해설

자궁외임신의 초음파 소견

1. 거짓임신낭(pseudogestational sac)
   a. 괴사된 탈락막과 자궁근층 사이에 피가 고여 임신낭처럼 관찰되는 것
   b. 경계가 불분명하고 불규칙한 모양
   c. 난황(yolk sac)의 유무로 임신낭과 감별
2. 난관 임신(tubal pregnancy)
   a. 부속기 고리(adnexal ring) : 저반향성 둥근 모양의 중간 영역과 이를 둘러싼 고반향성 영양막 경계
   b. 덩이 주위로 고리 모양의 색 도플러 소견

참고 *Final Check 산과 400 page*

07

20일 잠복기(20 days window period)란 무엇인지 쓰시오.

07

정답

소변 임신검사 양성이 나온 후 초음파에서 임신낭이 보이기까지의 기간

참고 *Final Check 산과 399 page*

08

17세 여학생이 체육시간에 갑자기 발생한 하복통을 주소로 내원하였다. 혈압 100/70 mmHg, 심박수 80회/min., 호흡수 22회/min., 체온 37℃, 하복부의 압통 및 반발통은 없었으나 혈성 질 분비물이 관찰되었다. 평소 생리는 불규칙했고 현재 2개월간 생리가 없었다. 다음으로 시행해야 할 검사를 고르시오.

① 초음파 검사
② 소변 임신검사
③ 복부 CT
④ 진단적 복강경
⑤ 복부 X-ray

08

정답 ②

해설

소변 임신검사(Urinary pregnancy tests)

1. 무월경 및 임신 의심 시 가장 먼저 시행
2. 자궁외임신의 99%에서 양성으로 확인

참고 *Final Check 산과 399 page*

09

26세 여성이 6주간의 무월경과 소변 임신검사 양성을 주소로 내원하였다. 질 초음파 검사상 자궁 내에서 임신낭이 보이지 않았고, 혈청 β-hCG 2,000 mIU/mL로 측정되었다. 다음 중 가장 가능성이 낮은 것은 어느 것인가?

① 정상 임신
② 비정상 자궁내임신
③ 유산
④ 난관 임신
⑤ 복강 임신

09

정답 ①

해설

임신낭이 보여야하는 β-hCG 수치

1. ≥1,500 mIU/mL : 질 초음파에서 임신낭이 보이지 않으면 정상 임신이 아님
2. ≥6,500 mIU/mL : 복부 초음파에서 임신낭이 보이지 않으면 정상 임신이 아님

참고 *Final Check 산과 400 page*

10

31세 여성이 2일전부터 시작된 질 출혈 및 하복부 통증을 주소로 내원하였다. 평소 생리가 불규칙했으며 마지막 생리는 7주 전이었다고 하였다. 질 초음파상 자궁 내에 임신낭이 보이지 않았고 복강 내 소량의 액체가 관찰되었으나 양측 부속기에 종괴는 보이지 않았다. 혈액 검사상 β-hCG 900 mIU/mL로 측정되었다면 이 여성에게 적합한 다음 처치를 고르시오.

① 경과관찰

② 더글라스와천자(culdocentesis)

③ Methotrexate

④ 소파술(D&C)

⑤ 개복술(laparotomy)

10

정답 ①

해설

임신낭이 안보일 때 β-hCG 수치에 따른 처치

1. 1,500~2,000 mIU/mL 이하인 경우
   a. 정상 임신, 유산, 자궁외임신 등 모두 가능
   b. 48시간 뒤 β-hCG와 초음파 재검사 시행
2. 1,000~2,000 mIU/mL 이상인 경우
   a. 자궁외임신의 가능성이 높음
   b. 이 경우에는 자궁외임신으로 간주하고 내과적 치료를 하거나 진단 및 치료 목적으로 복강경 또는 추적관찰을 시행

참고 *Final Check 산과 400 page*

11

26세 여자가 무월경 8주와 질 출혈을 주소로 내원하였다. 시행한 소변 임신검사는 양성으로 확인되었으나 질 초음파에서는 자궁 내 임신낭이 보이지 않았고, 혈액 β-hCG는 1,000 mIU/mL로 측정되었다. 다음 중 이 환자에게 가장 적절한 치료를 고르시오.

① 2~3일 뒤 β-hCG 추적검사

② 혈중 에스트로겐 검사

③ 복강경하 난관절제술

④ 자궁경하 내막긁어냄술

⑤ 자궁내막 소파술

11

정답 ①

해설

임신낭이 안보일 때 β-hCG 수치에 따른 처치

1. 1,500~2,000 mIU/mL 이하인 경우
   a. 정상 임신, 유산, 자궁외임신 등 모두 가능
   b. 48시간 뒤 β-hCG와 초음파 재검사 시행
2. 1,000~2,000 mIU/mL 이상인 경우
   a. 자궁외임신의 가능성이 높음
   b. 이 경우에는 자궁외임신으로 간주하고 내과적 치료를 하거나 진단 및 치료 목적으로 복강경 또는 추적관찰을 시행

참고 *Final Check 산과 400 page*

12

25세 여성이 2일간의 점상 출혈을 주소로 내원하였다. 소변 임신검사에서 양성이었고, 내진상 이상 소견은 없었으며, 혈청 β-hCG 1,300 mIU/mL로 확인되었다. 이 여성의 다음 처치로 가장 적절한 것을 고르시오.

① 소파술(D&C)

② 진단적 복강경

③ 혈청 β-hCG 추적검사

④ Progesterone 투여

⑤ 복부 초음파

12

정답 ③

해설

임신낭이 안보일 때 β-hCG 수치에 따른 처치

1. 1,500~2,000 mIU/mL 이하인 경우
   a. 정상 임신, 유산, 자궁외임신 등 모두 가능
   b. 48시간 뒤 β-hCG와 초음파 재검사 시행
2. 1,000~2,000 mIU/mL 이상인 경우
   a. 자궁외임신의 가능성이 높음
   b. 이 경우에는 자궁외임신으로 간주하고 내과적 치료를 하거나 진단 및 치료 목적으로 복강경 또는 추적관찰을 시행

참고 *Final Check 산과 400 page*

13

임신력 0-0-0-0인 25세 여성이 7주간의 무월경을 주소로 내원하였다. 혈청 β-hCG 2,500 mIU/mL으로 측정되었지만 질초음파에서 임신낭이 확인되지 않았다. 다음 중 가장 가능성 높은 진단은 무엇인가?

① 정상 임신 ② 포상기태

③ 계류 유산 ④ 난관 임신

⑤ 고사난자

13

정답 ④

해설

임신낭이 안보일 때 β-hCG 수치에 따른 처치

1. 1,500~2,000 mIU/mL 이하인 경우
   a. 정상 임신, 유산, 자궁외임신 등 모두 가능
   b. 48시간 뒤 β-hCG와 초음파 재검사 시행
2. 1,000~2,000 mIU/mL 이상인 경우
   a. 자궁외임신의 가능성이 높음
   b. 이 경우에는 자궁외임신으로 간주하고 내과적 치료를 하거나 진단 및 치료 목적으로 복강경 또는 추적관찰을 시행

참고 *Final Check 산과 400 page*

14

27세 여성이 갑자기 발생한 우하복부 통증을 주소로 내원하였다. 환자의 얼굴은 창백해 보였고, 혈압 90/60 mmHg, 심박수 120회/min., 호흡수 24회/min.로 확인되었다. 생리 주기는 28일로 규칙적이었고, 일주일 전 생리가 끝났으나 이번 생리는 평소보다 양도 적고 기간도 짧았다고 하였다. 다음 중 이 환자의 진단을 위한 검사로 적절한 것을 모두 고르시오.

(가) 소변 임신검사
(나) 진단적 복강경
(다) 초음파 검사
(라) 더글라스와천자

① 가, 나, 다 ② 가, 다
③ 나, 라 ④ 라
⑤ 가, 나, 다, 라

15

자궁외임신의 예후에 해당하는 것을 모두 고르시오.

(가) 자연 퇴화
(나) 복강 임신
(다) 난관 유산
(라) 만성 자궁외임신

① 가, 나, 다 ② 가, 다
③ 나, 라 ④ 라
⑤ 가, 나, 다, 라

14

정답 ⑤

해설

자궁외임신의 진단을 위한 검사

1. β-hCG
2. Progesterone
3. 초음파 검사
4. 더글라스와천자(culdocentesis)
5. 자궁내막 샘플링(endometrial sampling)
6. 복강경(laparoscopy), 개복술(laparotomy)

참고 *Final Check 산과 398 page*

15

정답 ⑤

해설

자궁외임신의 예후

1. 난관 유산(tubal abortion)
2. 난관 파열(tubal rupture)
3. 복강 임신(abdominal pregnancy)
4. 자연 퇴화(spontaneous regression)
5. 지속 영양막(persistent trophoblast)
6. 만성 자궁외임신(chronic ectopic pregnancy)

참고 *Final Check 산과 396, 406, 410 page*

16

다음 중 자궁외임신의 예후에 해당하는 것을 모두 고르시오.

(가) 난관 파열(tubal rupture)
(나) 난관 유산(tubal abortion)
(다) 복강 임신(abdominal pregnancy)
(라) 자연 퇴화(spontaneous regression)

① 가, 나, 다 ② 가, 다
③ 나, 라 ④ 라
⑤ 가, 나, 다, 라

16

정답 ⑤

해설

자궁외임신의 예후

1. 난관 유산(tubal abortion)
2. 난관 파열(tubal rupture)
3. 복강 임신(abdominal pregnancy)
4. 자연 퇴화(spontaneous regression)
5. 지속 영양막(persistent trophoblast)
6. 만성 자궁외임신(chronic ectopic pregnancy)

참고 *Final Check 산과 396, 406, 410 page*

17

자궁외임신과 반드시 감별해야 할 질환을 모두 고르시오.

(가) Acute salpingitis
(나) Ovarian torsion
(다) Threatened abortion
(라) Appendicitis

① 가, 나, 다 ② 가, 다
③ 나, 라 ④ 라
⑤ 가, 나, 다, 라

17

정답 ⑤

해설

자궁외임신과 감별해야 할 질환

1. 골반염
2. 난관염
3. 절박 유산
4. 난소 염전
5. 급성 충수염
6. 소화기 질환
7. 자궁내장치(IUD)
8. DUB
9. 황체 낭종
10. 요로 감염, 결석

참고 *Final Check 산과 397 page*

18

27세 미혼 여성이 자궁외임신을 주소로 내원하였다. 질 초음파상 임신낭이 우측 난관 부위에서 임신 5주 정도의 크기로 관찰되었고, 태아는 보였지만 태아 심박동은 관찰되지 않았다. 자궁과 난소 모두 정상이었고 난관 파열 및 복강 내 출혈 소견은 없었다. 환자는 향후 임신을 원하고 있다면 가장 적절한 치료법을 쓰시오.(1가지)

18

정답

Methotrexate (MTX)

해설

난관 임신의 내과적 치료

1. 약제 : Methotrexate (MTX)
2. 적응증
   a. 자궁외임신 확진 또는 의심
   b. 난관 파열이 되지 않은 경우
   c. 혈역학적 안정상태
   d. 자궁외임신낭 크기 ≤3.5 cm
   e. 태아 심장박동이 없는 경우

참고 *Final Check 산과 403 page*

19

24세 미혼 여성이 6주간의 무월경을 주소로 내원 하였다. 질 초음파에서 난관채(fimbriae) 부위의 자궁외임신낭을 확인하였고, 복강경을 이용한 난관개구술(salpingostomy)을 시행하였다. β-hCG 수치 변화가 다음과 같다면 다음 처치로 가장 적절한 것을 고르시오.

- 수술 전 : 835 mIU/mL
- 수술 4일 후 : 512 mIU/mL
- 수술 5일 후 : 1,137 mIU/mL

① 복강경 재수술을 통한 난관 절제술

② 자궁내막 소파술

③ 초음파 감시하 난관 내 KCl 주입

④ Methotrexate 근육 주사

⑤ 시험적 개복술

19

정답 ④

해설

지속 영양막(Persistent trophoblast)

1. 보존적 수술 후 영양막 조직이 남은 것
2. β-hCG 수치가 지속적으로 유지되거나 상승
3. 치료
   a. 파열이 없는 경우 : MTX 1회 요법
   b. 파열 및 출혈이 있는 경우 : 외과적 치료

참고 *Final Check 산과 406 page*

20

23세 여성이 무월경 7주로 내원하였다. 내원 시 생체 징후는 정상이었으며, 당일 시행한 β-hCG 2,300 mIU/mL, 2일 뒤 4,300 mIU/mL로 측정되었다. 초음파상 골반 내 출혈 소견은 보이지 않았고 좌측 난관 부위에 2.5 cm 크기의 임신낭이 관찰되었으며 난황은 보였으나 배아는 보이지 않았다. 이 환자의 다음 처치로 가장 적절한 것을 고르시오.

① 절대 안정시키며 경과관찰한다
② 복강경을 이용하여 수술한다
③ 고용량의 estrogen을 투여한다
④ Methotrexate를 투여한다
⑤ 다음 주 내원 초음파로 추적관찰한다

20
정답 ④
해설
난관 임신의 내과적 치료 적응증
1. 자궁외임신 확진 또는 의심
2. 난관 파열이 되지 않은 경우
3. 혈역학적 안정상태
4. 자궁외임신낭 크기 ≤3.5 cm
5. 태아 심장박동이 없는 경우

참고 *Final Check 산과 403 page*

21

무월경 5주인 기혼 여성이 소량의 질 출혈을 주소로 내원하였다. β-hCG 수치는 당일 2,100 mIU/mL, 3일 후 2,500 mIU/mL로 측정되었다. 초음파상 자궁 및 난소 부위에 특이 소견은 보이지 않았고, 생체 징후는 안정적이었다. 이 환자에 대한 향후 처치로 적절한 것을 고르시오.

① 경과관찰
② 수액 보충
③ Methotrexate 투여
④ Progesterone 투여
⑤ 시험적 개복술

21
정답 ③
해설
난관 임신의 내과적 치료 적응증
1. 자궁외임신 확진 또는 의심
2. 난관 파열이 되지 않은 경우
3. 혈역학적 안정상태
4. 자궁외임신낭 크기 ≤3.5 cm
5. 태아 심장박동이 없는 경우

참고 *Final Check 산과 403 page*

22

자궁외임신에서 methotrexate를 이용하여 치료할 때 성공 가능성이 가장 적은 것을 고르시오.

① 난관 파열이 없음

② 태아 심장박동이 보이는 경우

③ 자궁외임신낭 크기 = 3 cm

④ 혈청 β-hCG = 18,000 mIU/mL

⑤ 자궁경부 임신

22

정답 ④

해설

난관 임신의 내과적 치료 적응증

1. 자궁외임신 확진 또는 의심
2. 난관 파열이 되지 않은 경우
3. 혈역학적 안정상태
4. 자궁외임신낭 크기 ≤3.5 cm
5. 태아 심장박동이 없는 경우

참고 *Final Check 산과 403 page*

23

다음 중 methotrexate를 이용하여 자궁외임신 치료를 할 수 있는 경우를 고르시오

① 복부 초음파상 임신낭이 보이지 않고 β-hCG 8,000 mIU/mL인 만상 간염 환자

② 질 초음파상 임신낭이 보이지 않고 소변 임신검사상 양성, 혈압 90/60 mmHg, 맥박 105 회/min.인 환자

③ 질 초음파상 임신낭이 보이지 않고 β-hCG 3,500 mIU/mL인 십이지장 궤양 환자

④ 질 초음파상 자궁 내 임신낭이 보이지 않고 2주간 β-hCG 4,000 mIU/mL 정도의 안정기(plateau)를 보이는 환자

⑤ 질 초음파상 자궁외임신낭 크기가 6 cm 정도로 보이고 태아 심장박동이 관찰되지 않지만 생체 징후는 안정적인 환자

23

정답 ④

해설

난관 임신의 내과적 치료 적응증

1. 자궁외임신 확진 또는 의심
2. 난관 파열이 되지 않은 경우
3. 혈역학적 안정상태
4. 자궁외임신낭 크기 ≤3.5 cm
5. 태아 심장박동이 없는 경우

참고 *Final Check 산과 403, 404 page*

24

29세 미혼 여성이 갑자기 발생한 복부 통증을 주소로 내원하였다. 검사상 우측 난관 부위에 4 cm 크기의 자궁외임신낭이 확인되었고, 복강 내에는 출혈 소견이 보였다. 환자는 이전에도 우측 난관 부위에 자궁외임신이 있었고 복강경하 난관개구술(salpingostomy)을 시행한 과거력이 있었다. 다음 중 이 환자에게 가장 적절한 치료 방법을 고르시오.

① 난관절개술(salpingotomy)

② 난관개구술(salpingostomy)

③ 난관절제술(salpingectomy)

④ Methotrexate 주사

⑤ KCl 주사

24

정답 ③

해설

난관절제술(salpingectomy)의 적응증

1. 불임의 과거력
2. 임신력 보존을 원하지 않을 때
3. 같은 곳에 2번 이상 자궁외임신이 되었을 때
4. 난관 손상이 심할 때
5. 조절되지 않는 출혈이 있을 때

참고 *Final Check 산과 403 page*

25

25세 미혼 여성이 7주간의 무월경을 주소로 내원하였다. 시행한 질 초음파상 우측 난관 부위에서 아래와 같은 소견을 확인하였다. 혈청 β-hCG 8,000 mIU/mL로 측정되었다면 이 환자의 다음 처치로 가장 적절한 것을 고르시오.

- 임신낭 크기 : 5 cm
- 머리엉덩길이(CRL) = 1 cm
- 태아 심장박동수 = 150회/min.
- 난관 파열 및 복강내 출혈 소견은 없음

① 절대 안정시키고 β-hCG를 추적관찰 한다

② 복강경 수술을 한다

③ Methotrexate를 투여한다

④ 고용량의 estrogen을 투여한다

⑤ 다음날 질 초음파를 다시 시행하여 임신낭과 태아의 크기를 추적관찰한다

25

정답 ②

해설

난관 임신의 내과적 치료 상대 금기증

1. 자궁외임신낭 크기 >4 cm
2. 태아 심장박동이 보이는 경우
3. 내과적 치료의 추적관찰이 어려운 경우
4. 초기 β-hCG가 높은 경우 (>5,000 mIU/mL)
5. 수혈을 거부하는 경우

참고 *Final Check 산과 404 page*

26

파열 및 출혈 소견이 없는 자궁외임신의 치료법 중 영양막 조직이 지속될 가능성이 가장 많은 것을 다음 중 고르시오.

① Methotrexate 1회 요법

② Methotrexate 다회 요법

③ 난관개구술(salpingostomy)

④ 난관절개술(salpingotomy)

⑤ 난관채배출술(fimbrial evacuation)

26

정답 ⑤

해설

지속 영양막(Persistent trophoblast)의 위험인자

1. 수술 유형에 따른 위험도 : 난관채배출술(fimbrial evacuation) > 난관절개술(salpingotomy) > 난관개구술(salpingostomy) > 난관절제술(salpingectomy)
2. 임신낭이 작고, 초기일수록 위험성 증가
   a. 초기 β-hCG <3,000 mIU/mL
   b. 무월경 7주 이내
   c. 자궁외임신낭의 크기 <2 cm

참고 *Final Check 산과 406 page*

27

28세 미혼 여성이 복통을 주소로 내원하였다. 질 초음파상 좌측 난관에 2 cm 크기의 종괴가 확인되었고, 복강 내 출혈 소견은 보이지 않았다. 혈청 β-hCG 2,000 mIU/mL로 측정되었고 환자는 임신력 유지를 원하여 보존적 치료를 원하는 상황이다. 다음 치료법 중 지속 영양막의 가능성이 가장 높은 것을 고르시오.

① Methotrexate 다회 요법

② Methotrexate 1회 요법

③ 병변 내 methotrexate 주입

④ 선형 난관개구술(linear salpingotomy)

⑤ 난관채배출술(fimbrial evacuation)

27

정답 ⑤

해설

지속 영양막(Persistent trophoblast)의 위험인자

1. 수술 유형에 따른 위험도 : 난관채배출술(fimbrial evacuation) > 난관절개술(salpingotomy) > 난관개구술(salpingostomy) > 난관절제술(salpingectomy)
2. 임신낭이 작고, 초기일수록 위험성 증가
   a. 초기 β-hCG <3,000 mIU/mL
   b. 무월경 7주 이내
   c. 자궁외임신낭의 크기 <2 cm

참고 *Final Check 산과 406 page*

28

자궁경부 임신의 위험인자를 모두 고르시오.

(가) 아셔만증후군(Asherman syndrome)
(나) 체외수정(IVF)
(다) 이전 제왕절개술(previous cesarean section)
(라) 자궁근종(uterine fibroid)

① 가, 나, 다　　② 가, 다
③ 나, 라　　④ 라
⑤ 가, 나, 다, 라

28
정답 ⑤
해설
자궁경부 임신의 위험인자
1. 이전의 자궁소파술(70%)
2. 자궁내막유착(uterine adhesions)
3. 시험관 시술(ART)
4. 이전 제왕절개술
5. 자궁근종

참고 *Final Check 산과 409 page*

29

24세 여성이 무월경 8주를 주소로 내원하였다. 소변 임신검사상 양성이 나왔고, 질 초음파에서 자궁경부 임신을 확인하였다. 다음 중 이 여성의 치료로 가장 적절한 것을 고르시오.

① Methotrexate
② 복강경 난관절제술(laparoscopic salpingectomy)
③ 자궁경부 개대 및 소파술(dilatation and curettage)
④ 시험적 개복술(exploratory laparotomy)
⑤ 자궁절제술(hysterectomy)

29
정답 ①
해설
자궁경부 임신의 치료
1. Methotrexate (MTX) : 혈역학적으로 안정적인 환자에서의 일차 치료
2. 자궁경부 소파술(cervical curettage)
3. 자궁절제술 : 출혈이 조절되지 않는 경우

참고 *Final Check 산과 410 page*

CHAPTER 20

분만진통의 기전(Physiology of Labor)

01

다음 중 임신 초기의 자궁 무활동(uterine quiescence)을 유지시키는 주된 호르몬을 고르시오.

① Oxytocin
② Prostaglandin
③ Hyaluronan
④ Estrogen
⑤ Progesterone

01

정답 ⑤

해설

프로게스테론(Progesterone)

1. 진통을 억제하는 역할
2. 자궁수축관련단백질 생산을 억제하여 자궁 무활동(uterine quiescence) 상태를 유지
3. 절대적인 농도보다는 에스트로겐과의 비율이 더 중요

참고 *Final Check 산과 417 page*

02

자궁의 이완을 유지하는 보완계 중 분만 1단계(phase 1 of parturition)에 작용하는 물질은 무엇인가?

① Nitric oxide
② Platelet activation factor
③ Oxytocin
④ Hyaluronan
⑤ Serotonin

02

정답 ①

해설

분만 1단계를 조절하는 주요 인자

1. 자궁근육에 주로 작용 : Prostacyclin, Nitric oxide, hCG, CRH, Caspase 3
2. 자궁경부에 주로 작용 : Progesterone, PGDH

참고 *Final Check 산과 419 page*

03

분만 1단계(phase 1 of parturition)에서 세포의 수축을 직접 조절하는 세포표면 수용체(cell surface receptors) 중 자가분비(autocrine)로 작용하는 물질을 쓰시오.(2가지)

03

정답 PGE_2, PGI_2

해설

세포표면 수용체에 작용하는 기전

1. 자가분비(autocrine) : PGE_2, PGI_2
2. 내분비(endocrine) : estrogen, progesterone
3. 주변분비(paracrine) : relaxin, CRH, PGDH, oxytocinase

참고 *Final Check 산과 422 page*

04

자궁근육의 이완에 대한 내용으로 잘못된 것은 무엇인가?

① Calcium이 sarcoplasmic reticulum으로 들어감

② MLC phosphatase 활성 증가

③ MLCK 활성 증가

④ cAMP 증가

⑤ MLC dephosphorylation

05

임신 유지에 중요한 역할을 하는 프로게스테론(progesterone)은 분만이 진행되면서 퇴축이 나타난다. 프로게스테론 퇴축(progesterone withdrawal)의 기전으로 틀린 것을 고르시오.

① 프로게스테론 전사인자의 microRNA 조절

② 프로게스테론 생성 억제

③ 세포막의 프로게스테론 수용체의 발현 변화

④ 프로게스테론 수용체의 발현 변화

⑤ 프로게스테론 길항제(progesterone antagonist) 합성

06

분만진통 과정에서 산모가 통증을 느끼는 원인을 모두 고르시오.

(가) 수축에 의한 자궁근육의 저산소증
(나) 근육다발이 자궁하부와 자궁경부의 신경절을 압박
(다) 자궁경부의 신전
(라) 자궁을 덮고 있는 복막의 신전

① 가, 나, 다　　② 가, 다

③ 나, 라　　④ 라

⑤ 가, 나, 다, 라

04

정답 ③

해설

자궁근육의 이완 기전

1. 평활근 세포질 내의 Ca^{2+} 농도 감소
2. Ca–Calmodulin–MLCK 복합체의 불활성화
3. 인산분해효소(phosphatase)에 의한 myosin light chains의 탈인산화(dephosphorylation)
4. 일반적으로 세포내에 cAMP, cGMP를 증가시키는 물질은 자궁근육을 이완시킴

참고 *Final Check 산과 421 page*

05

정답 ②

해설

기능적 프로게스테론 퇴축의 기전

1. 세포의 핵이나 막에서 프로게스테론 수용체의 발현 변화
2. 수용체 기능에 직접적으로 영향을 미치는 coactivator와 corepressor의 발현 변화를 통한 프로게스테론 수용체 활동의 변화
3. 스테로이드 효소나 자연적인 길항제에 의한 직접적인 프로게스테론 불활성화
4. 프로게스테론 대사효소 및 전사인자의 microRNA 조절

참고 *Final Check 산과 424 page*

06

정답 ⑤

해설

분만진통 수축 시 통증의 원인

1. 근육다발이 자궁하부와 자궁경부의 신경절을 압박
2. 수축된 자궁근육의 저산소증
3. 개대 동안 자궁경부의 신전
4. 자궁을 덮고 있는 복막의 신전

참고 *Final Check 산과 428 page*

07

분만진통 기전과 관련된 물질들에 대한 설명으로 옳은 것을 고르시오.

① 산모의 시상하부 CRH 생성 증가

② CRH-BP은 태반 CRH 활성도를 낮춤

③ 태아 ACTH 증가

④ 태아 cortisol에 의한 음성 되먹임으로 태반 CRH 증가

⑤ 태아 DHEA-S가 산모의 E3 생성을 증가

08

다음 그림의 빈칸(A)에 알맞은 것을 쓰시오.

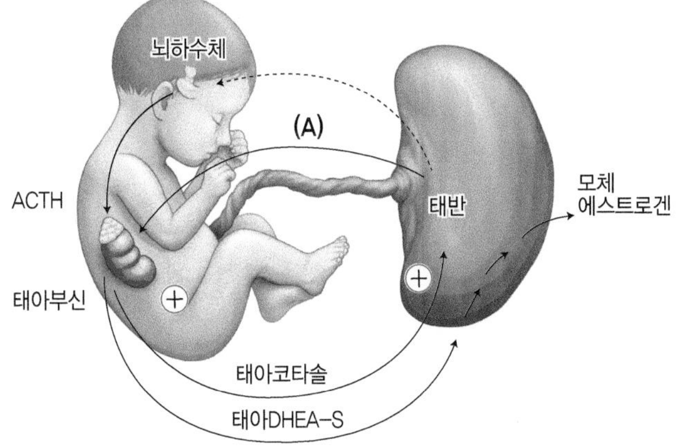

07

정답 ②

해설

1. 산모의 혈장 CRH는 임신 초기에 낮았다가, 임신 마지막 12주 동안 급격하게 증가하고, 분만 당시에 최고치가 되며, 분만 후에 감소
2. CRH-결합 단백질 : 임신 중 거의 모든 산모 순환 CRH에 결합하여 비활성화 시킴
3. 태아 뇌하수체에서 분비되는 ACTH 증가
4. 태아 cortisol은 양성 되먹임을 통해 다시 태반 CRH의 분비를 자극
5. 태아 DHEA-S는 모체 estradiol (E2)을 증가

참고 *Final Check 산과 426 page*

08

정답 태반 CRH

참고 *Final Check 산과 427 page*

09

빈 칸에 알맞은 것으로 구성된 것을 고르시오.

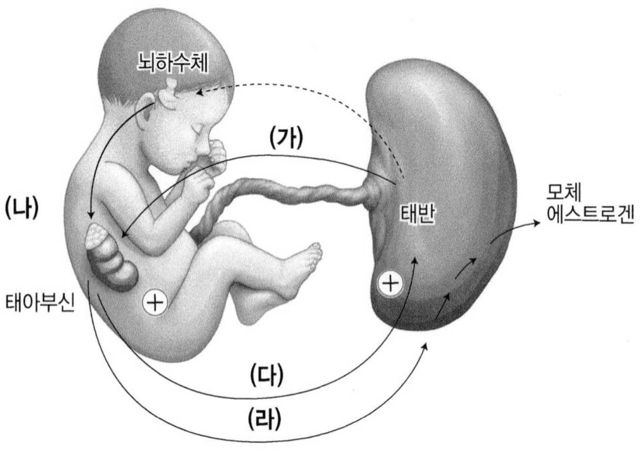

	(가)	(나)	(다)	(라)
①	CRH	ACTH	Estrogen	DHEA-S
②	Cortisol	CRH	Estrogen	Progesterone
③	CRH	ACTH	Cortisol	DHEA-S
④	ACTH	Cortisol	CRH	Estrogen
⑤	Cortisol	CRH	ACTH	Progesterone

09

정답 ③

참고 *Final Check 산과 427 page*

10

태반 만출 시 태반 분리가 변연에서부터 시작되어 태반의 모체측 표면부터 보이기 시작하는 기전을 무엇이라고 하는지 쓰시오.

10

정답 Duncan mechanism

해설

Duncan mechanism

1. 모체측 표면이 혈액과 함께 먼저 외음부에 나타나게 되는 방법
2. 태반 분리가 변연에서부터 시작되어 혈액이 양막과 자궁벽 사이에 고여 있다가 질을 통해 출혈이 보이게 됨

참고 *Final Check 산과 434 page*

CHAPTER 21

정상 분만진통(Normal labor)

01

태아의 태축, 태위, 태향에 대한 설명 중 옳은 것은 무엇인가?

① 태축은 임신부의 횡축과 태아의 횡축 간의 관계를 나타낸다

② 임신 중 고혈압, 태반조기박리 시 횡위의 가능성이 증가한다

③ 선진부는 산도 내에 가장 먼저 진입하는 태아의 신체 부위이다

④ 임신 말기 태위의 빈도는 두위, 안면위, 전액위, 둔위 순서이다

⑤ 태향은 태아의 자세를 기술한 것이다

02

태아의 선진부와 산도의 관계를 무엇이라고 하는가?

① 태축 ② 태향

③ 태위 ④ 태세

01

정답 ③

해설

태아 요소

1. 태축(Fetal lie)
   a. 태아의 세로축과 모체의 세로축 간의 관계
   b. 횡축 유발인자 : 복벽이완, 전치태반, 양수과다증, 자궁 기형
2. 태위(Fetal presentation)
   a. 선진부 : 산도 내에 가장 먼저 진입하는 태아의 부분
   b. 빈도 : 두위>둔위>횡위>복합위>안면위>전액위
3. 태향(Fetal position) : 태아 선진부의 특정 부위와 산도 좌측 혹은 우측면과의 상호관계

참고 *Final Check 산과 437, 438, 442 page*

02

정답 ②

해설

태아 요소

1. 태축(Fetal lie) : 태아의 세로축과 모체의 세로축 간의 관계
2. 태향(Fetal position) : 태아 선진부의 특정 부위와 산도 좌측 혹은 우측면과의 상호관계
3. 태위(Fetal presentation) : 선진부에 따라 태위가 결정
4. 태세(Fetal attitude) : 태아의 자세를 기술한 것

참고 *Final Check 산과 437 page*

03

분만 진통 중인 임산부를 내진하였더니 두정위(vertex presentation)였고, 대천문(anterior fontanel)은 치골결합(symphysis pubis) 바로 뒤 왼쪽, 소천문(occipital fontanel)은 엉치뼈(sacrum) 바로 앞 오른쪽에 위치해 있었다. 이 태아의 태위(fetal presentation)는 무엇인가?

① Left occiput anterior

② Left occiput posterior

③ Right occiput anterior

④ Right occiput posterior

⑤ Right occiput transverse

03

정답 ④

해설

태향(Fetal position)

1. 선진부 : 두정위는 소천문(occipital fontanel)
2. 소천문(occipital fontanel)이 엉치뼈 앞 오른쪽에 위치 : RO (right occipital)
3. 산도에 대한 선진부의 위치 : P (posterior)

참고 *Final Check 산과 442 page*

04

태아가 두정위(vertex presentation)로 있는 임신 32주 임산부의 복부를 레오폴드 복부촉진법으로 진찰하였을 때 세 번째 수기로 촉지할 수 있는 태아의 부위를 고르시오.

① 복부 ② 엉덩이

③ 등 ④ 머리

⑤ 팔, 다리

04

정답 ④

해설

레오폴드 복부촉진법의 제3방법

1. 선진부의 골반 안 진입 여부를 확인
2. 엄지 손가락과 다른 손가락을 이용하여 치골결합 바로 위인 복부의 아랫부분을 확인하여 선진부의 굴곡 정도와 골반과의 관계 확인
   a. 만일 진입하지 않은 경우에는 제1방법에서와 같이 선진부가 태아의 어떤 부위인지를 확인 가능
   b. 두위인 경우 두부 돌출부위를 만짐으로써 태세도 확인 가능

참고 *Final Check 산과 443 page*

05

전방 후두위(occiput anterior presentation)의 분만 기본운동(cardinal movements)에서 태아 머리의 선진부가 궁둥뼈가시(ischial spine)에 위치함을 의미하는 용어는 무엇인가?

① 이슬(Show)
② 부유(Floating)
③ 진입(Engagement)
④ 하강(Lightening)
⑤ 소형(Molding)

05

정답 ③

해설

진입(Engagement)

1. 태아 머리 선진부의 끝이 골반의 궁둥뼈가시(ischial spine) 위치에 있는 경우
2. 하강 정도 0인 경우에 진입이 되었다고 표현

참고 *Final Check 산과 445 page*

06

분만진통 중 태아 머리의 진입(engagement)에 대한 설명으로 옳은 것을 고르시오.

① 양쪽관자뼈 지름(bitemporal diameter)이 골반 입구에 도달한 상태를 의미한다
② 초산모에서 대게 분만 2~3일 전에 일어난다
③ 머리의 고정은 항상 머리의 진입을 의미한다
④ 초산모에서 분만진통이 임박해서도 진입이 안 되면 골반 입구의 협착을 의미한다
⑤ 선진부의 하강 0은 대개 머리의 진입을 의미한다

06

정답 ⑤

해설

진입(Engagement)

1. 태아 머리 선진부의 끝이 골반의 궁둥뼈가시(ischial spine) 위치에 있는 경우
2. 하강 정도 0인 경우에 진입이 되었다고 표현
3. 대부분의 초산모에서는 진통이 일어나기 전에 태아의 머리가 이미 진입되어 있으나, 경산모에서는 대부분 진통이 시작된 이후에 진입하기 시작

참고 *Final Check 산과 445 page*

07

후두위의 분만 기본운동 중 골반강을 통과하는 태아 머리 직경이 뒤통수–이마 직경(occipitofrontal diameter)에서 뒤통수–정수리밑 직경(suboccipitobregmatic diameter)으로 전환되는 과정을 무엇이라고 하는가?

① 진입(Engagement)
② 하강(Descent)
③ 굴곡(Flexion)
④ 내회전(Internal rotation)
⑤ 외회전(External rotation)

07

정답 ③

해설

굴곡(Flexion)

1. 머리의 굴곡이 수동적으로 일어나 태아의 턱이 가슴에 밀착
2. Occipitofrontal diameter이 최단 전후경인 Suboccipitobregmatic diameter로 대치되어 하강이 쉬워짐

참고 *Final Check 산과 446 page*

08

후두위(occiput presentation)의 분만 기본운동 중, 태아 머리가 골반중앙에서 골반 출구에 이르는 하부 골반강에 적응하여 시상봉합(sagittal suture)이 골반 전후경에 위치하도록 하기위해 일어나는 운동을 무엇이라고 하는가?

① 내회전(Internal rotation)
② 외회전(External rotation)
③ 굴곡(Flexion)
④ 신전(Extension)
⑤ 하강(Descent)

08

정답 ①

해설

내회전(Internal rotation)

1. 머리가 골반중앙에서 골반 출구에 이르는 하부 골반강에 적응하여 시상봉합이 산모 골반의 전후 직경에 일치하도록 태아의 후두가 점차적으로 원래의 위치에서 치골결합을 향해 전방 회전하는 것
2. 굴곡과 같은 기전으로 골반의 모양 및 골반바닥근육에 따라 일어나는 수동적인 운동

참고 *Final Check 산과 447 page*

09

분만 진행 중 태아의 시상봉합이 엉치뼈곶(sacral promontory)을 향해 앞 또는 뒤로 치우쳐 있는 경우를 무엇이라고 하는지 고르시오.

① 진입(Engagement) ② 동고정위(Synclitism)
③ 부동고정위(Asynclitism) ④ 신전(Extension)
⑤ 굴곡(Flexion)

09
정답 ③
해설
부동고정위(Asynclitism)
1. 앞 부동고정위(anterior asynclitism) : 시상봉합이 엉치뼈곶을 향해 치우쳐 있는 경우
2. 뒤 부동고정위(posterior asynclitism) : 시상봉합이 치골결합을 향해 치우쳐 있는 경우

참고 *Final Check 산과 445 page*

10

태향(Fetal position)은 LOT이고 앞 부동고정위(anterior asynclitism)가 심할 때 산류(Caput succedaneum)가 발생하는 부위는 어디인가?

① Right parietal bone ② Left parietal bone
③ Right occipital bone ④ Left occipital bone
⑤ Frontal bone

10
정답 ①
해설
앞 부동고정위(Anterior asynclitism)
1. 시상봉합이 엉치뼈곶을 향해 치우쳐 있음
2. 전두정골(anterior parietal bone)이 만져짐
3. 산류(caput succedaneum) 형성 부위
   a. LOT : Rt. parietal bone의 상후방
   b. ROT : Lt. parietal bone의 상후방

참고 *Final Check 산과 445, 450 page*

11

후두골의 상연이 두정골 아래로, 후두정골이 전두정골 아래로 들어가는 것과 같이 머리가 골반 크기 및 형태에 적응하는 것을 나타내는 용어를 고르시오.

① 부동고정위(Asynclitism) ② 동고정위(Synclitism)
③ 산류(Caput succedaneum) ④ 거푸집 현상(Molding)
⑤ 굴곡(Flexion)

11
정답 ④
해설
거푸집 현상(Molding)
1. 질식분만 시 임신부의 골반 크기와 형태에 적응하여 머리의 모양이 변화하는 것
2. 뒤통수-정수리밑 직경(suboccipitobregmatic diameter)이 0.5~1.0 cm 정도 줄어드는 효과

참고 *Final Check 산과 450 page*

12

분만진통 제1기에 대한 설명으로 옳은 것을 고르시오.

① 미분만부의 분만진통 제1기의 평균 시간은 약 5시간이다

② 개대기는 안정제에 예민한 시기이다

③ 개대기는 태아와 골반 사이의 관계를 반영한다

④ 골반기는 분만 기본운동이 일어나는 시기이다

⑤ 골반기 때 자궁경부 결합조직 성분의 변화가 일어난다

12

정답 ④

해설

분만진통 제1기

1. 미분만부의 평균시간 : 약 8시간
2. 개대기
   a. 자궁경부의 개대가 가장 신속하게 진행
   b. 안정제나 마취제에 영향을 받지 않는 시기
3. 감속기 : 태아와 골반의 상호관계를 반영
4. 골반기 : 분만 기본운동이 일어나는 시기
5. 준비기 : 자궁경부 결합조직 성분 변화 발생

참고 *Final Check 산과 452, 455 page*

13

다음 중 태아와 골반의 상호관계(fetopelvic relationship)를 반영하는 시기를 고르시오.

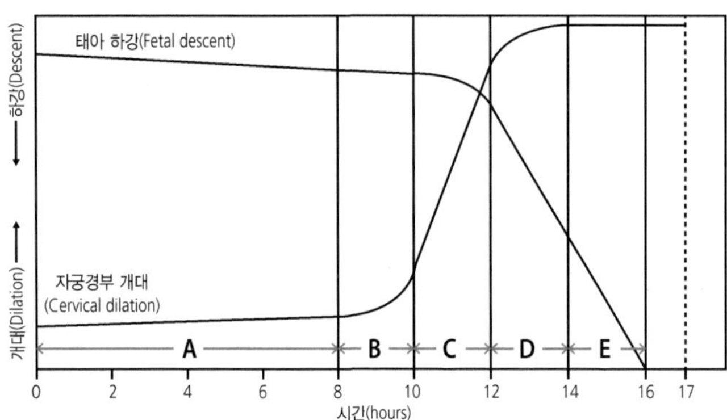

① A ② B ③ C ④ D ⑤ E

13

정답 ④

해설

감속기(Deceleration phase)

1. 자궁경부가 약 9 cm 정도 개대된 이후 그 진행이 둔화되는 시기
2. 태아와 골반의 상호관계를 반영

참고 *Final Check 산과 453 page*

14

다음 그래프에서 (C) 시기에 관한 설명으로 올바른 것을 모두 고르시오.

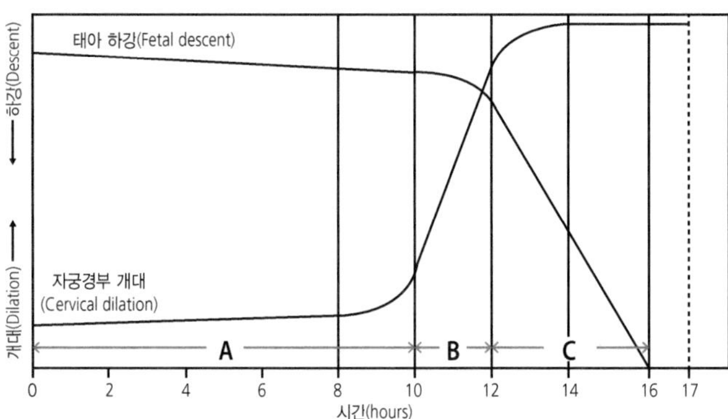

(가) 태아와 골반의 상호관계가 반영되는 시기
(나) 안정제나 마취제에 영향을 많이 받는 시기
(다) 분만 기본운동이 일어나는 시기
(라) 자궁경부의 소실이 시작되는 시기

① 가, 나, 다　　② 가, 다
③ 나, 라　　④ 라
⑤ 가, 나, 다, 라

14
정답 ②
해설
골반기(Pelvic division)
1. 분만 기본운동이 일어나는 시기
2. 임상적으로 개대기와 구별하기 어려움
3. 감속기 + 분만진통 제2기
4. 감속기는 태아와 골반의 상호관계를 반영

참고 *Final Check 산과 452 page*

15

다음 중 분만 기본운동(cardinal movement)이 일어나는 시기를 고르시오.

① 준비기(Preparatory division)
② 개대기(Dilatation division)
③ 골반기(Pelvic division)
④ 잠복기(Latent division)
⑤ 분만진통 제2기(2nd stage of labor)

15
정답 ③
해설
골반기(Pelvic division)
1. 분만 기본운동(cardinal movement)이 일어나는 시기
2. 임상적으로 개대기와 구별하기 어려움

참고 *Final Check 산과 452 page*

16

다음 그래프에서 분만 기본운동(cardinal movement)이 일어나는 시기를 고르시오.

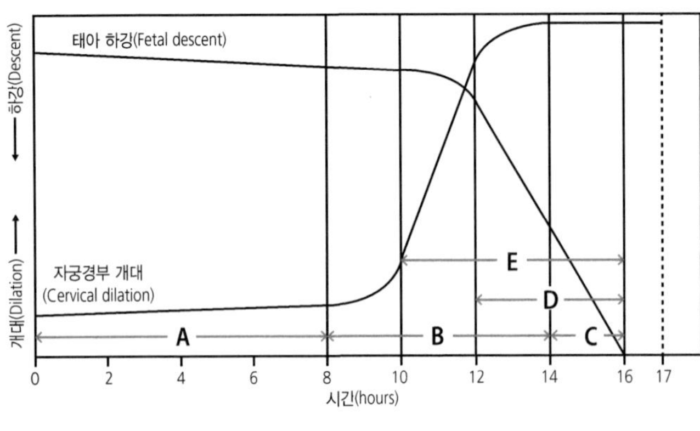

① A ② B ③ C ④ D ⑤ E

16

정답 ④

해설

A : 잠복기
B : 활성기
C : 분만진통 제2기
D : 골반기
E : 개대기 + 골반기

참고 *Final Check 산과 452 page*

17

다음은 미분만부의 분만진통 곡선이다. 감속기(deceleration phase)에 해당하는 구간을 고르시오.

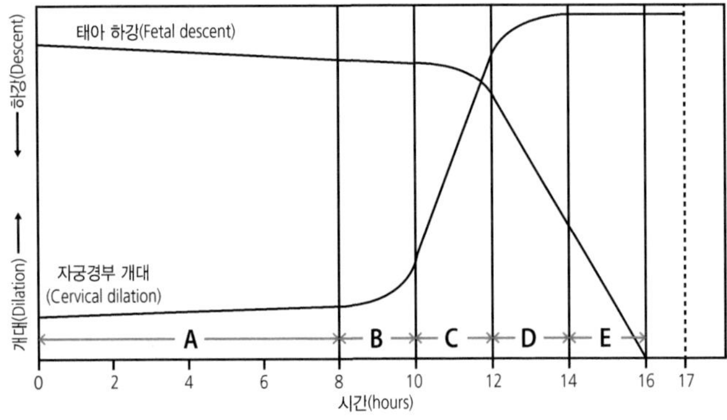

① A ② B ③ C ④ D ⑤ E

17

정답 ④

해설

A : 잠복기(Latent phase)
B : 가속기(Acceleration phase)
C : 절정기(Phase of maximal slope)
D : 감속기(Deceleration phase)
E : 분만진통 제2기(2nd stage of labor)

참고 *Final Check 산과 453 page*

18

다음 분만진통 곡선에서 자궁경부의 개대 속도가 가장 빠른 시기를 고르시오.

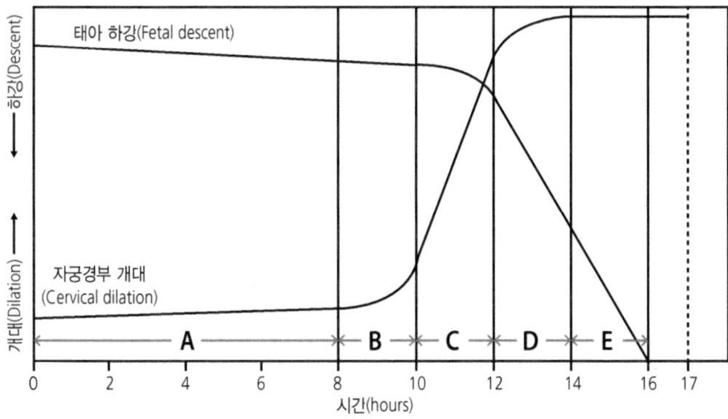

① A ② B ③ C ④ D ⑤ E

18

정답 ③

해설

절정기(Phase of maximal slope)

1. 자궁경부 개대가 4~9 cm 정도까지의 시기
2. 자궁경부 개대가 가장 신속히 일어나는 시기
3. 분만 진행의 효율성을 판단하는 좋은 척도

참고 *Final Check 산과 453 page*

19

다음 분만진통 곡선의 (E) 시기에 대한 설명으로 올바른 것을 모두 고르시오.

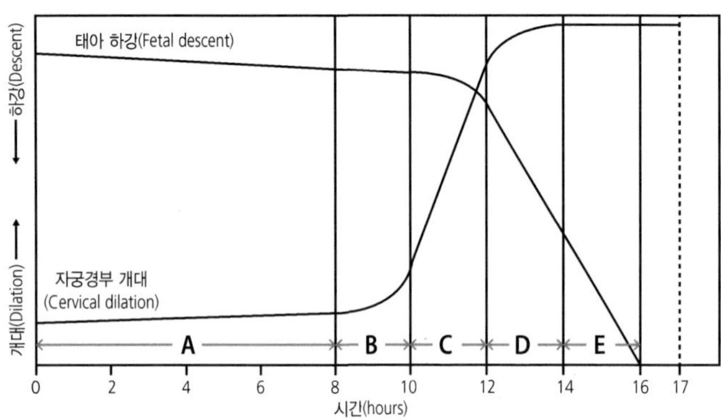

(가) 고위험 임신이 아닌 경우 적어도 15분마다 태아의 심박수를 확인한다
(나) 산모는 출산 느낌(bearing down)과 변의를 느낀다
(다) 산모의 골반 신경이 태아 머리에 눌려서 하지경련이 나타날 수 있다
(라) 태아의 머리가 질 입구에서 보인다

① 가, 나, 다　　② 가, 다
③ 나, 라　　④ 라
⑤ 가, 나, 다, 라

19

정답 ⑤

해설

분만진통 제2기(Second stage of labor)

1. 자궁경부의 완전 개대로 시작하여 태아가 만출되면 끝남
2. 임산부는 출산 느낌과 변의를 느낌
3. 자궁수축과 만출력은 1.5분간 지속, 1분 미만의 이완 후 다시 반복
4. 골반 신경이 머리에 눌려 하지경련 발생
5. 태아 머리가 질 입구에서 보이면 분만 준비
6. 심박동의 측정 간격
   a. 정상 임산부 : 최소 15분
   b. 고위험 임산부 : 최소 5분

참고 *Final Check 산과 454, 459 page*

20

분만진통 중 정상 산모에 대한 관리로 가장 적절한 것을 고르시오.

① 산모의 활력 징후를 8시간 간격으로 측정한다

② 분만진통 초기에 산모가 원할 경우 걸을 수 있게 한다

③ 질 내진은 외음부를 요오드(iodine)로 소독한 후 1시간 간격으로 시행한다

④ 양막이 파열되면 즉시 항생제를 투여한다

⑤ 분만진통이 시작되면 물, 음식 모두 제한한다

20

정답 ②

해설

분만진통 중 임산부의 감시 및 처치

1. 산모의 활력 징후 : 4시간 간격으로 측정
2. 걷기 : 진통의 활성화에 해롭지 않음
3. 질 내진
   a. 2~3시간 간격으로 시행
   b. 질 입구를 소독한 후 소독된 장갑을 이용
   c. 수용성 윤활제를 사용
   d. 소독제로 iodine, hexachlorophene은 피함
4. 양막파열이 18시간 이상이면 GBS 감염 예방을 위해 항생제 투여
5. 정상 임산부에서 물, 얼음 등은 허용

참고 *Final Check 산과 457 page*

21

정상 산모의 분만진통 중 처치로 적절한 것을 고르시오.

① 자궁경부가 완전히 개대될 때가지 산모를 걷게 한다

② 침대에서 임산부는 반듯이 눕는 자세가 좋다

③ 수액 공급은 시간당 50 mL 미만으로 제한한다

④ 요오드로 질 입구를 소독 후 질 내진을 해야 한다

⑤ 약간의 물, 얼음 등은 허용한다

21

정답 ⑤

해설

분만진통 중 임산부의 감시 및 처치

1. 걷기 : 진통의 활성화에 해롭지 않음
2. 측와위(lateral recumbent position)가 바람직
3. 분만이 길어지면 수액을 60~120 mL/hr 투여
4. 소독제로 iodine, hexachlorophene은 피함
5. 정상 임산부에서 물, 얼음 등은 허용

참고 *Final Check 산과 457 page*

22

임신 39주인 다분만부가 양수가 새는 것 같다며 응급실에 내원하였다. 다음 중 이 산모에게 적절한 조치를 모두 고르시오.

(가) 나이트라진 검사를 시행한다
(나) 양수주입술을 시행한다
(다) 감염 예방을 위한 항생제를 바로 투여할 필요는 없다
(라) 24시간 이내에 분만이 되지 않으면 즉시 제왕절개술을 시행한다

① 가, 나, 다
② 가, 다
③ 나, 라
④ 라
⑤ 가, 나, 다, 라

22

정답 ②

해설

양막파열(Ruptured membranes)

1. 진단 방법 : 육안적 진단, 나이트라진 검사 등
2. 임신 39주에는 양수주입술을 시행하지 않음
3. 양막파열이 18시간 이상이면 GBS 감염 예방을 위해 항생제 투여
4. 적절한 자궁수축이 있는지 확인 후 분만 방법을 찾아야 함

참고 *Final Check 산과 456 page*

23

전자간증으로 진단받은 산모가 분만진통으로 입원하였다. 분만진통 제1기와 제2기에 태아 심박동의 측정 간격으로 가장 적절한 것을 고르시오.

	분만진통 제1기	분만진통 제2기
①	15분	5분
②	15분	10분
③	20분	15분
④	30분	15분
⑤	30분	20분

23

정답 ①

해설

태아 심박동의 측정 간격(ACOG, 2017)

	정상 임산부	고위험 임산부
분만진통 제1기	최소 30분	최소 15분
분만진통 제2기	최소 15분	최소 5분

참고 *Final Check 산과 457 page*

24

고위험 산모의 분만진통 제1기(A)와 제2기(B)의 태아 심박동 측정 간격을 각각 쓰시오.

25

나이트라진 검사(nitrazine test)가 위양성을 나타낼 수 있는 경우를 모두 고르시오.

(가) 질 내 혈액이 존재하는 경우
(나) 질 내 정액이 존재하는 경우
(다) 세균성 질염이 있는 경우
(라) 캔디다 질염이 있는 경우

① 가, 나, 다
② 가, 다
③ 나, 라
④ 라
⑤ 가, 나, 다, 라

24

정답
(A) 15분
(B) 5분

해설

태아 심박동의 측정 간격(ACOG, 2017)

	정상 임산부	고위험 임산부
분만진통 제1기	최소 30분	최소 15분
분만진통 제2기	최소 15분	최소 5분

참고 *Final Check 산과 457 page*

25

정답 ①

해설

나이트라진 검사(Nitrazine test)

1. 위양성 : 질 내에 혈액이나 정액이 존재하거나 세균성 질염이 있는 경우
2. 위음성 : 유출된 양수량이 미미할 경우

참고 *Final Check 산과 456 page*

26

임산부의 양막파열 진단을 위해 나이트라진 검사(nitrazine test)를 시행하였을 때 위양성을 보일 수 있는 경우를 모두 고르시오.

(가) 검체에 혈액이 섞여 있을 때
(나) 세균성 질염이 있을 때
(다) 자궁경부에 정액이 묻어 있을 때
(라) 산성 질 세정제를 사용했을 때

① 가, 나, 다
② 가, 다
③ 나, 라
④ 라
⑤ 가, 나, 다, 라

26

정답 ①

해설

나이트라진 검사(Nitrazine test)

1. 위양성 : 질 내에 혈액이나 정액이 존재하거나 세균성 질염이 있는 경우
2. 위음성 : 유출된 양수량이 미미할 경우

참고 *Final Check 산과 456 page*

CHAPTER 22

비정상 분만진통(Abnormal labor)

01

임신 39주 임신부가 진통을 주소로 내원하였다. 내진상 자궁경부 개대 1 cm, 50% 소실, 하강도 −3으로 확인되고, 자궁수축은 10분에 150 Montevideo units 정도이지만 불규칙한 소견이었다. 15시간 동안 자궁경부의 변화가 없다면 이 산모의 진단으로 가장 적절한 것을 고르시오.

① 저긴장 자궁수축 기능장애

② 고긴장 자궁수축 기능장애

③ 활성기 자궁경부 개대 지연

④ 태아 하강 지연

⑤ 아두-골반 불균형

02

분만진통 장애 중 지연장애(protraction disorder)와 정지장애(arrest disorder)를 진단하는 기준이다. (A), (B), (C), (D)에 해당하는 내용을 쓰시오.

	미분만부 (Nullipara)	다분만부 (Multipara)
Protraction Disorders		
Protracted active phase dilation	(A)	<1.5 cm/hr
Protracted descent	(B)	<2 cm/hr
Arrest Disorders		
Secondary arrest of dilation	>2 hr	(C)
Arrest of descent	>1 hr	(D)

01

정답 ②

해설

고긴장 자궁기능장애

1. 기저강도의 상당한 증가, 압력경도의 장애
2. 수축 힘은 적당, 수축 양상이 불규칙, 비정상

참고 Final Check 산과 462 page

02

정답

(A) : <1.2 cm/hr

(B) : <1 cm/hr

(C) : >2 hr

(D) : >1 hr

해설

	Nullipara	Multipara
Protraction Disorders		
Protracted active phase dilation	<1.2 cm/hr	<1.5 cm/hr
Protracted descent	<1 cm/hr	<2 cm/hr
Arrest Disorders		
Prolonged deceleration phase	>3 hr	>1 hr
Secondary arrest of dilation	>2 hr	>2 hr
Arrest of descent	>1 hr	>1 hr
Failure of descent	No descent	

참고 Final Check 산과 463 page

03

임신 38주의 다분만부가 16시간 전부터 발생한 불규칙한 자궁수축을 주소로 내원하였다. 출혈은 보이지 않았고, 내진상 자궁경부 개대 2 cm, 소실 30%, 태아 심박동수 140회/min.로 확인되었다. 이 산모의 다음 처치로 가장 적절한 것을 고르시오.

① 경막외마취　② 안정 및 경과관찰

③ 옥시토신 투여　④ 산소 공급

⑤ 제왕절개술

03

정답 ②

해설

지연 잠복기(Prolonged latent phase)

1. 잠복기가 지나치게 연장되는 것
   a. 미분만부 : 20시간 초과
   b. 다분만부 : 14시간 초과
2. 처치
   a. 산모의 휴식 및 수면(필요시 진통제 투여)
   b. 자궁수축 및 자궁경부 숙화도 평가
   c. 휴식에도 지연 잠복기가 지속되면 옥시토신 투여나 수술적인 분만도 고려

참고 *Final Check 산과 463 page*

04

임신 39주인 30세 미분만부가 자궁수축을 주소로 내원하였다. 내진상 자궁경부 개대 2 cm, 소실 30%로 확인되었고, 초음파상 태아는 두위였으며 다른 특이 소견은 관찰되지 않았다. 비수축검사(NST)상 자궁수축은 일정하게 있었으나 15시간이 지나도 자궁경부에는 변화가 없었다. 이 산모에 대한 가장 올바른 처치를 고르시오.

① 경과관찰　② 인공 양막파수

③ 자궁수축제 투여　④ 경막외마취

⑤ 제왕절개술

04

정답 ①

해설

지연 잠복기(Prolonged latent phase)

1. 미분만부 : 20시간 초과
2. 현재 15시간 지났으므로 5시간 더 경과관찰

참고 *Final Check 산과 463 page*

05

임신 40주인 다분만부가 분만진통을 주소로 내원하였다. 10분당 200 MVUs 이상의 규칙적인 자궁수축이 있었고, 분만진통 그래프는 아래와 같다면 이 산모의 진단명으로 가장 적절한 것을 고르시오.

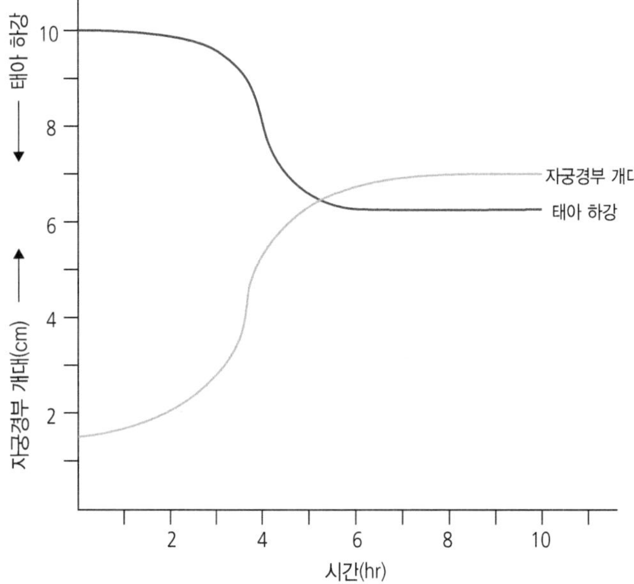

① 지연 잠복기(prolonged latent phase)

② 활성기 자궁경부개대 지연(protracted active phase dilatation)

③ 고긴장 자궁기능장애(hypertonic uterine dysfunction)

④ 자궁경부개대 정지(secondary arrest of dilatation)

⑤ 태아하강 정지(arrest of descent)

05

정답 ④

해설

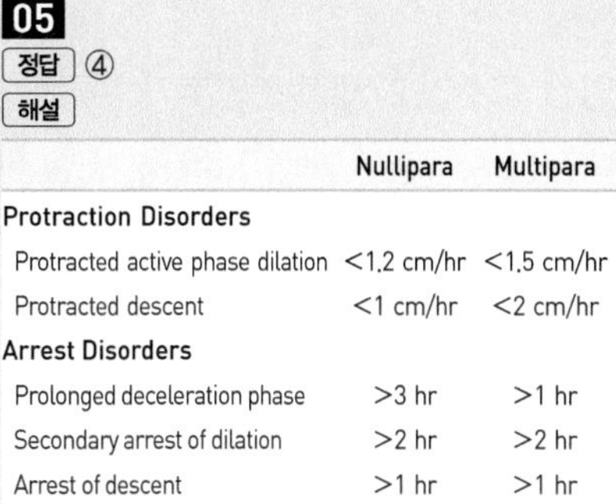

	Nullipara	Multipara
Protraction Disorders		
Protracted active phase dilation	<1.2 cm/hr	<1.5 cm/hr
Protracted descent	<1 cm/hr	<2 cm/hr
Arrest Disorders		
Prolonged deceleration phase	>3 hr	>1 hr
Secondary arrest of dilation	>2 hr	>2 hr
Arrest of descent	>1 hr	>1 hr
Failure of descent	No descent	

참고 *Final Check 산과 464 page*

06

임신 40주인 27세 미분만부가 분만진통을 주소로 내원하였다. 내진상 자궁경부 개대 1.5 cm, 소실 50%로 확인되었고, 10분당 220 MVUs 정도의 규칙적인 자궁수축이 있었다. 분만진통 그래프가 아래와 같다면 이 산모에 대한 처치로 가장 적절한 것을 고르시오.

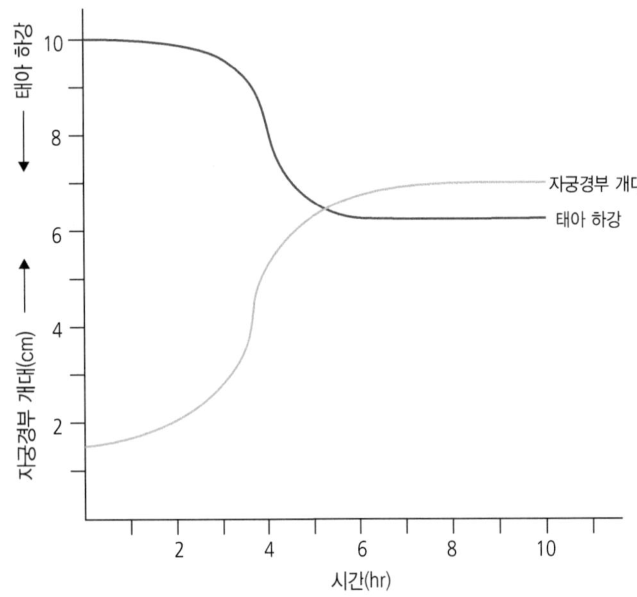

① 임산부를 안정시키고 휴식을 취하게 한다

② Meperidine과 promethazine을 투여한다

③ 흡입분만을 시도한다

④ 머리-골반 불균형이 있는지 확인한다

⑤ 옥시토신을 투여한다

06

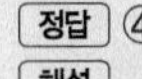
정답 ④

해설

정지장애(Arrest disorder)의 처치

1. 머리-골반 불균형(CPD)의 확인
   a. CPD (+) : 제왕절개
   b. CPD (-) : 옥시토신(Oxytocin)
2. 휴식을 취하고, 산모가 지쳤으면 제왕절개

참고 *Final Check 산과 463 page*

07

임신 39주인 초산모가 분만진통을 주소로 내원하였다. 내진상 자궁경부 개대 4 cm, 소실 90%, 태아 하강도 0으로 확인되었고, 40 mmHg 정도의 자궁수축이 10분에 4회 정도 규칙적으로 있었다. 2시간 경과 후 다시 시행한 내진상 자궁경부의 변화가 없었다면 다음으로 시행할 처치로 가장 적절한 것을 고르시오.

① 다량의 수액 투여

② 100% 산소 5 L/min. 공급

③ 진통제 투여

④ 자궁수축제 투여

⑤ 경과관찰

07

정답 ④

해설

부적절한 자궁수축

1. 자궁수축력이 10분당 180 MVUs 미만
2. 옥시토신 촉진(augmentation)을 시행

참고 *Final Check 산과 464 page*

08

임신 39주인 다분만부가 분만진통으로 입원하였다. 입원 시 태아의 태위는 두정위(vertex presentation)였고, 내진상 자궁경부 개대 6 cm, 소실 70%, 태아 하강도 −1, 초음파상 태아예상체중(EFW) 3.5 kg으로 확인되었다. 2시간 후 내진에서 이전 자궁경부의 상태와 변화가 없었고, 수축강도 40 mmHg 정도의 자궁수축이 10분에 3회 규칙적으로 나타났다. 다음 중 이 산모의 다음 처치로 가장 적절한 것을 고르시오.

① 2시간 후 다시 내진

② 경막외마취 시행

③ 옥시토신 투여

④ 제왕절개술

⑤ 퇴원하고 24시간 이후 다시 입원하여 분만 진행

08

정답 ③

해설

부적절한 자궁수축

1. 자궁수축력이 10분당 180 MVUs 미만
2. 옥시토신 촉진(augmentation)을 시행

참고 *Final Check 산과 464 page*

09

임신 38주인 28세 다분만부가 5시간 전부터 발생한 분만진통을 주소로 내원하였다. 내진상 자궁경부 개대 4 cm, 소실 70%로 확인되었고, 수축강도 70 mmHg 정도의 자궁수축이 10분에 3~4회 규칙적으로 나타났다. 2시간 후 다시 시행한 내진상 자궁경부의 변화가 없다면 다음 처치로 가장 적절한 것을 고르시오.

① Oxytocin 정맥주사

② 경막외마취 시행

③ 제왕절개 시행

④ PGE_2 삽입

⑤ 정맥주사로 수액을 투여하며 경과관찰

09

정답 ①

해설

정지장애(Arrest disorder)의 처치

1. 머리–골반 불균형(CPD)의 확인
   a. CPD (+) : 제왕절개
   b. CPD (–) : 옥시토신(Oxytocin)
2. 휴식을 취하고, 산모가 지쳤으면 제왕절개

참고 *Final Check 산과 463 page*

10

분만진통 제1기에서 정지장애(arrest disorder)의 진단을 위한 자궁경부 개대 정도와 자궁수축력의 조건에 해당되는 것을 고르시오.

	자궁경부 개대	자궁수축력
①	3 cm	100 MVUs
②	3 cm	150 MVUs
③	3 cm	200 MVUs
④	6 cm	150 MVUs
⑤	6 cm	200 MVUs

10

정답 ⑤

해설

정지장애 진단을 위한 조건(ACOG, 2013)

1. 자궁경부 개대 ≥4 cm
2. 자궁수축력이 10분당 200 MVUs 이상
3. 2시간 이상 자궁경부 변화가 없음
4. 6 cm 법칙(ACOG, 2016)에서는 활성기(active phase) 분만 진행을 자궁경부의 개대 6 cm 부터 적용

참고 *Final Check 산과 464 page*

11

분만진통 제1기의 정지장애로 제왕절개를 할 경우 충족시켜야 할 조건을 쓰시오.

11

정답
1. 자궁경부 개대 ≥4 cm
2. 자궁수축력이 10분 당 200 MVUs 이상
3. 2시간 이상 자궁경부 변화가 없음

참고 *Final Check 산과 464 page*

12

출산력 0-0-1-0인 27세 산모가 임신 41주에 분만진통이 시작되어 내원하였다. 내진상 자궁경부 개대 6 cm, 소실 80%, 자궁수축력 230 MVUs 정도로 확인되었다. 내원 후 4시간 동안 자궁경부 개대 및 태아 하강이 없다면 다음 중 가장 적절한 처치를 고르시오.

① 경과관찰
② 자궁수축억제제 투여
③ 진통제 투여
④ 옥시토신 투여
⑤ 제왕절개술 시행

12

정답 ④

해설

6 cm 법칙(ACOG, 2016)
1. 지연 잠복기는 제왕절개의 적응증이 아님
2. 활성기는 자궁경부 개대 6 cm부터 적용
3. 정지장애로 인한 제왕절개는 양막이 파열되고 자궁경부 개대 6 cm 이상이면서 4시간 이상 적절한 자궁수축이 있음에도 분만이 진행되지 않거나, 최소 6시간 이상 옥시토신을 투여해도 반응이 없을 때 고려

참고 *Final Check 산과 464 page*

13

임신 39주의 미분만부가 분만진통이 시작된 지 2시간만에 분만하였다. 이와 관련하여 증가할 수 있는 것을 모두 고르시오.

(가) 자궁이완에 의한 출혈
(나) 자궁파열
(다) 양수색전증
(라) 태아 저산소증

① 가, 나, 다 ② 가, 다
③ 나, 라 ④ 라
⑤ 가, 나, 다, 라

13

정답 ⑤

해설

급속분만(Precipitous labor)의 영향

1. 산모에 미치는 영향
   a. 자궁경부, 질과 회음부의 열상
   b. 자궁파열, 양수색전증
   c. 자궁이완(uterine atony)에 의한 산후출혈
2. 태아에 미치는 영향
   a. 주산기 이환율 증가
   b. 태아의 두부 손상
   c. 상완신경총 손상
   d. 태아의 낙상

참고 *Final Check 산과 469 page*

14

32세 미분만부가 임신 39주에 분만진통을 주소로 내원하여 1시간 30분만에 3,500 g 남아를 질식분만 하였다. 다음 중 이 임산부와 산모에게 생길 수 있는 합병증을 모두 고르시오.

(가) 자궁이완
(나) 양수색전증
(다) 신생아 머리 속 출혈
(라) 태반경색

① 가, 나, 다 ② 가, 다
③ 나, 라 ④ 라
⑤ 가, 나, 다, 라

14

정답 ①

해설

급속분만(Precipitous labor)의 영향

1. 산모에 미치는 영향
   a. 자궁경부, 질과 회음부의 열상
   b. 자궁파열, 양수색전증
   c. 자궁이완(uterine atony)에 의한 산후출혈
2. 태아에 미치는 영향
   a. 주산기 이환율 증가
   b. 태아의 두부 손상
   c. 상완신경총 손상
   d. 태아의 낙상

참고 *Final Check 산과 469 page*

15

임신 40주인 27세 미분만부가 분만진통을 주소로 내원하였다. 초음파상 태아는 두정위, 예상체중 3.5 kg이었고, 내진상 자궁경부 개대 2 cm, 소실 60%를 확인하였다. 분만진통 2시간 만에 3.4 kg의 남아를 질식분만 하였다면, 산모와 태아에게 생길 수 있는 합병증을 모두 고르시오.

(가) 산후출혈
(나) 양수색전증
(다) 신생아 두개 내 출혈
(라) 위팔신경 손상

① 가, 나, 다　② 가, 다
③ 나, 라　④ 라
⑤ 가, 나, 다, 라

16

급속분만 후 발생하는 출혈의 원인을 모두 고르시오.

(가) 자궁이완(uterine atony)
(나) 자궁파열(uterine rupture)
(다) 자궁경부, 질과 회음부의 열상(laceration)
(라) 자궁태반졸중(uteroplacental apoplexy)

① 가, 나, 다　② 가, 다
③ 나, 라　④ 라
⑤ 가, 나, 다, 라

15

정답 ⑤

해설

급속분만(Precipitous labor)의 영향

1. 산모에 미치는 영향
   a. 자궁경부, 질과 회음부의 열상
   b. 자궁파열, 양수색전증
   c. 자궁이완(uterine atony)에 의한 산후출혈
2. 태아에 미치는 영향
   a. 주산기 이환율 증가
   b. 태아의 두부 손상
   c. 위팔신경 손상
   d. 태아의 낙상

참고 *Final Check 산과 469 page*

16

정답 ①

해설

급속분만이 산모에 미치는 영향

1. 자궁경부, 질과 회음부의 열상, 자궁파열
2. 분만 후 자궁이완에 의한 산후출혈
3. 양수색전증

참고 *Final Check 산과 469 page*

17

만삭의 다분만부가 분만진통이 시작되고 2시간만에 분만한 후 질 출혈이 지속되었다. 이 산모의 질 출혈 원인으로 가능성이 높은 것을 쓰시오.(2가지)

17

정답

1. 자궁경부, 질과 회음부의 열상
2. 자궁파열
3. 분만 후 자궁이완(uterine atony)에 의한 산후 출혈

참고 *Final Check 산과 469 page*

18

임신 38주인 28세 미분만부가 규칙적인 분만진통을 주소로 내원하였다. 분만진통이 시작된 지 1시간 만에 자궁경부 개대 8 cm, 소실 90%, 태아 하강도 0으로 확인되었다. 이 산모의 다음 처치로 가장 적절한 것을 고르시오.

① 비수축검사(NST) ② 옥시토신 투여
③ 항생제 투여 ④ 흡입분만
⑤ 제왕절개

18

정답 ①

해설

급속분만이 태아에 미치는 영향

1. 주산기 이환율 증가
2. 강력하고 빈번한 자궁수축으로 인해 자궁으로의 혈류 감소와 이에 따른 태아 저산소증 초래
3. 비수축검사를 통한 태아 저산소증 감시 필요

참고 *Final Check 산과 469 page*

19

다음 중 옳은 것을 모두 고르시오.

(가) 골반 입구의 협착은 탯줄탈출의 위험성이 증가한다
(나) 중간 골반의 협착은 골반 입구의 협착보다 빈도가 높다
(다) 엉치궁둥뼈 패임(sacrosciatic notch)이 좁은 경우 중간 골반의 협착을 의심할 수 있다
(라) 골반 출구의 협착은 중간 골반의 협착을 잘 동반한다

① 가, 나, 다 ② 가, 다
③ 나, 라 ④ 라
⑤ 가, 나, 다, 라

19

정답 ⑤

해설

골반 용적(Pelvic capacity)의 이상

1. 골반 입구 협착 시 증가하는 위험성
   a. 비정상적인 태위 : 안면위, 견갑위
   b. 탯줄 탈출 증가
   c. 조기 양막파수, 비효과적인 분만진통
2. 중간 골반 협착은 입구 협착보다 더 흔함
3. 중간 골반협착을 의심할 수 있는 경우
   a. 궁둥뼈가시(ischial spine)가 심하게 돌출
   b. 골반 양측면이 볼록한 경우
   c. 엉치궁둥뼈 패임이 좁은 경우
4. 골반 출구의 협착은 중간 협착과 동반이 많음

참고 *Final Check 산과 469 page*

20

안면위(face presentation)의 원인을 모두 고르시오.

(가) 무뇌아
(나) 골반협착
(다) 태아가 큰 경우
(라) 다산 분만력

① 가, 나, 다 ② 가, 다
③ 나, 라 ④ 라
⑤ 가, 나, 다, 라

20

정답 ⑤

해설

안면위(Face presentation)의 원인

1. 골반협착
2. 다산 분만력
3. 태아의 목이 너무 큰 경우
4. 탯줄이 목을 감고 있는 경우
5. 무뇌아
6. 태아가 많이 큰 경우

참고 *Final Check 산과 473 page*

21

임신 40주인 다분만부가 분만진통을 주소로 내원하였다. 내진상 자궁경부 개대 4 cm, 소실 80%, 태아 하강도 +1로 확인되었고, 태아의 얼굴과 턱이 만져졌다. 이 산모에 대한 다음 처치로 가장 적절한 것을 고르시오.

① 경과관찰　② Oxytocin
③ Ritodrine　④ 응급 제왕절개분만
⑤ Prostaglandin

21

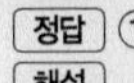
정답 ①
해설

안면위(Face presentation)의 처치

1. 골반협착이 없고 효과적인 분만진통이 있을 경우 성공적인 질식분만이 가능
2. 만삭의 안면위는 주로 골반입구의 협착이 흔하기 때문에 제왕절개술을 흔히 시행

참고 *Final Check 산과 474 page*

22

임신 39주 다분만부가 규칙적인 분만진통과 지속적으로 흐르는 물 같은 분비물을 주소로 내원하였다. 산모는 첫째를 3.5 kg, 질식분만 하였고, 내진상 자궁경부 개대 2 cm, 소실 0%로 확인되었다. 초음파상 태아가 횡축으로 있다면 이 산모의 분만방법으로 가장 적절한 것을 고르시오.

① 태아 외회전술(external version)
② 질식분만(vaginal delivery)
③ 태아 내회전술(internal version)
④ 가로절개 제왕절개술(transverse incision cesarean section)
⑤ 수직절개 제왕절개술(vertical incision cesarean section)

22

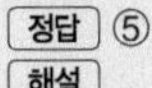
정답 ⑤
해설

횡축(Transverse lie)의 처치

1. 분만진통 전이면 태아 외회전술 시도
2. 분만진통이 시작되면 제왕절개분만
3. 자궁의 수직절개가 태아 만출에 용이

참고 *Final Check 산과 476 page*

23

만삭의 산모에서 다른 태위 및 태향으로의 변화가 일어나지 않는 한 질식분만이 불가능한 경우는 다음 중 어느 것인가?

① 안면위(face presentation)

② 이마태위(brow presentation)

③ 진둔위(frank breech presentation)

④ 지속성 후방 후두위(persistent occiput posterior position)

⑤ 복합위(compound presentation)

23

정답 ②

해설

이마태위(Brow presentation)

1. 태아 머리가 부분적으로 신전되어 있는 자세
2. 안면위나 두정위로 전환 가능
3. 태아가 작거나 골반이 크면 질식분만 가능
4. 대부분의 경우 태아 머리의 진입과 정상적인 분만이 힘듦

참고 *Final Check 산과 475 page*

24

분만 시 선진부와 함께 빠져나온 태아의 팔이 머리 위에 겹쳐 있는 모습으로 아래와 같이 확인되었다. 이 태위와 관련된 내용으로 옳은 것을 고르시오.

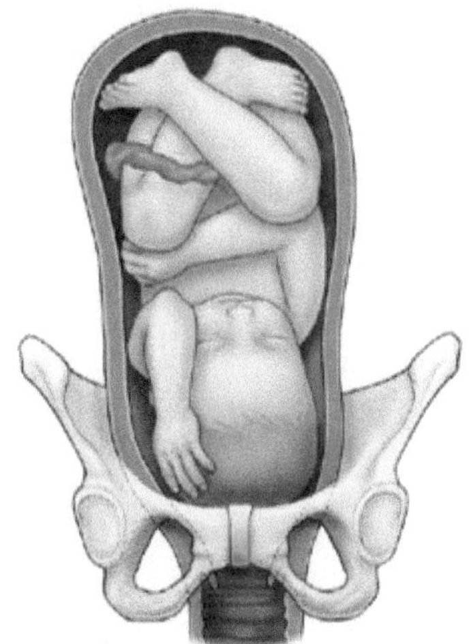

① 내골반 크기가 작을 때 흔히 생긴다

② 탯줄 탈출의 위험성 적다

③ 정상 질식분만이 가능하다

④ 내회전 후 질식분만을 시도한다

⑤ 태아 손상의 위험성 때문에 즉시 제왕절개로 분만한다

24

정답 ③

해설

복합위(Compound presentation)

1. 선진부와 함께 빠져나온 손이나 발이 골반에 같이 진입하여 선진부를 형성하는 상태
2. 주산기 사망률 증가
3. 태아가 작아 머리가 골반 입구를 완전히 채우지 못한 경우에 발생
4. 빠져나온 손이나 발이 분만을 방해하지 않으므로 그대로 분만 진행
5. 탯줄 탈출이 확인되면 제왕절개분만

참고 *Final Check 산과 476 page*

25

다음 중 병적 수축륜(pathologic retraction ring)이 나타나면 나타날 수 있는 위험성을 고르시오.

① 자궁파열

② 조기진통

③ 머리-골반 불균형

④ 양막파수

⑤ 급속 분만

25

정답 ①

해설

병적 수축륜 시 발생하는 위험성

1. 자궁파열
2. 태아와 산모의 사망

참고 *Final Check 산과 477 page*

CHAPTER 23

분만진통 중 건강평가(Intrapartum Assessment)

01

다음 중 기초 태아 심장박동수의 변이도에 대한 내용으로 옳은 것을 고르시오.

① 임신 주수가 증가할수록 변이도 감소

② 태아의 호흡 증가 시 변이도 감소

③ 태아가 움직일 때 변이도 감소

④ 기초 태아 심장박동수 증가 시 변이도 감소

⑤ Terbutaline 투여 시 변이도 감소

01

정답 ④

해설

태아 심장박동수의 변이도가 증가하는 경우

1. 태아 호흡, 태아가 움직일 때
2. 기초 태아 심장박동수의 감소
3. 임신 주수의 증가
4. Terbutaline 투여
5. 태아 저산소증 초기에 경도의 태아 저산소증이 발생하였을 때

참고 *Final Check 산과 348 page*

02

다음 내용들 중 정상적인 변화인 것을 고르시오.

① 임신 34주에 태동이 증가하면 변이도는 감소한다

② 태아의 호흡 시 변이도는 감소한다

③ 산모의 체온이 감소하면 태아 심장박동수는 증가한다

④ 임신 주수가 경과함에 따라 태아 심장박동수는 감소한다

⑤ Terbutaline 투여 시 태아 심장박동수는 감소한다

02

정답 ④

해설

1. 임신 30주 이후 활동기에는 변이도 증가
2. 태아 호흡 시 변이도 증가
3. 산모의 체온 감소 시 태아 심장박동수 감소
4. 태아가 성숙하면 태아 심장박동수 감소
5. Terbutaline 투여 시 태아 심장박동수 증가

참고 *Final Check 산과 348, 354 page*

03

임신 30주 전, 후의 태아 심장박동수 변화에 대한 내용으로 옳은 것을 고르시오.

① 기초 태아 심장박동수의 증가

② 태아 심장 부정맥의 증가

③ 자연적인 심장박동수 감소의 빈도가 증가

④ 태아의 활동에 따른 변이도가 증가

⑤ 굴모양곡선 태아 심장박동수가 증가

03

정답 ④

해설

태아 심장박동수의 변이도가 증가하는 경우

1. 태아 호흡, 태아가 움직일 때
2. 기초 태아 심장박동수의 감소
3. 임신 주수의 증가
4. Terbutaline 투여
5. 태아 저산소증 초기에 경도의 태아 저산소증이 발생하였을 때

참고 *Final Check 산과 348 page*

04

다음 중 전자태아감시 소견상 태아 심장박동수의 변이도가 감소할 수 있는 경우를 모두 고르시오.

(가) 산모의 심한 산혈증
(나) 황산마그네슘 투여
(다) 진정제 투여
(라) 전신 마취제 투여

① 가, 나, 다　　② 가, 다

③ 나, 라　　④ 라

⑤ 가, 나, 다, 라

04

정답 ⑤

해설

태아 심장박동수의 변이도가 감소하는 경우

1. 임신 30주 이후 태아의 비활동 상태
2. 기초 태아 심장박동수의 증가
3. 분만 중 진통제나 진정제, 마취제 투여
4. 황산마그네슘($MgSO_4$) 투여
5. 만성태아가사(chronic fetal asphyxia)

참고 *Final Check 산과 348 page*

05

임신 주수가 증가하면서 태아의 심장박동수가 1주일에 1회 정도로 감소하는 이유를 쓰시오.

06

임신 35주인 초산모의 산전검사에서 시행한 태아 초음파상 간헐적인 심방조기수축(premature atrial contraction)이 관찰되었다. 태아의 심장박동수는 정상이었고 심장의 해부학적 이상 소견도 보이지 않았다. 이 산모의 다음 처치로 가장 적절한 것을 고르시오.

① 경과관찰
② Digoxin
③ Amiodarone
④ Dexamethasone
⑤ 즉시 분만

07

전자태아감시에서 태아 심장 부정맥(fetal cardiac arrhythmia)을 의심할 수 있는 소견을 고르시오.

① 서맥(bradycardia)
② 빈맥(tachycardia)
③ 늦은 태아심장박동수감소(late deceleration)
④ 갑작스런 스파이크(abrupt basal spiking)
⑤ 이른 태아심장박동수감소(early deceleration)

05

정답
부교감 신경(parasympathetic nerve, vagus nerve)의 성숙

해설
태아 심장박동수(Fetal heart rate)
1. 제3삼분기 정상 심장박동수 : 120~160 bpm
2. 평균 심장박동수는 태아가 성숙하면서 감소
   a. 부교감 신경의 성숙
   b. 임신 16주에서 만삭까지 평균 24회(1 bpm/week) 감소

참고 *Final Check 산과 354 page*

06

정답 ①

해설
태아 심장 부정맥(Fetal cardiac arrhythmia)
1. 심장 초음파 및 태아의 해부학적 이상 확인
2. 대부분의 상실성부정맥은 수종에 의한 심부전이 없는 한 분만 중 태아에 큰 영향을 미치지 않음
3. 심장의 구조적 결함과 관련이 있는 일부 경우를 제외하면 분만 직후 신생아기에 대부분 저절로 사라짐

참고 *Final Check 산과 352 page*

07

정답 ④

해설
태아 부정맥을 먼저 의심할 수 있는 소견
1. 기초 태아 심장박동수의 서맥이나 빈맥이 갑작스런 스파이크로 기록되는 경우
2. 심장 초음파 및 태아의 해부학적 이상 확인

참고 *Final Check 산과 352 page*

08

다음 중 자궁외전자태아감시(external electronic monitoring)에 대한 설명으로 틀린 것을 모두 고르시오.

(가) 초음파 도플러 원리를 이용한다
(나) 변이도가 있으면 안심해도 된다
(다) 자궁내전자태아감시에 비하여 잡음이 심하다
(라) 단기 변이도를 잘 볼 수 있다

① 가, 나, 다　　② 가, 다
③ 나, 라　　④ 라
⑤ 가, 나, 다, 라

08

정답 ③

해설

자궁외전자태아감시(Ext. electronic monitoring)

1. 간접적인 감시방법(indirect monitoring)
2. 초음파 도플러 원리로 태아 심장박동수 측정
3. 침윤적이지 않으나 잡음이 섞일 수 있고 정확하지 않음

참고 *Final Check 산과 354 page*

09

박동 대 박동 변이도(Beat–to–Beat variability)에 대한 설명으로 옳은 것을 모두 고르시오.

(가) 태아의 상실성빈맥(supraventricular tachycardia) 시 변이도가 증가한다
(나) 산모의 산혈증 시 변이도가 감소한다
(다) 변이도가 증가된 경우 태아 저산소증을 배제할 수 있다
(라) 분만 중 진통제 투여 시 변이도가 감소한다

① 가, 나, 다　　② 가, 다
③ 나, 라　　④ 라
⑤ 가, 나, 다, 라

09

정답 ③

해설

기초 태아 심장박동수 변이도의 증가와 감소

변이도 증가	변이도 감소 및 소실
태아 호흡, 태아가 움직일 때	태아의 비활동 상태
기초 태아 심장박동수의 감소	기초 태아 심장박동수의 증가
임신 주수의 증가	분만 중 진통제, 마취제 투여
Terbutaline 투여	황산마그네슘(MgSO4) 투여
초기 경도의 태아 저산소증	만성태아가사
	산모 또는 태아의 산혈증
	산모의 당뇨병성 케톤산증
	태아의 신경손상

참고 *Final Check 산과 348 page*

10

다음 중 박동 대 박동 변이도(Beat-to-Beat variability)에 대한 내용으로 옳은 것을 고르시오.

① 장기 변이도는 10분 동안 발생하는 태아 심장박동수의 주기적인 변화이다

② 태아가 호흡하는 동안에는 변이도가 감소한다

③ 경도의 태아 저산소증은 변이도를 증가시킨다

④ 임신 주수가 증가함에 따라 변이도는 감소한다

⑤ 변이도의 소실은 태아의 산혈증 보다는 저산소증을 반영한다

10

정답 ③

해설

1. 장기 변이도 : 1분 정도 간 나타나는 태아 심장박동수의 주기적인 변화
2. 태아 호흡 시 변이도 증가
3. 초기 경도의 태아 저산소증은 변이도 증가
4. 임신 주수가 증가하면 변이도 증가
5. 변이도 소실 : 태아의 저산소증보다는 산혈증을 반영

참고 *Final Check 산과 348, 355 page*

11

다음 중 박동 대 박동 변이도(Beat-to-Beat variability)에 대한 내용으로 옳은 것을 고르시오.

① 태아가 호흡하는 동안에는 변이도가 감소한다

② 변이도의 감소는 태아 산혈증보다는 저산소증을 반영한다

③ 경미한 태아 저산소증은 변이도를 감소시킨다

④ 태아의 상실성빈맥(supraventricular tachycardia) 시 증가한다

⑤ 분만 중 진통제 투여 시 변이도는 감소한다

11

정답 ⑤

해설

기초 태아 심장박동수 변이도의 증가와 감소

변이도 증가	변이도 감소 및 소실
태아 호흡, 태아가 움직일 때	태아의 비활동 상태
기초 태아 심장박동수의 감소	기초 태아 심장박동수의 증가
임신 주수의 증가	분만 중 진통제, 마취제 투여
Terbutaline 투여	황산마그네슘(MgSO4) 투여
초기 경도의 태아 저산소증	만성태아가사
	산모 또는 태아의 산혈증
	산모의 당뇨병성 케톤산증
	태아의 신경손상

참고 *Final Check 산과 348 page*

12

박동 대 박동 변이도(Beat-to-Beat variability)가 감소하는 경우를 쓰시오.(3가지)

12

정답

1. 임신 30주 이후 태아의 비활동 상태
2. 기초 태아 심장박동수의 증가
3. 분만 중 진통제, 진정제, 마취제 투여
4. 황산마그네슘(MgSO4) 투여
5. 만성태아가사(chronic fetal asphyxia)

참고 *Final Check 산과 348 page*

13

임신 39주인 임산부가 5분 간격의 진통을 주소로 내원하였다. 입원 6시간 후 시행한 내진상 자궁경부 개대 10 cm, 소실 100%, 태아 하강도 +3으로 확인되었고, 비수축검사(NST)는 아래와 같았다. 이 산모에 대한 다음 처치로 가장 적절한 것을 고르시오.

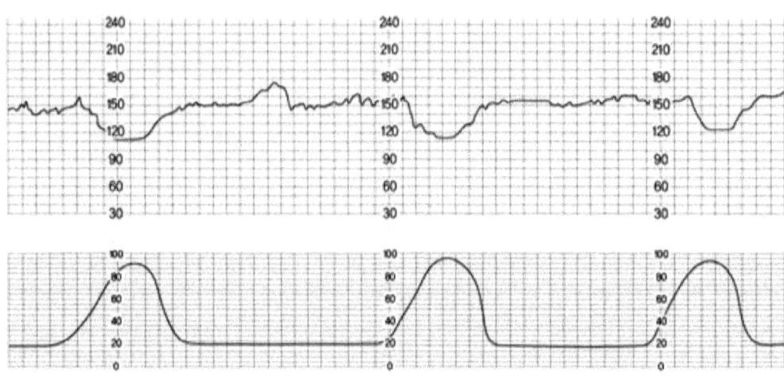

① 항생제 투여 ② 양수주입술
③ 경막외마취 ④ 질식분만
⑤ 제왕절개분만

13

정답 ④

해설

이른 태아심장박동수감소(Early deceleration)

1. 자궁수축 시작 시 태아 심장박동수 감소가 나타나고, 심장박동수 감소의 시작, 최저점, 회복이 자궁수축의 시작, 최고치, 종결시기와 일치하는 형태
2. 자궁수축으로 태아 머리가 압박되고 미주신경이 활성화되어 발생
3. 처치
   a. 내진을 시행하여 자궁경부의 상태, 선진부, 탯줄 탈출 여부를 확인
   b. 산모를 옆으로 누인 뒤 감시 시행
   c. Atropine 투여(vagus nerve 차단)
   d. 심한 경우, 특히 양수나 태변으로 착색된 경우에는 태아두피혈액 pH 측정

참고 *Final Check 산과 356 page*

14

임신 39주인 28세 다분만부가 규칙적인 진통을 주소로 내원하였다. 내진상 자궁경부 개대 5 cm, 소실 100%로 확인되었고, 비수축검사(NST)는 아래와 같았다. 이 산모의 다음 처치로 가장 적절한 것을 고르시오.

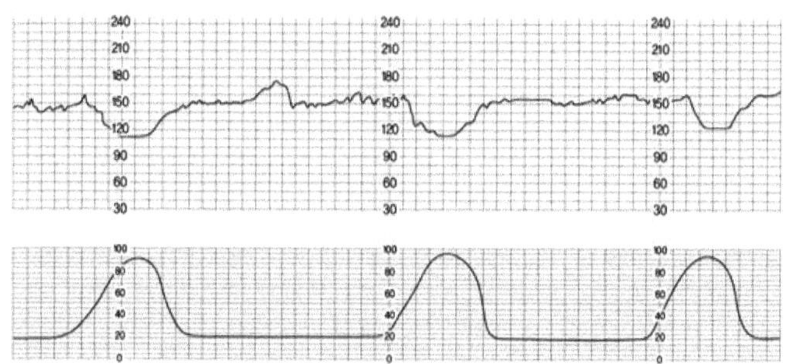

① 안정시키고 주의 깊게 관찰 ② 옥시토신 주입
③ 응급 제왕절개술 ④ 자궁수축억제제 투여
⑤ 양수주입술 시행

14

정답 ①

해설

이른 태아심장박동수감소(Early deceleration)

1. 자궁수축 시작 시 태아 심장박동수 감소가 나타나고, 심장박동수 감소의 시작, 최저점, 회복이 자궁수축의 시작, 최고치, 종결시기와 일치하는 형태
2. 자궁수축으로 태아 머리가 압박되고 미주신경이 활성화되어 발생
3. 처치
   a. 내진을 시행하여 자궁경부의 상태, 선진부, 탯줄 탈출 여부를 확인
   b. 산모를 옆으로 누인 뒤 감시 시행
   c. Atropine 투여(vagus nerve 차단)
   d. 심한 경우, 특히 양수나 태변으로 착색된 경우에는 태아두피혈액 pH 측정

참고 *Final Check 산과 356 page*

15

임신 39주인 다분만부가 규칙적인 진통을 주소로 내원하였다. 내진상 자궁경부 개대 5 cm, 소실 70%, 태아 하강도 −2로 확인되었고, 비수축검사(NST)는 아래와 같았다. 이 산모에 대한 다음 처치로 가장 적절한 것을 고르시오.

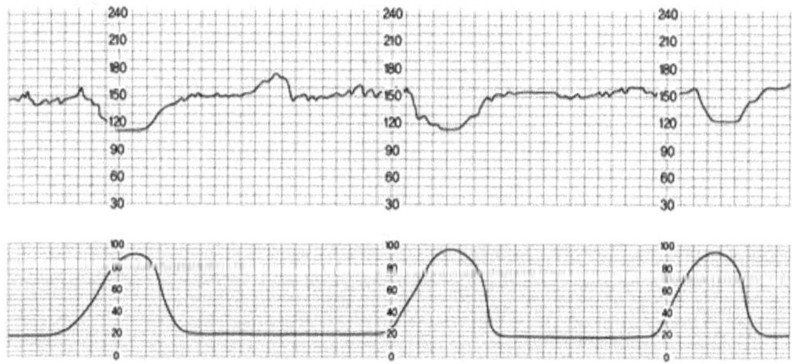

① 내진 후 관찰하며 분만 진행 ② 음향자극 검사
③ 태아두피혈액채취 ④ 양수주입술
⑤ 제왕절개

15

정답 ①

해설

이른 태아심장박동수감소(Early deceleration)

1. 자궁수축 시작 시 태아 심장박동수 감소가 나타나고, 심장박동수 감소의 시작, 최저점, 회복이 자궁수축의 시작, 최고치, 종결시기와 일치하는 형태
2. 자궁수축으로 태아 머리가 압박되고 미주신경이 활성화되어 발생
3. 처치
   a. 내진을 시행하여 자궁경부의 상태, 선진부, 탯줄 탈출 여부를 확인
   b. 산모를 옆으로 누인 뒤 감시 시행
   c. Atropine 투여(vagus nerve 차단)
   d. 심한 경우, 특히 양수나 태변으로 착색된 경우에는 태아두피혈액 pH 측정

참고 *Final Check 산과 356 page*

16

분만진통 중 자궁수축이 있을 때 태아 머리가 압박되면 나타나는 태아 심장박동수 변이도는 무엇인가?

① 이른 태아심장박동수감소(early deceleration)

② 늦은 태아심장박동수감소(late deceleration)

③ 다양성 태아심장박동수감소(variable deceleration)

④ 지속성 태아심장박동수감소(prolonged deceleration)

⑤ 굴모양곡선 태아 심장박동수(sinusoidal fetal heart rates)

16

정답 ①

해설

이른 태아심장박동수감소(Early deceleration)

1. 자궁수축 시작 시 태아 심장박동수 감소가 나타나고, 심장박동수 감소의 시작, 최저점, 회복이 자궁수축의 시작, 최고치, 종결시기와 일치하는 형태
2. 자궁수축이 있을 때 태아 머리가 압박되면 태아 심장박동을 조절하는 경막 자극(dural stimulation)으로 미주신경(vagus nerve)이 활성화되어 발생

참고 *Final Check 산과 356 page*

17

다음과 같은 태아 심장박동수 변화의 원인으로 가장 흔한 것을 고르시오.

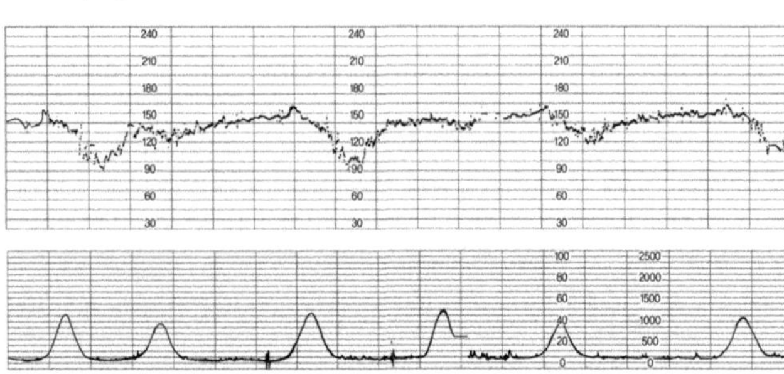

① 산모의 저혈압 ② 태반조기박리

③ 산모의 급성 빈혈 ④ 양수과소증

⑤ 태반 융모막혈관종

17

정답 ①

해설

늦은 태아심장박동수감소(Late deceleration)

1. 가장 흔한 두가지 원인
   a. 경막외마취에 의한 산모의 저혈압
   b. 옥시토신 사용으로 인한 과도한 자궁수축
2. 기타 원인
   a. 만성태반기능장애를 유발할 수 있는 산모의 질환 : 고혈압, 당뇨, 교원성질환 등
   b. 태반조기박리(placental abruption)

참고 *Final Check 산과 359 page*

18

임신 39주인 초산모가 규칙적인 진통을 주소로 내원하였다. 분만을 진행하던 중 경막외마취를 시행하였고, 이후 산모가 바로 누워서 시행한 비수축검사(NST)가 아래와 같았다. 이 산모의 다음 처치로 가장 적절한 것을 고르시오.

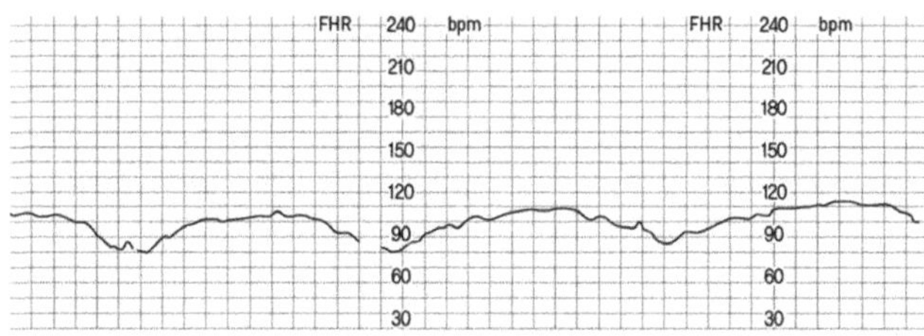

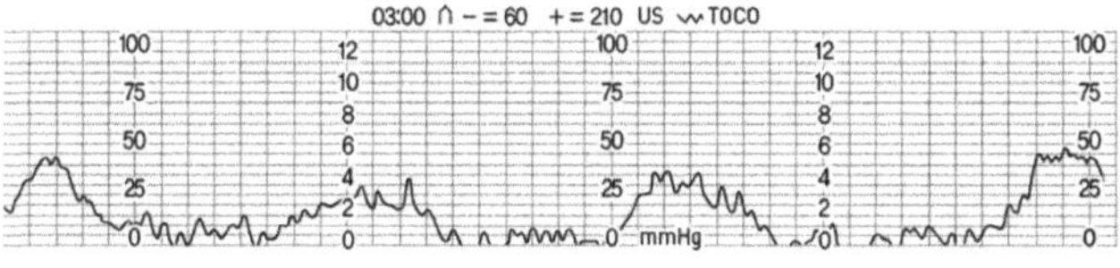

① 좌측 측와위로 변경　② 옥시토신 주입

③ 양막 절개술　④ 즉시 제왕절개

⑤ 양수주입술 시행

18

정답 ①

해설

늦은(late) 태아심장박동수감소의 처치

1. 좌측와위자세(left lateral decubitus position)
2. 옥시토신 주입 중단
3. 자궁수축억제제 투여로 자궁수축 완화
4. 산소 및 수액 공급
5. 위 처치에도 불구하고 교정이 되지 않으면 즉시 제왕절개 시행

참고 *Final Check 산과 358 page*

19

늦은 태아심장박동수감소(late deceleration)에서 나타나는 지체 시간(lag period)의 정의(A)와 의미(B)를 쓰시오.

19

정답

(A) 자궁수축의 시작에서 늦은 태아심장박동수감소 시작까지의 시간 간격

(B) 기초 태아 산소섭취(basal fetal oxygenation) 기능을 반영

참고 *Final Check 산과 357 page*

20

다음 중 그림의 A를 통해 예측할 수 있는 것을 고르시오.

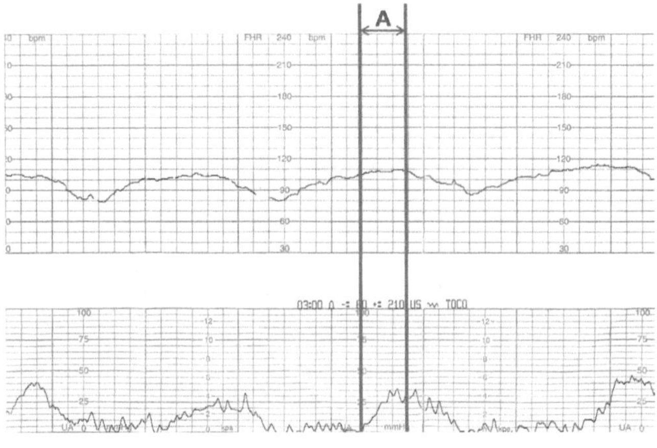

① 모체의 pO_2　② 모체의 pH　③ 태아의 pO_2
④ 태아의 pH　⑤ 태아의 pCO_2

20

정답 ③

해설

지체 시간(Lag period)

1. 자궁수축의 시작에서 늦은 태아심장박동수감소 시작까지의 시간 간격
2. 기초 태아 산소섭취(basal fetal oxygenation) 기능을 반영

참고 *Final Check 산과 357 page*

21

아래의 소견에 대한 설명으로 잘못된 것을 고르시오.

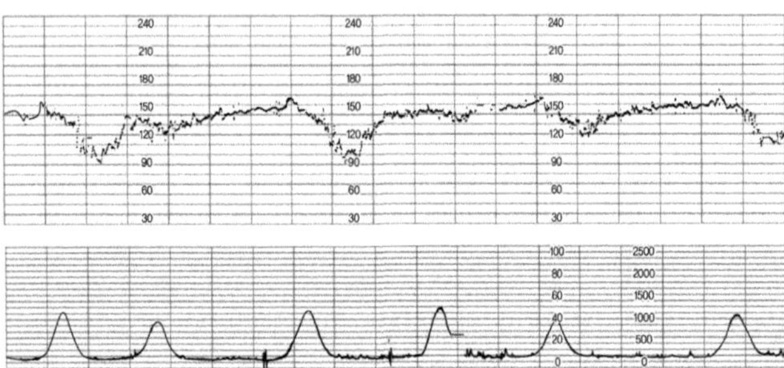

① 태아의 심장박동수 감소는 자궁수축 이후에 나타나기 시작하고, 일반적으로 분당 30~40회 이상 감소하지 않는다
② 산모의 저혈압 및 과도한 자궁수축이 가장 흔한 원인이다
③ 지체 시간은 자궁수축의 시작에서 늦은 태아심장박동수감소 시작까지의 시간 간격이다
④ 태반조기박리에서 나타날 수 있다
⑤ Morphine, meperidine 등의 사용과 연관이 있다

21

정답 ⑤

해설

늦은 태아심장박동수감소(Late deceleration)

1. 가장 흔한 두가지 원인
   a. 경막외마취에 의한 산모의 저혈압
   b. 옥시토신 사용으로 인한 과도한 자궁수축
2. 기타 원인
   a. 만성태반기능장애를 유발할 수 있는 산모의 질환 : 고혈압, 당뇨, 교원성질환 등
   b. 태반조기박리(placental abruption)

참고 *Final Check 산과 357 page*

22

태아 저산소증 발생 시 가장 먼저 나타나는 소견을 고르시오.

① 변이도 소실(loss of variability)

② 늦은 태아심장박동수감소(late deceleration)

③ 대사성 산혈증(metabolic acidosis)

④ 서맥(bradycardia)

⑤ 빈맥(tachycardia)

22

정답 ②

해설

태아 저산소증 발생 시 나타나는 소견의 순서

1. 늦은 태아심장박동수감소(late deceleration)
2. 산혈증(acidemia)
3. 변이도 소실(loss of variability)

참고 *Final Check 산과 354 page*

23

비수축검사에서 늦은 태아심장박동수감소(late deceleration)를 보일 수 있는 가장 흔한 원인을 쓰시오.(2가지)

23

정답

1. 경막외마취에 의한 산모의 저혈압
2. 옥시토신 사용으로 인한 과도한 자궁수축

참고 *Final Check 산과 357 page*

24

양수과다증으로 진단받은 임신 34주 산모가 분만진통으로 입원하였다. 내진상 태아는 두위였고, 자궁경부 개대 5 cm, 소실 90%, 태아 하강도 −1으로 확인되었으며, 5~7분 간격의 규칙적인 자궁수축이 확인되었다. 인공 양막파수 후 아래와 같은 양상의 태아 심박수 양상이 확인되었고, 내진상 박동성이 있는 덩이가 만져졌다. 이 산모에 대한 처치로 가장 올바른 것을 고르시오.

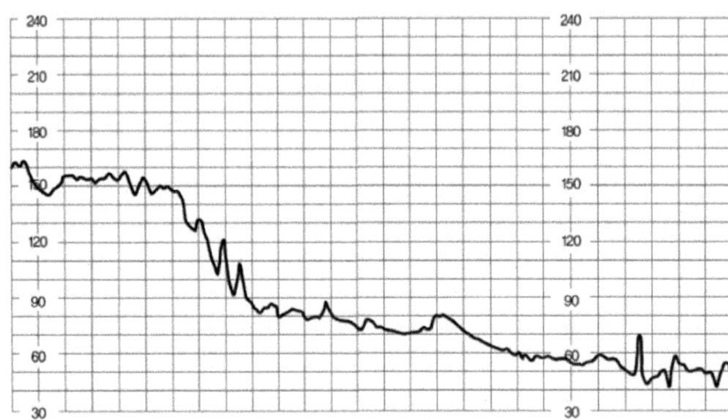

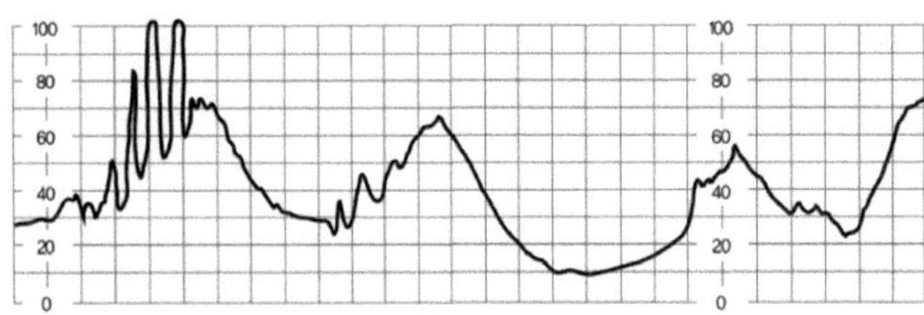

① 경과관찰 ② 옥시토신 투여
③ 회음 절개 시행 ④ 흡입 분만
⑤ 제왕절개 분만

24

정답 ⑤

해설

지속성(prolonged) 태아심장박동수감소의 처치

1. 적절한 처치는 임상적인 상황에 따라 시행
2. 탯줄 탈출이 의심되므로 제왕절개 분만

참고 *Final Check 산과 358 page*

25

분만진통 중 전자태아감시에서 다음과 같은 소견이 나타났다. 다음 중 이 소견의 원인이 아닌 것을 고르시오.

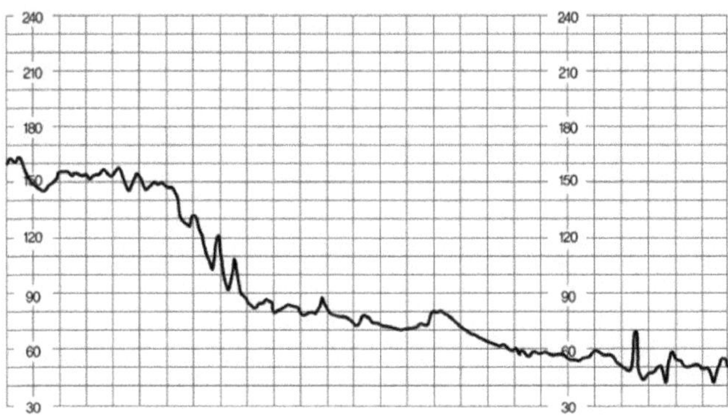

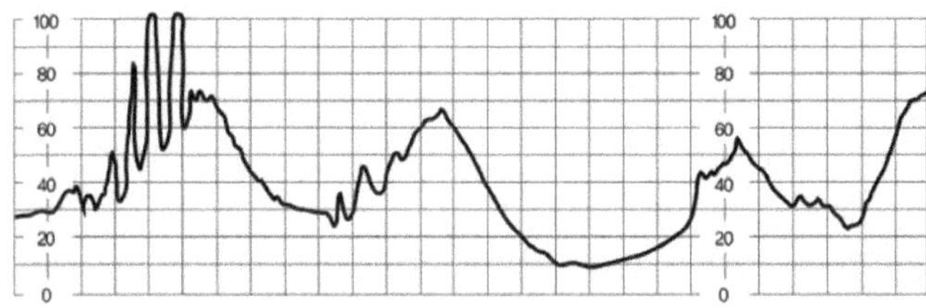

① 자궁태반관류부전 ② 태반조기박리
③ 탯줄 탈출 ④ 태아두부 압박
⑤ 임박한 분만

25

정답 ④

해설

지속성(prolonged) 태아심장박동수감소의 원인

1. 자궁의 과도한 수축
2. 자궁경부의 내진
3. 탯줄 꼬임
4. 앙와위에 의한 저혈압
5. 경막외마취, 척추마취에 따른 저혈압
6. 기타 : 태반조기박리, 탯줄 탈출, 탯줄 꼬임, 자간증 경련, 태아두피에 전극의 삽입, 분만이 임박한 경우, 모체의 발살바기법

참고 *Final Check 산과 358 page*

26

임신 41주 산모가 분만진통을 주소로 내원하였고, 내진상 자궁경부 개대 1 cm, 소실 80%로 확인되었다. 입원 30분 후 산모는 갑자기 물이 흐르는 느낌을 호소하였고 아래와 같은 비수축검사(NST) 소견이 나타났다. 다음 중 원인으로 가장 가능성이 높은 것을 고르시오.

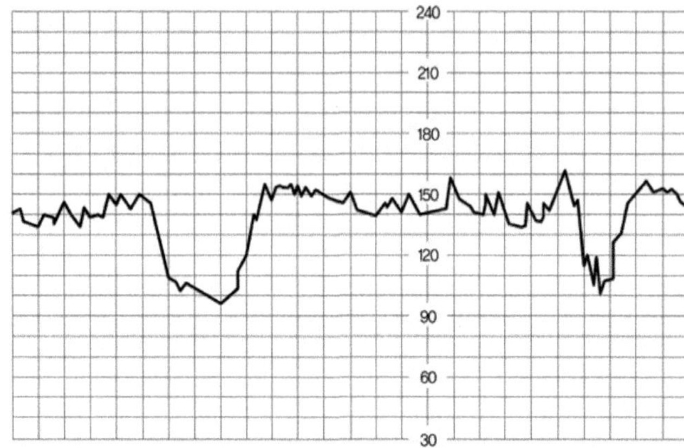

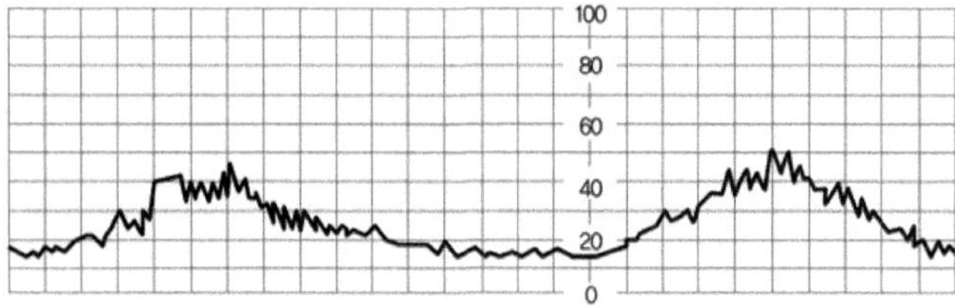

① 자궁빈수축(uterine tachysystole)

② 탯줄 폐쇄(cord occlusion)

③ 산모의 앙와위 저혈압(maternal supine hypotension)

④ 태반조기박리(placental abruption)

⑤ 탯줄 탈출(cord prolapse)

26

정답 ②

해설

다양성(variable) 태아심장박동수감소의 원인

1. 탯줄 압박이나 탯줄 내 혈류를 억제하는 요인들이 있을 경우 발생
2. 호발 인자
   a. 양수과소증(oligohydramnios)
   b. 짧거나(≤35 cm) 긴(≥80 cm) 탯줄

참고 Final Check 산과 353 page

27

임신 39주 산모가 분만진통 중 자궁경부가 5 cm 개대된 후 다량의 물 같은 질 분비물이 나온 다음부터 아래와 같은 태아 심장박동수 소견을 보였다. 이와 같은 심장박동수 소견에 대한 설명으로 잘못된 것을 고르시오.

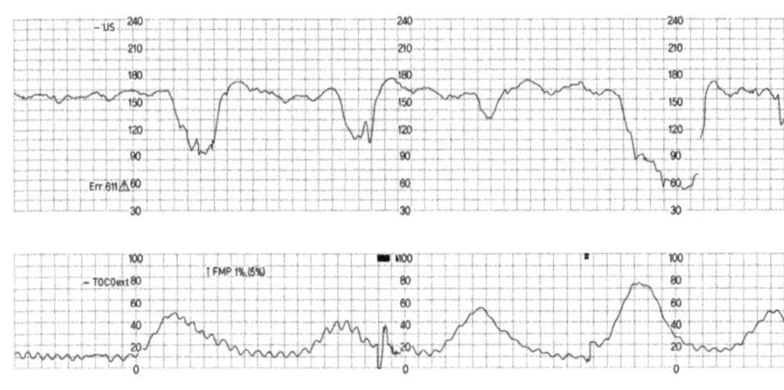

① 압수용체 자극으로 나타날 수 있다
② 양수주입술 후 태아 심장박동수 감속이 없어질 수 있다
③ 자궁태반기능저하가 있을 때 나타날 수 있다
④ 분만진통 중 자주 나타나는 소견이다
⑤ 분당 70회 이하로 60초 이상 지속될 경우 주의를 요한다

27
정답 ③
해설
다양성(variable) 태아심장박동수감소
1. 분만진통 중 가장 흔한 심장박동수 감소 양상
2. 탯줄 압박이나 탯줄 내 혈류를 억제하는 요인들이 있을 경우 발생
참고 *Final Check 산과 359 page*

28

임신 39주의 초산모가 진통 시작 3시간 후 자궁경부 개대 3 cm, 소실 80% 상태에서 다양성 태아심장박동수감소(variable deceleration) 소견이 1회 나타났다. 이 산모에게 올바른 다음 처치는 무엇인가?

① 체위변경 후 관찰
② 경막외마취
③ 인공 양막파수
④ 옥시토신 투여
⑤ 응급 제왕절개술

28
정답 ①
해설
다양성(variable) 태아심장박동수감소의 처치
1. 즉시 내진으로 탯줄 압박 여부를 확인
2. 탯줄 압박 시 즉시 제왕절개 실시
3. 탯줄 압박이 없을 시
   a. 산모의 체위를 변경(앙와위이면 측와위로, 측와위이면 반대편 측와위로)
   b. 체위 변경 후에도 계속 발생하면 태아두피혈액을 채취하고 pH <7.2로 확인되면 즉시 제왕절개 실시
참고 *Final Check 산과 489 page*

29

임신 39주된 초산모가 분만진통으로 입원하였다. 무통분만 시행 후 아래와 같은 소견을 보였다면 이 산모에게 시행할 다음 처치로 올바른 것은 무엇인가?

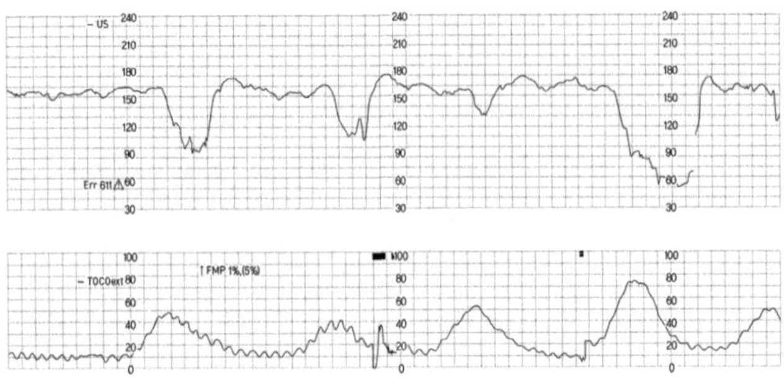

① 경과관찰
② 무통 주사 중지
③ 내진
④ 태아두피혈액채취
⑤ 응급 제왕절개술

29

정답 ③

해설

다양성(variable) 태아심장박동수감소의 처치

1. 즉시 내진으로 탯줄 압박 여부를 확인
2. 탯줄 압박 시 즉시 제왕절개 실시
3. 탯줄 압박이 없을 시
   a. 산모의 체위를 변경(앙와위이면 측와위로, 측와위이면 반대편 측와위로)
   b. 체위 변경 후에도 계속 발생하면 태아두피혈액을 채취하고 pH <7.2로 확인되면 즉시 제왕절개 실시

참고 *Final Check 산과 489 page*

30

분만진통 중인 산모의 전자태아감시장치에서 경증의 다양성 태아심장박동수감소(variable deceleration)가 확인되었다. 태아맥박산소계측(fetal pulse oximetry)을 시행하였고 5분간 50%, 10분간 40% 정도로 측정되었다. 이 산모의 다음 처치로 가장 적절한 것을 고르시오.

① 진통 과정 경과관찰
② Atropine 투여
③ Morphine 투여
④ Ritodrine 투여
⑤ 태아의 산소포화도가 계속 5분 50% 이하 시 제왕절개

30

정답 ①

해설

태아맥박산소계측(Fetal pulse oximetry)

1. 진통 중의 태아산소섭취에 대한 정확한 지표
2. 산소포화도 ≥30% : 안심할 수 있는 상태
3. 산소포화도 <30% : 산혈증과 관계가 있을 수 있고 이것이 2분 이상 또는 10분 이상 지속될 경우 추가적인 검사와 조치가 필요할 수 있음

참고 *Final Check 산과 360 page*

31

다음 중 아래와 같은 태아 심장박동수 패턴을 보일 수 있는 경우가 아닌 것은 무엇인가?

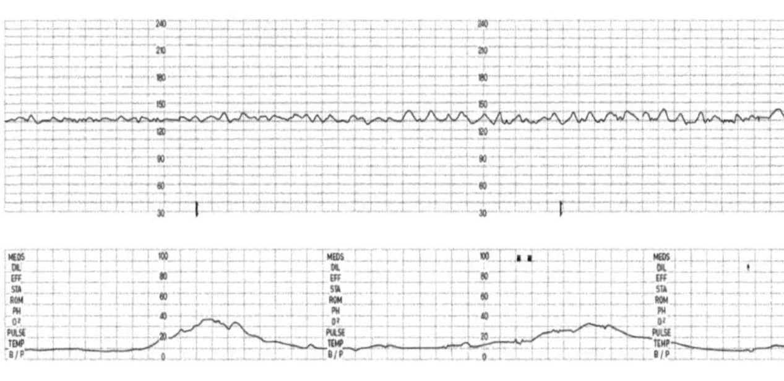

① 산모의 심한 빈혈(Maternal severe anemia)

② 양막염(amnionitis)

③ 태아가사(fetal asphyxia)

④ Morphine

⑤ 탯줄 폐쇄(umbilical cord occlusion)

31

정답 ①

해설

굴모양곡선(sinusoidal) 태아 심장박동수의 원인

1. Rh−D 동종면역(RhD−alloimmunization)
2. 전치혈관(vasa previa)의 파열
3. 심한 태아 빈혈(severe fetal anemia) : 태아−모체 출혈, 쌍둥이간 수혈
4. 약물 : meperidine, morphine, alphaprodine
5. 양막염(amnionitis), 태아가사(fetal asphyxia), 탯줄 폐쇄(umbilical cord occlusion) 등

참고 *Final Check 산과 351 page*

32

굴모양곡선 태아 심장박동수(sinusoidal fetal heart rates)가 나타날 수 있는 것을 모두 고르시오.

(가) Rh−D 동종면역
(나) Morphine 투여
(다) 정상 분만진통
(라) 탯줄 폐쇄

① 가, 나, 다　　② 가, 다
③ 나, 라　　④ 라
⑤ 가, 나, 다, 라

32

정답 ⑤

해설

굴모양곡선(sinusoidal) 태아 심장박동수의 원인

1. Rh−D 동종면역(RhD−alloimmunization)
2. 전치혈관(vasa previa)의 파열
3. 심한 태아 빈혈(severe fetal anemia) : 태아−모체 출혈, 쌍둥이간 수혈
4. 약물 : meperidine, morphine, alphaprodine
5. 양막염(amnionitis), 태아가사(fetal asphyxia), 탯줄 폐쇄(umbilical cord occlusion) 등

참고 *Final Check 산과 351 page*

33

다음과 같은 비수축검사(NST)가 나타날 수 있는 것을 고르시오.

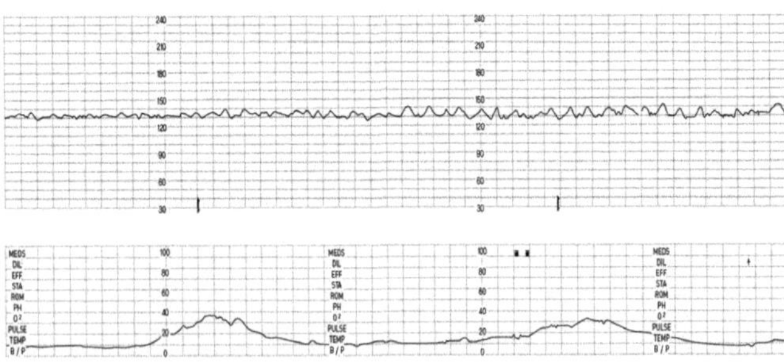

① 아두 압박
② 태아 빈혈
③ 태아 감염
④ 양수과소증
⑤ 자궁 빈수축

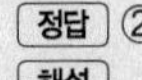

정답 ②

해설

굴모양곡선(sinusoidal) 태아 심장박동수의 원인

1. Rh-D 동종면역(RhD-alloimmunization)
2. 전치혈관(vasa previa)의 파열
3. 심한 태아 빈혈(severe fetal anemia) : 태아-모체 출혈, 쌍둥이간 수혈
4. 약물 : meperidine, morphine, alphaprodine
5. 양막염(amnionitis), 태아가사(fetal asphyxia), 탯줄 폐쇄(umbilical cord occlusion) 등

참고 *Final Check 산과 351 page*

34

32세 임산부가 임신 38주에 시행한 비수축검사(NST)가 다음과 같다면 원인의 가능성이 높은 것을 모두 고르시오.

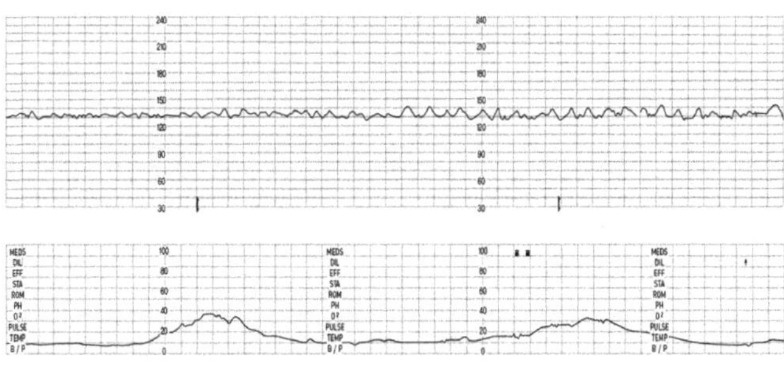

(가) 태아 빈혈(fetal anemia)
(나) 탯줄 폐쇄(umbilical cord occlusion)
(다) Morphine 투여
(라) 태아 머리의 압박

① 가, 나, 다　　② 가, 다
③ 나, 라　　④ 라
⑤ 가, 나, 다, 라

34

정답 ①

해설

굴모양곡선(sinusoidal) 태아 심장박동수의 원인

1. Rh-D 동종면역(RhD-alloimmunization)
2. 전치혈관(vasa previa)의 파열
3. 심한 태아 빈혈(severe fetal anemia) : 태아-모체 출혈, 쌍둥이간 수혈
4. 약물 : meperidine, morphine, alphaprodine
5. 양막염(amnionitis), 태아가사(fetal asphyxia), 탯줄 폐쇄(umbilical cord occlusion) 등

참고 *Final Check 산과 351 page*

35

굴모양곡선 태아 심장박동수(sinusoidal fetal heart rates) 소견이 나타날 수 있는 경우를 모두 고르시오.

(가) 태아-모체 출혈(fetomaternal hemorrhage)
(나) 정상 분만진통
(다) 탯줄 압박
(라) 태아가사(fetal asphyxia)

① 가, 나, 다 ② 가, 다
③ 나, 라 ④ 라
⑤ 가, 나, 다, 라

35
정답 ⑤
해설
굴모양곡선(sinusoidal) 태아 심장박동수의 원인
1. Rh-D 동종면역(RhD-alloimmunization)
2. 전치혈관(vasa previa)의 파열
3. 심한 태아 빈혈(severe fetal anemia) : 태아-모체 출혈, 쌍둥이간 수혈
4. 약물 : meperidine, morphine, alphaprodine
5. 양막염(amnionitis), 태아가사(fetal asphyxia), 탯줄 폐쇄(umbilical cord occlusion) 등

참고 *Final Check 산과 351 page*

36

다음 중 태아의 대사성산혈증을 예측할 수 있는 가장 정확한 방법을 고르시오.

① 태아두피자극(scalp stimulation)
② 자궁내도플러파형(intrapartum doppler velocimetry)
③ 태아두피혈액채취(fetal scalp blood sampling)
④ 태아맥박산소계측(fetal pulse oximetry)
⑤ 태아심전도(fetal electrocardiography)

36
정답 ③
해설
태아두피혈액채취(Fetal scalp blood sampling)
1. 태아의 대사성산혈증, 태아곤란증을 예측할 수 있는 가장 정확한 방법
2. 적응증 : 혈액학적 이상의 산전 진단, 동종면역, 대사장애, 태아 감염, 태아 염색체 검사, 태아 저산소증의 평가, 태아 치료 등

참고 *Final Check 산과 357 page*

37

태아두피혈액채취(fetal scalp blood sampling) 시 pH에 따른 처치를 쓰시오.

37

정답

1. pH 7.20 이하 : 산혈증과 관련있고, 즉시 반복해서 혈액 채취 하면서 제왕절개 준비
2. pH 7.20~7.25 : 경계성으로 분류, 30분 내에 다시 측정
3. pH 7.25 이상 : 경과관찰, 다양성 태아심작박동수감소 지속 시 20~30분마다 검사 반복

참고 *Final Check 산과 494 page*

38

태아 심장박동에서 정상 심장박동의 조건을 쓰시오.

38

정답

1. 기초 심장박동수 : 110~160 bpm
2. 기초 심장박동수 변이도 : 중간(moderate)
3. 늦은(late) 혹은 다양성(variable) 태아심장박동수감소 : 없음
4. 이른 태아심장박동수감소(early deceleration) : 있거나 없음
5. 태아심장박동수증가(accelerations) : 있거나 없음

참고 *Final Check 산과 497 page*

39

ACOG에서 2017년에 정한 3단계 태아 심장박동 해석 체계상 category III에 해당하는 것을 고르시오.

① 태아 빈맥(tarchycardia)

② 굴모양곡선 양상(sinusoidal pattern)

③ 반복적인 이른 태아심장박동수감소(recurrent early decelerations)

④ 자극으로 태아심장박동수증가(accelerations)가 유도되지 않는 경우

⑤ 최소변이도(minimal variability)

39

정답 ②

해설

Category III : 비정상(abnormal)

1. 무변이도(absent baseline FHR)를 보이면서 다음 중 어느 하나에 해당하는 경우
   a. 반복적인 늦은 태아심장박동수감소(recurrent late decelerations)
   b. 반복적인 다양성 태아심장박동수감소(recurrent variable decelerations)
   c. 태아 서맥(bradycardia)
2. 굴모양곡선 양상(sinusoidal pattern)을 보이는 경우

참고 *Final Check 산과 497 page*

40

다음 태아 심장박동수 소견들 중 가장 심각한 이상 상태는 어느 것인가?

① 심장박동수 증가가 20분 동안 1분 이상 나타날 때

② 심장박동수가 분당 100회, 20분 지속되면서 변이도가 없을 때

③ 심장박동수가 분당 170회, 20분 지속되며 변이도가 없을 때

④ 반복적인 늦은 태아심장박동수감소가 있으면서 변이도가 10 bpm 일 때.

⑤ 반복적인 다양성 태아심장박동수감소가 있으면서 변이도가 10 bpm 일 때

40

정답 ②

해설

Category III : 비정상(abnormal)

1. 무변이도(absent baseline FHR)를 보이면서 다음 중 어느 하나에 해당하는 경우
   a. 반복적인 늦은 태아심장박동수감소(recurrent late decelerations)
   b. 반복적인 다양성 태아심장박동수감소(recurrent variable decelerations)
   c. 태아 서맥(bradycardia)
2. 굴모양곡선 양상(sinusoidal pattern)을 보이는 경우

참고 *Final Check 산과 497 page*

41

분만진통 중 전자태아감시 소견에서 안심할 수 없는(nonreassuring) 심장박동수 양상으로 진단되어 즉시 분만해야 되는 기준을 서술하시오.

41

정답

1. 무변이도(absent baseline FHR)를 보이면서 다음 중 어느 하나에 해당하는 경우
   a. 반복적인 늦은 태아심장박동수감소(recurrent late decelerations)
   b. 반복적인 다양성 태아심장박동수감소(recurrent variable decelerations)
   c. 태아 서맥(bradycardia)
2. 굴모양곡선 양상(sinusoidal pattern)을 보이는 경우

참고 *Final Check 산과 497 page*

42

분만진통 중 안심할 수 없는 태아 심장박동수 양상이 나타난 경우의 처치로 올바른 것을 모두 고르시오.

(가) 환자를 옆으로 돌아눕도록 한다
(나) 경막외마취와 관련된 저혈압을 교정한다
(다) 옥시토신을 사용 중이라면 투여를 중단한다
(라) 내진을 시행한다

① 가, 나, 다 ② 가, 다
③ 나, 라 ④ 라
⑤ 가, 나, 다, 라

42

정답 ⑤

해설

안심할 수 없는 태아 심장박동수의 관리

1. 산모를 측와위로 눕힘
2. 자궁과 태반의 혈류 증가를 위해 수액을 늘리고, 안면 마스크로 10 L/min. 산소 공급
3. 자궁수축제 투여를 중지하고 빈수축을 교정
4. 내진 시행
5. 경막외마취를 했을 경우 산모 저혈압을 교정
6. 지속적인 태아 심장박동수 감시 시행
7. 응급제왕절개술을 대비
8. 신생아 전공 소아과 의사를 대기시킴

참고 *Final Check 산과 498 page*

43

안심할 수 없는(nonreassuring) 심장박동수 양상이 나타났다면 시행할 수 있는 처치 방법을 서술 하시오.

43

정답

1. 산모를 측와위로 눕힘
2. 자궁과 태반의 혈류 증가를 위해 수액을 늘리고, 안면 마스크로 10 L/min. 산소 공급
3. 자궁수축제 투여를 중지하고 빈수축을 교정
4. 내진 시행
5. 경막외마취를 했을 경우 산모 저혈압을 교정
6. 지속적인 태아 심장박동수 감시 시행
7. 응급제왕절개술을 대비
8. 신생아 전공 소아과 의사를 대기시킴

참고 *Final Check 산과 498 page*

CHAPTER 24

산과마취(Obstetric anesthesia)

01

음부신경 마취(pudendal nerve block) 시 나타날 수 있는 합병증을 모두 고르시오.

(가) 경련
(나) 혈종
(다) 감염
(라) 태아가사

① 가, 나, 다 ② 가, 다
③ 나, 라 ④ 라
⑤ 가, 나, 다, 라

01

정답 ①

해설

음부신경 차단의 합병증

1. 경련
2. 혈관 천공을 통한 혈종의 형성
3. 주사 부위의 염증

참고 *Final Check 산과 510 page*

02

진행 중 분만진통 제2기 말에 산모가 심한 통증을 호소하여 음부신경 마취를 위해 1% 리도카인을 주사하였다. 직후 임산부는 어지러움증을 호소하며 말을 더듬거렸고, 이후 전신 경련을 일으켰다. 이 산모의 다음 처치로 가장 적절한 것을 모두 고르시오.

(가) 마스크로 산소를 공급한다
(나) 수액을 주입하고 naloxone을 투여한다
(다) Succinylcholine 투여 후 기관내삽관을 하고 thiopental을 주입한다
(라) 즉시 제왕절개술을 시행한다

① 가, 나, 다　　② 가, 다
③ 나, 라　　④ 라
⑤ 가, 나, 다, 라

02

정답 ②

해설

음부신경 차단 후 발생한 경련의 조절

1. 경련 조절제 : succinylcholine, thiopental, diazepam
2. 기도 확보와 산소 투여
3. 보존적인 처치가 응급 제왕절개술보다 태아 생존률에 유리함

참고 *Final Check 산과 510 page*

03

금식이 안 된 상태로 응급 제왕절개술을 시행한 산모가 회복실로 옮겨진 뒤 속이 메스껍다며 구토를 한 후 심한 열과 가슴통증, 호흡곤란을 호소하였다. 가장 먼저 의심할 수 있는 진단명을 쓰시오.(1가지)

03

정답

흡인성 폐렴(aspiration pneumonia)

해설

흡인성 폐렴(aspiration pneumonia)

1. 위 내용물의 흡인에 의한 폐렴
2. 산과마취 사망의 가장 흔한 원인

참고 *Final Check 산과 516 page*

04

임산부에서 발생한 흡인성 폐렴의 치료 방법으로 적절한 것을 모두 고르시오.

(가) 인두와 기도의 흡입
(나) 기관지경
(다) 고농도 산소 공급
(라) 식염수 세척

① 가, 나, 다　　② 가, 다
③ 나, 라　　④ 라
⑤ 가, 나, 다, 라

04

정답 ①

해설

흡인성 폐렴의 치료

1. 흡입(suction) & 기관지경(bronchoscopy)
   a. 흡인 액체 제거 및 고형 물질 제거
   b. 식염수 세척은 위산을 퍼지게 하므로 금기
2. 산소 공급 & 기계환기
3. 항생제(antibiotics)
   a. 예방 목적의 항생제 투여는 권장되지 않음
   b. 감염 발생이 확실히 증명된 경우에 투여

참고 *Final Check 산과 516 page*

05

다음 중 제왕절개 분만 시 경막외마취(epidural anesthesia)를 할 수 없는 경우를 모두 고르시오.

(가) 산모의 심한 출혈
(나) 주사부위 감염
(다) 혈소판 40,000/μl
(라) 산모의 폐고혈압

① 가, 나, 다　　② 가, 다
③ 나, 라　　④ 라
⑤ 가, 나, 다, 라

05

정답 ⑤

해설

부위마취의 금기증

1. 산모의 저혈압
2. 산모의 혈액응고장애(혈소판 5~10만/μL 이하)
3. 저분자량 헤파린(LMW heparin)을 하루에 한 번씩 투여 받는 경우
4. 치료하지 않은 산모의 패혈증
5. 바늘 삽입 부위의 피부 감염
6. 종양에 의해서 뇌압이 상승해 있는 경우
7. 산모의 질환 : 심한 전자간증, 자간증, 임신부의 폐고혈압이나 대동맥협착

참고 *Final Check 산과 515 page*

06

척추마취 후 발생한 저혈압에 대한 올바른 처치를 모두 고르시오.

(가) 좌측와위(left lateral position)
(나) 수액 공급
(다) Ephedrine 투여
(라) 기관내삽관 시행

① 가, 나, 다
② 가, 다
③ 나, 라
④ 라
⑤ 가, 나, 다, 라

06

정답 ①

해설

부위마취 후 발생한 저혈압의 치료

1. 수액의 공급
2. 환자의 자세를 좌측와위로 변경
3. Ephedrine 또는 phenylephrine을 투여

참고 *Final Check 산과 512 page*

07

분만진통 중 시행하는 경막외마취의 가장 흔한 합병증을 고르시오.

① 저혈압(hypotension)
② 경련(convulsion)
③ 발열(pyrexia)
④ 융모양막염(chorioamnionitis)
⑤ 두통(headache)

07

정답 ①

해설

경막외마취 후 발생하는 저혈압

1. 교감신경의 차단에 의한 혈관 확장과 심박출량의 감소
2. 신경축마취의 가장 흔한 합병증

참고 *Final Check 산과 512, 515 page*

08

임신 39주 산모가 분만 중 경막외마취를 시행하였다. 이후 비수축검사(NST)상 수축은 있으나 변이도가 없어지고 간헐적으로 늦은 태아심장박동수감소(late deceleration)이 관찰되었다. 이 산모의 다음 처치로 가장 적절한 것을 고르시오.

① 응급 제왕절개술
② 경과관찰
③ 자궁수축제
④ 자궁이완제
⑤ 수액 공급

08

정답 ⑤

해설

부위마취 후 발생한 저혈압의 치료

1. 수액의 공급
2. 환자의 자세를 좌측와위로 변경
3. Ephedrine 또는 phenylephrine을 투여

참고 *Final Check 산과 512 page*

09

32세 임산부가 제왕절개 수술을 받기 위해 측와위(lateral decubitus position)에서 7 mg의 tetracaine과 70 mg의 포도당 용액을 혼합하여 척추마취를 시행 받았다. 마취 후 앙와위(supine position)로 눕히자 환자는 호흡곤란을 호소하였고, 혈압 70/50 mmHg, 빈맥 등의 소견을 보였다. 이 산모의 변경 자세로 적절한 것을 고르시오.

① 트렌델렌버그 자세(trendelenburg position)
② 우측와위(right lateral position)
③ 좌측와위(left lateral position)
④ 머리 거상(elevation of the head)
⑤ 다리 거상(elevation of the legs)

09

정답 ③

해설

부위마취 후 발생한 저혈압의 치료

1. 수액의 공급
2. 환자의 자세를 좌측와위로 변경
3. Ephedrine 또는 phenylephrine을 투여

참고 *Final Check 산과 512 page*

10

분만진통 중 경막외마취를 시행 후 질식분만한 임산부가 3일 뒤 두통을 호소하였다. 두통은 누우면 호전되고 앉으면 심해지는 양상이었다. 이 산모에게 가장 적절한 처치는 무엇인가?

① 에피네프린　　② 에페드린

③ 황산마그네슘　　④ 뇌혈종감압술

⑤ 경막외 혈액봉합술

10

정답 ⑤

해설

경막천자 후 두통(PDPH)

1. 천자된 경막으로 뇌척수액이 나오고 뇌압이 감소되어 통증 유발
2. 대처 방법
   a. 진통제, 수액공급, 침상안정을 24시간 실시
   b. 경막외 혈액봉합술 : 보존요법 후 시행

참고 *Final Check 산과 513 page*

CHAPTER 25

분만의 유도와 촉진(Induction and Augmentation of labor)

01

임신 41주 초산모의 분만진통이 없어 유도분만을 위해 입원하였다. 유도분만 시행 시 증가하는 위험성을 쓰시오.(2가지)

01

정답

1. 제왕절개술(cesarean section)
2. 융모양막염(chorioamnionitis)
3. 자궁파열(uterine rupture)
4. 자궁이완증(uterine atony)에 의한 산후 출혈

참고 *Final Check 산과 520 page*

02

다음 중 임신의 유지보다 분만이 이득인 상태라 유도분만의 적응증에 해당하는 것을 고르시오.

① 둔위 ② 거대아

③ 지연임신 ④ 쌍둥이 임신

⑤ 활동성 외음부 헤르페스

02

정답 ③

해설

임신의 유지보다 분만이 이득인 경우

1. 진통이 없는 조기양막파수
2. 양수과소증, 태아성장제한
3. 임신성 고혈압, 산모의 만성 고혈압, 당뇨
4. 지연임신
5. 융모양막염
6. 안심할 수 없는 태아 상태
7. 동종면역, 자궁 내 태아사망

참고 *Final Check 산과 519 page*

03

다음 중 Bishop 점수의 구성 요소에 포함되지 않는 것을 고르시오.

① 자궁경부 개대 ② 태아 하강도

③ 자궁경부 소실 ④ 자궁경부 견고성

⑤ 양막파수

03

정답 ⑤

해설

Bishop 점수의 구성 요소

1. 자궁경부 개대(dilatation)
2. 자궁경부 소실(effacement)
3. 태아 하강도(station)
4. 자궁경부 견고성(consistency)
5. 자궁경부 위치(position)

참고 *Final Check 산과 520 page*

04

유도분만의 성공 여부를 예측하기 위한 자궁경부 상태를 평가 시 해당하는 항목인 것을 모두 고르시오.

(가) Effacement
(나) Position
(다) Dilatation
(라) Consistency

① 가, 나, 다 ② 가, 다

③ 나, 라 ④ 라

⑤ 가, 나, 다, 라

04

정답 ⑤

해설

Bishop 점수의 구성 요소

1. 자궁경부 개대(dilatation)
2. 자궁경부 소실(effacement)
3. 태아 하강도(station)
4. 자궁경부 견고성(consistency)
5. 자궁경부 위치(position)

참고 *Final Check 산과 520 page*

05

Bishop 점수의 구성 요소 중 분만에 필요한 시간을 예측하는 데 가장 좋은 인자를 고르시오.

① 자궁경부 개대(dilatation)

② 자궁경부 소실(effacement)

③ 태아 하강도(station)

④ 자궁경부 견고성(consistency)

⑤ 자궁경부 위치(position)

06

임신 40주 초산모에서 시행한 내진이 아래와 같을 때, Bishop 점수는 얼마인가?

- Dilatation : 1 cm
- Effacement : 50%
- Station : –3
- Consistency : Hard
- Position : Posterior

① 0점 ② 2점

③ 4점 ④ 6점

⑤ 8점

05

정답 ①

해설

자궁경부 개대(dilatation)

: 분만에 필요한 시간 예측에 가장 좋은 인자

참고 *Final Check 산과 521 page*

06

정답 ②

해설

Bishop 점수

1. Dilatation : 1점
2. Effacement : 1점
3. Station : 0점
4. Consistency : 0점
5. Position : 0점

참고 *Final Check 산과 520 page*

07

임신 39주 산모에서 시행한 내진 소견이 아래와 같다면 이 산모의 Bishop 점수는 얼마인가?

- Dilatation : 2 cm
- Effacement : 80%
- Station : −1
- Consistency : Soft
- Position : Midposition

① 3　② 5
③ 7　④ 9
⑤ 11

07

정답 ④

해설

Bishop 점수

1. Dilatation : 1점
2. Effacement : 3점
3. Station : 2점
4. Consistency : 2점
5. Position : 1점

참고 *Final Check 산과 520 page*

08

임신 37주인 28세 미분만부가 정기 산전진찰을 위해 내원하였다. 지금까지의 산전진찰상 특이소견은 없었으나 산모는 집과 병원이 너무 멀어 유도분만을 원했다. 자궁저부의 높이는 임신주수에 합당하였고, 내진상 자궁경부는 1 cm 개대, 25% 숙화, 단단한 양상으로 뒷편에 위치하였으며 하강도 −1, 태위는 둔위였다. 다음 중 이 산모에게 가장 적절한 처치를 고르시오.

① 일주일 후에 다시 내원하도록 한다
② 양막박리를 시행한다
③ 자궁경부를 숙화시킨다
④ 태아 폐성숙도 검사를 시행한다
⑤ 유도분만을 시행한다

08

정답 ①

해설

1. Bishop 점수 : 3점
2. 태위 : 둔위(breech presentation)

→ 경과관찰하며 자궁경부 상태 및 태위 재확인

참고 *Final Check 산과 520, 521 page*

09

유도분만 전 시행할 수 있는 자궁경부의 숙화 방법을 쓰시오.

09

정답

1. 약물적 방법
   a. Prostaglandin E2 (Dinoprostone)
   b. Prostaglandin E1 (Misoprostol)
2. 물리적 방법
   a. 자궁경부 카테터(transcervical catheter)
   b. 흡습성 자궁경부 확장제(hygroscopic cervical dilator)

참고 *Final Check 산과 521 page*

10

임신 38주인 32세 초산모가 조기양막파수로 입원하여 10시간이 경과하였다. 내진상 자궁경부는 개대 2 cm, 숙화 30%, 아직 딱딱한 상태로 뒤쪽에 위치해 있었고 태아는 아직 골반에 진입하지 않은 상태였다. 산모가 아직 자궁의 통증이나 수축을 느끼지 못한다고 한다면, 이 산모의 다음 처치로 가장 적절한 것을 고르시오.

① 양막박리(membrane stripping)

② Dinoprostone(PGE_2)

③ 옥시토신(oxytocin)

④ 라미나리아(laminaria)

⑤ 제왕절개(cesarean section)

10

정답 ②

해설

Bishop 점수에 따른 의미

1. 4점 이하인 경우 : 자궁경부의 숙화가 덜 된 상태(자궁경부 숙화의 적응증)
2. 5~8점인 경우 : 자궁경부의 숙화가 중간 정도
3. 9점 이상인 경우 : 성공적인 유도분만 예측 가능

참고 *Final Check 산과 521 page*

11

임신 42주인 30세 초산모가 아직도 분만진통이 없어 내원하였다. 산모와 태아는 건강한 상태이며, 내진상 자궁경부는 닫혀 있었고, 소실 30%, 중간정도의 견고성, 태아 하강도 −2로 확인되었다. 다음 중 이 산모의 다음 처치로 가장 적절한 것을 고르시오.

① 미소프로스톨 100 μg 질 내 투여

② 프로스타글란딘 E_2 질좌제 투여

③ 흡습성 자궁경부 확장제 삽입

④ 옥시토신 투여

⑤ 제왕절개 분만

11

정답 ②

해설

Bishop 점수에 따른 의미

1. 4점 이하인 경우 : 자궁경부의 숙화가 덜 된 상태(자궁경부 숙화의 적응증)
2. 5~8점인 경우 : 자궁경부의 숙화가 중간 정도
3. 9점 이상인 경우 : 성공적인 유도분만 예측 가능

참고 *Final Check 산과 521 page*

12

임신 41주인 초산모가 유도분만을 위해 입원하였다. 프로스타글란딘 E_2 질좌제를 이용하여 유도분만을 시행하였고, 2시간 후부터 환자는 통증을 호소하였다. 이 산모의 비수축검사(NST) 소견이 아래와 같다면 다음 처치로 가장 적절한 것을 고르시오.

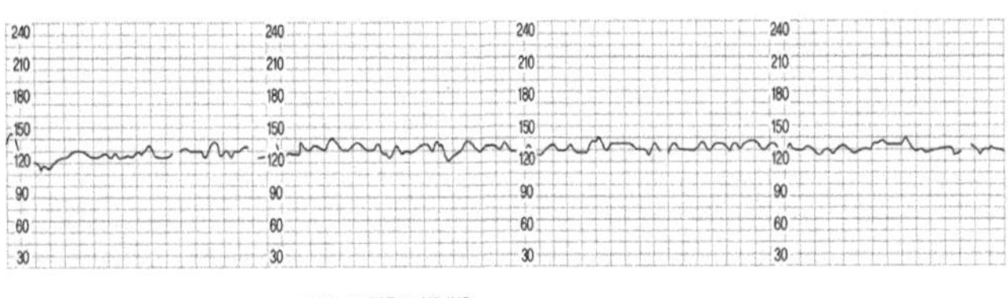

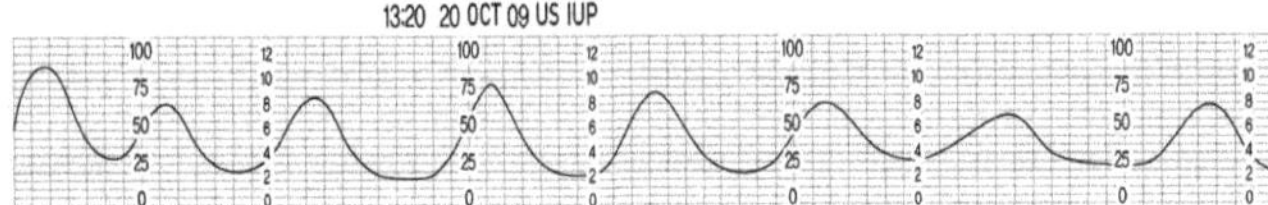

① 경과 관찰 ② 초음파 검사

③ 질좌제 제거 ④ 경막외마취

⑤ 제왕절개 분만

12

정답 ③

해설

자궁의 빈수축(uterine tachysystole)

1. 10분당 6회 이상의 자궁수축
2. 즉시 질좌제를 제거
3. 반드시 태아 심장박동수의 이상 여부를 확인

참고 *Final Check 산과 522, 527 page*

13

임신 25주인 28세 여성이 산전 초음파 검사에서 자궁 내 태아 사망이 확인되었다. 자궁수축은 없었고, 자궁경부의 숙화도 없었다. 다음 중 이 산모에게 가장 적절한 처치는 무엇인가?

① Prostaglandin 질정 삽입

② Oxytocin 정주

③ 양수 내 saline 주입

④ 기계적 소파술

⑤ 자궁절제술

13

정답 ①

해설

Bishop 점수에 따른 의미

1. 4점 이하인 경우 : 자궁경부의 숙화가 덜 된 상태(자궁경부 숙화의 적응증)
2. 5~8점인 경우 : 자궁경부의 숙화가 중간 정도
3. 9점 이상인 경우 : 성공적인 유도분만 예측 가능

참고 *Final Check 산과 521 page*

14

임신 41주의 산모가 유도분만을 위해 내원하였다. 시행한 초음파상 양수지수(AFI) 5 cm, 생물리학계수(BPP) 6점으로 확인되었다. 산모는 녹내장(glaucoma)의 병력이 있으며, Bishop 점수는 7점으로 확인되었다. 이 산모의 유도분만 방법으로 가장 적절한 것을 고르시오.

① 제왕절개

② PGE_2 삽입하여 유도분만

③ Oxytocin으로 유도분만

④ PGE_2 삽입 후 oxytocin으로 유도분만

⑤ 양수주입술

14

정답 ③

해설

Bishop 점수에 따른 의미

1. 4점 이하인 경우 : 자궁경부의 숙화가 덜 된 상태(자궁경부 숙화의 적응증)
2. 5~8점인 경우 : 자궁경부의 숙화가 중간 정도
3. 9점 이상인 경우 : 성공적인 유도분만 예측 가능

참고 *Final Check 산과 521, 524 page*

15

자궁경부의 숙화를 위해 사용하는 약물인 prostaglandin E_2 (PGE_2)의 금기증들을 쓰시오.(4가지)

16

임신 42주 산모가 옥시토신(oxytocin)을 이용하여 유도분만을 시행하던 중 비수축검사(NST)상 10분간 8회의 자궁수축이 지속적으로 나타났다. 가장 우선적으로 시행해야 할 조치를 고르시오.

① 인공 양막파수(amniotomy)

② 자궁내전자태아감시(internal electronic monitoring)

③ 응급 제왕절개술

④ 태아두피혈액채취(fetal scalp blood sampling)

⑤ 옥시토신 정맥주사 중지 후 주의 깊게 관찰

15

정답

비면역성 태아수종의 원인

1. PGE_2에 대한 과민반응 과거력
2. 태아곤란증 또는 머리-골반 불균형(CPD)
3. 설명할 수 없는 질 출혈
4. 옥시토신을 투여 중인 경우
5. 6회 이상의 만삭 출산력이 있는 경우
6. 이전 제왕절개 또는 자궁근육층을 포함하는 수술을 받은 경우

참고 *Final Check 산과 522 page*

16

정답 ⑤

해설

옥시토신 투여를 중단해야 하는 경우

1. 자궁수축이 10분에 6회 이상 또는 15분에 8회 이상 지속
2. 지속적인 태아 심장박동수의 이상

참고 *Final Check 산과 525 page*

17

임신 37주의 초산모가 조기양막파수로 진단받고 입원하였다. 입원 후 12시간이 경과하였는데도 분만진통이 없어 옥시토신(oxytocin)을 투여하였고, 투여 1시간 후 50 mmHg 강도의 수축이 10분에 8회 정도 지속적으로 관찰되었다. 이 산모의 다음 처치로 가장 적절한 것을 고르시오.

① 경과 관찰　② 베타 작용제 투여
③ 옥시토신 투여 중지　④ 양막박리
⑤ 제왕절개술

18

유도분만을 위한 옥시토신 투여법 중에서 고용량 투여법이 저용량 투여법에 비해 발생 빈도가 증가하는 것을 고르시오.

① 신생아 패혈증　② 겸자분만
③ 수분중독　④ 융모양막염
⑤ 제왕절개술에 의한 분만

19

임신 39주 산모가 oxytocin을 사용하여 40시간 동안 유도분만을 시도하던 중 경련을 하며 의식 소실을 보였다. 다음 중 원인으로 가장 가능성이 높은 것을 고르시오.

① 빈현　② 빈맥
③ 저혈압　④ 저나트륨혈증
⑤ 저칼륨혈증

17

정답 ③

해설

옥시토신 투여를 중단해야 하는 경우

1. 자궁수축이 10분에 6회 이상 또는 15분에 8회 이상 지속
2. 지속적인 태아 심장박동수의 이상

참고 *Final Check 산과 525 page*

18

정답 ③

해설

옥시토신 유도분만의 위험성

1. 항이뇨작용이 강해서 20 mU/min 이상 주입 시 신장의 유리수분제거율이 감소
2. 옥시토신과 다량의 수분을 주입할 때 수분중독(water intoxication)으로 경련, 혼수상태, 사망 등에 이를 수 있으므로 주의가 필요
3. 폐부종 발생 시 옥시토신을 중단하고 이뇨제를 투여
4. 고용량으로 장시간 투여하게 될 경우 희석된 용액의 주입 속도를 증가시키기보다는 농도를 증가시켜 투여함

참고 *Final Check 산과 525 page*

19

정답 ②

해설

수분중독(Water intoxication)

1. 저나트륨혈증(hyponatremia)
   a. 고용량 옥시토신의 항이뇨작용
   b. 긴 시간 + 저장액 과량 + 고농도 oxytocin
   c. 두통, 식욕부진, 오심, 구토, 의식소실, 경련
2. 발생 시 처치
   a. 옥시토신과 모든 저장액의 투여를 중단
   b. 천천히 저나트륨혈증의 교정을 시작
   c. 수분제한, 증상 있으면 고장액 식염수 투여

참고 *Final Check 산과 527 page*

20

옥시토신(oxytocin)의 과량 투여로 임산부와 신생아에게 경련을 유발하는 수분중독에서 결핍되는 전해질은 무엇인가?

① Potassium ② Sodium
③ Calcium ④ Magnesium
⑤ Uric acid

20

정답 ②

해설

수분중독(Water intoxication)

1. 저나트륨혈증(hyponatremia)
   a. 고용량 옥시토신의 항이뇨작용
   b. 긴 시간 + 저장액 과량 + 고농도 oxytocin
   c. 두통, 식욕부전, 오심, 구토, 의식소실, 경련
2. 발생 시 처치
   a. 옥시토신과 모든 저장액의 투여를 중단
   b. 천천히 저나트륨혈증의 교정을 시작
   c. 수분제한, 증상 있으면 고장액 식염수 투여

참고 *Final Check 산과 527 page*

21

임신 39주 산모가 유도분만으로 질식분만을 하였고, 분만 후 30분이 지났을 때 갑자기 경련을 하였다. 진통 시작부터 분만까지 30시간 동안 5% 포도당 6 L, 옥시토신 40단위 투여 받았고, 분만 후 혈액검사상 Na 112 mEq/L으로 확인되었다. 이 산모의 진단명(A)과 이 질환이 발생하는 원인(B)을 쓰시오.

21

정답

(A) 수분중독(water intoxication)
(B) 고용량 옥시토신의 항이뇨작용

해설

수분중독(Water intoxication)

1. 저나트륨혈증(hyponatremia)
   a. 고용량 옥시토신의 항이뇨작용
   b. 긴 시간 + 저장액 과량 + 고농도 oxytocin
   c. 두통, 식욕부전, 오심, 구토, 의식소실, 경련
2. 발생 시 처치
   a. 옥시토신과 모든 저장액의 투여를 중단
   b. 천천히 저나트륨혈증의 교정을 시작
   c. 수분제한, 증상 있으면 고장액 식염수 투여

참고 *Final Check 산과 527 page*

22

임신 41주 산모가 옥시토신(oxytocin)으로 유도분만 진행 중 두통, 오심, 기침, 호흡곤란 등을 호소하였고, 가슴 X-ray 소견은 아래와 같았다. 이 산모의 다음 처치로 가장 적절한 것을 고르시오.

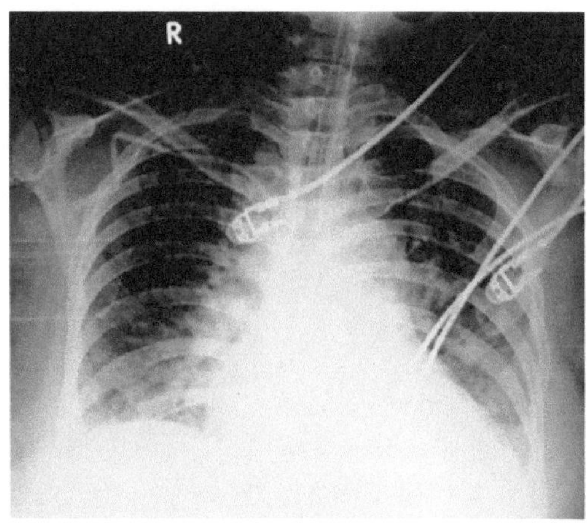

① 옥시토신 증량　　② 침상 안정
③ 제왕절개　　④ 이뇨제 사용 후 관찰
⑤ 빈맥이 나타나면 beta-mimetics 투여

22

정답 ④

해설

옥시토신 유도분만의 위험성

1. 항이뇨작용이 강해서 20 mU/min 이상 주입 시 신장의 유리수분제거율이 감소
2. 옥시토신과 다량의 수분을 주입할 때 수분중독(water intoxication)으로 경련, 혼수상태, 사망 등에 이를 수 있으므로 주의가 필요
3. 폐부종 발생 시 옥시토신을 중단하고 이뇨제를 투여
4. 고용량으로 장시간 투여하게 될 경우 희석된 용액의 주입 속도를 증가시키기 보다는 농도를 증가시켜 투여함

참고 *Final Check 산과 525 page*

23

유도분만을 위한 양막파수(surgical induction)의 장점(A)과 단점(B)을 쓰시오.

23

정답

(A) 진통시간의 단축
(B) 융모양막염의 발생 증가

해설

유도분만을 위한 양막파수(surgical induction)

1. 양막파수 단독 시행의 단점
   a. 자궁수축의 시작 시간을 예측할 수 없음
   b. 간혹 진통이 시작할 때까지 시간이 오래 걸림
2. 자궁경부가 1~2 cm 개대된 초기에 양막파수를 시행한 경우, 약 5 cm 개대 때 시행하는 것보다 진통시간을 4시간 정도 단축시키지만 융모양막염의 발생은 증가

참고 *Final Check 산과 526 page*

24

임신 40주인 초산모가 분만진통을 주소로 입원하였다. 자궁경부 개대 5 cm 상태로 3시간이 지났지만 자궁경부의 상태는 변화가 없었고, 양막파수의 소견도 없었다. 자궁수축은 10분에 3회 규칙적으로 나타나고 태아 심장박동수는 중등도변이도를 보였다. 이 산모의 다음 처치로 가장 적절한 것을 고르시오.

① 골반측정법(pelvimetry) 시행

② 옥시토신을 이용하여 자궁수축을 10분에 6회로 유도

③ 자궁수축력 100 Montevideo unit 유지

④ 인공 양막파수(amniotomy) 시행

⑤ 응급 제왕절개

24

정답 ④

해설

분만촉진을 위한 양막파수

1. 분만진통이 비정상적으로 느린 경우 시행
2. 활성기 정지장애 시 옥시토신 단독 사용보다 양막파수를 병행하면 분만시간이 단축
3. 융모양막염의 발생은 증가

참고 Final Check 산과 526 page

25

임신 41주 초산모가 복통을 주소로 응급실에 내원하였다. 내진상 자궁경부 개대 3 cm, 숙화 50%, 태아의 머리는 ischial spine에 위치하였으며, 양수지수(AFI) 3 cm으로 확인되었다. 다음 중 이 산모의 다음 처치로 가장 적절한 것을 고르시오.

① 옥시토신 투여　　② 프로스타글란딘 투여

③ 인공 양막파수　　④ 양수주입술

⑤ 응급 제왕절개

25

정답 ③

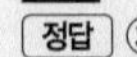

해설

선택적 양막파수(Elective amniotomy)

1. 자궁경부가 5 cm 정도 개대 되었을 때 시행
2. 자연 분만진통이 가속화되어 1~1.5시간 단축
3. 옥시토신의 필요성, 제왕절개 빈도는 증가하지 않고, 나쁜 주산기 영향도 없음

참고 Final Check 산과 526 page

CHAPTER 26

질식분만(Vaginal delivery)

01

분만 중 태아 머리의 신전을 도와 가장 작은 직경으로 분만 될 수 있게 하는 다음과 같은 술기는 무엇인가?

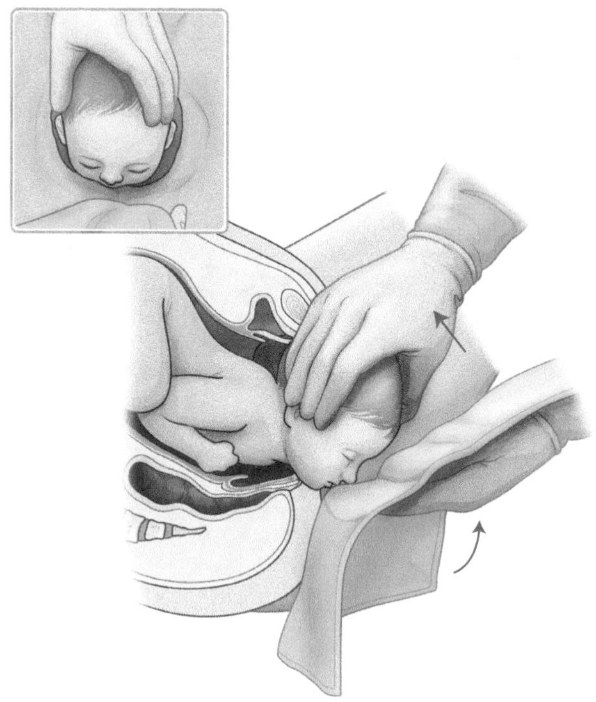

① McRoberts maneuver
② Pinard maneuver
③ Muller maneuver
④ Ritgen maneuver
⑤ Mauricau maneuver

01

정답 ④

해설

리트겐 수기법(Ritgen maneuver)

1. 시행 시기 : 아두가 외음부와 회음부를 밀어 질 개구부가 5 cm 이상 되었을 때 시행
2. 방법 : 장갑 낀 한 손에 타올을 씌워 항문을 막으면서 꼬리뼈(coccyx)의 바로 앞 회음부를 통하여 태아의 턱을 앞쪽으로 당기며 압박을 주면서 다른 손으로는 두정부에서 위쪽으로 압박을 가함

참고 *Final Check 산과 530 page*

02

견갑난산이 발생할 수 있는 요인이 아닌 것은 무엇인가?

① 산모의 비만
② 초산모
③ 산모의 당뇨병
④ 견갑난산 분만의 과거력
⑤ 과숙아

02

정답 ②

해설

견갑난산의 위험인자

1. 태아 체중의 증가 : 비만, 다산, 과숙, 당뇨병 등의 모체측 요인
2. 이전의 견갑난산 과거력

참고 *Final Check 산과 534 page*

03

견갑난산의 관리를 위한 권고 사항으로 옳은 것을 고르시오.

① 견갑난산은 초음파 검사 및 내진을 이용하여 예측할 수 있다
② 거대아가 예견된다고 제왕절개 분만을 시행하는 것은 타당하지 않다
③ 당뇨병 임산부의 태아가 4,000 g 이상으로 예상되면 제왕절개 분만을 시행한다
④ 정상 임산부의 태아가 4,500 g 이상으로 예상되면 제왕절개 분만을 시행한다
⑤ 이전 임신의 분만 시 견갑난산이 있었던 경우에는 제왕절개 분만을 시행한다

03

정답 ②

해설

견갑난산에 대한 지침(ACOG, 2017)

1. 대부분의 견갑난산은 정확하게 예측되거나 예방할 수 없음
2. 거대아가 의심되는 모든 산모에게 선택적 유도분만이나 선택적 제왕절개술을 시행하는 것은 적절하지 않음
3. 계획된 제왕절개는 당뇨가 없는 경우 태아예상 체중이 5,000 g 이상이거나, 당뇨병 산모인 경우 4,500 g 이상인 경우 고려

참고 *Final Check 산과 534 page*

04

분만 중 발생한 견갑난산(shoulder dystocia)에서 시도해 볼 수 있는 방법을 쓰시오. (4가지)

05

다음 중 견갑난산에 대한 적절한 처치가 아닌 것을 고르시오.

① 자궁저부 압박 ② 치골상부 압박

③ McRoberts 수기법 ④ Rubin 수기법

⑤ Woods 나사 수기법

04

정답

1. 치골상부 압박(suprapubic pressure)
2. McRoberts 수기법(McRoberts maneuver)
3. 뒤쪽 어깨 분만법 (delivery of posterior shoulder)
4. Woods 나사 수기법 (Woods corkscrew maneuver)
5. Rubin 수기법(Rubin maneuver)
6. 올포 수기법(all-fours maneuver)

참고 *Final Check 산과 535 page*

05

정답 ①

해설

견갑난산 시 시도해 볼 수 있는 방법

1. 치골상부 압박(suprapubic pressure)
2. McRoberts 수기법(McRoberts maneuver)
3. 뒤쪽 어깨 분만법 (delivery of posterior shoulder)
4. Woods 나사 수기법 (Woods corkscrew maneuver)
5. Rubin 수기법(Rubin maneuver)
6. 올포 수기법(all-fours maneuver)

참고 *Final Check 산과 535 page*

06

다음 중 견갑난산의 예방 및 처치에 대한 설명으로 옳은 것을 모두 고르시오.

(가) 회음절개를 충분히 한다
(나) 가장 먼저 자궁저부(uterine fundus)을 압박한다
(다) 거대아가 의심되면 선택적 유도분만을 시도한다
(라) 태아예상체중이 4,000 g 이상이면 제왕절개를 시행한다

① 가, 나, 다
② 가, 다
③ 나, 라
④ 라
⑤ 가, 나, 다, 라

06

정답 ②

해설

1. 충분한 회음절개로 후방의 공간을 확보
2. 가장 먼저 치골상부 압박을 시도
3. 거대아가 의심되는 모든 산모에게 선택적 유도분만이나 선택적 제왕절개술을 시행하는 것은 적절하지 않음
4. 계획된 제왕절개는 당뇨가 없는 경우 태아예상체중이 5,000 g 이상이거나, 당뇨병 산모인 경우 4,500 g 이상인 경우 고려

참고 *Final Check 산과 534, 538 page*

07

다음 술기의 명칭은 무엇인가?

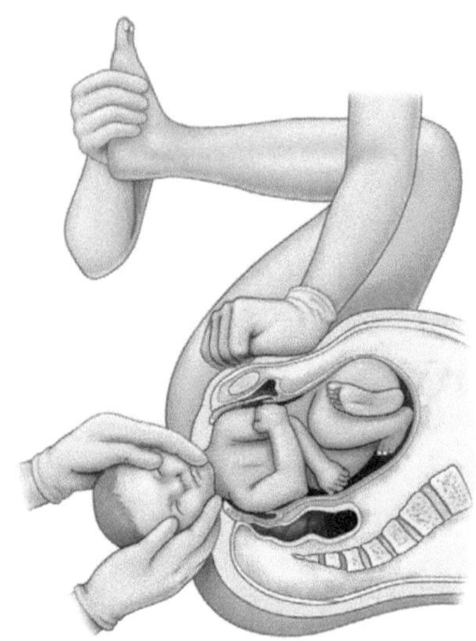

① Woods 나사 수기법
② Rubin 수기법
③ McRoberts 수기법
④ Ritgen 수기법
⑤ Mauriceau 수기법

07

정답 ③

해설

McRoberts 수기법(McRoberts maneuver)

1. 산모의 다리를 발걸이에서 풀어서 환자의 배에 닿게 구부리고 보조자는 치골상부에 적당한 압력을 가하는 방법
2. 엉치뼈(sacrum)가 허리뼈(lumbar vertebrae)에 대해 편평해지고 치골이 산모의 머리 쪽으로 회전하여 골반 경사각(pelvic inclination)이 감소

참고 *Final Check 산과 535 page*

08

McRoberts 수기법에 대한 설명으로 잘못된 것을 고르시오.

① 골반 입구(pelvic inlet)의 증가

② 바깥 골반(pelvic outlet)의 증가

③ 골반 경사각(pelvic inclination)의 감소

④ 엉치뼈(sacrum)의 편평해짐

⑤ 골반 용적(pelvic cavity)의 변화는 없음

09

다음 그림과 같은 술기가 필요한 상황을 쓰시오.

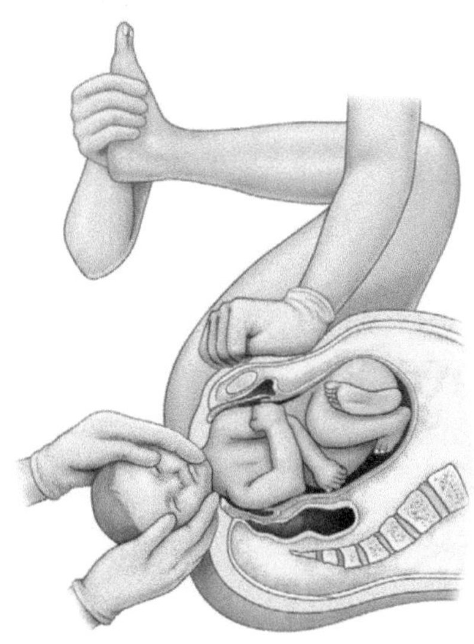

08

정답 ①

해설

McRoberts 수기법(McRoberts maneuver)

1. 산모의 다리를 발걸이에서 풀어서 환자의 배에 닿게 구부리고 보조자는 치골상부에 적당한 압력을 가하는 방법
2. 엉치뼈(sacrum)가 허리뼈(lumbar vertebrae)에 대해 편평해지고 치골이 산모의 머리 쪽으로 회전하여 골반 경사각(pelvic inclination)이 감소

참고 *Final Check 산과 535 page*

09

정답 **견갑난산**(shoulder dystocia)

해설

McRoberts 수기법(McRoberts maneuver)

1. 산모의 다리를 발걸이에서 풀어서 환자의 배에 닿게 구부리고 보조자는 치골상부에 적당한 압력을 가하는 방법
2. 견갑난산에서 가장 먼저 시도할 수 있는 타당한 방법

참고 *Final Check 산과 535 page*

10

다음 술기의 이름을 쓰시오.

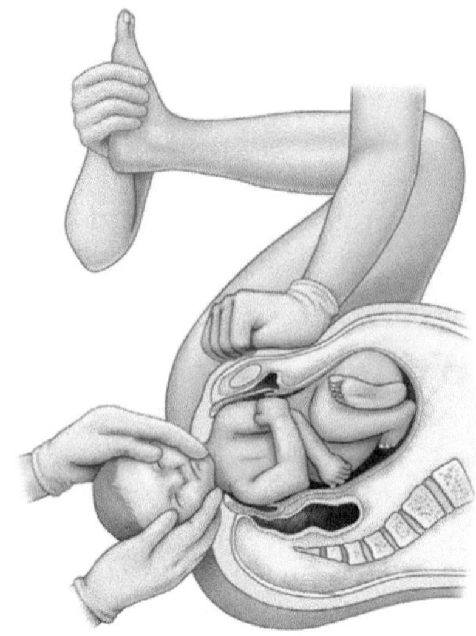

10

정답

McRoberts 수기법(McRoberts maneuver)

참고 *Final Check 산과 535 page*

11

임신 41주인 29세 다분만부가 분만진통으로 입원하였다. 첫째를 3.3 kg 질식분만하였고, 지금 임신의 산전검사에서는 특이 소견 없었으며 현재 태아예상체중은 4,000 g이었다. 견갑난산이 예상될 때 다음 중 가장 적절한 처치를 고르시오.

① 응급 제왕절개 준비

② 태아 머리를 가능한 한 힘있게 견인

③ Oxytocin 투여

④ 태아 머리를 하방으로 견인함과 동시에 산모의 치골상부 압박을 시도

⑤ 태아 쇄골 골절

11

정답 ④

해설

견갑난산의 응급처치 방법

1. 보조자, 마취과, 소아과 의사에게 도움 요청
2. 충분한 회음절개로 후방의 공간을 확보
3. 가장 먼저 치골상부 압박을 시도
4. McRoberts 수기법을 시도
5. 위 방법으로 안되면 아래 방법들을 시도하거나 반복 시행
6. 뒤쪽 어깨 분만법을 시도
7. Woods 나사 수기법, Rubin 수기법을 시도
8. 이 외에 의도적인 쇄골 골절과 Zavanelli 수기법 등은 이 모든 시도가 실패한 후로 보류

참고 *Final Check 산과 538 page*

12

질식분만 중 견갑난산이 발생하였을 때 응급처치로 올바른 것을 고르시오.

① 태아 머리의 분만 후 몸통의 분만이 자연히 일어날 때까지 기다린다

② 임산부의 허벅지를 복부 쪽으로 충분히 굴곡시키는 자세로 분만한다

③ 만출을 위해 임산부에게 힘을 주게 하는 것은 태아에게 위험하다

④ 중앙 회음절개를 시행한다

⑤ 조속한 분만을 위해 양쪽 어깨 사이의 직경을 골반 횡경과 맞춘다

12

정답 ②

해설

견갑난산의 응급처치 방법

1. 보조자, 마취과, 소아과 의사에게 도움 요청
2. 충분한 회음절개로 후방의 공간을 확보
3. 가장 먼저 치골상부 압박을 시도
4. McRoberts 수기법을 시도
5. 위 방법으로 안되면 아래 방법들을 시도하거나 반복 시행
6. 뒤쪽 어깨 분만법을 시도
7. Woods 나사 수기법, Rubin 수기법을 시도
8. 이 외에 의도적인 쇄골 골절과 Zavanelli 수기법 등은 이 모든 시도가 실패한 후로 보류

참고 *Final Check 산과 538 page*

13

견갑난산으로 분만한 신생아의 오른쪽 팔이 신장(extension) 및 회내(pronation) 되어 있고, 어깨는 내전(adduction)되어 있었다. 원인으로 가장 가능성이 높은 것을 고르시오.

① C8~T1 척수신경손상

② 위팔신경마비(brachial plexus injury)

③ 쇄골 골절(clavicle fracture)

④ 상완골 골절(humerus fracture)

⑤ 태아가사(fetal asphyxia)

13

정답 ②

해설

위팔신경마비(Brachial plexus injury)

1. 앞쪽 어깨의 아래쪽 견인에 의해 발생
2. Erb–Duchenne 마비
   a. C5, C6 손상
   b. 어깨는 내전(adduction), 내회전(int. rotation), 팔은 신장(extension), 회내(pronation) 한 상태로 팔을 움직이지 못함
   c. moro, biceps 반사의 소실 또는 감소

참고 *Final Check 산과 534 page*

14

자연분만 후 태반 분리의 징후를 모두 고르시오.

(가) 자궁이 구형으로 단단해진다
(나) 갑작스러운 질 출혈이 있다
(다) 탯줄이 질 밖으로 더 길게 내려온다
(라) 자궁이 아래로 이동한다

① 가, 나, 다　　② 가, 다
③ 나, 라　　④ 라
⑤ 가, 나, 다, 라

15

분만진통 제4기(fourth stage of labor)의 정의(A)와 의의(B)를 쓰시오.

14

정답 ①

해설

태반 분리의 징후

1. 자궁 형태가 구형으로 되고 견고해짐
2. 간혹 갑작스러운 출혈이 있을 수 있음
3. 태반이 분리되어 자궁하부와 질 쪽으로 내려오면 그 무게로 인하여 자궁체부가 복부로 불쑥 올라옴
4. 탯줄이 질을 통하여 길게 내려오면 태반의 하강을 의미

참고 *Final Check 산과 539 page*

15

정답

(A) 분만 직후 약 1시간
(B) 자궁수축제를 사용해도 이완성 자궁출혈이 가장 흔한 시기

해설

분만진통 제4기(Fourth stage of labor)

1. 분만 직후 약 1시간
2. 자궁수축제를 사용해도 이완성 자궁출혈이 가장 흔한 시기
3. 분만 후 첫 2시간 동안 매 15분 간격으로 혈압 및 맥박 등을 측정하여 기록하도록 권고

참고 *Final Check 산과 541 page*

16

다음은 몇도 산도 열상인지 고르시오.

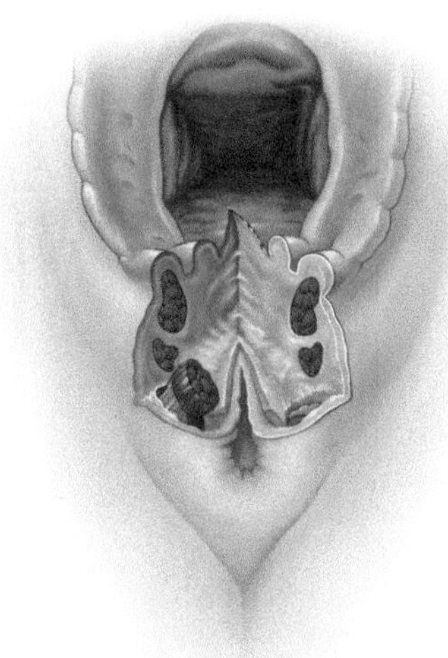

① 1도 열상 ② 2도 열상
③ 3도 열상 ④ 4도 열상
⑤ 복합 열상

16
정답 ④
해설
산도의 열상
1. 1도 열상 : 음순소대, 질 점막, 회음부 피부
2. 2도 열상 : 1도 + 회음체의 근막과 근육
3. 3도 열상 : 2도 + 항문괄약근
4. 4도 열상 : 3도 + 직장 점막

참고 *Final Check 산과 542 page*

17

분만 중 질 점막(vaginal mucous membrane)과 회음체(perineal body)의 근막과 근육에 열상이 발생하였다면 이 산모의 열상 정도를 고르시오.

① 1도 열상 ② 2도 열상
③ 3도 열상 ④ 4도 열상
⑤ 완전 열상

17
정답 ②
해설
산도의 열상
1. 1도 열상 : 음순소대, 질 점막, 회음부 피부
2. 2도 열상 : 1도 + 회음체의 근막과 근육
3. 3도 열상 : 2도 + 항문괄약근
4. 4도 열상 : 3도 + 직장 점막

참고 *Final Check 산과 542 page*

18

초산모의 후두위 분만 시 회음절개를 시행할 시기로 가장 적절한 것을 고르시오.

① 태아의 머리가 보이기 시작할 때

② 태아의 머리가 3~4 cm 정도 보일 때

③ 태아의 머리가 하강도 0에 위치할 때

④ 자궁의 수축이 시작될 때

⑤ 자궁경부가 3~4 cm 정도 열렸을 때

18

정답 ②

해설

회음절개의 시기

1. 자궁수축 시 머리가 직경 3~4 cm 크기로 보일 때 시행
2. 너무 일찍 시행하면 절개와 태아 분만까지의 사이에 창상부위 출혈을 야기
3. 너무 지연되면 회음저부가 과도하게 늘어져 회음절개의 의의가 없어짐

참고 *Final Check 산과 543 page*

CHAPTER 27

둔위분만(Breech delivery)

01

다음 그림과 같은 태위를 일으킬 수 있는 원인을 모두 고르시오.

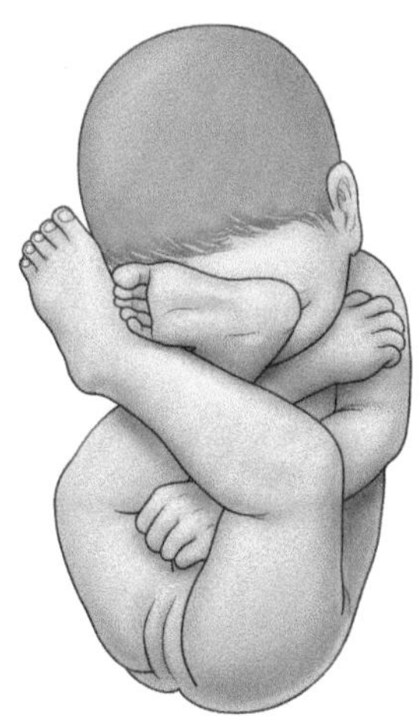

(가) 전치태반
(나) 복벽이 이완된 다분만부
(다) 자궁의 기형
(라) 거대아

① 가, 나, 다 ② 가, 다
③ 나, 라 ④ 라
⑤ 가, 나, 다, 라

01

정답 ①

해설

둔위의 원인

1. 조산, 다태아 임신, 둔위분만의 과거력
2. 양수과다증, 양수과소증, 전치태반
3. 자궁기형, 골반종양
4. 태아의 기형 : 수두증, 무뇌증

참고 *Final Check 산과 550 page*

02

임신 28주인 32세의 초산모가 둔위로 진단받고 내원하였다면, 다음 중 이 산모에게 가장 올바른 처치는 무엇인가?

① 외회전술(external version)

② 내회전술(internal version)

③ 경과관찰

④ 절대 침상안정(absolute bed rest)

⑤ 양수주입술(amnioinfusion)

03

둔위(breech presentation)에서 주산기 사망(perinatal mortality)이 증가하는 원인을 모두 고르시오.

(가) 조산 (나) 태아 기형
(다) 분만 손상 (라) 탯줄 탈출

① 가, 나, 다 ② 가, 다

③ 나, 라 ④ 라

⑤ 가, 나, 다, 라

04

태아가 둔위일 경우 질식분만의 금기증을 모두 고르시오.

(가) 태아가 큰 경우
(나) 태아 머리의 과도한 신전
(다) 불완전 둔위
(라) 심한 태아성장제한

① 가, 나, 다 ② 가, 다

③ 나, 라 ④ 라

⑤ 가, 나, 다, 라

02

정답 ③

해설

둔위의 빈도

1. 임신 주수가 진행됨에 따라 빈도가 감소
   a. 임신 28주에 확인된 둔위 빈도는 약 25%
   b. 임신 37주 이후에는 약 3~4%
2. 분만 전에 대부분 자연적으로 두정위로 전환되는 경우가 많음

참고 *Final Check 산과 550 page*

03

정답 ⑤

해설

둔위에서 주산기 사망률의 증가 원인

1. 원인 : 조산, 선천성 기형, 분만 손상, 탯줄 탈출, 분만 지연 등
2. 제왕절개술에 의하여 분만이 이루어지더라도 두위 태아에 비해 계속 증가

참고 *Final Check 산과 551 page*

04

정답 ⑤

해설

둔위 태아에서 제왕절개술이 유리한 경우

1. 의사의 경험 부족
2. 산모가 제왕절개를 원하는 경우
3. 태아예상체중이 큰 경우 : >3,800~4,000 g
4. 분만진통 중에 있거나 분만 적응이 되는 건강하고 생존 가능한 미숙아
5. 심각한 태아성장제한
6. 질식분만이 어려운 태아기형
7. 이전의 주산기 사망 또는 분만 손상 과거력
8. 불완전둔위, 족위인 경우
9. 태아 머리의 과신전
10. 골반협착이나 부적합한 골반형태
11. 이전 제왕절개의 과거력

참고 *Final Check 산과 551 page*

05

다음 중 분만 시 태아의 선천성 고관절 탈구를 일으키기 쉬운 태위를 고르시오.

① 두정위(vertex presentation)

② 안면위(face presentation)

③ 진둔위(frank breech presentation)

④ 횡위(transverse presentation)

⑤ 복합위(compound presentation)

05

정답 ③

둔위에서 증가하는 태아 손상

1. 상완골, 쇄골, 대퇴골의 골절, 흉쇄유돌근의 혈종, 위팔신경 손상, 고환 손상
2. 질식분만 시 가장 손상 받기 쉬운 장기 : 뇌

참고 *Final Check 산과 551 page*

06

외회전술(external cephalic version)을 시행하는 시기(A)와 성공 인자(B)를 쓰시오.

06

정답

(A) 임신 37주에 도달하고, 진통이 시작되기 전

(B) 선진부가 진입 되지 않은 경우, 다분만부, 풍부한 양수량, 태아예상체중 2,500~3,000 g 정도, 태반이 자궁 후방에 위치, 비만하지 않은 산모

참고 *Final Check 산과 556 page*

07

다음 중 외회전술(external cephalic version) 시 성공 가능성이 높은 경우를 고르시오.

① 태아의 등이 임산부의 후방에 위치한 경우

② 양수량이 적은 경우

③ 선진부가 골반 내에 진입해 있는 경우

④ 비만 산모인 경우

⑤ 횡위인 경우

07

정답 ⑤

해설

외회전술의 성공 인자

1. 선진부가 진입 되지 않은 경우
2. 다분만부(multiparity)
3. 풍부한 양수량
4. 태아예상체중 2,500~3,000 g 정도
5. 태반이 자궁 후방에 위치(posterior placenta)
6. 비만하지 않은 산모

참고 *Final Check 산과 556 page*

08

외회전술(external cephalic version)의 합병증을 쓰시오. (5가지)

08

정답

1. 태반조기박리(placenta abruption)
2. 조기진통(preterm labor)
3. 태아가사(fetal distress)
4. 자궁파열(uterine rupture)
5. 태아-모체출혈(fetomaternal hemorrhage)
6. 동종면역(alloimmunization)
7. 양수색전증(amniotic fluid embolism)
8. 태아손상, 태아사망(fetal demise)

참고 *Final Check 산과 557 page*

09

다음 중 둔위분만과 연관된 수기법을 고르시오.

① McRobert maneuver

② Mauriceau maneuver

③ Woods maneuver

④ Second Rubin maneuver

⑤ Clavicle fracture

09

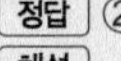
정답 ②

해설

둔위분만 시 수기법

1. Mauriceau 수기법
2. 겸자 사용
3. 변형 Prague 수기법

참고 *Final Check 산과 553 page*

CHAPTER 28

수술적 질식분만(Operative vaginal delivery)

01

흡입분만의 필요 조건에 해당하는 것을 고르시오.

① 태아 하강도가 -1이면 시행할 수 있다

② 자궁경부가 8 cm 개대 되면 시행할 수 있다

③ 둔위인 경우에도 시행 가능하다

④ 다분만부에서 부위마취를 한 경우, 분만진통 제2기가 1시간 이상 지속되면 시행할 수 있다

⑤ 흡입컵이 3번 이상 떨어지면 흡입분만을 중단한다

01

정답 ⑤

해설

흡입분만의 필요 조건(ACOG, 2012)

1. 흡입기 사용 전에 동의서를 받아야 함
2. 머리-골반 불균형이 없어야 함
3. 태아 머리의 골반 내 완전한 진입
4. 자궁경부의 완전 개대와 양막의 파막
5. 두정위 또는 턱이 전방에 있는 안면위
6. 태아 머리 위치(태향)의 정확한 파악
7. 태아가 응고장애, 골탈회 질환이 없어야 함
8. 방광을 비워야 함
9. 적절한 마취나 진통제를 사용
10. 시술자는 흡입기 사용에 필요한 지식과 경험, 숙련된 기술이 있어야 하고, 흡입기 사용 시 발생할 수 있는 합병증을 다룰 수 있어야 함

참고 *Final Check 산과 563 page*

02

질식분만이 장시간 경과되어 산모가 탈진하여 겸자분만을 시도하려 할 때 내진으로 미리 확인해야 할 사항을 모두 고르시오.

(가) 자궁경부의 완전 개대
(나) 양막파수
(다) 머리-골반 불균형
(라) 머리의 위치 및 진입

① 가, 나, 다
② 가, 다
③ 나, 라
④ 라
⑤ 가, 나, 다, 라

02

정답 ⑤

해설

겸자분만의 필요 조건(ACOG, 2012)

1. 겸자 사용 전에 동의서를 받아야 함
2. 머리-골반 불균형이 없어야 함
3. 태아 머리의 골반 내 완전한 진입
4. 자궁경부의 완전 개대와 양막의 파막
5. 두정위 또는 턱이 전방에 있는 안면위
6. 태아 머리 위치(태향)의 정확한 파악
7. 태아가 응고장애, 골탈회 질환이 없어야 함
8. 방광을 비워야 함
9. 적절한 마취나 진통제를 사용
10. 시술자는 겸자 사용에 필요한 지식과 경험, 숙련된 기술이 있어야 하고, 겸자 사용 시 발생할 수 있는 합병증을 다룰 수 있어야 함

참고 *Final Check 산과 561 page*

03

다음 중 겸자분만을 하면 안 되는 경우를 고르시오.

① 태아의 상태가 좋지 못할 때
② 조산아일 때
③ 태아 머리의 위치가 불분명할 때
④ 태아가 골반협부에 있을 때
⑤ 양막이 파막되어 있을 때

03

정답 ③

해설

겸자분만의 금기증

1. 임산부 골반을 제대로 평가할 수 없는 경우
2. 내진상 골반이 부적절한 경우
3. 태아 머리의 위치를 잘 모르는 경우
4. 거대아인 경우
5. 자궁경관은 완전히 열리지 않은 경우
6. 다양한 겸자의 종류와 사용법을 잘 몰라서 해를 가져올 수 있는 경우

참고 *Final Check 산과 561 page*

04

성공적인 겸자분만을 위한 최소한의 필요 조건이 아닌 것을 고르시오.

① 머리는 진입되어야 하고 깊숙이 진입될수록 좋다
② 겸자를 사용하기 전에 양막파수를 시행해서는 안 되며 겸자의 날이 머리를 견고히 잡을 수 있도록 해야한다
③ 겸자가 적절하게 머리에 적용되기 위해서는 머리의 태향을 정확히 알아야 한다
④ 자궁경부는 완전히 개대되어야 한다
⑤ 태아는 두정위이거나 안면위여야 한다

04

정답 ②

해설

겸자분만의 필요 조건(ACOG, 2012)

1. 겸자 사용 전에 동의서를 받아야 함
2. 머리-골반 불균형이 없어야 함
3. 태아 머리의 골반 내 완전한 진입
4. 자궁경부의 완전 개대와 양막의 파막
5. 두정위 또는 턱이 전방에 있는 안면위
6. 태아 머리 위치(태향)의 정확한 파악
7. 태아가 응고장애, 골탈회 질환이 없어야 함
8. 방광을 비워야 함
9. 적절한 마취나 진통제를 사용
10. 시술자는 겸자 사용에 필요한 지식과 경험, 숙련된 기술이 있어야 하고, 겸자 사용 시 발생할 수 있는 합병증을 다룰 수 있어야 함

참고 *Final Check 산과 561 page*

05

흡입분만과 겸자분만에 대한 설명으로 잘못된 것을 고르시오.

① 모체의 손상은 겸자분만에서 더 증가한다
② 출혈은 겸자분만에서 더 증가한다
③ 두혈종은 겸자분만에서 더 증가한다
④ 신생아 황달은 흡입분만에서 더 증가한다
⑤ 신생아 망막출혈은 흡입분만에서 더 증가한다

05

정답 ③

흡입분만과 겸자분만의 합병증 비교

1. 겸자분만에서 증가
   a. 모체의 손상, 출혈
   b. 회음부 열상 및 출혈
   c. 신생아 외부 눈손상, 안면신경 손상
2. 흡입분만에서 더 증가
   a. 태아 손상
   b. 신생아 두혈종, 망막출혈
   c. 신생아 황달

참고 *Final Check 산과 565 page*

06

겸자분만의 합병증을 모두 고르시오.

(가) 자궁천공
(나) 산도의 열상
(다) 방광질루
(라) 태아 머리의 열상

① 가, 나, 다
② 가, 다
③ 나, 라
④ 라
⑤ 가, 나, 다, 라

06

정답 ⑤

해설

겸자분만의 합병증

1. 모체측 손상 : 열상, 요실금, 변실금, 골반장기탈출증, 산후 출혈
2. 태아측 손상 : 겸자자국, 신경손상, 눈손상, 두혈종, 두개내출혈, 모상건막하/건막하출혈

참고 *Final Check 산과 561 page*

07

흡입분만의 장점에 대한 설명 중 잘못된 것을 고르시오.

① 공간을 차지하는 겸자 날의 삽입을 피할 수 있다
② 태아 머리에 정확하게 위치시킬 수 있다
③ 산모의 연조직과 부딪히지 않고 태아 머리의 회전이 가능하다
④ 견인하는 동안 두개 내 압력이 많이 가해진다
⑤ 태아 손상이 가해지기 전에 뗄 수 있다

07

정답 ④

해설

흡입분만이 겸자분만에 비해 좋은 점

1. 공간을 차지하는 겸자의 날(blade)이 없음
2. 태아 머리에 정확히 위치할 수 있음
3. 산모의 연조직에 부딪히지 않고 회전 가능
4. 견인 시 두개 내 압력이 낮음
5. 부드러운 컵은 신생아 두피손상을 감소시킴

참고 *Final Check 산과 562 page*

08

승모판협착증을 가지고 있는 임신 37주 산모가 무통마취를 시행하고 분만진통 중이다. 내진상 자궁경부 완전 개대, 하강도 +3이었고, 3시간 후 다시 시행한 내진은 이전과 동일하였다. 이 산모에 대한 다음 처치로 가장 적절한 것을 고르시오.

① 경과관찰하며 분만 지속 ② 무통마취 중지

③ Oxytocin 투여 ④ 흡입분만

⑤ 응급 제왕절개

08

정답 ④

해설

분만진통 제2기의 지연 시 흡입분만의 적응증

1. 미분만부
   a. 부위마취를 했을 때 : ≥3 hrs
   b. 부위마취를 안 했을 때 : ≥2 hrs
2. 다분만부
   a. 부위마취를 했을 때 : ≥2 hrs
   b. 부위마취를 안 했을 때 : ≥1 hr

참고 *Final Check 산과 562 page*

09

임신 40주에 두정위 태아의 흡입분만 시, 컵의 중심을 시상봉합(sagittal suture)의 어느 부위에 부착하는 것이 가장 적절한가?

① Ant. fontanelle 바로 위 ② Ant. fontanelle 3 cm 전방

③ Post. fontanelle 바로 위 ④ Post. fontanelle 3 cm 전방

⑤ Post. fontanelle 3 cm 후방

09

정답 ④

해설

흡입분만 중 흡입기의 위치

1. 흡입기가 작동되지 않는 상태에서 시행
2. 컵의 중앙이 시상봉합과 일치하면서 소천문으로부터 3 cm 전방에 위치하도록 부착

참고 *Final Check 산과 563 page*

10

다음 중 흡입분만 시 흡입기의 적절한 위치를 고르시오.

① 소천문(post. fontanelle) 뒤 3 cm

② 소천문(post. fontanelle) 앞 3 cm

③ 소천문(post. fontanelle)

④ 대천문(ant. fontanelle)

⑤ 대천문(ant. fontanelle) 앞 3 cm

10

정답 ②

해설

흡입분만 중 흡입기의 위치

1. 흡입기가 작동되지 않는 상태에서 시행
2. 컵의 중앙이 시상봉합과 일치하면서 소천문으로부터 3 cm 전방에 위치하도록 부착

참고 *Final Check 산과 563 page*

11

장시간의 질식분만 시도로 산모가 탈진하여 흡입분만을 시도하려고 할 때 불가능한 경우를 모두 고르시오.

(가) 안면위 및 비두정태위
(나) 극도의 미숙아
(다) 태아 혈액응고장애
(라) 거대아

① 가, 나, 다　　② 가, 다
③ 나, 라　　④ 라
⑤ 가, 나, 다, 라

11

정답 ⑤

해설

흡입분만의 금기증

1. 안면위, 비두정태위
2. 극도의 미숙아(임신 34주 미만), 거대아
3. 태아 혈액응고장애
4. 경험 미숙, 태아의 태향을 확인하기 불가능한 경우, 태아 하강도가 높은 경우
5. 최근 두피에서 혈액을 채취한 경우
6. 머리-골반 불균형이 의심스러운 경우

참고 *Final Check 산과 563 page*

12

흡입분만의 금기증을 쓰시오.(3가지)

12

정답

1. 안면위, 비두정태위
2. 극도의 미숙아(임신 34주 미만), 거대아
3. 태아 혈액응고장애
4. 경험 미숙, 태아의 태향을 확인하기 불가능한 경우, 태아 하강도가 높은 경우
5. 최근 두피에서 혈액을 채취한 경우
6. 머리-골반 불균형이 의심스러운 경우

참고 *Final Check 산과 563 page*

CHAPTER 29

제왕절개분만과 산후 자궁절제술 (Cesarean delivery and Peripartum hysterectomy)

01

단태아 임신에서 정규 제왕절개 수술을 시행하는 가장 주산기 이환율(perinatal morbidity)이 낮은 임신 주수는 언제인가?

① 임신 36주 0일 ~ 36주 6일

② 임신 37주 0일 ~ 37주 6일

③ 임신 38주 0일 ~ 38주 6일

④ 임신 39주 0일 ~ 39주 6일

⑤ 임신 40주 0일 ~ 40주 6일

01

정답 ④

해설

임산부가 원하여 시행하는 제왕절개술(CDMR)

1. 태아 폐성숙이 확인되지 않는 한 선택 제왕절개는 임신 39주 전에 시행하지 않음
2. 반드시 임산부와 보호자에게 다음 임신 시 자궁파열, 반복 제왕절개에 따른 합병증, 전치태반과 유착태반의 위험성이 증가함을 설명
3. 여러 명의 자녀를 원하는 경우 전치태반, 유착태반의 위험 때문에 피함
4. 효과적인 통증 조절을 할 수 없어서 제왕절개술을 시행하면 안 됨

참고 *Final Check 산과 568 page*

02

다음 중 제왕절개술의 봉합 시 반드시 봉합해야 하는 구조물을 고르시오.

① 피하지방층(subcutaneous tissue)

② 복직근(rectus abdominis muscle)

③ 근막(fascia)

④ 복막(peritoneum)

⑤ 자궁장막(uterine serosa)

02

정답 ③

해설

근막(Fascia)

1. 수술 시 반드시 봉합해야 하는 구조물
2. 0 Vicryl 같은 지연흡수사로 연속비잠금봉합
3. 감염 위험이 높은 경우 monofilament 봉합사를 이용

참고 *Final Check 산과 574 page*

03

다음 중 제왕절개술 시 권장 사항을 고르시오.

① 자궁의 수직절개

② 복강 내 세척

③ 피하지방층의 배액관 설치

④ 수술 중 자궁경부 개대

⑤ 태반의 자연 만출을 기다림

04

다음 중 제왕절개술 시 예방적 항생제의 적절한 투여 시점을 고르시오.

① 수술 하루 전

② 수술 시작 전 60분 이내

③ 탯줄 결찰 직후

④ 태반 만출 직후

⑤ 피부 봉합 직후

03

정답 ⑤

해설

태반 만출 및 자궁내부 확인

1. 탯줄에 일정한 힘을 가하며 자발적 태반 분만을 기다림(산후 자궁내막염의 위험 감소)
2. 태아 분만 후 빨리 자궁저부 마사지를 하면 출혈이 줄고, 태반의 분만이 촉진
3. 태반 분만 후 자궁 안을 살피고 남아있는 막이나 태지, 핏덩어리 등을 제거

참고 *Final Check 산과 572 page*

04

정답 ②

해설

제왕절개술의 예방적 항생제

1. 투여 시기 : 수술 시작 전 60분 이내
2. Cefazolin or Ampicillin, 1 g, 1회, 정맥 투여
   a. 비만 여성(BMI >40)에게는 2 g을 투여
   b. 실혈이 1,500 mL 이상이거나 수술이 3시간 이상 길어지면 1회 더 투여

참고 *Final Check 산과 568 page*

05

다음 primary cesarean delivery의 적응증들 중에서 빈도가 가장 높은 것은 무엇인가?

① 난산(dystocia)

② 비정상 태위(abnormal presentation)

③ 태아곤란증(fetal distress)

④ 머리-골반 불균형(cephalopelvic disproportion)

⑤ 다태아 임신(multifetal pregnancy)

05

정답 ①

해설

제왕절개술의 적응증

1. 가장 흔한 적응증
   a. 이전 제왕절개 : 반복 제왕절개의 1st 원인
   b. 난산(dystocia) : 초회 제왕절개의 1st 원인
   c. 태아의 위치 이상 : 둔위 혹은 횡위
   d. 태아곤란증(fetal distress)
2. 그 밖의 적응증
   a. 자궁근종 제거술 같은 자궁수술의 과거력
   b. 전치태반(placenta previa)
   c. 태아의 안녕이 위협받는 경우 : 탯줄 탈출, HIV 산모, 활동성 생식기 헤르페스

참고 *Final Check 산과 568 page*

06

다음 중 만삭 임신에서 제왕절개술의 적응증을 모두 고르시오.

(가) 족위(footling breech)
(나) 대각 결합선(diagonal conjugate) 9.5 cm
(다) 태아곤란증(fetal distress)
(라) 조기양막파수(premature rupture of membranes)

① 가, 나, 다　　② 가, 다

③ 나, 라　　④ 라

⑤ 가, 나, 다, 라

06

정답 ①

해설

제왕절개술의 적응증

1. 가장 흔한 적응증
   a. 이전 제왕절개 : 반복 제왕절개의 1st 원인
   b. 난산(dystocia) : 초회 제왕절개의 1st 원인
   c. 태아의 위치 이상 : 둔위 혹은 횡위
   d. 태아곤란증(fetal distress)
2. 그 밖의 적응증
   a. 자궁근종 제거술 같은 자궁수술의 과거력
   b. 전치태반(placenta previa)
   c. 태아의 안녕이 위협받는 경우 : 탯줄 탈출, HIV 산모, 활동성 생식기 헤르페스

참고 *Final Check 산과 568 page*

07

임신 39주 산모가 분만진통을 주소로 입원하였고, 내진상 자궁경부는 5 cm 개대되었다. 이 시기에 제왕절개술을 반드시 시행해야 하는 경우를 모두 고르시오.

(가) 아두-골반 불균형
(나) 둔위
(다) 태아곤란증
(라) 이전 제왕절개술 과거력

① 가, 나, 다　② 가, 다
③ 나, 라　④ 라
⑤ 가, 나, 다, 라

08

최근 제왕절개 분만이 증가하는 이유를 쓰시오.(3가지)

07

정답 ⑤

해설

제왕절개술의 적응증

1. 가장 흔한 적응증
   a. 이전 제왕절개 : 반복 제왕절개의 1st 원인
   b. 난산(dystocia) : 초회 제왕절개의 1st 원인
   c. 태아의 위치 이상 : 둔위 혹은 횡위
   d. 태아곤란증(fetal distress)
2. 그 밖의 적응증
   a. 자궁근종 제거술 같은 자궁수술의 과거력
   b. 전치태반(placenta previa)
   c. 태아의 안녕이 위협받는 경우 : 탯줄 탈출, HIV 산모, 활동성 생식기 헤르페스

참고 *Final Check 산과 568 page*

08

정답

1. 출산 연령의 고령화
2. 분만 횟수의 감소에 따른 미분만부(nullipara)의 증가
3. 유도 분만의 증가
4. 비만 여성의 증가
5. 대부분의 둔위(breech)를 제왕절개술로 분만
6. 겸자분만과 흡입분만의 감소
7. 전자태아감시의 보편화로 태아곤란증의 진단 증가 및 태아심박 이상에 민감하게 반응
8. 의료소송에 대한 걱정으로 제왕절개 분만 증가

참고 *Final Check 산과 567 page*

09

임신 35주 산모가 다량의 질 출혈을 주소로 응급실로 내원하였다. 초음파 검사 결과 태아는 횡위로 등이 아래쪽을 향하고 있었고, 태반은 자궁의 앞쪽 벽에 위치하여 자궁경부를 완전히 덮고 있었다. 이 산모의 제왕절개술 시 적합한 자궁절개법은 무엇인가?

① Low transverse incision

② Low vertical incision

③ J shape incision

④ Inverted T shape incision

⑤ Classic incision

09

정답 ⑤

해설

고전적 절개(classical incision)의 적응증

1. 자궁하부의 노출이 어려운 경우
   a. 침윤성 자궁경부 상피암
   b. 자궁하부에 위치한 자궁근종
   c. 이전의 수술로 방광이 심하게 유착된 경우
   d. 심한 산모의 비만으로 인하여 자궁하부에 절개를 넣기 어려운 경우
2. 태아 쪽 원인
   a. 큰 태아가 횡위로 있는 경우(특히 양막파수가 있고 어깨가 산도를 막고 있을 때, 태아 등쪽이 아래로 향하고 있을 때)
   b. 태반이 자궁 전면에 위치한 전치태반(특히 placenta accreta)과 동반된 경우
   c. 태아가 매우 작고(특히 둔위인 경우) 자궁하부가 아직 얇아지지 않은 경우

참고 *Final Check 산과 571 page*

10

임신 38주인 28세 다분만부가 5분 간격의 규칙적인 진통을 주소로 내원하였다. 산모는 첫 아이를 고전적 절개로 분만하였고, 산전 검사상 특이소견은 없었다. 태아예상체중은 3 kg, 자궁경부 3 cm 개대, 70% 소실을 확인하였다면 이 산모에게 가장 적절한 조치는 무엇인가?

① 응급 제왕절개술을 시행한다

② 인공 양막파수 후 oxytocin을 사용한다

③ 양수천자로 태아 폐성숙 여부를 확인한 후 분만한다

④ 자궁수축억제제를 사용하여 1주일 후 질식분만 한다

⑤ Dexamethasone을 투여하면서 1주일 후 제왕절개술로 분만한다

10

정답 ①

해설

고전적 절개(classical incision)의 단점

1. 방광의 박리가 필요 없고 복막을 봉합하지 않으나 유착이 더 심함
2. 상부의 두꺼운 근육층으로 절개의 봉합은 어렵고 출혈량이 많음
3. 다음 임신 시 자궁파열의 위험성이 증가하므로 제왕절개를 해야 함

참고 *Final Check 산과 571 page*

11

자궁하부 가로절개(low transverse incision)의 장점을 모두 고르시오.

(가) 봉합이 쉽다
(나) 출혈이 적다
(다) 자궁파열의 위험이 적다
(라) 유착이 적다

① 가, 나, 다 ② 가, 다
③ 나, 라 ④ 라
⑤ 가, 나, 다, 라

12

제왕절개 시 자궁하부 가로절개(low transverse incision)와 자궁하부 수직절개(low vertical incision)를 비교한 설명으로 옳은 것을 모두 고르시오.

(가) 가로절개에서 방광 박리를 적게 한다
(나) 수직절개에서 자궁경부 및 질 열상의 빈도가 증가한다
(다) 수직절개에서 다음 임신의 분만진통 시 자궁파열의 빈도가 더 높다
(라) 가로절개에서 만약 옆으로 확장되는 경우 자궁 혈관의 손상 빈도가 더 높다

① 가, 나, 다 ② 가, 다
③ 나, 라 ④ 라
⑤ 가, 나, 다, 라

11

정답 ⑤

해설

자궁 하절부에 횡절개의 장점

1. 자궁하부는 얇기 때문에 봉합이 쉽고 출혈량이 적음
2. 수축하지 않는 부위여서 다음 임신 시 자궁파열의 가능성이 적음
3. 장과 장간막의 유착이 적음

참고 *Final Check 산과 570 page*

12

정답 ⑤

해설

자궁하부 가로절개(Low transverse incision)

1. 장점
   a. 자궁하부는 얇아 봉합이 쉽고 출혈이 적음
   b. 수축하지 않는 부위여서 다음 임신 시 자궁파열의 가능성이 적음
   c. 장과 장간막의 유착이 적음
2. 주의할 점
   a. 절개를 옆으로 너무 확장하면 외측단의 자궁혈관을 손상시켜 심한 출혈 유발
   b. 더 많은 공간 필요 시 자궁절개선의 중앙에서 상부로 절개를 시행(inverted T incision)

참고 *Final Check 산과 570 page*

13

임신 35주 산모가 물 같은 질 분비물을 주소로 내원하였다. 나이트라진 검사 상 양성으로 확인되고, 자궁경부 개대 및 소실은 없었으며 초음파 검사에서 양수지수는 9 cm, 체위는 족위로 확인되었다. 다음 중 이 산모에게 적합한 치료는 무엇인가?

① 항생제 ② 양수주입술
③ 외회전술 ④ 유도 분만
⑤ 제왕절개술

13

정답 ⑤

해설

제왕절개술의 적응증

1. 가장 흔한 적응증
   a. 이전 제왕절개 : 반복 제왕절개의 1st 원인
   b. 난산(dystocia) : 초회 제왕절개의 1st 원인
   c. 태아의 위치 이상 : 둔위 혹은 횡위
   d. 태아곤란증(fetal distress)
2. 그 밖의 적응증
   a. 자궁근종 제거술 같은 자궁수술의 과거력
   b. 전치태반(placenta previa)
   c. 태아의 안녕이 위협받는 경우 : 탯줄 탈출, HIV 산모, 활동성 생식기 헤르페스

참고 *Final Check 산과 568 page*

14

32세 산모가 제왕절개 수술 후 갑자기 가슴통증, 호흡곤란을 호소한다면 가장 먼저 시행해야 할 검사는 무엇인가?

① X-ray ② MRI
③ Compression USG ④ Angiography
⑤ Spiral CT

14

정답 ①

해설

수술 후 활력 증후 확인

1. 처음 4시간 동안은 1시간마다 확인
2. 이후로는 4시간 간격으로 확인
3. 혈압, 맥박, 체온 이외에도 자궁의 수축 정도, 소변량, 질 출혈량도 검사
4. 폐색전증(pulmonary embolism) : 빈맥, 빈호흡, 흉통, 발한 등의 소견이 동반

참고 *Final Check 산과 577 page*

15

다음 중 제왕자궁절제술의 적응증을 모두 고르시오.

(가) 심한 자궁내감염
(나) 자궁동맥 및 정맥의 손상
(다) 자궁수축제에 반응하지 않는 자궁이완증
(라) 매우 큰 자궁근종이 동반된 경우

① 가, 나, 다
② 가, 다
③ 나, 라
④ 라
⑤ 가, 나, 다, 라

정답 ⑤

해설

산후 자궁절제술의 적응증

1. 유착태반, 자궁이완증 : 가장 흔한 원인
2. 기타 : 자궁파열, 자궁혈관 열상, 자궁근종, 자궁내감염, 자궁경부암 등

참고 *Final Check 산과 577 page*

CHAPTER 30

선행 제왕절개분만(Prior cesarean delivery)

01

출산력 1-0-2-1인 27세 산모가 임신 39주에 외래로 내원하였다. 산모는 3년 전에 제왕절개로 첫째를 분만을 하였고, 이번에는 질식분만을 하고 싶다고 하였다. 다음 중 고려해야 할 사항들을 모두 고르시오.

(가) 이전 수술 방법에 대한 기록 확인
(나) 양수천자로 태아 폐성숙 확인
(다) 태아예상체중의 측정
(라) 자궁경부 세균배양검사 확인

① 가, 나, 다 ② 가, 다
③ 나, 라 ④ 라
⑤ 가, 나, 다, 라

01

정답 ②

해설

제왕절개술 후 질식분만의 고려 사항

1. 이전의 자궁절개
2. 이전의 자궁파열
3. 분만 사이의 간격
4. 질식분만의 과거력
5. 선행 제왕절개술의 적응증
6. 태아의 크기
7. 다태아 임신
8. 산모의 비만
9. 시행 시기 : 임신 39주 이후

참고 *Final Check 산과 580 page*

02

제왕절개술 후 질식분만(VBAC)의 성공률에 영향을 주는 인자 중 저위험 요인을 쓰시오.(4가지)

03

다음 중 제왕절개술 후 질식분만(VBAC)을 시도할 수 없는 경우를 모두 고르시오.

(가) 이전의 고전적 절개
(나) 이전의 자궁경부 수술
(다) 이전 자궁파열
(라) 이전 자궁하부 가로절개 1회

① 가, 나, 다
② 가, 다
③ 나, 라
④ 라
⑤ 가, 나, 다, 라

02

정답

1. 가로절개(transverse incision)
2. 질식분만의 과거력
3. 적절한 상담
4. 충분한 인력 및 지원의 준비

참고 *Final Check 산과 579 page*

03

정답 ②

해설

제왕절개술 후 질식분만의 고위험 요인

1. 고전적 or T형 절개(Classical or T incision)
2. 이전 자궁파열
3. 자궁저부 수술(transfundal surgery)
4. 질식분만 금기증(e.g. : 전치태반)
5. 환자의 거부
6. 불충분한 인력 및 지원의 준비

참고 *Final Check 산과 579 page*

04

제왕절개술 후 질식분만(VBAC)의 고위험 요인을 쓰시오. (3가지)

05

제왕절개술 후 질식분만(VBAC)에 대한 내용으로 옳은 것을 고르시오.

① 2회의 이전 자궁하부 가로절개 과거력이 있어도 시도 가능하다

② 자궁저부의 자궁근종절제술 과거력이 있어도 가능하다

③ 이전 분만과의 간격은 예후에 영향을 주지 않는다

④ 이전 제왕절개의 적응증이 난산인 경우 둔위인 경우보다 예후가 좋지 않다

⑤ 유도분만 시 프로스타글란딘의 사용은 금기증에 해당한다

04

정답

1. 고전적 or T형 절개(Classical or T incision)
2. 이전 자궁파열
3. 자궁저부 수술(transfundal surgery)
4. 질식분만 금기증
5. 환자의 거부
6. 불충분한 인력 및 지원의 준비

참고 *Final Check 산과 579 page*

05

정답 ④

해설

1. 이전 제왕절개 : 1회와 2회의 차이는 없음
2. 자궁저부의 수술을 받은 경우는 고위험군
3. 분만 사이의 간격은 6개월 이상이어야 함
4. PGE_1은 금기, PGE_2는 조심스럽게 사용 가능

참고 *Final Check 산과 580, 582, 583 page*

06

선행 제왕절개의 과거력이 있는 산모가 질식분만을 시도하던 중 자궁이 파열되었다. 이 때 가장 흔히 발견되는 소견은 무엇인가?

① 자궁수축의 소실

② 태아 선진부의 상승

③ 복부 압통

④ 허혈성 쇼크

⑤ 태아 심장박동수 이상

06

정답 ⑤

해설

태아 심장박동수 이상

1. 자궁파열의 진단에 가장 중요한 소견
2. 확인할 수 있는 태아 심장박동수 이상 소견
   a. 갑작스러운 다양성 태아심장박동수감소(variable deceleration) : 가장 흔한 소견
   b. 늦은 태아심장박동수감소(late deceleration)
   c. 태아 서맥(bradycardia)
   d. 태아의 심박동의 소실

참고 *Final Check 산과 583 page*

CHAPTER 31

신생아(The newborn)

01

분만 시 신생아의 처치 순서로 옳은 것을 고르시오.

(가) 청진기로 태아의 심박수와 호흡수를 측정한다
(나) 부드러운 수건으로 몸의 물기를 닦아낸다
(다) Bulb suction으로 코와 입의 이물질을 제거한다
(라) 등을 문지르거나 발바닥을 자극하여 울게 한다

① (나) - (라) - (다) - (가)
② (라) - (다) - (나) - (가)
③ (라) - (다) - (가) - (나)
④ (다) - (나) - (라) - (가)
⑤ (나) - (다) - (라) - (가)

01

정답 ④

해설

분만 시 신생아의 처치

1. 머리 분만 즉시 얼굴을 닦고 입과 코를 흡인
2. 탯줄을 자른 즉시 머리를 낮춘 자세로 눕힘
3. 보온기에서 보온해주고 몸을 닦아줌
4. 호흡이 불규칙한 경우
   a. 기도 분비물을 흡인
   b. 발바닥을 때리거나 등을 문질러 호흡 자극
   c. 지속적 호흡 불규칙 시 적극적 소생술 시행

참고 *Final Check 산과 588 page*

02

임신 35주에 제왕절개로 분만한 신생아를 온열기에 눕히고 코와 입을 흡인한 후 피부를 잘 닦고 등을 문질러 주었다. 다음으로 확인할 것은 무엇인가?

① 체온 ② 혈압
③ 심박수 ④ 동공 빛 반사
⑤ 모로 반사

02

정답 ③

해설

양압 환기의 적응증

1. 첫 처치 완료 후 시행한 평가에서 호흡하지 않는 경우
2. 헐떡 호흡을 하고 있는 경우
3. 아기의 심박동수가 분당 100회 미만인 경우

참고 *Final Check 산과 589 page*

03

신생아 소생술 중 기관내삽관이 필요한 경우를 모두 고르시오.

(가) 이물질 제거를 위한 기관 내 흡인(tracheal suction)이 필요한 경우
(나) 마스크 환기법(mask ventilation)으로 효과가 없는 경우
(다) 양압 환기요법(positive pressure ventilation)이 필요한 경우
(라) 횡격막 탈장(diaphragmatic hernia)이 의심되는 경우

① 가, 나, 다 ② 가, 다
③ 나, 라 ④ 라
⑤ 가, 나, 다, 라

03

정답 ⑤

해설

신생아 기관내삽관의 적응증

1. 지속적인 양압 환기요법이 필요한 경우
2. Bag이나 mask 환기가 효과 없는 경우
3. 기관 내 흡인이 필요한 경우
4. 횡격막 탈장이 의심되는 경우

참고 *Final Check 산과 589 page*

04

임신 39주인 초산모가 3,250 g 여아를 질식분만 하였다. 분만 시 양수의 태변 착색은 없었고, 심박동수는 분당 90회 정도였으며, 태아는 발바닥을 때리거나 등을 문질러도 1분간 호흡이 없었다. 다음 중 이 태아의 다음 처치로 가장 적절한 것을 고르시오.

① 기관 내 흡인
② 강한 신체자극
③ 양압 환기요법
④ 심장 마사지
⑤ 에페드린 투여

04

정답 ③

해설

양압 환기의 적응증

1. 첫 처치 완료 후 시행한 평가에서 호흡하지 않는 경우
2. 헐떡 호흡을 하고 있는 경우
3. 아기의 심박동수가 분당 100회 미만인 경우

참고 *Final Check 산과 589 page*

05

임신 39주 산모에서 태어난 신생아가 질식분만 후 2분간 호흡이 없었고, 심박수는 분당 80~90회, 자극에 얼굴을 약간 찡그리는 정도의 반응을 보였다. 이 신생아의 다음 처치로 가장 적절한 것을 고르시오.

① 수분 닦고 체온 유지한다
② 부드럽게 발바닥, 등을 두드린다
③ 양압 환기를 한다
④ 심장 마사지를 한다
⑤ 주의 깊게 지켜본다

05

정답 ③

해설

양압 환기의 적응증

1. 첫 처치 완료 후 시행한 평가에서 호흡하지 않는 경우
2. 헐떡 호흡을 하고 있는 경우
3. 아기의 심박동수가 분당 100회 미만인 경우

참고 *Final Check 산과 589 page*

06

다음 중 태아의 산혈증(acidemia)을 가장 잘 반영하는 소견을 고르시오.

① 탯줄동맥 pH가 7.0인 대사성 산혈증

② 탯줄동맥 pH가 7.0인 호흡성 산혈증

③ 탯줄동맥 PO_2가 15 mmHg

④ 탯줄동맥 PCO_2가 52 mmHg

⑤ 태아 빈맥 >140회/min

07

신생아의 생리적 황달에 대한 설명 중 맞는 것은 무엇인가?

① 신생아의 90% 이상에서 발생한다

② 출생 후 1~2주 후 발생한다

③ Total bilirubin이 15 mg/dL를 넘는 경우가 흔하다

④ 미숙아보다 과숙아에서 흔하다

⑤ 증가하는 bilirubin의 대부분은 unconjugated form이다

06

정답 ①

해설

신생아 대사성 산혈증(metabolic acidemia)

1. 정의(ACOG, 2014) : 탯줄동맥의 산도(pH) <7.0, 염기결핍(base deficit) ≥12 mmol/L
2. 심한 대사성 산혈증을 보인 만삭아에서 신경학적 기능 이상의 예측은 어려움
3. 1,000 g 미만의 미숙아에서 나타난 산-염기 불균형은 뇌실 내 출혈 및 장기적인 신경학적 예후와 연관이 있을 수 있음

참고 *Final Check 산과 592 page*

07

정답 ⑤

해설

신생아 고빌리루빈혈증(Hyperbilirubinemia)

1. 생후 2~5일 경 신생아의 1/3에서 생리적 황달이 발생
2. 간세포의 미성숙으로 비결합빌리루빈(unconjugated bilirubin)이 증가하고 담즙으로 배출이 안되어 발생
3. 미숙아에서 기간도 더 길고 황달도 더 심함
4. 신생아의 나이와 혈중 빌리루빈 농도에 따라 치료법을 선택

참고 *Final Check 산과 595 page*

CHAPTER 32

신생아의 질환 및 손상
(Diseases and Injuries of the Newborn)

01

신생아 저산소성허혈뇌병증(hypoxic ischemic encephalopathy, HIE)을 초래하는 분만 전, 후 그리고 분만 시 소견들(ACOG, 2014)을 쓰시오.(3가지)

01

정답

1. 아프가 점수 : 5분과 10분에 <5점
2. 탯줄동맥혈 산증 : 산도(pH) <7.0 그리고/혹은 염기결핍(base deficit) ≥12 mmol/L
3. 급성 뇌손상을 시사하는 영상 : 저산소성 허혈성 뇌병증에 합당한 MR 혹은 MRS
4. 저산소성 허혈성 뇌병증에 합당한 다발성 장기 손상

참고 *Final Check 산과 599 page*

02

정상 질식분만으로 태어난 신생아에서 신경학적 장애 발생 시 그 원인이 분만 동안 일어난 저산소 혹은 허혈로 연관 지을 수 있기 위해서는 진단 기준을 만족시켜야 한다. 다음 중 이 진단 기준에 속하지 않는 것은 무엇인가?

① Plain X-ray 상 태아 두개골 골질 판칠

② pH <7.0

③ 아프가 점수가 0~3점 사이로 5분 이상 지속

④ 경련, 혼수, 근긴장 저하 등의 증상

⑤ 여러 장기의 기능 부전

02

정답 ①

해설

신생아 저산소성허혈뇌병증(HIE)을 초래하는 소견들
– 아프가 점수 : 5분과 10분에 <5점 – 탯줄동맥혈 : pH <7.0 ± base deficit ≥12 mmol/L – 급성 뇌손상을 시사하는 영상 : 저산소성 허혈성 뇌병증에 합당한 MR 혹은 MRS – 저산소성 허혈성 뇌병증에 합당한 다발성 장기손상

참고 *Final Check 산과 599 page*

03

뇌성 마비의 원인이 분만과정 중 발생했다는 기준을 모두 고르시오.

(가) 초기 영상검사 결과 급성 국소적 대뇌이상 소견
(나) 탯줄동맥 검사상 pH <7.0, Base deficit ≥12 mmol/L
(다) 생후 72시간 이후의 다발성 장기기능부전
(라) 강직성 사지마비(spastic quadriplegia) 형태의 뇌성마비

① 가, 나, 다
② 가, 다
③ 나, 라
④ 라
⑤ 가, 나, 다, 라

03

정답 ③

해설

신생아 저산소성허혈뇌병증(HIE)을 초래하는 소견들
– 아프가 점수 : 5분과 10분에 <5점 – 탯줄동맥혈 : pH <7.0 ± base deficit ≥12 mmol/L – 급성 뇌손상을 시사하는 영상 : 저산소성 허혈성 뇌병증에 합당한 MR 혹은 MRS – 저산소성 허혈성 뇌병증에 합당한 다발성 장기손상

참고 *Final Check 산과 599 page*

04

다음 중 신생아 급성 뇌손상의 진단에 가장 좋은 검사법을 고르시오.

① Electroencephalogram(EEG)
② Ultrasonography
③ Brain CT
④ Brain MRI
⑤ Cerebral angiography

04

정답 ④

해설

영상 검사

1. MRI, MRS : HIE 진단의 시각화에 최고의 방법
2. 두부초음파, CT는 만삭아에게서 낮은 민감도
3. 생후 첫 24시간 이후에서 정상 MRI나 MRS 결과는 뇌병변의 원인으로 저산소성 허혈을 배제하는 데에 효과적
4. 생후 24~96시간 사이의 MRI는 주산기 뇌손상 시기에 대하여 더 민감
5. 출생 후 7~21일의 MRI는 뇌손상 정도를 판단할 수 있는 가장 좋은 방법

참고 *Final Check 산과 599 page*

05

태아가 자궁에서 태변을 배출하는 기전을 쓰시오.(3가지)

05

정답

1. 저산소증으로 인한 항문괄약근 이완
2. 탯줄 눌림에 의한 미주신경 자극
3. 위장관운동의 미성숙

참고 *Final Check 산과 598 page*

06

진한 양수 내 태변 착색을 보이는 산모가 분만 중이다. 다음 중 이 산모의 분만에서 태아의 입과 코를 흡인해줘야 하는 시기를 고르시오.

① 어깨가 나오기 전 ② 가슴이 나온 후

③ 엉덩이가 나온 후 ④ 완전히 분만된 후

⑤ 시기에 따른 차이가 없음

06

정답 ⑤

해설

양수 내 태변 착색 시 처치

1. 분만 중 흡인(intrapartum suctioning)
   a. 과거에는 분만 시 신생아의 어깨분만 전 입과 코의 흡입물을 흡입하는 방법이 권장
   b. 현재 이러한 분만 중 흡인이 태변흡인증후군의 발생을 예방할 수 없음을 확인
2. 진통 중 양수주입술(amnioinfusion)
   a. 태변을 희석시켜 태변흡인증후군의 위험도를 감소시키려는 시도
   b. 진통 중 양수주입술은 태변흡입증후군의 빈도 및 주산기 사망률을 감소시키지 못함

참고 *Final Check 산과 598 page*

07

임신 43주 초임부가 5분 간격의 진통과 양막파수로 내원하였다. 내진 시 자궁경부 1 cm 개대, 25% 소실, 태아 선진부 하강도 −2였으며 태변이 진하게 착색된 소견을 보였다. 향후 분만 과정 동안의 처치로 가장 적절한 것을 고르시오.

① Hypotonic dysfunction labor시 oxytocin

② Hypotonic dysfunction labor시 진정 진통제 투여

③ 태아 머리 분만 후 즉시 후두 흡인

④ 태아가 완전히 분만 된 후 즉시 ventilator 사용

⑤ 큰 차이는 없음

07

정답 ⑤

해설

양수 내 태변 착색 시 처치

1. 분만 중 흡인(intrapartum suctioning)
   a. 과거에는 분만 시 신생아의 어깨분만 전 입과 코의 흡입물을 흡입하는 방법이 권장
   b. 현재 이러한 분만 중 흡인이 태변흡인증후군의 발생을 예방할 수 없음을 확인
2. 진통 중 양수주입술(amnioinfusion)
   a. 태변을 희석시켜 태변흡인증후군의 위험도를 감소시키려는 시도
   b. 진통 중 양수주입술은 태변흡입증후군의 빈도 및 주산기 사망률을 감소시키지 못함

참고 *Final Check 산과 598 page*

08

다음 그림에서 화살표 표시된 것의 명칭은 무엇인가?

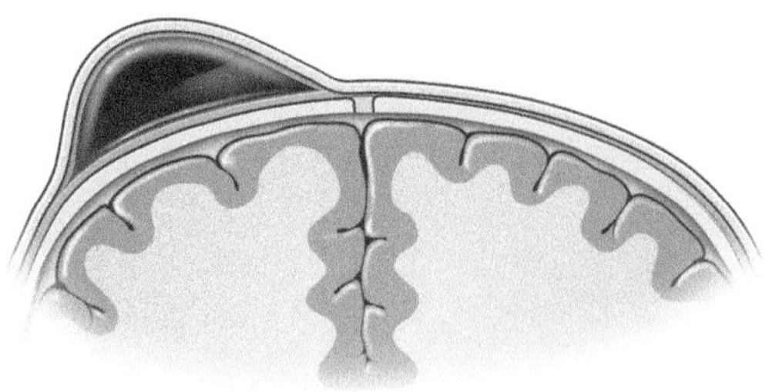

① Transient ischemic attack ② Subdural hemorrhage
③ Caput succedaneum ④ Cephalohematoma
⑤ Epidural hemorrhage

08
정답 ④
해설
두혈종(Cephalohematoma)
1. 전체 출산아의 0.4~2.5%에서 발생
2. 두개골과 골막 사이의 혈관이 파열되면서 혈액이나 혈청이 고인 상태
3. 측두골(parietal bones) 부위에 호발
4. 출혈은 한 개의 두개골에 국한되므로 봉합선을 넘지 않음

참고 *Final Check 산과 606 page*

09

다음 중 태아의 폐 성숙을 증가시키는 상황을 고르시오.

① 임신성 당뇨 ② 갑상샘기능항진증
③ 갑상샘기능저하증 ④ 조기진통
⑤ 매독

09
정답 ②
해설
태아의 폐 성숙을 증가시키는 상황
1. 임신성 고혈압(gestational hypertension)
2. 갑상샘기능항진증(hyperthyroidism)
3. 태반경색(placental infarction)
4. 융모양막염(chorioamnionitis)
5. 조기양막파수(PROM)

참고 *Final Check 산과 610 page*

10

산모의 질환과 태아에게 미치는 영향이 올바르지 않은 것을 고르시오.

	산모의 질환	태아에 대한 영향
①	임신성 당뇨	과체중아
②	임신성 고혈압	신생아 호흡곤란증후군
③	특발성 혈소판감소증	혈소판감소증
④	임신성 고혈압	자궁 내 태아성장제한
⑤	중증근무력증	일과성 신생아 근무력증

10
정답 ②
해설
태아의 폐 성숙을 증가시키는 상황
1. 임신성 고혈압(gestational hypertension)
2. 갑상샘기능항진증(hyperthyroidism)
3. 태반경색(placental infarction)
4. 융모양막염(chorioamnionitis)
5. 조기양막파수(PROM)

참고 *Final Check 산과 610 page*

CHAPTER 33

사산(Stillbirth)

01

다음 중 사산의 원인을 모두 고르시오.

(가) 염색체 이상
(나) 목덜미 탯줄
(다) 태아 감염
(라) 태반조기박리

① 가, 나, 다
② 가, 다
③ 나, 라
④ 라
⑤ 가, 나, 다, 라

01

정답 ⑤

해설

사산의 원인

태아의 원인	– 염색체 이상, 기형, 대사장애, 유전질환 – 태아성장제한 – 과숙아	– 태아 용혈성질환 – 감염 – 다태아
모체의 원인	– 사회경제적 빈곤 – 비만, 흡연, 외상 – 고령, 10대 산모 – 사산, 조산, 태아성장제한의 과거력	– 내과적 질환 : 당뇨, 고혈압성질환, 루프스, 신장질환 – 담즙정체, 항인지질증후군, 혈전성향증, 혈액질환, 기타면역질환 – 보조생식술 임신
태반, 탯줄의 원인	– 태반경색, 혈전 – 전치태반 – 태반조기박리 – 융모막혈관종 – 양막염	– 조기양막파수 – 탯줄 합병증 : 탯줄염, 탯줄양막부착, 진짜 매듭, 목덜미 탯줄, 탯줄 탈출, 탯줄 꼬임, 혈전증

참고 *Final Check 산과 622 page*

02

임신 38주인 32세 다분만부가 태동이 느껴지지 않음을 주소로 내원하였다. 시행한 초음파 검사상 태아는 둔위, 예상체중 3.1 kg으로 확인되었으나 심장 박동이 관찰되지 않았다. 이 산모의 다음 처치로 가장 적절한 것을 고르시오.

① 추적 관찰
② 비수축검사
③ 유도분만
④ 제왕절개
⑤ 양수주입술

02

정답 ③

해설

사산의 분만 방법

1. 일반적으로 자연 진통이 2주 이내에 나타남
2. 임신 28주 이전 : 유도 분만 시도
   a. 질 내 misoprostol 사용
   b. 고농도 oxytocin 주입
3. 임신 28주 이후에는 통상적인 유도 분만 방법에 따라 분만을 시도

참고 *Final Check 산과 624 page*

03

임신 34주인 다분만부가 내원 전일부터 태동이 잘 느껴지지 않음을 주소로 내원하였다. 시행한 초음파 검사상 태아는 두위였으나 심장 박동이 관찰되지 않았다. 산모는 첫 아이를 3년 전 만삭에 질식분만 하였고, 특별한 과거 수술력은 없었다. 혈압 100/70 mmHg, 심박수 80회/min., 체온 36.7℃, 혈액검사 결과 특이소견은 없었다면 이 산모에게 가장 적절한 처치를 고르시오.

① 분만 예정일까지 경과관찰 ② 스테로이드 투여
③ 저용량 아스피린 투여 ④ 유도분만
⑤ 제왕절개분만

03
정답 ④
해설
사산의 분만 방법
1. 일반적으로 자연 진통이 2주 이내에 나타남
2. 임신 28주 이전 : 유도 분만 시도
 a. 질 내 misoprostol 사용
 b. 고농도 oxytocin 주입
3. 임신 28주 이후에는 통상적인 유도 분만 방법에 따라 분만을 시도

참고 *Final Check 산과 624 page*

04

사산의 처치와 예후에 관한 설명으로 옳은 것을 고르시오.

① 일반적으로 자연적인 진통이 2주 이내에 나타난다
② 태아 사망 직후부터 fibrinogen 보충이 필요하다
③ 자궁절제술을 시행할 경우 수술 직전에 헤파린을 투여한다
④ 태아 사망 직후 옥시토신으로 유도 분만할 경우 혈액응고장애 위험이 높아진다
⑤ 다태 임신에서 한 태아가 사망한 경우 단태 임신에 비해 혈액응고장애 빈도가 증가한다

04
정답 ①
해설
사산의 분만 방법
1. 일반적으로 자연 진통이 2주 이내에 나타남
2. 임신 28주 이전 : 유도 분만 시도
 a. 질 내 misoprostol 사용
 b. 고농도 oxytocin 주입
3. 임신 28주 이후에는 통상적인 유도 분만 방법에 따라 분만을 시도

참고 *Final Check 산과 624 page*

05

사산을 확인하는 가장 정확도가 높은 방법을 고르시오.

① 몇 주간의 변화 없는 자궁 크기 ② 혈중 hCG의 감소
③ 초음파 검사 ④ X-ray 검사
⑤ 태동의 소실

05
정답 ③
해설
태아 사망(Fetal death)
1. 임신 종결을 위한 인위적인 유도분만의 경우를 제외하고 태아가 분만 되었을 때 호흡과 심박동이 없고 탯줄에서 맥동이 없거나 자의적인 근육의 확실한 움직임이 없는 경우
2. 초음파상 태아 심박동의 소실(가장 정확한 진단 방법)

참고 *Final Check 산과 621, 623 page*

CHAPTER 34

산욕기(The Puerperium)

01

다음 중 분만 후 언제까지의 기간이 산욕기에 해당하는지 고르시오.

① 1주　② 3주
③ 6주　④ 9주
⑤ 12주

01

정답 ③

해설

산욕기(Puerperium)의 정의

1. 분만으로 인한 상처가 완전히 낫고, 자궁이 평상시 상태가 되며, 신체 각 기관이 임신 전 상태로 회복되기까지의 기간
2. 대개 분만 후 4~6주간

참고 *Final Check 산과 627 page*

02

분만 후 자궁이 골반 내로 복귀하는 시기는 언제인가?

① 1주　② 2주
③ 3주　④ 4주
⑤ 5주

02

정답 ②

해설

분만 후 자궁 크기의 변화

1. 분만 직후 : 배꼽 아래에 위치
2. 분만 후 2주 : 골반 내로 들어감
3. 분만 후 4주 : 임신 전 크기로 회복

참고 *Final Check 산과 628 page*

03

정상 분만 후 자궁내막이 완전히 재생되는 데 걸리는 기간을 고르시오.

① 1주 ② 2주
③ 3주 ④ 4주
⑤ 5주

04

산욕기의 생리적 변화로 옳은 것을 모두 고르시오.

(가) 자궁내막은 3주면 완전히 재생된다
(나) 자궁은 4주 이내에 임신 전 크기로 되돌아간다
(다) 태반 착상부위가 완전히 퇴축되는데 6주가 걸린다
(라) 임신선은 4주 후 사라진다

① 가, 나, 다 ② 가, 다
③ 나, 라 ④ 라
⑤ 가, 나, 다, 라

03

정답 ③

해설

자궁내막의 재생

1. 분만 후 7일 : 표층이 상피로 덮임
2. 분만 후 16일 : 증식기 자궁내막의 형태
3. 전체 자궁내막 재생에 약 3주 정도 소요

참고 *Final Check 산과 629 page*

04

정답 ①

해설

1. 전체 자궁내막 재생에 약 3주 정도 소요
2. 분만 후 4주 : 임신 전 크기로 회복
3. 태반부위의 완전 퇴축에 6주 소요
4. 은색선(silvery abd. striae) : 임신선의 반흔

참고 *Final Check 산과 627, 629, 631 page*

05

정상 산욕기에 대한 설명으로 옳은 것을 모두 고르시오.

(가) 분만 후 첫 12주까지의 기간이다
(나) 통증은 초산부가 경산부보다 심하다
(다) 투여되는 약제는 유즙으로 분비되지 않는다
(라) 모유수유는 자궁의 퇴축을 촉진한다

① 가, 나, 다 ② 가, 다
③ 나, 라 ④ 라
⑤ 가, 나, 다, 라

06

다음 중 분만 후 조기 보행의 장점이 아닌 것은 무엇인가?

① 기분전환 및 우울증의 감소
② 방광장애의 감소
③ 모유 분비량의 증가
④ 변비의 감소
⑤ 정맥혈전증의 감소

05

정답 ④

해설

1. 산욕기 : 분만 후 첫 6주간
2. 산후통 : 다분만부는 주기적으로 자궁이 수축하여 심한 통증을 호소
3. 수유금기 약 복용 중에는 수유 금지
4. 아기가 젖을 빨면 옥시토신이 분비되어 자궁수축을 통한 산후 출혈의 예방

참고 *Final Check 산과 627, 629, 633 page*

06

정답 ③

해설

조기 보행의 장점

1. 방광장애와 변비의 감소
2. 정맥혈전증 및 폐색전증의 예방
3. 불안과 우울증 감소

참고 *Final Check 산과 635 page*

07

질식분만한 산모에서 24시간 이내에 발생하는 배뇨장애의 원인들을 모두 고르시오.

(가) 회음절개 후 혈종
(나) 옥시토신 주사
(다) 전도마취
(라) Methergine

① 가, 나, 다 ② 가, 다
③ 나, 라 ④ 라
⑤ 가, 나, 다, 라

07

정답 ①

해설

분만 후 방광 과팽창과 요저류의 원인

1. 다량의 정맥 내 수액 공급
2. 옥시토신의 항이뇨 효과(antidiuretic effect)
3. 마취제(local or conduction analgesia)
4. 광범위 회음절개, 열창, 혈종으로 인한 통증

참고 *Final Check 산과 636 page*

08

분만 후 방광의 과팽창, 배뇨장애 등이 발생하였을 경우 가장 먼저 시행해야 하는 것을 고르시오.

① 24시간 도뇨관 유치 ② 복부 마사지
③ Nelaton ④ 절대 안정
⑤ 즉시 수술

08

정답 ①

해설

분만 후 4시간 이내에 소변을 보지 못하는 경우

1. 회음부와 생식기의 혈종 확인
2. 특별한 원인이 없으면 24시간 도뇨관 유치
3. 제거 4시간 후 배뇨를 못하면 잔뇨량 측정
   a. 200 mL 미만 : 도뇨관 제거
   b. 200 mL 이상 : 다시 도뇨관 하루 더 삽입
4. 2회의 도뇨관 유치에도 배뇨를 못하면 도뇨관을 유치한채 퇴원하고 1주일 후 재검사

참고 *Final Check 산과 636 page*

09

초산부가 20시간의 진통 후 3.9 kg의 신생아를 분만하였다. 분만 후 5시간이 경과하여도 소변을 보지 못하여 도관을 이용하여 배뇨하였더니 잔뇨가 300 mL로 확인되었다. 이 산모의 다음 처치로 가장 적절한 것은 무엇인가?

① 분만 후 5시간 정도는 소변을 보지 못하는 경우가 있으므로 2시간 후 다시 잔뇨량을 측정한다

② 일시적인 배뇨기능의 저하로 생각되므로 4시간 후 다시 잔뇨량을 측정한다

③ 도뇨관을 24시간 유치한다

④ 신우신염의 위험이 있으므로 지속적으로 항생제를 투여한다

⑤ 수액 공급을 제한한다

09

정답 ③

해설

분만 후 4시간 이내에 소변을 보지 못하는 경우

1. 회음부와 생식기의 혈종 확인
2. 특별한 원인이 없으면 24시간 도뇨관 유치
3. 제거 4시간 후 배뇨를 못하면 잔뇨량 측정
   a. 200 mL 미만 : 도뇨관 제거
   b. 200 mL 이상 : 다시 도뇨관 하루 더 삽입
4. 2회의 도뇨관 유치에도 배뇨를 못하면 도뇨관을 유치한채 퇴원하고 1주일 후 재검사

참고 *Final Check 산과 636 page*

10

모유에 대한 설명으로 옳은 것을 고르시오.

① 임신 전 체중에 따라 모유량이 결정된다

② 임신 중 체중 증가가 많을수록 모유량이 많아진다

③ 출산 후 체중이 감소하면 모유량이 적어진다

④ 출산 직후 모유량이 적어도 지속적인 수유로 증가할 수 있다

⑤ 유방성형술은 모유량에 영향을 미치지 않는다

10

정답 ④

해설

모유 분비량의 변화

1. 분만 직후 황체호르몬 농도가 급격히 감소하면서 젖샘으로부터 모유가 분비되기 시작
2. 1~2주간의 이행성 유즙을 거쳐, 분만 2주 후부터는 성숙유로 전환
3. 첫 24시간 내에는 100 mL 미만의 소량이지만, 4~5일 후면 약 500~750 mL로 증가
4. 임신 전 유방의 크기와 모유 생성량은 상관관계가 없음

참고 *Final Check 산과 632 page*

11

다음 중 수유(lactation)에 관여하는 호르몬이 아닌 것은 무엇인가?

① Progesterone ② hPL

③ Prolactin ④ Insulin

⑤ Thyroxine

12

3일 전 분만 후 모유수유 중인 산모가 고열과 양측 유방 통증을 주소로 내원하였다. 양측 유방은 단단하고 체온 38℃, WBC 28,000/μL로 확인된다면 산모의 진단명으로 가장 적절한 것을 고르시오.

① 유방 울혈 ② 유방 농양

③ 자궁내막염 ④ 유방암

⑤ 유두 균열

11

정답 ⑤

해설

모유 분비와 관련된 호르몬

1. Progesterone
2. Estrogen
3. Placental lactogen
4. Prolactin
5. Cortisol
6. Insulin

참고 *Final Check 산과 632 page*

12

정답 ①

해설

유방울혈의 증상

1. 모유 누출, 유방통 : 가장 흔함
2. 분만 후 3~5일에 흔히 발생
3. 산욕열이 흔하고, 37.8~39℃ 정도 올라가기도 하지만 4~16시간 이상 지속되지는 않음

참고 *Final Check 산과 634 page*

13

일주일 전 3.6 kg, 남아를 질식분만 한 28세 여성이 4일 전부터 발생한 37.5℃ 전후의 발열을 주소로 내원하였다. 검진 결과가 아래와 같다면 이 환자의 발열의 원인을 모두 고르시오.

- 자궁 : 치골 위에서 단단하게 만져짐
- 자궁 및 부속기의 압통 (-)
- 회음절개부위 : 정상
- 산후질분비물 : 장액성, 어두운 갈색
- 유선 : 양측 종대, 단단한 결절 형성

(가) Influenza　　(나) 산욕열
(다) 회음절개부위 감염　　(라) 유방울혈

① 가, 나, 다　　② 가, 다
③ 나, 라　　④ 라
⑤ 가, 나, 다, 라

13
정답 ④
해설
유방울혈의 증상
1. 모유 누출, 유방통 : 가장 흔함
2. 분만 후 3~5일에 흔히 발생
3. 산욕열이 흔하고, 37.8~39℃ 정도 올라가기도 하지만 4~16시간 이상 지속되지는 않음

참고 *Final Check 산과 634 page*

14

산후 유방울혈에 대한 설명으로 잘못된 것을 고르시오.

① 분만 후 3~5일째 가장 심하다
② 열이 4~16시간 정도 지속된다
③ 열은 보통 39℃ 이상 초과하지 않는다
④ Dopamine agonist의 사용이 치료에 필수적이다
⑤ 치료로 유방을 냉찜질 또는 온찜질을 한다

14
정답 ④
해설
유방울혈의 치료
1. 초기 : 따뜻한 찜질, 마사지, 자주 수유
2. 편한 브래지어 착용
3. 통증 시 : 냉찜질, 경구 진통제
4. 약물을 이용한 모유 억제는 추천하지 않음

참고 *Final Check 산과 634 page*

15

분만 후 모유수유 중인 산모가 분만 3일째부터 발생한 고열과 양측 유방의 통증을 주소로 내원하였다. 산모의 양측 유방은 단단하였고, 체온 38℃, WBC 28,000/μL으로 확인되었다. 이 산모에게 가장 적절한 처치를 고르시오.

① 진통제와 얼음 마사지

② 항생제 정맥투여

③ Oxytocin

④ Bromocriptine

⑤ Methylergonovine

15

정답 ①

해설

유방울혈의 치료

1. 초기 : 따뜻한 찜질, 마사지, 자주 수유
2. 편한 브래지어 착용
3. 통증 시 : 냉찜질, 경구 진통제
4. 약물을 이용한 모유 억제는 추천하지 않음

참고 *Final Check 산과 634 page*

16

모유수유 중인 초산부가 분만 1주일 후부터 발생한 열감과 유방통을 주소로 내원하였다. 산모는 2일 전부터 아기의 황달이 심해져 소아과에 입원했고, 이후 걱정으로 잠을 잘 못 자고 있다고 하였다. 다음 중 이 산모에게 가장 적절한 처치는 무엇인가?

① 유방 촬영술

② 항생제 투여

③ Bromocriptine 투여

④ 진통제와 냉찜질

⑤ 신생아 치료 동안 모유를 유축하여 버림

16

정답 ④

해설

유방울혈의 치료

1. 초기 : 따뜻한 찜질, 마사지, 자주 수유
2. 편한 브래지어 착용
3. 통증 시 : 냉찜질, 경구 진통제
4. 약물을 이용한 모유 억제는 추천하지 않음

참고 *Final Check 산과 634 page*

17

다음 중 모유수유와 정상 생리에 대한 설명으로 옳은 것을 고르시오.

① 분만 후 모유수유를 하지 않는 경우 6주 후에 생리가 시작된다
② 분만 후 모유수유를 하지 않더라도 생리가 있기 전 배란이 일어날 수 있다
③ 분만 후 모유수유를 하는 경우 6주 내로 월경이 시작된다
④ 분만 후 피임은 모유수유를 하지 않는 경우 6개월 후부터 시작한다
⑤ 분만 후 피임은 모유수유를 하는 경우 3개월 후부터 시작한다

17
정답 ②
해설
산욕기 여성의 배란과 생리
1. 정상 생리의 시작으로 배란의 재개를 확인
2. 하루 ≥7회, ≥15분의 수유는 배란을 늦춤
3. 배란은 출혈이 없어도 일어날 수 있음
4. 출혈은 무배란성일 수 있음
5. 모유수유 중 임신 가능성은 1년에 약 4%

참고 *Final Check 산과 637 page*

18

다음은 만삭 분만 후 배란과 월경이 다시 시작되는 것에 대한 설명이다. 옳은 것을 모두 고르시오.

(가) 모유수유 중에도 배란이 일어나 임신이 될 수 있다
(나) 모유수유를 하던 여성이 수유를 중단하면 즉시 배란과 월경이 다시 시작된다
(다) 분만 후 모유수유를 하지 않은 여성에게 월경은 보통 6~8주 이내에 다시 시작된다
(라) 분만 후 2주가 지나면 배란이 일어나므로 모유수유를 하더라도 피임을 해야 한다

① 가, 나, 다　② 가, 다
③ 나, 라　④ 라
⑤ 가, 나, 다, 라

18
정답 ②
해설
1. 수유를 하는 여성에서 배란은 생리 없이 시작될 수 있음
2. 모유수유의 중단이 배란과 월경의 즉시 시작을 유발하지 않음
3. 수유를 하지 않는 경우 출산 후 6~8주에 생리가 재개
4. 수유를 해도 분만 후 3주부터 피임하는 것이 권장

참고 *Final Check 산과 637 page*

19

분만 후 생리의 재개 및 피임에 관한 내용으로 옳은 것을 고르시오.

① 모유수유를 하지 않으면 분만 후 5주 이내에 생리가 재개된다

② 생리가 없으면 피임은 아직 필요 없다

③ 모유수유 시 생리의 시작은 분만 후 2~18개월로 다양하다

④ 산욕기에 경구피임약은 금기이다

⑤ 자궁내장치는 분만 12주 이후에 시행해야 한다

19

정답 ③

해설

1. 배란은 분만 3주 후부터 재개 가능
2. 수유를 하지 않으면 생리는 6~8주 내에 회복
3. 수유를 하면 2~18개월 내에 생리 시작
4. Progestin only OCs는 사용가능
5. IUD는 분만 6주 이후 가능

참고 *Final Check 산과 637 page*

20

분만 후 6주 이내의 모유수유 중인 산모가 선택할 수 있는 가장 적합한 피임 방법을 고르시오.

① 별도의 피임이 필요 없음

② 에스트로겐-프로게스테론 혼합피임약

③ 프로게스테론 단일피임약

④ 여성 콘돔

⑤ 자궁내장치

20

정답 ③

해설

호르몬제의 모유에 대한 영향

1. Progestin–only contraceptives : 모유의 질이나 양에 영향을 주지 않음
2. Estrogen–progestin contraceptives : 모유의 양을 감소시킬 수 있으나, 적절한 상황에서 모유수유 중 사용할 수 있음

참고 *Final Check 산과 638 page*

21

다음 중 임신을 원하지 않을 경우 분만 후 피임을 시행해야 하는 시기는 언제인가?

① 분만 직후
② 3주 후
③ 6주 후
④ 3개월 후
⑤ 6개월 후

21

정답 ②

해설

분만 후 피임

1. 분만 3주가 지나면 모유수유에도 불구하고 배란이 재개될 수 있음
2. 임신을 원치 않을 경우 피임은 출산 후 3주부터 시작

참고 *Final Check 산과 637 page*

22

다음 중 모유수유의 질과 양에 영향을 미치지 않아 권장되는 피임제제은 무엇인가?

① Progesterone only contraceptives
② Estrogen-progesterone contraceptives
③ Estrogen only contraceptives
④ GnRH
⑤ Danazol

22

정답 ①

해설

Progesterone only contraceptives

1. 모유의 질이나 양에 영향을 주지 않음
2. 종류 : progestin pills, depot medroxyprogesterone, progestin implants

참고 *Final Check 산과 638 page*

23

분만 후 모유수유 중인 여성에게 적절한 피임제제를 쓰시오.(2가지)

23

정답

1. Progestin pills
2. Depot medroxyprogesterone
3. Progestin implants

참고 *Final Check 산과 638 page*

24

다음 중 모유수유를 할 수 있는 경우를 모두 고르시오.

(가) Galactosemia
(나) Hepatitis B
(다) HIV
(라) HSV

① 가, 나, 다 ② 가, 다
③ 나, 라 ④ 라
⑤ 가, 나, 다, 라

24
정답 ③
해설
모유수유의 금기
1. 지나친 음주, 약물남용
2. HIV 감염
3. 활동성 결핵, 치료하지 않은 결핵
4. 항암치료, 방사성 의약품
5. 모유수유 금기인 약을 복용 중인 경우
6. 아기의 갈락토오스혈증(galactosemia)

참고 *Final Check 산과 633 page*

25

다음 중 모유수유가 가능한 경우를 고르시오.

① 마약 중독 ② C형 간염
③ 활동성 결핵 ④ HIV 감염
⑤ 치료 중인 유방암

25
정답 ②
해설
모유수유의 금기
1. 지나친 음주, 약물남용
2. HIV 감염
3. 활동성 결핵, 치료하지 않은 결핵
4. 항암치료, 방사성 의약품
5. 모유수유 금기인 약을 복용 중인 경우
6. 아기의 갈락토오스혈증(galactosemia)

참고 *Final Check 산과 633 page*

26

모유수유 금기인 경우를 고르시오.

① B형 간염 ② C형 간염
③ HIV 감염 ④ HPV 감염
⑤ HSV 감염

26
정답 ③
해설
모유수유의 금기
1. 지나친 음주, 약물남용
2. HIV 감염
3. 활동성 결핵, 치료하지 않은 결핵
4. 항암치료, 방사성 의약품
5. 모유수유 금기인 약을 복용 중인 경우
6. 아기의 갈락토오스혈증(galactosemia)

참고 *Final Check 산과 633 page*

27

다음 중 모유수유를 할 수 없는 경우를 고르시오.

① Valproic acid 투여 중 ② 만성 간염
③ 후천성 면역결핍증 ④ 단순포진 바이러스
⑤ 인슐린 투여 중인 당뇨병

27
정답 ③
해설
모유수유의 금기
1. 지나친 음주, 약물남용
2. HIV 감염
3. 활동성 결핵, 치료하지 않은 결핵
4. 항암치료, 방사성 의약품
5. 모유수유 금기인 약을 복용 중인 경우
6. 아기의 갈락토오스혈증(galactosemia)

참고 *Final Check 산과 633 page*

28

다음 중 모유수유 중단을 원하는 여성에서 제일 효과적인 방법을 고르시오.

① Estrogen ② Testosterone
③ Bromocriptine ④ Oral pill
⑤ IUD

28
정답 ③
해설
약물을 이용한 모유수유의 억제
1. Dopamine agonist (bromocriptine)
2. 부작용 : 뇌졸중, 심근경색, 경련, 정신장애 등

참고 *Final Check 산과 635 page*

29

분만 후 산후우울증이 흔하게 발생하는 원인을 쓰시오.(3가지)

29

정답

1. 임신 및 분만 중 경험한 흥분과 두려움에 따른 정서적 불안감
2. 산욕기 초기의 불편감
3. 수면 부족으로 인한 피로
4. 퇴원 후 양육에 대한 걱정
5. 매력 저하에 따른 불안감

참고 *Final Check 산과 638 page*

CHAPTER 35

산욕기 합병증(Puerperal Complications)

01

제왕절개분만 12시간 후에 발열이 발생하였을 때 가장 의심되는 합병증은 다음 중 무엇인가?

① 요로감염 ② 혈전정맥염
③ 창상감염 ④ 무기폐
⑤ 폐렴

01

정답 ④

해설

발열이 나타난 시간에 따른 감별진단

1. 당일 저녁 : 탈수, 대사항진
2. 24시간 내 : 무기폐
3. 3~5일 : 폐렴, 요로감염
4. 5~7일 : 혈전정맥염, 창상감염

참고 *Final Check 산과 642 page*

02

다음 중 산욕기 감염에서 가장 중요한 증상은 무엇인가?

① 체온 상승 ② 자궁수축 부전
③ 백혈구 증가 ④ 복통
⑤ CRP 증가

02

정답 ①

해설

발열(Fever)

1. 산후 자궁감염 진단에 있어 가장 중요
2. 감염 정도에 비례, 주로 38~39℃ 이상 발생
3. 열이 동반된 오한 : 패혈증을 의심하는 소견

참고 *Final Check 산과 643 page*

03

27세 초산모가 3.2 kg의 태아를 분만하고 28시간 후부터 하복부 통증을 호소하였다. 환자의 체온은 39.5℃ 였으며 혈액 검사상 혈색소 10.5 mg/dL, 백혈구 15,000/mm^3, 소변 검사상 백혈구 및 적혈구는 검출되지 않았다. 다음 중 이 환자에게서 감염을 시사하는 가장 중요한 소견을 고르시오.

① 분만 후 28시간 경과

② 하복부 통증

③ 체온 39.5℃

④ 혈색소 10.5 mg/dL

⑤ 백혈구 15,000/mm^3

03

정답 ③

해설

발열(Fever)

1. 산후 자궁감염 진단에 있어 가장 중요
2. 감염 정도에 비례, 주로 38~39℃ 이상 발생
3. 열이 동반된 오한 : 패혈증을 의심하는 소견

참고 *Final Check 산과 643 page*

04

산욕열(puerperal fever)과 감별진단해야 할 질환을 모두 고르시오.

(가) 호흡기 합병증(Respiratory complication)
(나) 신우신염(Pyelonephritis)
(다) 유방울혈(Breast engorgement)
(라) 세균성 유방염(Bacterial mastitis)

① 가, 나, 다　② 가, 다

③ 나, 라　④ 라

⑤ 가, 나, 다, 라

04

정답 ⑤

해설

산욕열의 감별진단

1. 골반감염(pelvic infection)
2. 유방울혈(breast engorgement)
3. 호흡기 합병증 : 무기폐, 흡인성 폐렴, 세균성 폐렴
4. 신우신염(pyelonephritis)
5. 혈전정맥염(thrombophlebitis)

참고 *Final Check 산과 641 page*

05

다음은 자궁염의 발병기전에 대한 모식도이다. (A), (B), (C), (D)에 알맞은 내용을 쓰시오.

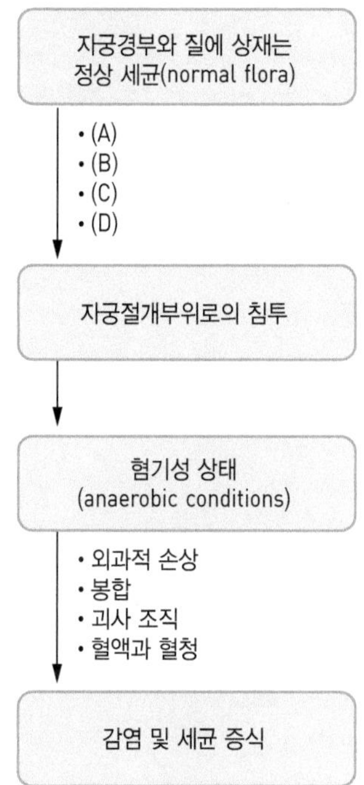

05

정답
(A) 자궁경부 내진
(B) 자궁 내 태아감시장치
(C) 분만진통의 지연
(D) 자궁절개

참고 *Final Check 산과 643 page*

06

당뇨가 있는 32세 초임부가 제왕절개분만 후 5일째부터 38.5℃의 열과 수술 부위의 종창, 회색 고름 등이 관찰되었다. 이 환자에 대한 처치로 가장 적절한 것을 고르시오.

① 냉 찜질

② 온 씸질

③ 암피실린 투여 후 경과관찰

④ 세침 흡인

⑤ 외과적 배농 및 광범위 항생제 투여

06

정답 ⑤

해설

창상감염(Wound infection)

1. 제왕절개수술 후 : 수술 후 4일째부터 발생
2. 국소 부위의 발적, 부종, 고름
3. 치료 : 항생제, 외과적 배농, 괴사조직 제거

참고 *Final Check 산과 645 page*

07

물 같이 흐르는 분비물을 주소로 내원한 초임부가 30시간의 분만진통에도 자궁경부가 개대되지 않아 제왕절개술로 분만하였다. 산모는 분만 2일째부터 열이 38℃ 이상 발생하였고, 4일째부터는 상처에서 부종과 고름이 나타나기 시작하였다. 다음 중 이 산모에게 가장 적절한 치료를 고르시오.

① Vancomycin

② Clindamycin + Gentamycin

③ Levofloxacin + Penicillin

④ Nitrofurantoin + Ampicillin

⑤ Polymyxin + Gentamycin

07

정답 ②

해설

제왕절개분만 후의 감염

1. 비경구적 항생제 투여
2. 혐기성균에 대한 항생제가 필요
3. Clindamycin + Gentamycin
4. Ampicillin : 초기부터 혹은 48~72시간 동안 효과가 없을 때 추가

참고 *Final Check 산과 644 page*

08

임신 39주 초임부가 27시간의 분만진통 중 태아 하강정지로 응급제왕절개술을 하였다. 양수는 진한 태변착색을 보였고, 수술 후 38℃ 이상의 지속적인 발열이 있어 Clindamycin + Gentamycin을 2일간 사용하였으나 발열과 오한은 계속되었다. 골반 진찰상 만져지는 종물은 없었고 유방도 정상이었다면 다음 처치로 가장 적절한 것을 고르시오.

① 개복수술

② 항생제 유지

③ Levofloxacin

④ Vancomycin

⑤ Ampicillin

08

정답 ⑤

해설

제왕절개분만 후의 감염

1. 비경구적 항생제 투여
2. 혐기성균에 대한 항생제가 필요
3. Clindamycin + Gentamycin
4. Ampicillin : 초기부터 혹은 48~72시간 동안 효과가 없을 때 추가

참고 *Final Check 산과 644 page*

09

제왕절개술 후 발생한 자궁감염에 가장 적절한 항생제를 고르시오.

① Cefoxitin

② Ampicillin + Clindamycin

③ Ampicillin + Gentamycin

④ Clindamycin + Gentamycin

⑤ Ceftriaxone + Metronidazole

09

정답 ④

해설

제왕절개분만 후의 감염

1. 비경구적 항생제 투여
2. 혐기성균에 대한 항생제가 필요
3. Clindamycin + Gentamycin
4. Ampicillin : 초기부터 혹은 48~72시간 동안 효과가 없을 때 추가

참고 *Final Check 산과 644 page*

10

3일 전 제왕절개술로 분만한 산모가 수술 후 발생한 발열로 인해 항생제 치료 중이다. 수술 부위 통증 및 발열이 지속적으로 있을 때 감별해야 할 것은 무엇인가?(3가지)

10

정답

1. 자궁주위조직 광범위연조직염(parametrial phlegmon)
2. 수술창상농양(incisional abscess), 골반농양(pelvic abscess)
3. 감염된 혈종(infected hematoma)
4. 패혈성 골반혈전정맥염(septic pelvic thrombophlebitis)

참고 *Final Check 산과 644 page*

11

분만 후 지속적인 발열의 가장 흔한 원인은 무엇인가?

① Mastitis

② Episiotomy infection

③ Genital tract infection

④ Pneumonitis

⑤ Thrombophlebitis

11

정답 ③

해설

산욕열(Puerperal fever)의 원인

1. 감염 요인 : 생식기, 골반감염
2. 감염 이외의 요인 : 호흡기 합병증, 신우신염, 유방울혈, 세균성 유방염, 혈전정맥염
3. 지속적인 발열의 대부분의 원인 : 생식기감염

참고 *Final Check 산과 641 page*

12

임신 38주인 32세 초산모가 조기 양막파수로 입원하여 18시간의 분만진통 중 안심할 수 없는 태아 상태가 지속적으로 나타나 응급 제왕절개술로 분만하였다. 수술 후 3일째부터 체온 39℃, 오한, 하복통, 악취나는 질 분비물이 발생하였고, 검사상 자궁저부는 배꼽 부위에서 만져지고 압통이 있었으며, Hb 9.5 mg/dL, WBC 17,000/mm^{3}으로 확인되었다. 이 산모의 발열 원인으로 가장 가능성이 높은 것을 고르시오.

① 호흡기 감염

② 급성 신우신염

③ 자궁감염

④ 유방염

⑤ 급성 맹장염

12

정답 ③

해설

자궁감염의 임상경과

1. 발열
2. 복부 및 자궁주위조직 부위의 압통
3. 백혈구증가증
4. 악취가 나는 냉

참고 *Final Check 산과 643 page*

13

임신 40주 산모가 3시간의 분만진통 제2기 후 흡입분만으로 4.12 kg의 아이를 출산하였다. 분만 후 2일째부터 오한을 호소하였고, 3일째부터 체온 39℃, 자궁의 압통, 악취나는 질 분비물 등이 나타났다. 다음 중 가장 가능성이 높은 진단명은 무엇인가?

① 폐렴

② 자궁염

③ 유방울혈

④ 급성 방광염

⑤ 패혈성 골반혈전정맥염

13

정답 ②

해설

자궁감염의 임상경과

1. 발열
2. 복부 및 자궁주위조직 부위의 압통
3. 백혈구증가증
4. 악취가 나는 냉

참고 *Final Check 산과 643 page*

14

첫째를 제왕절개로 분만한 다분만부가 임신 39주에 제왕절개술로 3.6 kg의 신생아를 분만하였다. 수술 4일 후 산모의 체온 38℃, 호흡수 19회/분, 혈압 110/70 mmHg로 확인되었고, 복부와 자궁주위의 압통이 나타났다. 다음 중 가장 가능성이 높은 것은 무엇인가?

① Metritis

② Acute pyelonephritis

③ Pelvic thrombophlebitis

④ Pneumonia

⑤ Acute cystitis

14

정답 ①

해설

자궁감염의 임상경과

1. 발열
2. 복부 및 자궁주위조직 부위의 압통
3. 백혈구증가증
4. 악취가 나는 냉

참고 *Final Check 산과 643 page*

15

질식분만 후 산욕기 자궁감염이 발생할 수 있는 위험인자들을 모두 고르시오.

(가) 빈번한 내진
(나) 장시간 진통
(다) 장시간 양막파수
(라) 자궁 내 태아감시장치

① 가, 나, 다
② 가, 다
③ 나, 라
④ 라
⑤ 가, 나, 다, 라

16

임신 40주인 27세 초산모가 양막파수로 내원하여 24시간의 분만진통 후 제왕절개술로 분만하였다. 수술 후 3일째 체온 38℃, 복부와 자궁주위의 압통, 악취가 나는 냉이 발생하였다.

(1) 가장 가능성이 높은 진단명은 무엇인가?
(2) Penicillin G, Gentamycin에 효과가 없었다면 원인균으로 가장 가능성이 높은 것은 무엇인가?
(3) 가장 효과적인 약제는 무엇인가?

15

정답 ⑤

해설

질식분만에서 자궁감염의 고위험군

1. 장시간 진통 or 양막파수 후 분만
2. 빈번한 자궁경부 내진
3. 자궁 내 태아감시장치
4. 양막 내 감염
5. 신생아 합병증
6. 저체중아
7. 조산
8. 사산

참고 *Final Check 산과 642 page*

16

정답

(1) 골반연조직염을 동반한 자궁염(metritis with pelvic cellulitis)
(2) 혐기성균(anaerobes)
(3) Clindamycin + Gentamycin (± Ampicillin)

참고 *Final Check 산과 642 page*

17

27세 초산모가 임신 37주에 조기 양막파열로 유도분만 시도 중 실패로 제왕절개술을 시행하였다. 수술 2일 후부터 38~39℃의 고열이 발생하였고 3일간 항생제를 썼으나 호전이 없었다. 검진상 왼쪽 자궁주변이 단단하게 만져지고 압통이 있었다. 이 산모의 진단으로 가장 가능성이 높은 것을 고르시오.

① Peritonitis
② Metritis
③ UTI
④ Necrotizing fasciitis
⑤ Parametrial phlegmon

17

정답 ⑤

해설

자궁주위조직 광범위연조직염

1. 제왕절개 후 생기는 자궁염에서 자궁주위연조직염이 악화되어 결절화 될 경우 광인대 내에 광범위연조직염(phlegmon)을 형성
2. 특징
   a. 항생제 정맥주사 치료에도 열이 72시간 이상 지속되는 경우 의심
   b. 일측성, 주로 광인대 기저부에 국한되고 양측 골반벽 방향으로 진행
   c. 심한 경우 괴사 및 파열로 복막염을 유발

참고 *Final Check 산과 646 page*

18

다음 중 산욕기 패혈성 골반혈전정맥염이 흔히 발생하는 혈관을 고르시오.

① Ovarian vein
② Femoral vein
③ IVC
④ Renal vein
⑤ Uterine vein

18

정답 ①

해설

패혈성 골반혈전정맥염의 발병기전

1. 태반부착 부위의 병원균 감염이 자궁정맥에서 혈전을 만들고 혐기성균이 번식
2. 자궁상부에서 연결되는 난소정맥도 감염(보통 일측성, 우측에 호발)
3. 심한 경우 복부대정맥까지 감염
4. 좌측 난소정맥에 생기는 경우 신정맥도 전파

참고 *Final Check 산과 647 page*

19

임신 39주의 산모가 조기 양막파수로 입원 후 유도분만을 시행하였지만 실패하여 응급 제왕절개술로 분만하였다. 산모는 수술 후 2일째부터 고열이 발생하였고 우하복부의 압통이 있었다. 항생제 투여 후 통증은 감소하였지만 지속적인 발열이 유지되어 골반 CT를 촬영하였다. 다음 중 가장 가능성이 높은 진단명을 고르시오.

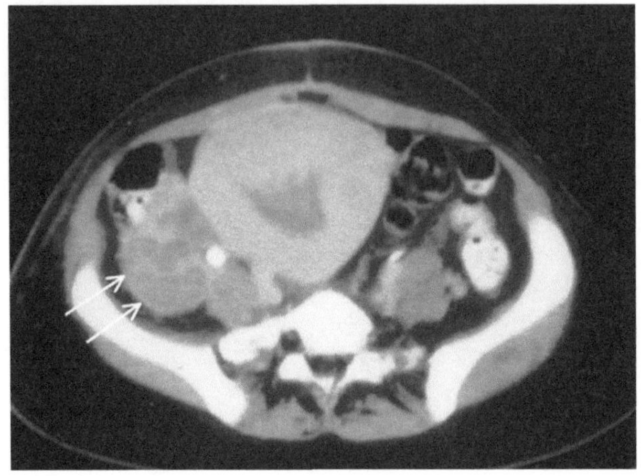

① 신우신염
② 골반 내 혈종
③ 골반 농양
④ 난소난관 염전
⑤ 패혈성 골반혈전정맥염

19

정답 ⑤

해설

패혈성 골반혈전정맥염

1. 증상
   a. 골반감염의 항생제 치료 후 증상 호전이 있으나 지속적인 발열
   b. 분만 후 2, 3일째 하복부 통증이 발생하고, 약간의 오한과 열은 없거나 동반
2. 진단 : Pelvic CT, Pelvic MRI

참고 *Final Check 산과 647 page*

20

산욕기에 패혈성 골반혈전정맥염(septic pelvic thrombophlebitis)의 증상(A)과 진단방법(B)을 쓰시오.

20

정답

(A) 골반감염의 항생제 치료 후 증상 호전이 있으나 지속적인 발열
(B) Pelvic CT, Pelvic MRI

해설

패혈성 골반혈전정맥염

1. 증상
   a. 골반감염의 항생제 치료 후 증상 호전이 있으나 지속적인 발열
   b. 분만 후 2, 3일째 하복부 통증이 발생하고, 약간의 오한과 열은 없거나 동반
2. 진단 : Pelvic CT, Pelvic MRI

참고 *Final Check 산과 647 page*

21

32세 산모가 제왕절개 후 3일째부터 발생한 발열과 복부 통증으로 Clindamycin + Gentamycin 항생제 치료를 하였고, 이후에도 증상은 호전되었으나 지속적인 발열이 있어 MRI를 시행하였다. 이 산모의 치료로 가장 적절한 것을 고르시오.

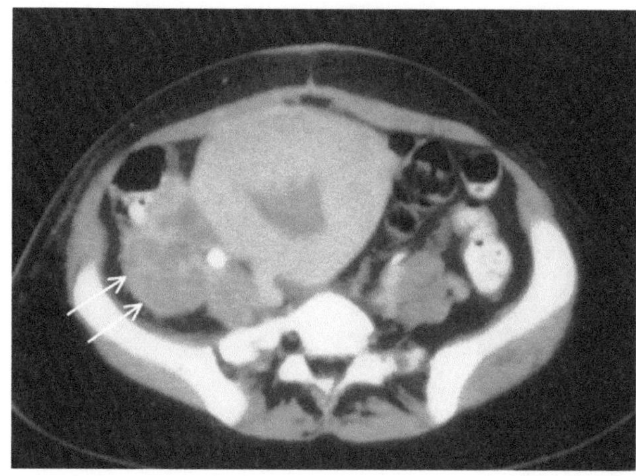

① Ampicillin을 추가하여 3가지 항생제를 투여
② 항생제를 끊고 heparin 투여
③ 항생제와 heparin을 같이 투여
④ Angiography 시행
⑤ Streptokinase 투여

21

정답 ①

해설

패혈성 골반혈전정맥염의 치료

1. 광범위 항생제 치료
   a. Clindamycin + Gentamycin
   b. Ampicillin : 초기부터 혹은 48~72시간 동안 효과가 없을 때 추가
2. 헤파린 추가치료나 장기간의 항응고제 사용은 이점이 없음

참고 *Final Check 산과 644, 647 page*

22

임신 41주인 38세 초산모가 유도분만 실패로 제왕절개술로 분만하였고, 수술 3일 후부터 지속적인 발열과 우측 하복통을 호소하였다. 항생제 치료에도 지속적으로 체온이 39℃로 유지되어 골반 전산화단층촬영을 시행하였고 소견이 아래와 같다면 가장 가능성이 높은 진단명을 고르시오.

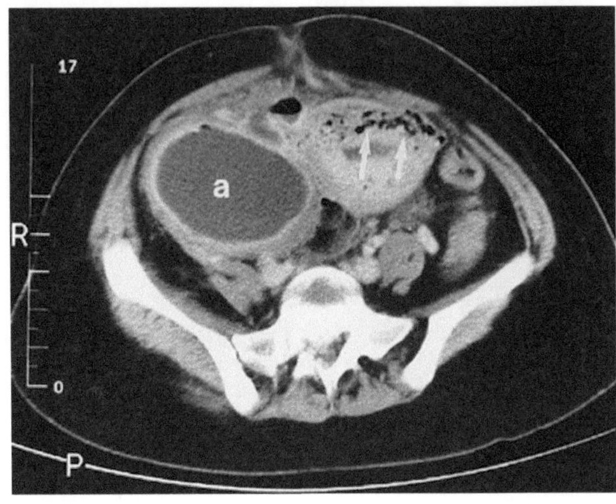

① 골반 농양(Pelvic abscess)

② 패혈성 골반혈전정맥염(Septic pelvic thrombophlebitis)

③ 자궁주위조직 광범위연조직염(Parametrial phlegmon)

④ 괴사근막염(Necrotizing fasciitis)

⑤ 출혈성 낭종(Hemorrhagic cyst)

22

정답 ①

해설

골반 농양(Pelvic abscess)

1. 항생제 치료에도 자궁주위조직 광범위연조직염이 화농되어 서혜부인대 상부에서 광인대 덩이를 만든 경우
2. Pelvic CT : 자궁절개부위의 괴사를 보여주는 자궁근육의 가스와 우측 광인대 농양

참고 *Final Check 산과 647 page*

23

유방염(mastitis)에 대한 설명으로 옳은 것을 모두 고르시오.

(가) 거의 대부분 분만 1주일 내에 발생한다
(나) 90% 이상이 농양(abscess)이 발생한다
(다) 수유를 금해야 한다
(라) 대부분 일측성으로 발생한다

① 가, 나, 다 ② 가, 다
③ 나, 라 ④ 라
⑤ 가, 나, 다, 라

23
정답 ④
해설
1. 분만 후 7~10일 발생
2. 유방염의 10%에서 유방 농양이 합병
3. 치료 중 수유를 유지하는 것이 중요
4. 대부분 일측성 발생

참고 *Final Check 산과 649 page*

24

분만 후 모유수유 중인 산모가 왼쪽 유방 통증을 주소로 내원하였다. 산모의 왼쪽 유방은 붓고 단단하게 만져졌고, 39℃의 고열과 오한이 있었다. 다음 중 가장 적절한 치료는 무엇인가?

① Clindamycin ② Dicloxacillin
③ Gentamycin ④ Metronidazole
⑤ Vancomycin

24
정답 ②
해설
유방염(mastitis)의 처치
1. Dicloxacillin 500 mg, 하루 4번, 경구 투여
2. Erythromycin : penicillin에 민감한 경우 사용
3. Vancomycin, Clindamycin : MRSA 경우 사용
4. 증상이 좋아져도 치료는 10~14일간 유지
5. 치료 중 수유를 유지하는 것이 중요

참고 *Final Check 산과 650 page*

25

분만 후 1개월째 모유수유 중인 여성에서 유방 고름집이 생겼다. 다음 중 가장 흔한 원인균은 무엇인가?

① Staphylococcus aureus

② Staphylococcus epidermidis

③ Streptococcus pneumoniae

④ Pseudomonas aeruginosa

⑤ Proteus vulgaris

25

 ①

유방 농양(Breast abscess)

1. 48~72시간의 유방염 치료에도 증세 호전이 없거나 종물이 만져질 때 의심
2. 유방염의 10%에서 합병
3. 유방염의 흔한 원인 : *Staphylococcus aureus*

참고 *Final Check 산과 650 page*

CHAPTER 36

임신 중 고혈압 질환(Hypertensive Disorders in pregnancy)

01

임신 38주 초산모가 상복부 통증을 주소로 내원하였다. 시행한 검사상 혈압 140/100 mmHg, 단백뇨 (−), 혈소판 80,000/μL로 확인되었다. 유도분만으로 2.8 kg, 남아를 분만하였고, 분만 8주 후 산모의 혈압은 110/80 mmHg로 회복되었으며 특별한 이상소견은 없었다. 이 산모가 분만을 하게 된 임신 중 진단명을 다음 중 고르시오.

① 임신성 고혈압 ② 비중증 전자간증

③ 중증 전자간증 ④ 만성 고혈압

⑤ 자간증

01

정답 ③

전자간증(Preeclampsia)

1. 임신 20주 이후 처음으로 고혈압 진단 + (의미 있는 단백뇨 or 한가지 이상의 증상)
2. 혈소판감소증, 상복부 통증 → 중증 전자간증

참고 *Final Check 산과 651 page*

02

고혈압이 있는 32세의 여성이 임신 상담을 위해 내원하였다. 다음 설명 중 옳은 것은 무엇인가?

① 태아의 기형 발생 위험이 증가한다

② 혈청 creatinine level ≥1.4 mg/dL면 임신으로 인해 신장 기능의 손상이 심해질 수 있다

③ 임신 중 고혈압제제를 사용하여 혈압을 120/80 mmHg로 조절한다

④ 경증의 고혈압인 경우 정상 임신부와 같은 수준의 태아안녕평가를 한다

⑤ 반드시 제왕절개분만을 해야 한다

02

정답 ④

해설

전자간증의 조기 발견

1. 임신 제3삼분기에는 산전 진찰의 빈도를 늘림
2. 심하지 않은 임신성 고혈압 및 비중증 전자간증 산모에서 충분한 교육과 잦은 산전 진찰로 외래에서도 안전하게 관리 가능

참고 *Final Check 산과 665 page*

03

전자간증(preeclampsia)의 진단기준에 합당한 소변으로 배출되는 단백질의 양은 얼마인가?

① 100 mg/24hrs
② 200 mg/24hrs
③ 300 mg/24hrs
④ 400 mg/24hrs
⑤ 500 mg/24hrs

03

정답 ③

해설

전자간증의 단백뇨(proteinuria)

1. ≥300 mg/24hr
2. Urine protein/creatinine ratio ≥0.3
3. 지속적인 random urine stick +1 이상

참고 *Final Check 산과 651 page*

04

전자간증은 임신 몇 주 이후 처음으로 고혈압이 진단되어야 하는지 고르시오.

① 16주
② 20주
③ 24주
④ 28주
⑤ 32주

04

정답 ②

해설

전자간증(Preeclampsia)

1. 임신 20주 이후에 처음으로 진단된 고혈압
2. 의미 있는 단백뇨 or 한가지 이상의 증상

참고 *Final Check 산과 651 page*

05

탈락막 내의 혈관까지만 영양막세포가 침투하여 나선동맥의 생리적 변환 및 확장 실패로 유발되는 질환은 무엇인가?

① 전치태반
② 유착태반
③ 전자간증
④ 임신성 당뇨병
⑤ 조기양막파수

05

정답 ③

해설

전자간증(preeclampsia)

: 불완전한 영양막의 침습
→ 탈락막 내의 혈관까지만 영양막세포가 침투
→ 나선동맥의 생리적 변환 및 확장 실패
→ 자궁태반관류저하(uteroplacental insufficiency)로 융모막사이공간의 산소공급장애

참고 *Final Check 산과 669 page*

06

임신성 고혈압의 빈도를 증가시키는 요인이 아닌 것은 무엇인가?

① 비만 ② 미분만부
③ 쌍둥이 임신 ④ 흡연
⑤ 임신성 고혈압의 가족력

06
정답 ④
해설
임신성 고혈압의 위험인자
1. 처음 융모막융모 노출 : 미분만부
2. 많은 융모막융모 노출 : 다태아, 포상기태
3. 비만, 당뇨, 신장질환, 심혈관계질환의 과거력
4. 유전적으로 임신 중 고혈압 발생 가능성 증가
5. 고령(≥35세), 10대 산모, 환경적 영향
6. 흡연, 전치태반 : 임신성 고혈압의 빈도 감소

참고 *Final Check 산과 653 page*

07

다음 중 임신성 고혈압 질환의 발생이 감소하는 경우를 고르시오.

① 비만 ② 흡연
③ 초산부 ④ 일란성 쌍태아 임신
⑤ 35세 이상 임산부

07
정답 ②
해설
임신성 고혈압의 위험인자
1. 처음 융모막융모 노출 : 미분만부
2. 많은 융모막융모 노출 : 다태아, 포상기태
3. 비만, 당뇨, 신장질환, 심혈관계질환의 과거력
4. 유전적으로 임신 중 고혈압 발생 가능성 증가
5. 고령(≥35세), 10대 산모, 환경적 영향
6. 흡연, 전치태반 : 임신성 고혈압의 빈도 감소

참고 *Final Check 산과 653 page*

08

다음 중 흡연하는 산모에게서 그 위험성이 증가하지 않는 것을 고르시오.

① 조산 ② 태반조기박리
③ 임신성 고혈압 ④ 자궁 내 태아성장제한
⑤ 자궁 내 태아사망

08
정답 ③
해설
임신성 고혈압의 위험인자
1. 처음 융모막융모 노출 : 미분만부
2. 많은 융모막융모 노출 : 다태아, 포상기태
3. 비만, 당뇨, 신장질환, 심혈관계질환의 과거력
4. 유전적으로 임신 중 고혈압 발생 가능성 증가
5. 고령(≥35세), 10대 산모, 환경적 영향
6. 흡연, 전치태반 : 임신성 고혈압의 빈도 감소

참고 *Final Check 산과 653 page*

09

내 · 외과적 질병을 갖고 있지 않은 산모에서 전자간증의 위험인자를 쓰시오.(4가지)

10

임신성 고혈압의 발생기전 중 혈관수축인자(A)와 혈관이완인자(B)를 각각 고르시오.(R type)

① Thromboxane	④ Endothelin-1
② PGE2	⑤ Nitric oxide
③ PGI2	

09

정답

1. 처음 융모막융모 노출 : 미분만부
2. 많은 융모막융모 노출 : 다태아, 포상기태
3. 유전적으로 임신 중 고혈압 발생 가능성 증가
4. 고령(≥35세), 10대 산모, 환경적 영향(고산지대)

참고 *Final Check 산과 653 page*

10

정답

(A) ①, ④
(B) ②, ③, ⑤

참고 *Final Check 산과 655 page*

11

다음 중 전자간증에서 증가하지 않는 인자는 무엇인가?

① Thromboxane A2
② Protein C
③ VEGF
④ Endothelin-1
⑤ sFlt-1

11

정답 ②

해설

전자간증에서 증가 또는 감소되는 물질들

증가	감소
Endothelin-1	Nitric oxide
Thromboxane A2	PGI2
VEGF	Protein C, S
PlGF,	Antithrombin III
sFlt-1	
sEng	

참고 *Final Check 산과 655 page*

12

전자간증이 모체의 각 장기에 미치는 영향을 설명한 것으로 옳은 것을 고르시오.

① 말초 세동맥은 수축하고 심박출량도 증가한다
② 혈장량의 증가는 정상 임산부 증가의 50% 정도이다
③ 혈소판이 약간 증가한다
④ Renin, Angiotensin, Aldosterone의 분비가 증가한다
⑤ 혈장 요산(uric acid) 농도가 증가한다

12

정답 ⑤

해설

1. 혈관저항 증가, 심박출량 보통 or 약간 감소
2. 혈장량의 상당 부분이 증가되지 않음
3. 혈소판감소증 : 가장 흔하게 발견
4. Renin–Angiotensin–Aldosterone 시스템 저하
5. 혈장 요산(uric acid), 칼슘(calcium) 농도 증가

참고 *Final Check 산과 657 page*

13

전자간증 산모에서 간손상이 된 경우에 대한 설명으로 옳은 것을 모두 고르시오.

(가) 명치, 우상복부 통증은 간손상을 의미하는 경우가 많다
(나) 신속한 분만의 적응증이 되며, 분만 2~3일 후 간수치가 정상화되기 시작한다
(다) 간내 혹은 피막하혈종이 합병될 수 있다
(라) 뇌졸중, 호흡곤란증후군, 응고장애 등이 합병될 수 있다

① 가, 나, 다
② 가, 다
③ 나, 라
④ 라
⑤ 가, 나, 다, 라

13

정답 ①

해설

전자간증의 간손상

1. 우상복부, 명치의 통증 : 간병변의 동반을 의미
2. 중증 전자간증으로 분만의 적응증, 분만 2~3일 후 간수치가 정상화되기 시작
3. 간세포괴사 확장으로 인한 피막하혈종 가능
4. HELLP증후군의 합병증 : 뇌졸중, 간혈종, 응고장애, 호흡곤란증후군, 패혈증 등

참고 *Final Check 산과 660, 669 page*

14

전자간증(preeclampsia) 산모에서 정상 임신 산모와 혈액응고 인자 차이 중 잘못된 것을 고르시오.

① Platelet 감소

② Fibrinogen 증가

③ Erythrocyte destruction 증가

④ FDP 증가

⑤ Antithrombin III 감소

14

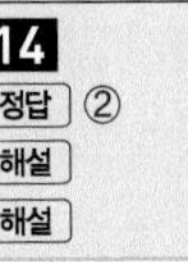

정답 ②

해설

해설

증가	감소
Factor VIII consumption	Antithrombin III
Fibrinopeptide A and B	Protein C and S
Fibrinogen degradation products	**감소**
D-dimers	Fibrinogen
Microangiopathic hemolysis	

참고 *Final Check 산과 658 page*

15

임신 36주 초산부가 내원하여 실시한 검사상 혈압 160/120 mmHg, urine protein 2+로 확인되었다. 다음으로 시행해야 할 처치로 적절하지 않은 것을 고르시오.

① 초음파 검사

② 비수축검사(NST)

③ 24시간 단백뇨의 양 측정

④ Hydralazine 투여

⑤ Betamethasone 투여

15

정답 ⑤

해설

글루코코티코이드(Glucocorticoid)

1. 임신 34주 미만의 중증 전자간증 산모에서 신생아 합병증을 줄이기 위해 사용
2. 태아의 폐성숙 촉진, 신생아 호흡곤란증후군, 뇌실내출혈, 신생아감염 등 감소

참고 *Final Check 산과 668 page*

16

임신 37주인 산모가 혈압 180/110 mmHg, urine stick 3+로 확인되어 전원 되었다. 다음 중 이 산모의 중증도 기준이 아닌 것은 무엇인가?

① Bilirubin 상승

② AST 상승

③ Proteinuria

④ Platelet 감소

⑤ Creatinine 상

17

전자간증의 중증도 평가에 옳은 방법을 모두 고르시오.

(가) CBC
(나) Urinalysis
(다) LFT
(라) Brain MRI

① 가, 나, 다　　② 가, 다

③ 나, 라　　④ 라

⑤ 가, 나, 다, 라

16

정답 ①

해설

전자간증의 중증도 기준

임상소견	비중증	중증
수축기 혈압(mmHg)	<160	≥160
이완기 혈압(mmHg)	<110	≥110
단백뇨	±	±
두통	−	+
시야장애	−	+
명치 또는 우상복부 통증	−	+
소변 감소(≤500 mL/24hr)	−	+
경련(convulsion)	−	+ (자간증)
혈청 creatinine	정상	상승
혈소판감소증(<100,000/μL)	−	+
간 기능 저하(간수치 상승)	경미	현저
태아성장제한	−	+
폐부종	−	+
임신 주수	후기	조기

참고 *Final Check 산과 652 page*

17

정답 ①

해설

전자간증의 중증도 기준

임상소견	비중증	중증
수축기 혈압(mmHg)	<160	≥160
이완기 혈압(mmHg)	<110	≥110
단백뇨	±	±
두통	−	+
시야장애	−	+
명치 또는 우상복부 통증	−	+
소변 감소(≤500 mL/24hr)	−	+
경련(convulsion)	−	+ (자간증)
혈청 creatinine	정상	상승
혈소판감소증(<100,000/μL)	−	+
간 기능 저하(간수치 상승)	경미	현저
태아성장제한	−	+
폐부종	−	+
임신 주수	후기	조기

참고 *Final Check 산과 652 page*

18

다음 중 전자간증 산모의 중증도를 측정하는 지표가 아닌 것을 고르시오.

① 혈압

② 전신 부종

③ 두통

④ 단백뇨

⑤ 혈청 creatinine 수치

18

정답 ②

해설

전자간증의 중증도 기준

임상소견	비중증	중증
수축기 혈압(mmHg)	<160	≥160
이완기 혈압(mmHg)	<110	≥110
단백뇨	±	±
두통	−	+
시야장애	−	+
명치 또는 우상복부 통증	−	+
소변 감소(≤500 mL/24hr)	−	+
경련(convulsion)	−	+ (자간증)
혈청 creatinine	정상	상승
혈소판감소증(<100,000/μL)	−	+
간 기능 저하(간수치 상승)	경미	현저
태아성장제한	−	+
폐부종	−	+
임신 주수	후기	조기

참고 *Final Check 산과 652 page*

19

평소 산전진찰을 정기적으로 받지 않던 산과력 0-0-1-0인 25세 산모가 800 g의 사산아를 분만하였다. 산모는 분만 전 경련이 있었고 분만 후 혼수 상태로 중증 고혈압, 혈소판감소증, 핍뇨, 간수치 증가, 고빌리루빈혈증 등이 확인되었다. 이 산모에게 감별해야 할 질환을 모두 고르시오.

(가) 자간증(eclampsia)
(나) 용혈성요독증증후군(HUS)
(다) 혈전성혈소판감소성자반증(TTP)
(라) 급성 임신성지방간(acute fatty liver of pregnancy)

① 가, 나, 다 ② 가, 다

③ 나, 라 ④ 라

⑤ 가, 나, 다, 라

19

정답 ⑤

해설

자간증의 감별진단

1. 다른 원인들이 배제될 때까지 경련을 하는 모든 산모는 자간증으로 간주
2. 간질, 뇌증, 뇌막염, 뇌종양, 신경낭미충증, 양수색전증, 경막천자 후 두통, 뇌혈관류파열, 혈관염, 허혈성뇌질환, 저혈당, 저나트륨혈증 등
3. 고빌리루빈혈증 : 급성 임신성지방간 의심

참고 *Final Check 산과 661, 668 page*

20

임신 34주 전자간증 산모의 탯줄동맥 도플러 검사 소견이 아래와 같다면 이 산모에게 나타날 수 있는 것을 모두 고르시오.

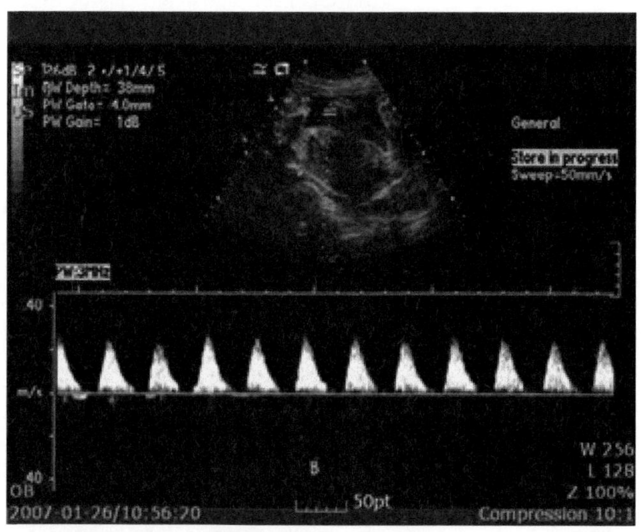

(가) 양수과소증이 나타날 수 있다
(나) 신생아 호흡곤란증후군이 적을 것이다
(다) 태아 저산소증이 우려된다
(라) 임신 38주까지 검사를 하면서 추적관찰한다

① 가, 나, 다　　② 가, 다
③ 나, 라　　④ 라
⑤ 가, 나, 다, 라

20

 ①

해설

임신 34주 이전 전자간증 산모의 분만 적응증

Corticosteroid + 임산부 안정화 후 분만	Corticosteroid + 가능하면 48 hrs 후 분만
조절되지 않는 고혈압	조기양막파수 or 조기진통
자간증	혈소판감소증
폐부종	간수치 상승
태반조기박리	태아성장제한
소모성 혈액응고장애(DIC)	양수과소증
안심할 수 없는 태아상태	탯줄동맥 이완기말혈류역전
태아 사망	신장 기능 저하의 악화

참고 *Final Check 산과 667 page*

21

전자간증으로 입원치료 중인 산모가 경련 후 40℃가 넘는 고열을 보이며 혼수 상태에 빠졌다. 이 산모에게 다음으로 시행해야 할 검사는 무엇인가?

① Chest PA
② Brain CT
③ EEG
④ Abdomen CT
⑤ Brain ultrasonography

21

정답 ②

해설

경련 후 고열(High fever)

1. 중추신경계의 출혈을 의미하는 심각한 징후
2. Brain CT로 출혈을 확인

참고 *Final Check 산과 669 page*

22

임신 32주 산모가 단백뇨와 경련을 주소로 내원하였다. 입원 시 혈압 170/120 mmHg으로 확인되어 바로 마그네슘황산염을 투여하였고 갑자기 39.5℃ 고열과 의식 소실이 발생했다. 다음 중 가장 먼저 해야 할 처치는 무엇인가?

① Bed rest
② Brain CT
③ Chest X-ray
④ MgSO4
⑤ Hydration

22

정답 ②

해설

경련 후 고열(High fever)

1. 중추신경계의 출혈을 의미하는 심각한 징후
2. Brain CT로 출혈을 확인

참고 *Final Check 산과 669 page*

23

전자간증 임신부에서 중증 고혈압 치료 시 가장 우선적으로 사용하는 약물은 무엇인가?

① Methyldopa
② Hydralazine
③ Sodium nitroprusside
④ Nimodipine
⑤ Nitroprusside

23

정답 ②

해설

전자간증에서 심한 고혈압의 조절

1. 목표 : SBP ≤160 mmHg, DBP ≤110 mmHg
2. 1st 치료제 : hydralazine, labetalol, nifedipine

참고 *Final Check 산과 672 page*

24

전자간증의 고혈압 조절에 있어서 hydralazine을 투여하는 기준을 고르시오.

	수축기 혈압	이완기 혈압
①	180 mmHg	120 mmHg
②	170 mmHg	115 mmHg
③	160 mmHg	110 mmHg
④	150 mmHg	100 mmHg
⑤	140 mmHg	95 mmHg

24

정답 ③

해설

전자간증에서 심한 고혈압의 조절

1. 목표 : SBP ≤160 mmHg, DBP ≤110 mmHg
2. 1st 치료제 : hydralazine, labetalol, nifedipine

참고 *Final Check 산과 672 page*

25

35세 임신 36주 산모가 중증 전자간증으로 진단받고 마그네슘황산염을 투여하면서 유도분만 중이다. 혈압이 180/120 mmHg로 측정되었다면 다음 중 가장 적절한 혈압약은 무엇인가?

① Labetalol ② Verapamil

③ Nitroprusside ④ Furosemide

⑤ Captopril

25

정답 ①

해설

전자간증에서 심한 고혈압의 조절

1. 목표 : SBP ≤160 mmHg, DBP ≤110 mmHg
2. 1st 치료제 : hydralazine, labetalol, nifedipine

참고 *Final Check 산과 672 page*

26

임신 30주인 35세 초산부가 정기 검진에서 다음과 같은 소견을 보였다면 다음 중 이 산모에게 가장 적절한 처치는 무엇인가?

- 혈압 : 140/90 mmHg
- Urine stick 검사 : negative
- 24시간 소변 단백질의 양 : 100 mg
- 태아예상체중(EFW) : 10 percentile
- NST : Reactive pattern

① 경과관찰　② 항고혈압제
③ Magnesium sulfate 투여　④ 유도분만
⑤ 수분 및 활동 제한

26
정답 ②
해설
경증 및 중등도 고혈압의 치료
1. 항고혈압제 : 가중합병전자간증 발생 감소
2. 아스피린 : TXA2/prostacyclin 불균형 개선

참고 *Final Check 산과 664 page*

27

만성 고혈압 환자의 임신 시 항고혈압제를 중단해서는 안되는 적응증에 대하여 옳은 것을 모두 고르시오.

(가) 이완기 혈압 ≥100 mmHg
(나) 좌심실비대 + 이완기 혈압 95 mmHg
(다) 이완기 혈압 ≥95 mmHg + 신장질환
(라) 수축기 혈압 ≥140 mmHg

① 가, 나, 다　② 가, 다
③ 나, 라　④ 라
⑤ 가, 나, 다, 라

27
정답 ①
해설
만성 고혈압 산모에서 약물치료 적응증
1. Diastolic BP ≥100 mmHg
2. Diastolic BP ≥95 mmHg with LVH
3. Diastolic BP ≥100 mmHg with nephropathy

참고 *Final Check 산과 664 page*

28

중증 전자간증의 치료 원칙에 대한 내용으로 잘못된 것을 고르시오.

① 경련을 방지한다

② 분만이 궁극적인 치료다

③ 고혈압을 조절한다

④ 이뇨제와 신경안정제가 필수적이다

⑤ 산모의 전해질, 저산소증, 산혈증을 교정한다

28

정답 ④

해설

중증 전자간증의 치료

1. 자간증과 동일
2. 자간증의 치료원칙
   a. 마그네슘황산염과 항고혈압제제 투여
   b. 이뇨제는 폐부종 의심 · 진단된 경우만 투여
   c. 고삼투압제제도 사용을 제한
   d. 과도 수분소실이 아니면 수분공급 제한
   e. 경련 조절 후 분만을 시도

참고 *Final Check 산과 666, 670 page*

29

중증 전자간증에서 마그네슘황산염을 투여하는 이유는 무엇인가?

① 경련 예방

② 자궁수축 억제

③ 폐부종 방지

④ 신생아 폐성숙 항진

⑤ 부종 예방

29

정답 ①

해설

마그네슘황산염(Magnesium sulfate)

1. 경련을 예방하는 가장 주요한 약제
2. 유지요법은 분만 후 24시간 동안 지속

참고 *Final Check 산과 670 page*

30

다음 중 자간증에 대한 기술로 옳은 것을 고르시오.

① 분만 후 24시간 이후에 나타나는 경련은 자간증이 아니다

② 치료하지 않은 전자간증은 항상 자간증으로 진행한다

③ 경련은 대개 전체 몸의 근육 강직부터 시작한다

④ 경련은 대발작 형이다

⑤ 경련은 대개 다발성이고 계속 오는 경우는 드물다

30

정답 ④

해설

자간증의 경련

1. 전신적인 강직성–간대성 경련
2. 입가를 씰룩 → 몇 초 후에는 몸 전체가 뻣뻣(15~20초간 지속) → 눈, 입 여닫기 반복 → 얼굴 근육의 수축, 이완 반복 → 근육활동이 점진적으로 작아지다 없어짐 → 혼수상태

참고 *Final Check 산과 668 page*

31

임신 29주의 전자간증 산모에서 임신연장요법(expectant management)을 시행할 수 없는 경우를 고르시오.

① 24시간 소변 단백질 : 6.4 g

② 생물리학계수(BPP) : 7점

③ 이완기 혈압 : 100 mmHg

④ 양수지수(AFI) : 7 cm

⑤ 혈소판 : 90,000/μL

31

정답 ⑤

해설

임신 34주 이전 전자간증 산모의 분만 적응증

Corticosteroid + 임산부 안정화 후 분만	Corticosteroid + 가능하면 48 hrs 후 분만
조절되지 않는 고혈압 자간증 폐부종 태반조기박리 소모성 혈액응고장애(DIC) 안심할 수 없는 태아상태 태아 사망	조기양막파수 or 조기진통 혈소판감소증 간수치 상승 태아성장제한 양수과소증 탯줄동맥 이완기말혈류역전 신장 기능 저하의 악화

참고 *Final Check 산과 667 page*

32

하지부종으로 내원한 임신 34주 산모가 시행한 검사상 혈압 180/120 mmHg, urine protein 2+, 혈소판 68,000 μL로 확인되었다. 초음파상 태아예상체중은 5 percentile 미만이었으나 반응성 비수축검사(reactive nonstress test) 소견을 보였다. 다음 중 이 산모에게 가장 올바른 처치는 무엇인가?

① 유도분만

② 제왕절개분만

③ 혈소판 수혈

④ 경과관찰

⑤ $MgSO_4$ + Nifedipine

32

정답 ①

해설

임신 34주 이전 전자간증 산모의 분만 적응증

Corticosteroid + 임산부 안정화 후 분만	Corticosteroid + 가능하면 48 hrs 후 분만
조절되지 않는 고혈압 자간증 폐부종 태반조기박리 소모성 혈액응고장애(DIC) 안심할 수 없는 태아상태 태아 사망	조기양막파수 or 조기진통 혈소판감소증 간수치 상승 태아성장제한 양수과소증 탯줄동맥 이완기말혈류역전 신장 기능 저하의 악화

참고 *Final Check 산과 667 page*

33

임신 32주 초산부가 두통과 상복부 통증을 주소로 내원하였다. 검사상 혈압 150/90 mmHg, AST/ALT 90/90 U/L, 혈소판 10,000/μL, 초음파 검사상 태아예상체중 약 1.9 kg으로 확인되었다. 입원 후 항고혈압제 및 마그네슘황산염을 투여하였고, 3일이 지나도 증상의 호전이 없었다면 다음 처치로 가장 적절한 것은 무엇인가?

① 생물리학계수(BPP)를 주 2회 시행한다
② 유도분만을 한다
③ 즉시 제왕절개를 한다
④ 도플러 검사상 S/D ratio 3.0 이상이면 제왕절개를 한다
⑤ L/S ratio를 측정하여 3.0 미만이면 유도분만을 한다

33

정답 ②

해설

임신 34주 이전 전자간증 산모의 분만 적응증

Corticosteroid + 임산부 안정화 후 분만	Corticosteroid + 가능하면 48 hrs 후 분만
조절되지 않는 고혈압	조기양막파수 or 조기진통
자간증	혈소판감소증
폐부종	간수치 상승
태반조기박리	태아성장제한
소모성 혈액응고장애(DIC)	양수과소증
안심할 수 없는 태아상태	탯줄동맥 이완기말혈류역전
태아 사망	신장 기능 저하의 악화

참고 *Final Check 산과 667 page*

34

임신 28주인 26세 초산부가 우상복부 통증을 주소로 내원하였다. 시행한 검사상 혈압 160/110 mmHg, urine protein 3+, 혈소판 78,000/μL으로 확인되었다. 이 산모의 다음 처치로 옳은 것을 고르시오.

① Hydralazine 써서 이완기 혈압을 90 mmHg 미만으로 낮춘다
② 요감소(oliguria) 시 이뇨제 사용한다
③ 경련 예방을 위해 diazepam을 사용한다
④ 혈소판이 지속적으로 감소하면 분만을 시도한다
⑤ Doppler S/D ratio 3.0 시 분만한다

34

정답 ④

해설

임신 34주 이전 전자간증 산모의 분만 적응증

Corticosteroid + 임산부 안정화 후 분만	Corticosteroid + 가능하면 48 hrs 후 분만
조절되지 않는 고혈압	조기양막파수 or 조기진통
자간증	혈소판감소증
폐부종	간수치 상승
태반조기박리	태아성장제한
소모성 혈액응고장애(DIC)	양수과소증
안심할 수 없는 태아상태	탯줄동맥 이완기말혈류역전
태아 사망	신장 기능 저하의 악화

참고 *Final Check 산과 667 page*

35

27세 임신 36주 산모가 전신 부종을 주소로 내원하였다. 체중 60 kg, 혈압 170/110 mmHg, urine protein 3+로 확인되었다면 이 산모에게 분만을 해야 하는 경우는 무엇인가?

① 이완기 혈압 100 mmHg

② Serum creatinine 1.0 mg/dL

③ Platelet 150,000/μL

④ AST/ALT 50/60 U/L

⑤ Urine 350 cc/day

35

정답 ⑤

해설

임신 34주 이전 전자간증 산모의 분만 적응증

Corticosteroid + 임산부 안정화 후 분만	Corticosteroid + 가능하면 48 hrs 후 분만
조절되지 않는 고혈압	조기양막파수 or 조기진통
자간증	혈소판감소증
폐부종	간수치 상승
태반조기박리	태아성장제한
소모성 혈액응고장애(DIC)	양수과소증
안심할 수 없는 태아상태	탯줄동맥 이완기말혈류역전
태아 사망	신장 기능 저하의 악화

참고 *Final Check 산과 667 page*

36

임신 33주인 임산부가 두통을 주소로 내원하였다. 검사상 혈압 150/90 mmHg, urine protein 2+, 혈소판 80,000/μL, AST/ALT 120/120 U/L로 확인되었고, 초음파상 태아예상체중 1.8 kg, 다른 이상소견은 보이지 않았다. 다음 처치로 가장 적합한 것을 고르시오.

① 항고혈압제 투여

② 혈소판 수혈

③ 간기능강화제 투여

④ 유도분만

⑤ 제왕절개분만

36

정답 ④

해설

임신 34주 이전 전자간증 산모의 분만 적응증

Corticosteroid + 임산부 안정화 후 분만	Corticosteroid + 가능하면 48 hrs 후 분만
조절되지 않는 고혈압	조기양막파수 or 조기진통
자간증	혈소판감소증
폐부종	간수치 상승
태반조기박리	태아성장제한
소모성 혈액응고장애(DIC)	양수과소증
안심할 수 없는 태아상태	탯줄동맥 이완기말혈류역전
태아 사망	신장 기능 저하의 악화

참고 *Final Check 산과 667 page*

37

임신 34주인 다분만부가 전신의 부종과 우상복부 통증을 주소로 내원하였다. 검사상 혈압 200/110 mmHg, Urine protein 3+, platelet 51,000/μL, AST/ALT 750/870 U/L, Bilirubin 2.7 mg/dL로 확인되었다면 이 환자의 향후 처치로 가장 적절한 것을 고르시오.

① 수분 제한 및 절대 안정　② 자궁수축억제제 투여
③ Dexamethasone 투여　④ 항생제 투여
⑤ 분만 시도

37

정답 ⑤

해설

임신 34주 이전 전자간증 산모의 분만 적응증

Corticosteroid + 임산부 안정화 후 분만	Corticosteroid + 가능하면 48 hrs 후 분만
조절되지 않는 고혈압	조기양막파수 or 조기진통
자간증	혈소판감소증
폐부종	간수치 상승
태반조기박리	태아성장제한
소모성 혈액응고장애(DIC)	양수과소증
안심할 수 없는 태아상태	탯줄동맥 이완기말혈류역전
태아 사망	신장 기능 저하의 악화

참고 Final Check 산과 667 page

38

임신 36주인 36세 여성이 전신의 부종을 주소로 내원하였다. 혈압 160/90 mmHg, 심박수 60회/min., 호흡수 20회/min., 체온 36.7℃였고, 초음파상 태아는 두위, 예상체중 2,400 g으로 확인되었다. 내진상 자궁경부 개대 2 cm, 숙화도 80%, 하강도 −1 이었고, 청진상 산모의 호흡음은 정상이었다. 비수축 검사는 정상이었고, 혈액 및 소변 검사 결과가 아래와 같다면 다음 처치로 가장 적절한 것을 고르시오.

- Hb : 12.5 g/dL　– WBC : 11,500/μL
- Platelet : 80,000/μL　– AST/ALT : 30/35 U/L
- BUN/Cr : 15.0/1.4 mg/mL　– LDH : 364 IU/L
- Urine protein : negative　– Urine glucose : negative

① 경과관찰　② 유도 분만
③ Furosemide　④ Hydralazine
⑤ 제왕절개술

38

정답 ②

해설

임신 34주 이전 전자간증 산모의 분만 적응증

Corticosteroid + 임산부 안정화 후 분만	Corticosteroid + 가능하면 48 hrs 후 분만
조절되지 않는 고혈압	조기양막파수 or 조기진통
자간증	혈소판감소증
폐부종	간수치 상승
태반조기박리	태아성장제한
소모성 혈액응고장애(DIC)	양수과소증
안심할 수 없는 태아상태	탯줄동맥 이완기말혈류역전
태아 사망	신장 기능 저하의 악화

참고 Final Check 산과 667 page

39

임신 36주인 초임부가 두통 및 현기증, 부종을 주소로 입원하였다. 산모 수첩의 임신 초기 혈압은 110/70 mmHg으로 적혀 있었고, 이번 내원 시 혈압은 170/110 mmHg였다. 소변 검사상 단백질 3+로 확인되었다면 다음 처치로 가장 적절한 것을 고르시오.

① 수액 60~125 mL/hr 공급

② ACE inhibitor 투여

③ 이뇨제 투여

④ Dexamethasone 투여

⑤ 제왕절개분만

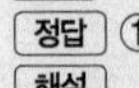

정답 ①

해설

전자간증의 조기 발견

1. 수축기 혈압 ≥140 mmHg 혹은 이완기 혈압 ≥90 mmHg 소견이 새로 발생 시 입원하여 전자간증의 유무를 평가
2. 수액 투여 : Lactated Ringers 60~125 mL/hr

참고 *Final Check 산과 665, 673 page*

40

전자간증 임산부에서 임신 34주가 넘지 않았더라도 분만을 해야 하는 경우를 쓰시오.(4가지)

40

정답

1. 지속되는 산모의 두통, 시야장애, 상복부 통증 등의 증상
2. 다발성 장기의 기능장애
3. 탯줄동맥 혈류이상이나 양수감소증을 동반한 심한 자궁 내 태아성장제한
4. 태반조기박리
5. 안심할 수 없는 태아 상태
6. 태아사망

참고 *Final Check 산과 667 page*

41

$MgSO_4$를 투여하고 있는 전자간증 및 자간증 임산부에 대한 설명으로 옳은 것은 무엇인가?

① 근육 내 투여가 정맥 내 투여에 비해 효과적이다

② 분만 후 경련이 없으면 수유를 위해 투여를 바로 중단한다

③ $MgSO_4$ 투여 후 경련이 지속될 때는 즉시 phenytoin으로 대체한다

④ 혈중 크레아티닌(creatinine) >1.0이면 유지량을 절반으로 줄여서 투여한다

⑤ 항고혈압제는 추가적으로 투여하지 않는다

41

정답 ④

해설

마그네슘황산염(Magnesium sulfate)

1. 투여 : 지속적 정주법 or 간헐적 근주법
2. 유효농도 : 4~7 mEq/L (4.8~8.4 mg/dL)
3. 분만 후 24시간 동안 지속하고, 분만 후 경련이 발생하면 경련 시작 이후 24시간 동안 유지
4. Cr >1.0 mg/dL : 유지량을 절반으로 줄임
5. 혈압 치료를 위한 약물로 사용하지 않음

참고 *Final Check 산과 670 page*

42

임신 36주인 36세 초산부가 혈압 증가를 주소로 입원하였다. 입원 당시 혈압 170/120 mmHg, 요검사상 단백뇨 3+로 확인되었고, 양쪽 하지의 부종이 관찰되었다. 이 환자의 경련 예방을 위한 $MgSO_4$ 투여 대한 설명으로 옳은 것은 무엇인가?

① 혈압 조절에도 효과적이다

② 혈압 치료를 위한 농도는 10~12 mEq/L이다

③ 투여 중 경련이 발생하면 calcium gluconate를 추가 투여한다

④ 혈청 creatinine이 1.0 mg/dL 이상인 경우 투여량을 반으로 줄여야 한다

⑤ 분만을 하면 더 이상 투여하지 않아도 된다

42

정답 ④

해설

마그네슘황산염(Magnesium sulfate)

1. 투여 : 지속적 정주법 or 간헐적 근주법
2. 유효농도 : 4~7 mEq/L (4.8~8.4 mg/dL)
3. 분만 후 24시간 동안 지속하고, 분만 후 경련이 발생하면 경련 시작 이후 24시간 동안 유지
4. Cr >1.0 mg/dL : 유지량을 절반으로 줄임
5. 혈압 치료를 위한 약물로 사용하지 않음

참고 *Final Check 산과 670 page*

43

임신 35주 초산부가 두통, 우상복부 통증을 주소로 내원하였다. 시행한 검사상 혈압 150/100 mmHg, urine protein 3+, 혈소판 85,000/μL으로 확인되었다면 가장 먼저 시행해야 할 다음 처치는 무엇인가?

① 이뇨제 투여
② 응급 제왕절개분만
③ 알부민 투여
④ 혈소판 농축액 투여
⑤ $MgSO_4$ 투여

43

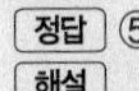

정답 ⑤

해설

자간증의 치료원칙

1. 경련 조절 : 마그네슘황산염
2. 이완기 혈압이 높을 때마다 항고혈압제제 투여
3. 이뇨제는 폐부종 의심 · 진단된 경우만 투여
4. 고삼투압제제도 사용을 제한
5. 과도 수분소실이 아니면 수분공급 제한
6. 경련 조절 후 분만을 시도

참고 *Final Check 산과 670 page*

44

32세 임신 32주 초산부가 구토, 무력감, 황달, 두통을 주소로 내원하였다. 검사 소견이 아래와 같다면 이 산모의 다음 처치로 가장 적절한 것을 고르시오.

- 혈압 : 150/110 mmHg
- Hb : 8.0 g/dL
- Hematocrit : 25%
- Fibrinogen : 30 mg/dL
- FDP : 256 ug/dL
- AST : 450 U/L
- Urine protein 3+

① 수액 요법과 절대 안정을 취한다
② 즉시 유도분만을 한다
③ Interferon therapy를 한다
④ Magnesium을 투여한다
⑤ High steroid therapy를 시행한다

44

정답 ④

해설

자간증의 치료원칙

1. 경련 조절 : 마그네슘황산염
2. 이완기 혈압이 높을 때마다 항고혈압제제 투여
3. 이뇨제는 폐부종 의심 · 진단된 경우만 투여
4. 고삼투압제제도 사용을 제한
5. 과도 수분소실이 아니면 수분공급 제한
6. 경련 조절 후 분만을 시도

참고 *Final Check 산과 670 page*

45

중증 전자간증(severe preeclampsia) 산모에게 $MgSO_4$를 투여할 때 주기적으로 확인해야 하는 것을 모두 고르시오.

(가) 소변량
(나) 무릎반사
(다) 호흡 상태
(라) 혈중 마그네슘 농도

① 가, 나, 다 ② 가, 다
③ 나, 라 ④ 라
⑤ 가, 나, 다, 라

45

정답 ①

해설

마그네슘황산염(Magnesium sulfate)

1. 비경구적으로 투여된 Mg는 신장으로 배설
2. 사구체여과율 확인을 위한 혈중 크레아티닌 수치 및 소변량을 확인
3. 주기적인 심부건반사 및 호흡 확인
4. 마그네슘황산염 투여 시 규칙적인 혈중 마그네슘 측정은 권장하지 않음(ACOG, 2013)

참고 *Final Check 산과 670 page*

46

전자간증에서 마그네슘황산염을 투여할 때 주기적으로 확인해야하는 사항을 쓰시오.(3가지)

46

정답

1. 무릎반사
2. 호흡
3. 소변량

참고 *Final Check 산과 670 page*

47

임신 32주인 22세 초산부가 2차례의 경련이 있어서 $MgSO_4$를 투여받고 전원 되었다. 내원 시 의식은 명료하였고, 혈압 160/100 mmHg, urine protein 3+, 내진상 자궁경부는 단단한 양상에 닫혀 있었다. 비수축검사상 심한 늦은 태아심장박동수감소(late deceleration)를 보여 응급 제왕절개술을 실시하였고 2,500 g의 건강한 남아를 분만하였다. 수술 후 특이 사항은 없었고, 산후 출혈이 관찰되지는 않았으며 자궁수축도 양호하였다. 시간당 소변량은 65 cc, 혈압 160/90 mmHg으로 확인되었으나 1시간 후 회복실로부터 환자의 호흡수가 8회로 감소하였음을 보고받았다. 다음 중 산부인과 의사가 가장 먼저 시행할 것은 무엇인가?

① Arterial blood gas analysis

② Patellar reflex 확인

③ Chest PA & EKG

④ Calcium gluconate 투여

⑤ Serum magnesium 측정

48

임신 34주인 27세 여성이 1시간 전 갑자기 경련을 일으키며 의식이 없어졌다고 응급실로 내원하였다. 산모는 혈압 180/120 mmHg, 맥박 96회/min., 단백뇨 3+, 하지 및 복부에 심한 부종이 관찰되었다. 이 환자에게 $MgSO_4$를 계속 투여 시 확인해야 할 항목 중 가장 관련이 적은 것을 고르시오.

① 무릎반사 ② 소변량

③ 호흡 횟수 ④ 혈중 Mg 농도

⑤ 심전도

47

정답 ②

해설

혈중 마그네슘 농도에 따른 독성 발현

증상	농도(mEq/L)
치료 전 정상 농도	<2.0
적정 치료 농도(경련 예방)	4~7
무릎반사 소실	10
호흡 저하(respiratory depression)	≥10
호흡 정지(respiratory arrest)	≥12
심장 정지(cardiac arrest)	≥30

참고 *Final Check 산과 671 page*

48

정답 ⑤

해설

마그네슘황산염(Magnesium sulfate)

1. 비경구적으로 투여된 Mg는 신장으로 배설
2. 사구체여과율 확인을 위한 혈중 크레아티닌 수치 및 소변량을 확인
3. 주기적인 심부건반사 및 호흡 확인
4. 마그네슘황산염 투여 시 규칙적인 혈중 마그네슘 측정은 권장하지 않음(ACOG, 2013)

참고 *Final Check 산과 670 page*

49

임신 34주인 초산모가 경련으로 응급실로 내원하였다. 내원 시 의식은 명료하였고, 혈압 180/120 mmHg, 소변 단백 3+, 혈소판 95,000/μL로 확인되었다. 다음 중 응급으로 시행해야 하는 처치로 올바른 것을 모두 고르시오.

(가) 마그네슘황산염 투여
(나) 경련 상태라도 즉시 분만 시도
(다) 항고혈압제제 투여
(라) 알부민과 이뇨제 투여

① 가, 나, 다　② 가, 다
③ 나, 라　④ 라
⑤ 가, 나, 다, 라

49
정답 ②
해설
자간증의 치료원칙
1. 경련 조절 : 마그네슘황산염
2. 이완기 혈압이 높을 때마다 항고혈압제제 투여
3. 이뇨제는 폐부종 의심 · 진단된 경우만 투여
4. 고삼투압제제도 사용을 제한
5. 과도 수분소실이 아니면 수분공급 제한
6. 경련 조절 후 분만을 시도

참고 *Final Check 산과 670 page*

50

중증 전자간증의 25세 초산부가 임신 40주에 분만진통을 하던 중 경련을 일으켰고 의료진은 즉시 $MgSO_4$를 투여하여 경련은 멈추었으나 4시간 후 무릎반사의 소실과 호흡수 10회/min.로 감소가 나타났다. 이 산모에게 가장 적절한 약제를 고르시오.

① Thiopental sodium
② Sodium amobarbital
③ Calcium gluconate
④ Naloxone hydrochloride
⑤ ACE inhibitor

50
정답 ③
해설
마그네슘황산염 투여 후 발생한 독성의 치료
1. Calcium gluconate or Calcium chloride 1 g IV
2. 칼슘의 효과는 지속시간이 짧아 심각한 호흡저하, 호흡 정지의 경우 즉각 기관내삽관과 인공호흡기의 사용이 필요

참고 *Final Check 산과 671 page*

51

전자간증으로 입원치료 중인 임산부에서 마그네슘황산염 투여 후 무릎반사의 소실과 호흡곤란이 발생하였다. 혈중 마그네슘 농도 11 mEq/L로 확인되었다면 투여해야 하는 약제를 고르시오.

① 디아제팜(diazepam)

② 푸로세마이드(furosemide)

③ 글루코코티코이드(glucocorticoid)

④ 글루콘산칼슘(calcium gluconate)

⑤ 하이드랄라진(hydralazine)

51

정답 ④

해설

마그네슘황산염 투여 후 발생한 독성의 치료

1. Calcium gluconate or Calcium chloride 1 g IV
2. 칼슘의 효과는 지속시간이 짧아 심각한 호흡 저하, 호흡 정지의 경우 즉각 기관내삽관과 인공호흡기의 사용이 필요

참고 *Final Check 산과 671 page*

52

전자간증의 치료 시 $MgSO_4$와 동시에 사용하는 것을 주의해야 하는 약물은 무엇인가?

① Nifedipine

② Hydralazine

③ Labetalol

④ Thiopental

⑤ Diuretics

52

정답 ⑤

해설

이뇨제(Diuretics)

1. 혈관 내 용적을 감소시켜 태반관류를 악화
2. 분만 전에는 폐부종이 의심되거나 진단된 경우에만 사용

참고 *Final Check 산과 673 page*

53

전자간증 산모에 관한 내용으로 옳지 않은 것은 무엇인가?

① 분만 후 가장 먼저 호전되는 증세는 소변량의 증가이다
② 분만 전 상태의 악화를 막기위해 magnesium과 이뇨제를 동시에 투여한다
③ 산전 흡연은 전자간증 발병과 무관하다
④ 중증 고혈압은 hydralazine으로 조절한다
⑤ 소변량을 주의 깊게 확인한다

53
정답 ②
해설
이뇨제(Diuretics)
1. 혈관 내 용적을 감소시켜 태반관류를 악화
2. 분만 전에는 폐부종이 의심되거나 진단된 경우에만 사용

참고 *Final Check 산과 673 page*

54

임신 28주 산모가 심한 두통을 주소로 내원하였다. 혈압 180/110 mmHg, urine protein 3+였고, 초음파상 태아예상체중 850 g, 양수지수 12 cm으로 확인되었다면 이 환자에게 투여할 약물을 쓰시오.(3가지)

54
정답
1. Glucocorticoid
2. Magnesium sulfate
3. 항고혈압제제(hydralazine, labetalol, nifedipine)

참고 *Final Check 산과 666, 672 page*

55

자간증으로 입원 중인 산모가 유도분만 진행 중 경련을 일으켰다. 초음파 및 비수축검사(NST)에서 태아는 정상 소견을 보이고 있을 때 이 산모에게 가장 올바른 다음 처치는 무엇인가?

① Colloid 용액 투여

② $MgSO_4$와 phenytoin 동시 투여

③ 폐부종 예방을 위해 이뇨제 투여

④ 집중 관찰하며 유도분만 지속

⑤ 응급 제왕절개 실시

55

정답 ④

해설

자간증의 치료원칙

1. 경련 조절 : 마그네슘황산염
2. 이완기 혈압이 높을 때마다 항고혈압제제 투여
3. 이뇨제는 폐부종 의심 · 진단된 경우만 투여
4. 고삼투압제제도 사용을 제한
5. 과도 수분소실이 아니면 수분공급 제한
6. 경련 조절 후 분만을 시도

참고 Final Check 산과 670 page

56

중증 전자간증으로 제왕절개술을 시행한 산모가 수술 후 회복실에서 호흡곤란을 호소하였다. 검사상 체온 37℃, 산소포화도 93%, 흉부 방사선 사진은 아래와 같았다면 다음 중 가장 적절한 처치는 무엇인가?

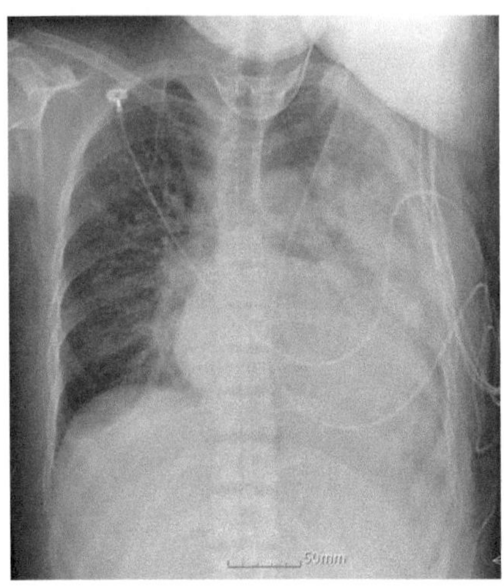

① 경과관찰　② 알부민

③ 이뇨제　④ 항고혈압제

⑤ 마그네슘황산염

56

정답 ③

해설

이뇨제(Diuretics)

1. 혈관 내 용적을 감소시켜 태반관류를 악화
2. 분만 전에는 폐부종이 의심되거나 진단된 경우에만 사용

참고 Final Check 산과 673 page

57

임신 32주 임산부가 호흡곤란을 주소로 응급실에 내원하였다. 산모의 의식은 명료하였고, 혈압 170/110 mmHg, 소변 단백질 3+, 초음파상 태아예상체중 1 kg, 생물리학계수(BPP) 8점, 반응성 비수축검사(reactive nonstress test) 소견을 보였다. 흉부 방사선 소견은 아래와 같았다면 이 산모에게 가장 적절한 처치를 고르시오.

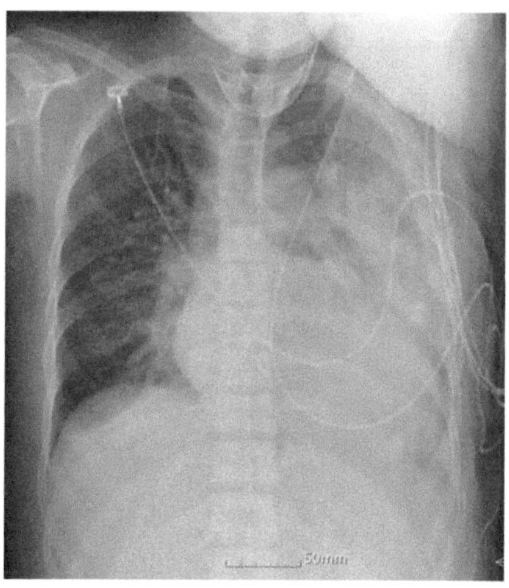

① 고삼투압제　　② 이뇨제
③ 항고혈압제　　④ 글루콘산칼슘
⑤ 스테로이드

57

정답 ②

해설

이뇨제(Diuretics)

1. 혈관 내 용적을 감소시켜 태반관류를 악화
2. 분만 전에는 폐부종이 의심되거나 진단된 경우에만 사용

참고 *Final Check 산과 673 page*

58

임신 36주인 35세 초산모가 가중합병전자간증(superimposed preeclampsia)으로 유도분만을 시행하였고 2.2 kg 여아를 분만하였다. 분만 후 산모는 앉아서 상반신을 앞으로 굽혀야 호흡이 조금 편해지는 호흡곤란을 호소하였고 기침과 흉통도 발생하였다. 흉부 방사선 소견이 아래와 같다면 이 산모의 치료로 잘못된 것을 고르시오.

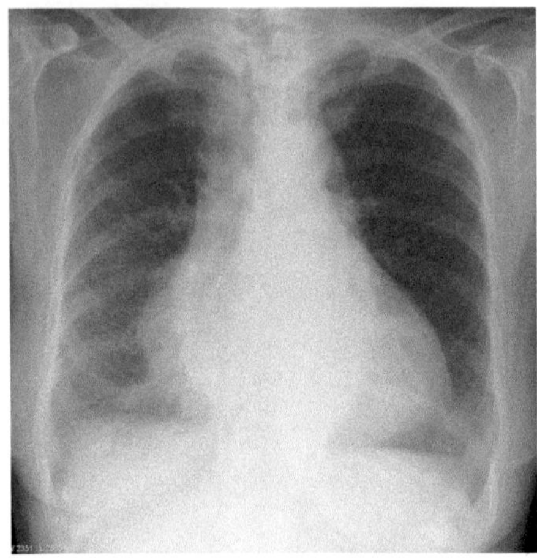

① 강심제

② 이뇨제

③ 헤파린

④ Preload 감소와 Afterload 증가 유도

⑤ 저염식

58

정답 ④

해설

전자간증에서 심장기능의 변화

1. 좌심실의 충만압(filling pressure) 정상
2. 심박출량은 보통이거나 약간 감소
3. 전신 혈관저항 증가 : 혈압상승의 주요 기전

→ 전부하(preload) 감소, 후부하(afterload) 증가

참고 *Final Check 산과 657 page*

59

22세의 초산부가 임신 36주에 두통 및 시력장애를 주소로 내원하였다. 문진상 내원 2주전보다 2 kg의 체중 증가가 있었으며, 1주 전부터 급격히 붓기 시작하면서 두통과 시력장애가 발생하였다고 한다. 임신 초기의 혈압은 120/80 mmHg이었는데 이번 내원 시 6시간 간격으로 두 번 측정한 혈압 모두 190/110 mmHg이었다. 환자는 전신 부종이 심하였으며 urine protein 3+로 확인되었다. 내진 소견상 태아는 두정위였고 자궁경부는 딱딱하게 닫혀 있었으며 태아의 심음은 120~140회/min.로 잘 청취 되었다. 다음 중 이 산모의 처치로 잘못된 것은 무엇인가?

① 경련 예방을 위해서 $MgSO_4$를 투여하고 분만 후 24시간까지 쓴다

② 이완기 혈압 110 mmHg 이상일 때 hydralazine으로 혈압을 조절한다

③ 핍뇨가 있으면 이뇨제 사용은 피하고 고삼투압제를 사용한다

④ 임신 주수가 확실하면 양수천자로 태아 폐성숙을 확인할 필요는 없다

⑤ 지나친 수분 공급이 되지 않도록 주의한다

59

정답 ③

해설

자간증의 치료원칙

1. 경련 조절 : 마그네슘황산염
2. 이완기 혈압이 높을 때마다 항고혈압제제 투여
3. 이뇨제는 폐부종 의심 · 진단된 경우만 투여
4. 고삼투압제제도 사용을 제한
5. 과도 수분소실이 아니면 수분공급 제한
6. 경련 조절 후 분만을 시도

참고 *Final Check 산과 670 page*

60

전자간증 산모에서 분만 후 가장 먼저 좋아지는 것은 무엇인가?

① Oliguria ② Pulmonary edema

③ Proteinuria ④ Blurred vision

⑤ Hypertension

60

정답 ①

해설

전자간증 산모의 분만 후 증상의 호전 순서

1. 분만 후 24시간 내 소변량이 증가
2. 분만 2~3일 후 간수치가 정상화되기 시작
3. 분만 1주일 후 단백뇨, 부종 사라짐
4. 분만 1주일 내 시력이 정상으로 회복
5. 분만 수일~2주 정도 후 혈압의 정상화

참고 *Final Check 산과 669 page*

61

임신 32주 산모가 내원하였다. 검사상 혈압 160/110 mmHg, urine protein 3+였고, 비수축검사(NST)는 반응성이었다. 이 산모에 필요한 처치를 모두 고르시오.(2가지)

〈R–Type〉

① Glucocorticoid	⑥ ACE inhibitor
② Progesterone	⑦ 자궁경부 원형결찰술
③ Ritodrine	⑧ 질식 분만
④ Atosiban	⑨ 제왕절개 분만
⑤ Magnesium sulfate	⑩ 양수주입술

61

정답 ①, ⑤

해설

중증 전자간증의 처치

1. 글루코코티코이드(glucocorticoid)
   a. 임신 34주 미만의 중증 전자간증 산모에서 신생아 합병증을 줄이기 위해 사용
   b. 태아의 폐성숙 촉진, 신생아 호흡곤란증후군, 뇌실내출혈, 신생아감염 등 감소
2. 마그네슘황산염(magnesium sulfate)
   a. 경련을 예방하는 가장 주요한 약제
   b. 유지요법은 분만 후 24시간 동안 지속

참고 *Final Check 산과 668, 670 page*

CHAPTER 37

산과적 출혈(Obstetrical hemorrhage)

01

임신 전반기 출혈의 원인 중 가장 흔한 것을 고르시오.

① 포상기태

② 자궁외임신

③ 태반조기박리

④ 자연유산

⑤ 전치태반

01

정답 ④

해설

임신 전반기(20주 이전) 출혈의 원인

1. 유산(abortion) : 가장 흔한 원인
2. 자궁외임신(ectopic pregnancy)
3. 포상기태(hydatidiform mole)
4. 융모암종(choriocarcinoma)

참고 *Final Check 산과 677 page*

02

임신 제1삼분기 때 나타나는 질 출혈의 원인이 아닌 것을 고르시오.

① 포상기태(hydatidiform mole)

② 자궁외임신(ectopic pregnancy)

③ 전치태반(placenta previa)

④ 절박유산(threatened abortion)

⑤ 융모암종(choriocarcinoma)

02

정답 ③

해설

임신 전반기(20주 이전) 출혈의 원인

1. 유산(abortion) : 가장 흔한 원인
2. 자궁외임신(ectopic pregnancy)
3. 포상기태(hydatidiform mole)
4. 융모암종(choriocarcinoma)

참고 *Final Check 산과 677 page*

03

만기 산후 출혈에 관한 설명으로 잘못된 것을 고르시오.

① 분만 1~2주 후 주로 발생한다

② 태반부착부위의 퇴축불완전이 가장 흔한 원인이다

③ 태반용종(placental polyp)은 잔류 태반으로부터 발생한다

④ 옥시토신을 자궁수축제로 사용한다

⑤ 일차적으로 소파술을 시행한다

03

정답 ⑤

해설

만기 산후 출혈(Late postpartum hemorrhage)

1. 분만 후 24시간부터 6~12주 내 발생한 출혈
2. 원인
   a. 태반부착부위의 퇴축불완전 : 가장 흔함
   b. 잔류태반조직
3. 치료
   a. 내과적 치료 : 자궁수축제(1st choice)
   b. 외과적 치료 : 소파술, 자궁경 등

참고 *Final Check 산과 678, 688 page*

04

30세 여성이 질식분만 2주 후 발생한 출혈을 주소로 내원하였다. 다음 중 가장 많은 원인은 무엇인가?

① 양수색전증(amnionic fluid embolism)

② 자궁내막증(endometritis)

③ 퇴축불완전(abnormal involution)

④ 자궁파열(uterine rupture)

⑤ 자궁이완증(uterine atony)

04

정답 ③

해설

만기 산후 출혈(Late postpartum hemorrhage)

1. 분만 후 24시간부터 6~12주 내 발생한 출혈
2. 원인
   a. 태반부착부위 퇴축불완전 : 가장 흔함
   b. 잔류수태산물
   c. 감염
   d. 유전성 응고장애

참고 *Final Check 산과 678 page*

05

임신 41주 다분만부가 질식분만 후 태반이 만출되지 않아 태반수기박리술을 시행하였다. 이후 태반의 잔유물이 자궁에 유착되어 잔류하였을 때 향후 발생 가능한 상황으로 가장 흔한 것을 고르시오.

① 지연 출혈　　② 자궁파열
③ 자궁뒤집힘　　④ 자궁-방광 누공
⑤ 임신융모종양

06

산과력 0-0-3-0인 39주 산모가 2.8 kg, 여아를 질식분만 후 태반이 잘 나오지 않아 손으로 제거하였다. 분만 시 약 500 mL의 출혈이 있었으며 분만 후에도 약 600 mL의 출혈이 있었다. 자궁은 단단하게 만져졌으며 산도에도 이상 소견은 보이지 않았다. 다음 중 지속적인 출혈의 원인으로 가장 가능성이 높은 것은 무엇인가?

① 자궁이완증　　② 전치태반
③ 잔류태반　　④ 회음부 열상
⑤ 자궁파열

05

정답 ①

해설

잔류태반조직에 의한 출혈

1. 만기 산후 출혈의 가장 흔한 원인
2. 예방법 : 만출된 태반을 잘 살펴보고 결손 부분을 확인

참고 *Final Check 산과 688 page*

06

정답 ③

해설

잔류태반조직에 의한 출혈

1. 만기 산후 출혈의 가장 흔한 원인
2. 예방법 : 만출된 태반을 잘 살펴보고 결손 부분을 확인

참고 *Final Check 산과 688 page*

07

2주 전 분만한 다분만부가 다량의 질 출혈을 주소로 내원하였다. 혈압 80/50 mmHg, 맥박 120회/min., 호흡 24회/min., 체온 36.2℃로 확인되었고, 자궁저부는 배꼽 아래에서 단단히 만져졌다. 골반 검사에서 출혈성 덩이가 관찰되었고, 초음파에서 태반이 자궁저부와 질에 걸쳐 있었다. 혈액 검사 소견은 아래와 같다면 다음 처치로 가장 적절한 것을 고르시오.

- Hb : 8.1 g/dL
- WBC : 9,500/μL
- Platelet : 130,000/μL

① 경과관찰 ② 자궁 내 풍선압박술
③ 자궁 원위치 복원술 ④ 덩이제거술
⑤ 자궁절제술

08

분만 1주일 된 여성이 갑자기 발생한 하혈을 주소로 응급실에 내원하였다. 질, 자궁경부 등에 분만 열상은 없었으며, 내진상 자궁저부는 배꼽 아래에 위치하였다. 초음파 검사 상 자궁 안쪽이 혈액으로 가득 찬 소견이 보였다. 다음 중 이 환자에 대한 처치로 가장 적절한 것을 고르시오.

① 자궁절제술 ② 자궁수축제
③ 자궁동맥 결찰술 ④ 혈관조영 색전술
⑤ 자궁소파술

07

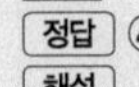
정답 ④
해설
잔류태반조직에 의한 출혈 치료
1. 내과적 치료 : 자궁수축제(1st choice)
2. 외과적 치료 : 소파술, 자궁경 등
참고 *Final Check 산과 688 page*

08

정답 ②
해설
잔류태반조직에 의한 출혈 치료
1. 내과적 치료 : 자궁수축제(1st choice)
2. 외과적 치료 : 잔류태반 제거(소파술, 자궁경)
참고 *Final Check 산과 688 page*

09

만삭에 정상 질식분만을 한 산모가 3주 후 갑자기 발생한 중등도 출혈을 주소로 내원하였다. 초음파상 자궁 내 특별한 잔유물이나 이상소견은 보이지 않았다면 다음 중 가장 적절한 처치는 무엇인가?

① 경과관찰 ② 자궁수축제
③ 자궁경 ④ 자궁소파술
⑤ 자궁절제술

10

2주 전 정상 질식분만한 여성이 갑자기 발생한 질 출혈을 주소로 내원하였다. 여성은 분만 중 별다른 특이소견은 없었고 분만 후에도 특별히 출혈은 없었다고 하였다. 다음 중 가장 흔한 원인은 무엇인가?

① 태반부착부위의 퇴축불완전 ② 잔류태반
③ 태반용종 ④ 자궁경부 열상
⑤ 정상 생리

11

분만한 지 2주된 산모가 질 출혈을 주소로 내원하였다. 혈압 110/80 mmHg, 심박수 80회/min., Hb 10.0 g/dL, 초음파상 자궁내막 두께 8 mm일 때 다음 처치로 가장 적절한 것을 고르시오.

① 자궁절제술 ② 자궁수축제
③ 소파술 ④ 수혈
⑤ 자궁경

09

정답 ②

해설

만기 산후 출혈(Late postpartum hemorrhage)

1. 분만 후 24시간부터 6~12주 내 발생한 출혈
2. 원인
   a. 태반부착부위의 퇴축불완전 : 가장 흔함
   b. 잔류태반조직
3. 치료
   a. 내과적 치료 : 자궁수축제(1st choice)
   b. 외과적 치료 : 소파술, 자궁경 등

참고 *Final Check 산과 678, 688 page*

10

정답 ①

해설

만기 산후 출혈(Late postpartum hemorrhage)

1. 분만 후 24시간부터 6~12주 내 발생한 출혈
2. 원인
   a. 태반부착부위 퇴축불완전 : 가장 흔함
   b. 잔류수태산물
   c. 감염
   d. 유전성 응고장애

참고 *Final Check 산과 678 page*

11

정답 ②

해설

만기 산후 출혈(Late postpartum hemorrhage)

1. 분만 후 24시간부터 6~12주 내 발생한 출혈
2. 원인
   a. 태반부착부위의 퇴축불완전 : 가장 흔함
   b. 잔류태반조직
3. 치료
   a. 내과적 치료 : 자궁수축제(1st choice)
   b. 외과적 치료 : 소파술, 자궁경 등

참고 *Final Check 산과 678, 688 page*

12

만기 산후출혈에 대한 설명으로 올바른 것을 모두 고르시오.

(가) 산욕기 1~2주 사이에 발생되는 자궁출혈을 말한다
(나) 지혈을 위하여 즉시 자궁내막 소파술을 시행한다
(다) 일차적으로 옥시토신 같은 자궁수축제를 쓴다
(라) 가장 흔한 원인은 자궁내막염이다

① 가, 나, 다　② 가, 다
③ 나, 라　④ 라
⑤ 가, 나, 다, 라

13

1주일 전 만삭으로 질식분만한 초산부가 1시간 전부터 시작된 다량의 질 출혈을 주소로 응급실에 내원하였다. 내원 당시 활력 징후는 정상이었으며, 진찰상 자궁저부는 배꼽 위치에 있었고 질경 검사상 혈괴와 출혈이 중등도로 있었다. 초음파 검사상 자궁 내 약간의 혈괴가 있는 듯하였으나 잔류태반의 소견은 없었다. 다음 중 이 여성에게 가장 먼저 시행해야 하는 처치를 고르시오.

① 자궁내막 소파술　② 자궁절제술
③ 더글라스와 천자술　④ 자궁수축제 투여
⑤ 혈압상승제 투여

12

정답 ②

해설

만기 산후 출혈(Late postpartum hemorrhage)

1. 분만 후 24시간부터 6~12주 내 발생한 출혈
2. 원인
   a. 태반부착부위의 퇴축불완전 : 가장 흔함
   b. 잔류태반조직
3. 치료
   a. 내과적 치료 : 자궁수축제(1st choice)
   b. 외과적 치료 : 소파술, 자궁경 등

참고 *Final Check 산과 678, 688 page*

13

정답 ④

해설

만기 산후 출혈(Late postpartum hemorrhage)

1. 분만 후 24시간부터 6~12주 내 발생한 출혈
2. 원인
   a. 태반부착부위의 퇴축불완전 : 가장 흔함
   b. 잔류태반조직
3. 치료
   a. 내과적 치료 : 자궁수축제(1st choice)
   b. 외과적 치료 : 소파술, 자궁경 등

참고 *Final Check 산과 678, 688 page*

14

10일 전 정상 질식분만한 28세 초산부가 혈괴를 동반한 다량의 질 출혈을 주소로 내원하였다. 다음 중 이 여성에게 시행할 처치로 적절한 것을 모두 고르시오.

(가) 자궁수축제 투여
(나) 초음파 검사
(다) 자궁내막 소파술
(라) 진단적 복강경

① 가, 나, 다　　② 가, 다
③ 나, 라　　④ 라
⑤ 가, 나, 다, 라

14

정답 ①

해설

만기 산후 출혈(Late postpartum hemorrhage)

1. 분만 후 24시간부터 6~12주 내 발생한 출혈
2. 원인
   a. 태반부착부위의 퇴축불완전 : 가장 흔함
   b. 잔류태반조직
3. 치료
   a. 내과적 치료 : 자궁수축제(1st choice)
   b. 외과적 치료 : 소파술, 자궁경 등

참고 *Final Check 산과 678, 688 page*

15

임신 40주 다분만부가 유도분만으로 3,900 g 신생아를 질식분만하였다. 분만 과정 중 자궁경부 3 cm 정도 열상이 발생하여 봉합을 시행하였으나 소량의 질 출혈이 지속적으로 관찰되었다. 자궁저부는 배꼽부위에서 단단하게 만져졌고, 의식은 명료, 혈압 90/60 mmHg, 맥박수 120회/min.로 확인되었다면 다음 처치로 가장 적절한 것은 무엇인가?

① 경과관찰　　② 초음파
③ 풍선압박지혈술　　④ 자궁동맥 색전술
⑤ 자궁절제술

15

정답 ②

해설

조기 산후 출혈(Early postpartum hemorrhage)

1. 분만 24시간 이내에 발생한 출혈
2. 원인
   a. 자궁이완증(uterine atony) : 80%
   b. 잔류태반(retained placenta)
   c. 유착태반(placenta accreta)
   d. 응고장애(coagulopathy)
   e. 자궁뒤집힘(uterine inversion)

참고 *Final Check 산과 678 page*

16

분만 후 과다출혈이 있는 산모에서 결찰술을 시행하는 혈관을 고르시오.

① Common iliac artery ② External iliac artery
③ Internal iliac artery ④ Common femoral artery
⑤ Ovarian artery

16
정답 ③
해설
골반혈관 결찰술(Pelvic vessel ligation)
1. 자궁동맥 결찰술(uterine artery ligation)
2. 내장골동맥 결찰술(int. iliac artery ligation)

참고 *Final Check 산과 712 page*

17

임신 39주 다분만부가 쌍태아를 제왕절개분만 후 질 출혈이 계속되었다. 혈압 70/40 mmHg, 맥박수 130회/min., 혈액 검사상 혈색소 7.1 g/dL, 혈소판 87,000/μL, 백혈구 17,000/μL으로 확인되었다. 다음 중 이 산모 중추 장기(vital organ)의 기능을 평가하기 위한 가장 효과적인 방법은 무엇인가?

① 적혈구용적률 측정 ② 혈청 크레아티닌 측정
③ 크레아티닌 청소율 측정 ④ 혈액응고기능 측정
⑤ 시간당 소변량 측정

17
정답 ⑤
해설
소변량
1. 가장 중요한 활력징후 중 하나
2. 신장 관류량을 반영하며, 이는 주요 장기에 공급되는 혈액량을 반영
3. 소변량 측정을 위한 도뇨관 삽입
4. 최소 ≥30 mL/hr 유지, ≥60 mL/hr가 적절

참고 *Final Check 산과 710 page*

18

분만력 3-0-2-3인 36세 다분만부가 분만진통을 주소로 내원하여 6시간 후 3,900 g의 신생아를 질식분만하였다. 신생아는 건강하였으나 산모는 태반 만출 후 다량의 질 출혈이 발생하였다. 이 임산부에게 수액 및 수혈 요법을 시행할 때 기준으로 삼을 수 있는 가장 중요한 지표는 무엇인가?

① 시간당 출혈량 ② 수축기 혈압
③ 맥박수 ④ 소변량
⑤ 혈색소 수치

18
정답 ④
해설
소변량
1. 가장 중요한 활력징후 중 하나
2. 신장 관류량을 반영하며, 이는 주요 장기에 공급되는 혈액량을 반영
3. 소변량 측정을 위한 도뇨관 삽입
4. 최소 ≥30 mL/hr 유지, ≥60 mL/hr가 적절

참고 *Final Check 산과 710 page*

19

임신 38주 다분만부가 분만 직후 질 출혈이 발생하였다. 혈압 80/40 mmHg, 심박수 120회/min., Hb 8.1 g/dL, platelet 81,000/μL로 확인되었다면 산모의 출혈량을 평가하는데 가장 효과적인 지표는 무엇인가?

① 적혈구용적률 ② 혈청 크레아티닌
③ 시간당 소변량 ④ 동맥혈 가스 검사
⑤ 혈액응고기능

19
정답 ③
해설
소변량
1. 가장 중요한 활력징후 중 하나
2. 신장 관류량을 반영하며, 이는 주요 장기에 공급되는 혈액량을 반영
3. 소변량 측정을 위한 도뇨관 삽입
4. 최소 ≥30 mL/hr 유지, ≥60 mL/hr가 적절

참고 *Final Check 산과 710 page*

20

분만 직후 산모의 자궁수축은 좋았으나 출혈이 지속된다면 출혈의 원인을 알기 위해 시행할 수 있는 적합한 방법은 무엇인가?

① 내진으로 자궁경부를 확인한다

② 자궁경부를 육안으로 확인한다

③ 초음파 검사로 자궁경부를 관찰한다

④ 전산화단층촬영술로 자궁경부를 관찰한다

⑤ 자궁동맥의 혈관 조영술을 시행한다

20

정답 ②

해설

자궁경부 열상의 진단

1. 조수는 직각 질견인자(right angle retractor)로 노출시키고, 수술자는 고리집게로 자궁경부를 잡고 확인
2. 내진 : 열상의 정확한 진단이 어려움
3. 수술적 질식분만, 난산 후 자궁경부를 확인

참고 *Final Check 산과 698 page*

21

초임부가 3.9 kg의 태아를 질식분만 후 심한 질 출혈이 지속되어 저혈압과 빈맥이 나타났다. 즉시 자궁을 만져보니 자궁은 단단하게 촉진되었다. 출혈의 원인으로 우선적으로 가장 가능성이 높은 것은 무엇인가?

① 태반부착부위의 출혈

② 자궁파열

③ 태반조기박리로 인한 혈액응고장애

④ 자궁경부 열상

⑤ 양수색전증으로 인한 출혈

21

정답 ④

해설

자궁경부 열상의 진단

1. 조수는 직각 질견인자(right angle retractor)로 노출시키고, 수술자는 고리집게로 자궁경부를 잡고 확인
2. 내진 : 열상의 정확한 진단이 어려움
3. 수술적 질식분만, 난산 후 자궁경부를 확인

참고 *Final Check 산과 698 page*

22

다음 중 질식분만 후 발생할 수 있는 자궁경부 열상에 대한 내용으로 옳은 것을 모두 고르시오.

(가) 겸자를 이용한 기구분만 시 잘 발생한다
(나) 분만 직후 자궁수축이 좋은데 질 출혈이 있는 경우 의심할 수 있다
(다) 과도하게 결찰을 할 경우 자궁경부협착이 발생할 수 있다
(라) 자연분만 후 발생한 2~3 cm 정도의 자궁경부 열상은 정상인에서도 흔하다

① 가, 나, 다 ② 가, 다
③ 나, 라 ④ 라
⑤ 가, 나, 다, 라

22

정답 ⑤

해설

자궁경부 열상의 치료

1. 출혈이 없는 1~2 cm 정도의 열상 : 경과관찰
2. 심경부 열상 : 즉시 봉합
   a. 자궁경부, 질, 회음부 봉합 시 흡수사 이용
   b. 과도한 봉합은 자궁경부협착 유발
3. 복막천공, 후복막 또는 복막 내 출혈이 약간이라도 의심되면 개복술 시행

참고 *Final Check 산과 698 page*

23

분만 후 질천장(vaginal fornix)까지 확장된 3 cm 정도 크기의 자궁경부 열상을 발견하였다. 다음 중 가장 알맞은 처치를 고르시오.

① Ringer's lactate solution 1 L에 oxytocin을 섞어서 정주
② PGE_2 질정을 자궁경부에 주입
③ 흡수 봉합사로 연속 또는 단실 봉합
④ 자궁절제술
⑤ 자궁동맥 색전술

23

정답 ③

해설

자궁경부 열상의 치료

1. 출혈이 없는 1~2 cm 정도의 열상 : 경과관찰
2. 심경부 열상 : 즉시 봉합
   a. 자궁경부, 질, 회음부 봉합 시 흡수사 이용
   b. 과도한 봉합은 자궁경부협착 유발
3. 복막천공, 후복막 또는 복막 내 출혈이 약간이라도 의심되면 개복술 시행

참고 *Final Check 산과 698 page*

24

다음 중 태반조기박리의 원인을 모두 고르시오.

(가) 고령 임산부
(나) 전자간증
(다) 조기양막파수
(라) 다태아 임신

① 가, 나, 다 ② 가, 다
③ 나, 라 ④ 라
⑤ 가, 나, 다, 라

24

정답 ⑤

해설

태반조기박리의 위험인자

1. 태반조기박리 과거력
2. 나이와 분만력의 증가
3. 인종(흑인, 백인), 가족력
4. 전자간증, 만성 고혈압
5. 융모양막염, 조기양막파수
6. 다태아 임신, 저체중출생아
7. 양수과다증
8. 단일탯줄동맥
9. 흡연, 코카인

참고 *Final Check 산과 681 page*

25

다음 중 전치태반과 태반조기박리의 원인이 되는 것을 고르시오.

① 전자간증(preeclampsia)
② 양수과다증(hydramnios)
③ 제왕절개분만의 과거력(previous cesarean section)
④ 흡연(smoking)
⑤ 단일탯줄동맥(single umbilical artery)

25

정답 ④

해설

전치태반과 태반조기박리의 위험인자

전치태반의 위험인자	태반조기박리의 위험인자
나이와 분만력의 증가	태반조기박리 과거력
제왕절개의 과거력	나이와 분만력의 증가
보조생식술을 통한 임신	인종(흑인, 백인), 가족력
다태아 임신	전자간증, 만성 고혈압
자연 · 인공유산 과거력	융모양막염, 조기양막파수
흡연	다태아 임신
자궁근종	저체중출생아
	양수과다증
	단일탯줄동맥
	흡연, 코카인

참고 *Final Check 산과 681, 686 page*

26

임신 33주인 35세 초산부가 맑은 질 분비물이 나온다며 내원하였다. 산모는 체중 65 kg, 혈압 160/90 mmHg, 단백뇨 (−)로 확인되었고, 초음파상 이상소견은 없었으며, 가족력 및 과거력상 특이소견은 없었지만 하루에 1갑 정도의 흡연을 지속적으로 하고 있었다. 질경 검사상 질 안쪽에 고여있는 액체는 없었고, 기침을 유발하였을 때 자궁경부로부터 흘러나오는 분비물도 없었다. 다음 중 이 산모에게 가장 잘 생길 수 있는 합병증을 고르시오.

① 양수색전증
② 거대아
③ 자궁파열
④ 태반조기박리
⑤ 자궁이완증

26

정답 ④

해설

태반조기박리의 위험인자

1. 태반조기박리 과거력
2. 나이와 분만력의 증가
3. 인종(흑인, 백인), 가족력
4. 전자간증, 만성 고혈압
5. 융모양막염, 조기양막파수
6. 다태아 임신, 저체중출생아
7. 양수과다증
8. 단일탯줄동맥
9. 흡연, 코카인

참고 *Final Check 산과 681 page*

27

임신 36주 산모가 양수과다증과 거대아로 진단받고 유도분만을 위해 입원하였다. 입원 시 시행한 초음파상 태아예상체중은 3,900 g, AFI 26 cm으로 확인되었고 다른 특이소견은 없었다. 분만 진행 중 태아 심박동은 120회 정도로 유지되었지만 인공양막파수 시행 10분 후 산모는 심한 복부통증을 호소하였고 지속적으로 태아 심박동이 80회 정도로 나타났다. 다음 중 가장 가능성이 높은 원인은 무엇인가?

① 앙와위에 의한 산모 저혈압
② 자궁파열
③ 태반조기박리
④ 융모양막염
⑤ 탯줄 쇠임

27

정답 ③

해설

태반조기박리(placental abruption)의 증상들

1. 질 출혈(외출혈)
2. 자궁의 압통, 허리통증
3. 안심할 수 없는 태아 상태
4. 자궁의 빈번한 수축, 지속적 긴장 항진
5. 저혈량 쇼크
6. 소모성 혈액응고장애

참고 *Final Check 산과 681 page*

28

임신 37주인 32세 다분만부가 복통을 주소로 응급실로 내원하였다. 산모는 혈압 160/100 mmHg, 맥박 120회/min., 단백뇨 2+, 태아 심박동은 좌하복부에서 분당 120회/min.로 확인되었고, 비수축검사상 자궁수축이 빈번하게 나타나며 지속적인 긴장 항진이 있었다. 골반 검사상 소량의 혈괴가 질 내에 있었고 산모의 복부압통이 확인되었다. 다음 중 가장 가능성이 높은 진단명을 고르시오.

① 자궁근종 ② 자궁파열
③ 전치혈관 ④ 전치태반
⑤ 태반조기박리

28

정답 ⑤

해설

태반조기박리(placental abruption)의 증상들

1. 질 출혈(외출혈)
2. 자궁의 압통, 허리통증
3. 안심할 수 없는 태아 상태
4. 자궁의 빈번한 수축, 지속적 긴장 항진
5. 저혈량 쇼크
6. 소모성 혈액응고장애

참고 *Final Check 산과 681 page*

29

산과력 2-0-1-2인 37주 초산부가 복통과 질 출혈을 주소로 내원하였다. 내원 시 혈압 150/110 mmHg, 심박수 110회/min.로 확인되었고, 질경 검사상 다량의 혈액이 고여 있었다. 다음 중 가장 가능성이 높은 진단명은 무엇인가?

① 태반조기박리 ② 전치태반
③ 자궁파열 ④ 자궁근종
⑤ 조기진통

29

정답 ①

해설

태반조기박리(placental abruption)의 증상들

1. 질 출혈(외출혈)
2. 자궁의 압통, 허리통증
3. 안심할 수 없는 태아 상태
4. 자궁의 빈번한 수축, 지속적 긴장 항진
5. 저혈량 쇼크
6. 소모성 혈액응고장애

참고 *Final Check 산과 681 page*

30

임신 35주인 다분만부가 복통과 질 출혈을 주소로 응급실에 내원하였다. 산모는 복부의 압통과 소량의 질 내 출혈이 확인되었다. 비수축검사(NST)가 아래와 같다면 가장 가능성이 높은 진단명은 무엇인가?

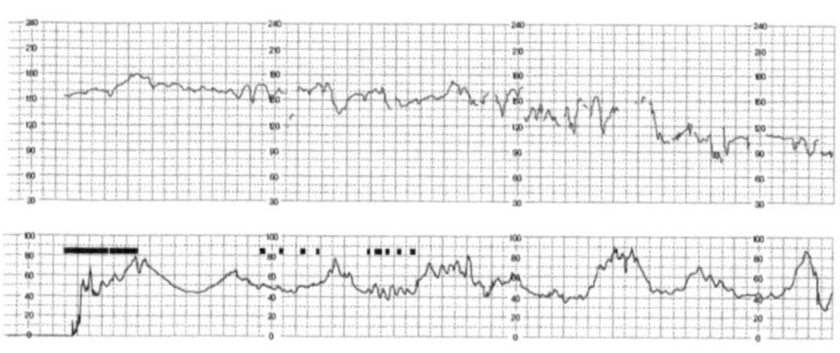

① 자궁근종
② 자궁파열
③ 전치혈관
④ 전치태반
⑤ 태반조기박리

30

정답 ⑤

해설

태반조기박리(placental abruption)의 증상들

1. 질 출혈(외출혈)
2. 자궁의 압통, 허리통증
3. 안심할 수 없는 태아 상태
4. 자궁의 빈번한 수축, 지속적 긴장 항진
5. 저혈량 쇼크
6. 소모성 혈액응고장애

참고 *Final Check 산과 681 page*

31

태반조기박리 시 나타날 수 있는 증상을 쓰시오.(3가지)

31

정답

1. 질 출혈(외출혈)
2. 자궁의 압통, 허리통증
3. 안심할 수 없는 태아 상태
4. 자궁의 빈번한 수축, 지속적 긴장 항진
5. 저혈량 쇼크
6. 소모성 혈액응고장애

참고 *Final Check 산과 681 page*

32

임신 36주인 26세 초산부가 갑자기 발생한 질 출혈을 주소로 전원되었다. 환자는 시야장애와 우상복부 통증을 호소하였고, 혈압 220/140 mmHg, 심박수 90회/min., 다량의 붉은색 덩어리 질 출혈이 확인되었다. 초음파 검사상 태반 뒤쪽으로 저음영의 덩어리가 관찰되었고, 태아 심박동 70회로 측정되어 응급 제왕절개술을 시행하였다. 수술 시 자궁은 아래와 같은 양상을 보였다면 상기 질환 및 상황과 맞지 않는 것은 무엇인가?

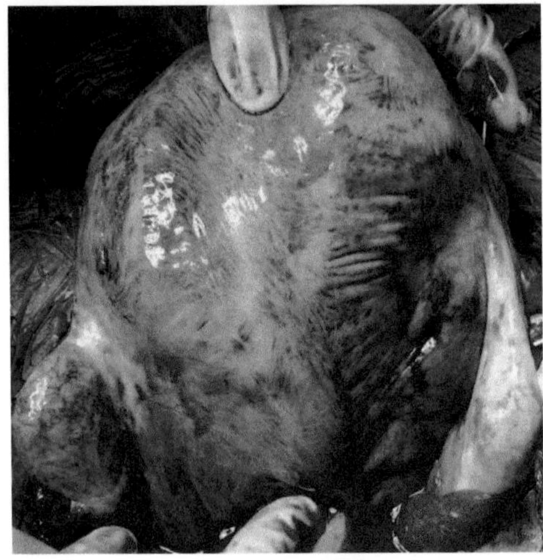

① Late deceleration
② Polyhydramnios
③ Placental abruption
④ Uteroplacental insufficiency
⑤ Fetal hypoxia

32

정답 ②

해설

태반조기박리(placental abruption)의 증상들

1. 질 출혈(외출혈)
2. 자궁의 압통, 허리통증
3. 안심할 수 없는 태아 상태
4. 자궁의 빈번한 수축, 지속적 긴장 항진
5. 저혈량 쇼크
6. 소모성 혈액응고장애

참고 *Final Check 산과 681 page*

33

임신 36주의 다분만부가 2시간 전 시작된 하복통과 선홍색의 질 출혈을 주소로 내원하였다. 내원 시 자궁은 단단하고 압통이 있었으며, 자궁저부의 높이 35 cm, 혈압 130/90 mmHg로 확인되었고, 비수축검사상 태아 심박동 110회/min., 2분 간격의 자궁수축이 반복되어 나타났다. 내진상 자궁경부 개대 2 cm, 선진부 하강도 −1, 혈액 검사상 Hb 8 g/dL로 확인되었다. 이 산모에 대한 처치로 올바른 것을 모두 고르시오.

(가) 산모의 혈류량 유지
(나) 전자태아감시 시행
(다) 응급 제왕절개 준비
(라) Heparin 투여

① 가, 나, 다
② 가, 다
③ 나, 라
④ 라
⑤ 가, 나, 다, 라

33

정답 ①

해설

태반조기박리의 처치

1. 활력징후 및 질 출혈 평가
2. 혈액검사
3. 치료 : 모체와 태아의 상태에 따라 결정

참고 *Final Check 산과 684 page*

34

태반조기박리(placental abruption) 시 발생하는 급성 신부전증(acute renal failure)에 대한 내용에 해당하는 것을 모두 고르시오.

(가) 혈량저하증(hypovolemia)의 부적절한 치료 및 지연에 의해 발생한다
(나) 급성 세뇨관 괴사는 가장 흔한 신장병변이다
(다) 적절한 수혈 및 수액 치료로 신장손상을 피할 수 있다
(라) 신장의 혈류공급장애가 주된 원인이다

① 가, 나, 다　② 가, 다
③ 나, 라　④ 라
⑤ 가, 나, 다, 라

34

정답 ⑤

해설

태반조기박리와 급성 신부전증

1. 산과 영역에서 신장의 가장 흔한 급성 손상
2. 과도한 출혈로 인한 신장의 혈류공급장애와 급성 세뇨관 괴사에 의해 발생
3. 적극적인 혈액 및 전해질 용액의 보충 필요
4. 단백뇨가 흔히 발생, 분만 후 대부분 호전

참고 *Final Check 산과 683 page*

35

Placental abruption에서 fetal distress가 생기는 기전을 모두 고르시오.

(가) Placental separation
(나) Placental hemorrhage
(다) Fetal hemorrhage
(라) Uterine hypertonus

① 가, 나, 다　② 가, 다
③ 나, 라　④ 라
⑤ 가, 나, 다, 라

35

정답 ⑤

해설

태반조기박리 시 태아가사의 원인

1. 태반 박리(placental separation)
2. 산모의 출혈(maternal hemorrhage)
3. 태아의 출혈(fetal hemorrhage)
4. 자궁고긴장(uterine hypertonous)

참고 *Final Check 산과 681 page*

36

다음 (A), (B), (C), (D) 빈 칸에 알맞은 말을 쓰시오.

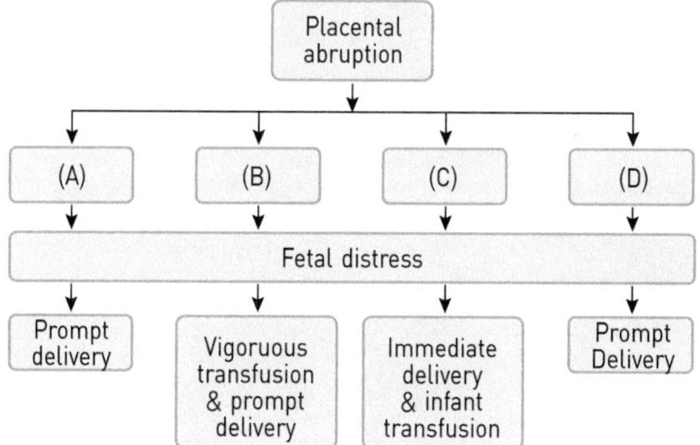

37

태반조기박리 산모의 질식분만 시 인공양막파수(amniotomy)의 이점을 쓰시오.(3가지)

36

정답

(A) Placental separation
(B) Maternal hemorrhage
(C) Fetal hemorrhage
(D) Uterine hypertonous

참고 *Final Check 산과 685 page*

37

정답

1. 나선동맥(spiral artery) 압박
2. 태반부착 부위의 출혈 감소
3. 산모에게 thromboplastin 유입 감소
4. 분만 촉진

참고 *Final Check 산과 684 page*

38

임신 35주인 다분만부가 복통과 질 출혈을 주소로 내원하였다. 내원 시 혈압 80/50 mmHg, 심박수 110회/min., 호흡수 24회/min., 내진상 자궁경부는 닫혀 있었다. 초음파 및 NST 소견이 다음과 같다면 이 산모에게 가장 적절한 처치를 고르시오.

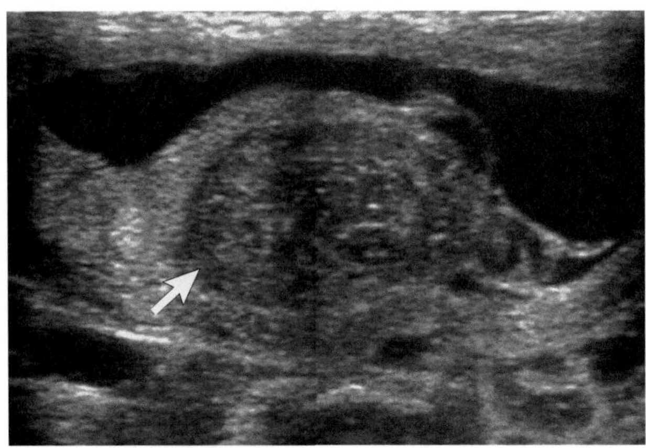

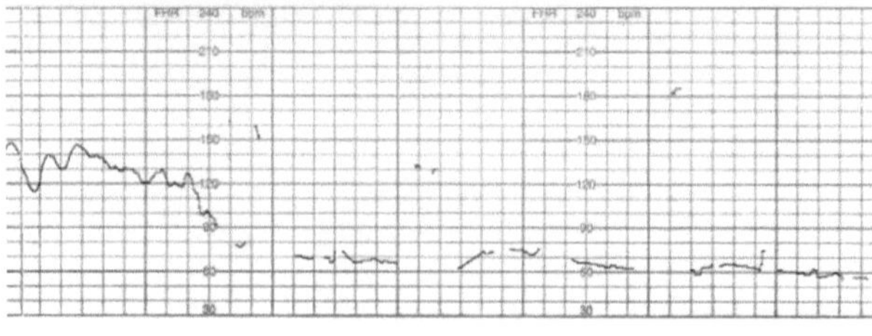

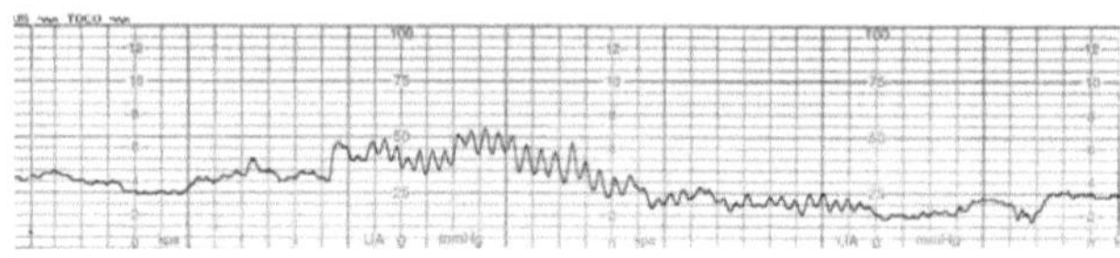

① 지혈이 될 때까지 기다리며 계속 수혈

② 태아가 사망했으므로 oxytocin으로 유도분만

③ 출혈 부위의 혈관조영 색전술을 시행

④ 수혈을 하면서 제왕절개분만

⑤ 제왕자궁절제술을 시행

38

정답 ④

해설

태반조기박리의 분만

임신연장요법	제왕절개분만
태아 미숙의 경우만 시행 1. 태아 이상을 보이는 심장박동 양상의 증거 없음 – 지속적인 서맥 – 심한 심장박동 감소 – 굴모양곡선 심장박동 2. 임산부의 활력징후가 안정적이면서 출혈이 적음	소생 가능한 주수의 태아 임박하지 않은 질식분만 준비 안 된 자궁경부 질식분만의 금기증 산과적 합병증

참고 *Final Check 산과 684 page*

39

임신 36주인 28세 초산부가 하복부 통증과 질 출혈을 주소로 내원하였다. 자궁은 딱딱하였고, 초음파 소견상 태반과 자궁근육층 사이에는 8 cm 두께의 음영이 보였으나 태아의 심박동은 관찰되지 않았다. 산모의 혈액검사상 빈혈과 혈소판 감소가 확인되어 적혈구와 혈소판을 수혈하였지만 혈압은 감소하였고, 빈혈과 혈소판 감소는 더욱 심해졌다. 다음 중 맞는 처치는 무엇인가?

① 혈액검사 소견이 호전될 때까지 지속적으로 수혈

② 제왕자궁절제술을 시행

③ 혈관조영 색전술 시행

④ 태아가 사망했으므로 옥시토신으로 유도분만 시행

⑤ 수혈을 하면 응급 제왕절개분만 시행

39

정답 ⑤

해설

태반조기박리의 분만

임신연장요법	제왕절개분만
태아 미숙의 경우만 시행 1. 태아 이상을 보이는 심장박동 양상의 증거 없음 – 지속적인 서맥 – 심한 심장박동 감소 – 굴모양곡선 심장박동 2. 임산부의 활력징후가 안정적이면서 출혈이 적음	소생 가능한 주수의 태아 임박하지 않은 질식분만 준비 안 된 자궁경부 질식분만의 금기증 산과적 합병증

참고 *Final Check 산과 684 page*

40

임신 35주 산모가 질 출혈과 복통을 주소로 응급실에 내원하였다. 내원 시 산모의 혈압 90/70 mmHg, 심박수 115회/min.로 확인되었고, 중증도의 질 출혈이 지속적으로 있었으며 5분 간격의 규칙적인 자궁수축이 있었다. 이 환자의 올바른 처치는 무엇인가?

① 경과관찰　　② 스테로이드

③ 자궁수축억제제　　④ 유도분만

⑤ 제왕절개분만

40

정답 ⑤

해설

태반조기박리의 분만

임신연장요법	제왕절개분만
태아 미숙의 경우만 시행 1. 태아 이상을 보이는 심장박동 양상의 증거 없음 – 지속적인 서맥 – 심한 심장박동 감소 – 굴모양곡선 심장박동 2. 임산부의 활력징후가 안정적이면서 출혈이 적음	소생 가능한 주수의 태아 임박하지 않은 질식분만 준비 안 된 자궁경부 질식분만의 금기증 산과적 합병증

참고 *Final Check 산과 684 page*

41

전자간증으로 진단받고 추적관찰 중인 37세 다분만부가 임신 35주에 발생한 질 출혈과 하복부 통증을 주소로 내원하였다. 산모는 자궁압통과 소량의 질 출혈이 있었고, 내진상 자궁경부는 단단히 닫혀 있었다. 초음파상 태아는 두정위였고, NST 소견이 아래와 같다면 이 환자의 진단(A)과 가장 적절한 분만 방법(B)을 쓰시오.

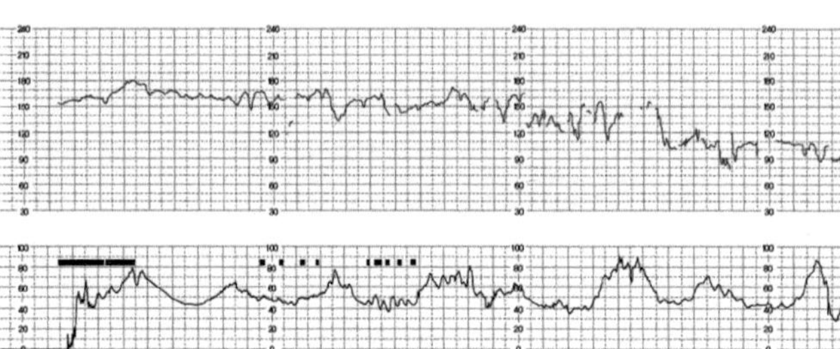

41

정답

(A) 태반조기박리

(B) 응급 제왕절개분만

참고 *Final Check 산과 684 page*

42

임신 29주인 초산부가 질 출혈과 하복통을 주소로 응급실로 내원하였다. 검사상 혈압 170/90 mmHg, urine protein 3+로 확인되었고, 현재 소량의 질 출혈이 지속적으로 있었다. 시행한 NST는 아래 그림과 같을 때 이 환자에게 가장 적절한 처치를 고르시오.

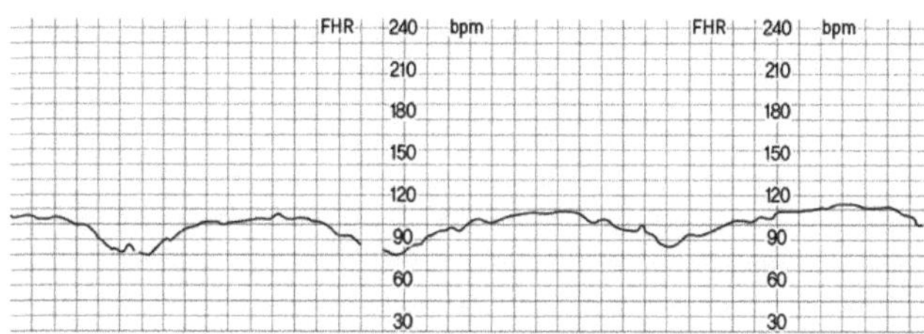

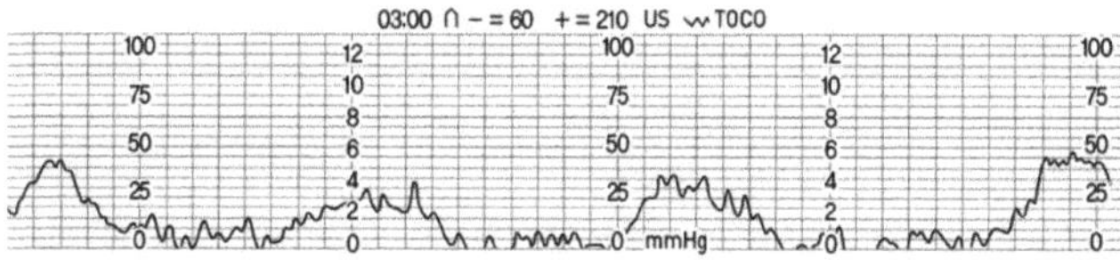

① 경과관찰

② 양수주입술

③ 자궁수축억제제 투여

④ 유도분만

⑤ 제왕절개

42

정답 ⑤

해설

태반조기박리의 분만

임신연장요법	제왕절개분만
태아 미숙의 경우만 시행 1. 태아 이상을 보이는 심장박동 양상의 증거 없음 – 지속적인 서맥 – 심한 심장박동 감소 – 굴모양곡선 심장박동 2. 임산부의 활력징후가 안정적이면서 출혈이 적음	소생 가능한 주수의 태아 임박하지 않은 질식분만 준비 안 된 자궁경부 질식분만의 금기증 산과적 합병증

참고 *Final Check 산과 684 page*

43

임신 29주의 초산모가 규칙적인 자궁수축과 질 출혈을 주소로 응급실에 내원하였다. 산모는 혈압 170/135 mmHg, 맥박수 90회/분, 호흡 24회/분, 체온 37℃였고, 초음파상 태아예상체중 1.2 kg, 양수는 적당했으나 태반과 자궁내벽 사이에 5 x 4 cm 크기의 혼합 에코음영이 관찰되었다. 비수축검사(NST)가 아래와 같다면 이 산모의 다음 처치로 가장 적절한 것을 고르시오.

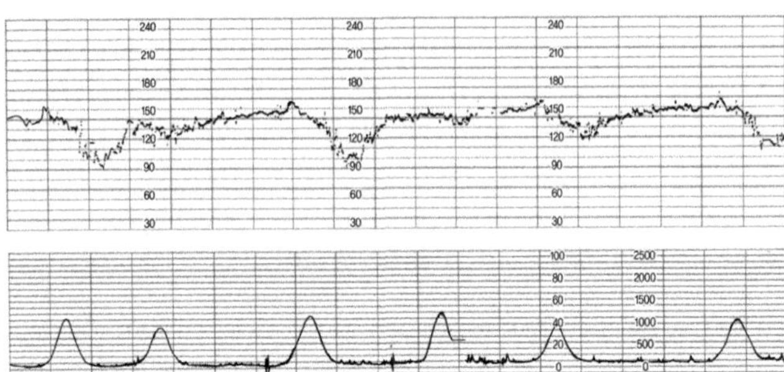

① 경과관찰

② 유도분만

③ 자궁수축억제제 투여

④ 내진 시행

⑤ 응급 제왕절개술

43

정답 ⑤

해설

태반조기박리의 분만

임신연장요법	제왕절개분만
태아 미숙의 경우만 시행	소생 가능한 주수의 태아
1. 태아 이상을 보이는 심장박동 양상의 증거 없음	임박하지 않은 질식분만
– 지속적인 서맥	준비 안 된 자궁경부
– 심한 심장박동 감소	질식분만의 금기증
– 굴모양곡선 심장박동	산과적 합병증
2. 임산부의 활력징후가 안정적이면서 출혈이 적음	

참고 *Final Check 산과 684 page*

44

임신 30주인 초산부가 두통, 전신부종, 명치부위 통증, 시야흐림증을 주소로 내원하였다. 혈압 160/110 mmHg, urine protein 3+로 측정되었고, 내진상 자궁경부는 단단히 닫혀 있었다. 전자태아감시와 탯줄동맥 도플러 초음파는 아래와 같았다면 다음 중 가장 올바른 처치는 무엇인가?

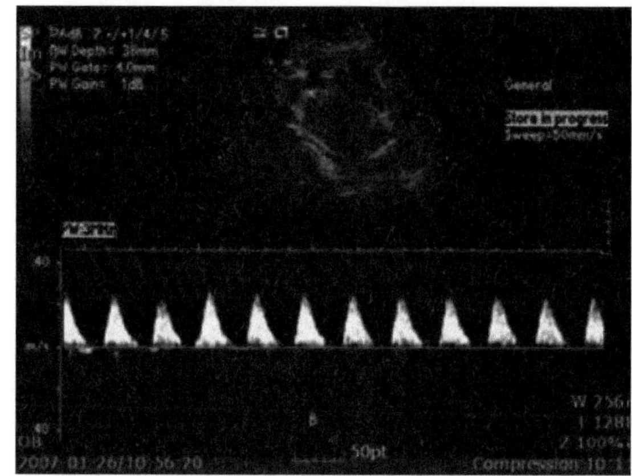

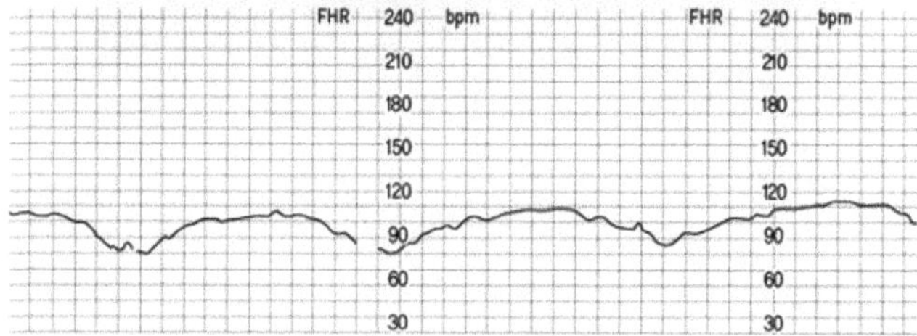

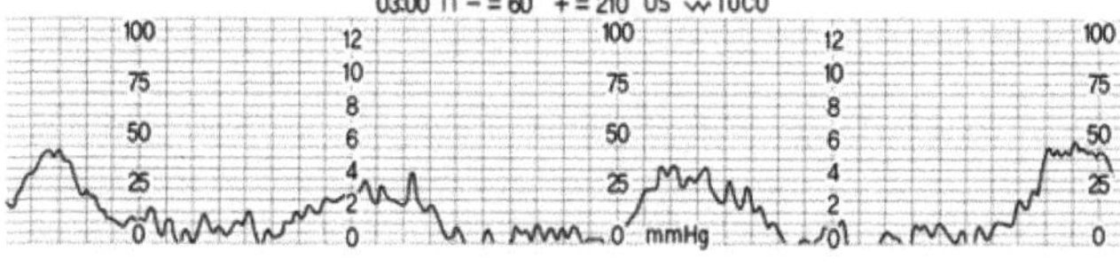

① 추적관찰
② Oxytocin
③ β-agonist
④ 유도분만
⑤ 응급 제왕절개

정답 ⑤

해설

태반조기박리의 분만

임신연장요법	제왕절개분만
태아 미숙의 경우만 시행 1. 태아 이상을 보이는 심장박동 양상의 증거 없음 – 지속적인 서맥 – 심한 심장박동 감소 – 굴모양곡선 심장박동 2. 임산부의 활력징후가 안정적이면서 출혈이 적음	소생 가능한 주수의 태아 임박하지 않은 질식분만 준비 안 된 자궁경부 질식분만의 금기증 산과적 합병증

참고 *Final Check 산과 684 page*

45

30세 초산모가 임신 37주에 발생한 복통을 동반한 질 출혈을 주소로 내원하였다. 진찰상 혈압 150/110 mmHg, 맥박 110회/min., 좌하복부 압통이 있었고, 태아의 심음은 들리지 않았다. 다음 중 이 질환에서 발생 가능한 합병증을 모두 고르시오.

(가) 혈액응고장애
(나) 신부전
(다) 출혈성 쇼크
(라) 산후 자궁경부 협착

① 가, 나, 다　② 가, 다
③ 나, 라　④ 라
⑤ 가, 나, 다, 라

45

정답 ①

해설

태반조기박리의 합병증

1. 저혈량 쇼크(hypovolemic shock)
2. 소모성 혈액응고장애(consumptive coagulopathy)
3. 자궁태반졸증(uteroplacental apoplexy, Couvelaire uterus)
4. 급성 신부전증(acute renal failure)
5. 시한씨증후군(Sheehan syndrome)

참고 *Final Check 산과 681 page*

46

태반조기박리에 대한 설명으로 잘못된 것을 고르시오.

① 태아가 성숙한 경우 인공양막파수는 분만을 촉진한다
② 전치태반보다 소모성 혈액응고장애의 빈도가 높다
③ 자궁태반졸증(Couvelaire uterus)은 자궁수축을 방해하여 산후 출혈을 심하게 일으키므로 자궁절제술의 적응증이 된다
④ 모성사망률의 감소는 분만 시간의 단축보다는 빠르고 충분한 수액요법이 중요하다
⑤ 발생한 자궁수축을 조절하기 위한 자궁수축억제제 투여는 금기이다

46

정답 ③

해설

자궁태반졸증(Couvelaire uterus)

1. 혈관 외로 유출된 혈액이 광범위하게 자궁근층과 장막하로 퍼져 자궁이 붉거나 파랗게 보이는 현상
2. 자궁근층의 혈종은 자궁수축을 방해하지 않아 자궁적출의 적응증은 아님

참고 *Final Check 산과 682 page*

47

임신 35주인 초산부가 소량의 질 출혈과 복통을 주소로 응급실에 내원하였다. 검사상 자궁저고 34 cm, 자궁압통이 있으면서 단단하게 만져졌다. 산모의 안색은 창백하고, 혈압 100/60 mmHg, 맥박 110회/min.로 확인되었으며, 초음파상 태아 심박수 90회/min.로 측정되어 응급 제왕절개술을 시행하였다. 수술 시 자궁이 아래와 같이 관찰되었다면 가장 가능성이 높은 진단명은 무엇인가?

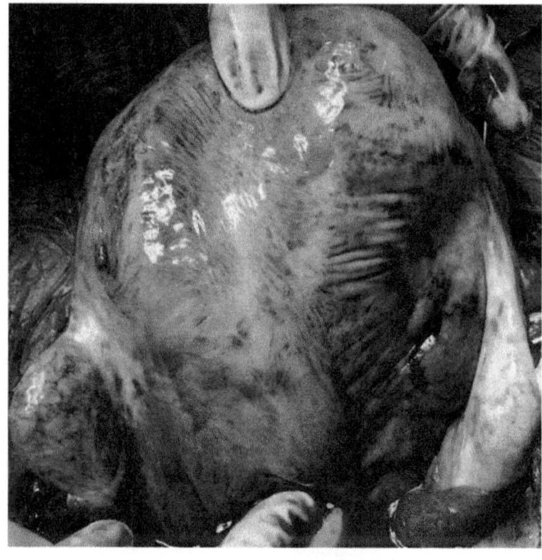

① Velamentous placenta ② Placenta previa

③ Placenta abruption ④ Amniotic fluid embolism

⑤ Deciduoma

47

정답 ③

해설

자궁태반졸중(Couvelaire uterus)

1. 혈관 외로 유출된 혈액이 광범위하게 자궁근층과 장막하로 퍼져 자궁이 붉거나 파랗게 보이는 현상
2. 자궁근층의 혈종은 자궁수축을 방해하지 않아 자궁적출의 적응증은 아님

참고 *Final Check 산과 682 page*

48

임신 35주의 초산모가 중등도의 질 출혈과 지속적인 복통을 주소로 응급실로 내원하였다. 내원 시 혈압 160/110 mmHg, 소변 단백 2+로 확인되었고, 자궁은 아주 딱딱하게 만져졌으며 초음파 검사상 태아의 심음은 들리지 않았다. 이 환자에 대한 설명으로 잘못된 것을 고르시오.

① 원인은 임신성 고혈압일 수 있다

② 소모성 혈액응고장애의 빈도가 높다

③ 질식분만이 원칙이며 인공양막파수를 시행하여 분만을 촉진시킬 수 있다

④ 모성 사망률의 감소는 분만 시간의 단축보다는 빠르고 충분한 수액 요법에 영향을 받는다

⑤ 자궁태반졸증(Couvelaire uterus)은 자궁수축을 방해하므로 자궁절제술의 적응이 된다

48

정답 ⑤

해설

1. 임신성 고혈압은 태반조기박리의 원인
2. 태반조기박리 환자의 30% 정도에서 소모성 혈액응고장애 발생
3. 태아가 사망한 경우 가능한 질식분만을 시도
4. 모성 사망률의 감소는 분만 시간의 단축보다는 빠르고 충분한 수액 요법이 중요
5. 자궁태반졸증은 자궁절제술의 적응증이 아님

참고 *Final Check 산과 681, 682, 684 page*

49

태반조기박리의 합병증을 쓰시오.(3가지)

49

정답

1. 저혈량 쇼크(hypovolemic shock)
2. 소모성 혈액응고장애(consumptive coagulopathy)
3. 자궁태반졸증(uteroplacental apoplexy, Couvelaire uterus)
4. 급성 신부전증(acute renal failure)
5. 시한씨증후군(Sheehan syndrome)

참고 *Final Check 산과 681 page*

50

분만 직후 발생하는 자궁이완증(uterine atony)의 원인을 모두 고르시오.

(가) 급속분만
(나) 양수과다증
(다) 융모양막염
(라) Halothane 마취

① 가, 나, 다 ② 가, 다
③ 나, 라 ④ 라
⑤ 가, 나, 다, 라

50

정답 ⑤

해설

자궁이완증(uterine atony)의 위험인자

1. 자궁이 큰 경우 : 거대아, 다태아 임신, 양수과다증, 잔류혈괴
2. 유도분만
3. 마취제 또는 진통제 : halothane제제, 저혈압이 발생한 전도마취
4. 비정상적 분만진통 : 급속분만, 분만진통의 지연, 분만촉진, 융모양막염
5. 자궁이완증의 과거력
6. 임신력 : 초산부, 많은 출산력

참고 *Final Check 산과 692 page*

51

27세 다분만부가 임신 40주에 진통 시작 5시간 후 3.3 kg, 여아를 분만하였다. 태반 만출 후 출혈이 계속되었고, 복부에서 만져지는 자궁저부는 단단하지 않았다. 다음 중 가장 먼저 시행해야 할 처치를 고르시오.

① 자궁경부 및 질벽 열상 조사
② 자궁저부 마사지와 자궁수축제 투여
③ 자궁소파술
④ 자궁절제술
⑤ 자궁동맥 색전술

51

정답 ②

해설

태반 만출 후 처치

1. 자궁저부를 만져보고 자궁수축을 확인
2. 자궁수축이 좋지 않은 경우
   a. 자궁저부를 강하게 마사지
   b. 20 U oxytocin을 1,000 mL 링거액 또는 생리식염수에 혼합 후 분당 10 mL 정맥주사

참고 *Final Check 산과 691 page*

52

32세 산모가 4,200 g의 아기를 분만한 후 산후 출혈이 계속되었다. 자궁저부 마사지 및 oxytocin 투여 후에도 출혈은 지속되었으며, 복부에서 말랑말랑한 자궁저부가 촉지 되었다. 이 산모에게 필요한 처치를 쓰시오.

52

정답

1. 두손 자궁압박법(bimanual uterine compression)
2. 도움 요청
3. 수액과 옥시토신 공급을 위한 정맥주사 경로를 최소 두 개 확보, 도뇨관 삽입
4. Crystalloid 수액 공급
5. 진통 조절이나 마취 후 손을 넣어 자궁내부의 잔류태반, 근종, 열상, 파열을 확인
6. 눈으로 자궁경부와 질의 열상을 확인
7. 산모의 상태가 불안정하고 출혈 지속 시 수혈
8. 수술적 치료를 고려

참고 *Final Check 산과 693 page*

53

다음과 같은 시술의 명칭을 쓰시오.

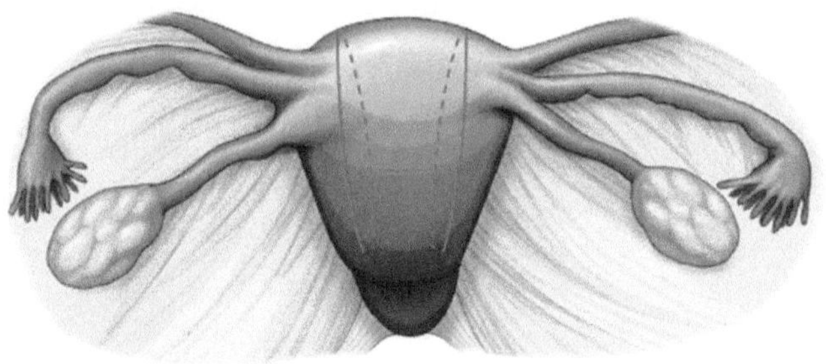

53

정답

B–Lynch 압박봉합(B–Lynch compression suture)

해설

B–Lynch 압박봉합(B–Lynch compression suture)

1. 75 mm 둥근 바늘의 봉합사를 이용하여 전체 자궁의 앞쪽과 뒤쪽 벽을 멜빵모양으로 길게 봉합하는 방법
2. 변형 방법들도 있고, 다른 방법과 같이 사용 가능

참고 *Final Check 산과 713 page*

54

분만 후 자궁의 수축이 좋지 않은 경우 사용할 수 있는 자궁수축제를 쓰시오.(3가지)

54

정답

1. Oxytocin
2. Methylergonovine
3. Prostaglandin ($PGF_{2\alpha}$, PGE_2, PGE_1)

해설

자궁수축제(Uterotonics)

1. Oxytocin
2. Methylergonovine
3. Prostaglandin $F_{2\alpha}$: Carboprost tromethamine
4. Prostaglandin E_2 : Dinoprostone, Sulprostone
5. Prostaglandin E_1 : Misoprostol

참고 *Final Check 산과 683 page*

55

임신 38주 초산모가 분만을 위해 내원하였다. 내원 시 혈압 160/115 mmHg, 단백뇨 2+로 확인되었고, 8시간 후 3.8 kg, 여아를 정상 질식분만 후 이완성 자궁 출혈 소견이 나타났다. 다음 중 투여 시 심각한 합병증을 일으킬 수 있는 약제는 무엇인가?

① Oxytocin
② Ergot derivatives
③ Sulprostone
④ Dinoprostone
⑤ Misoprostol

55

정답 ②

해설

Ergot 유도체(Ergot derivatives)

1. Methylergonovine (Methergine) : 근육주사
2. 주의사항
   a. IV 시 중증 고혈압, 조직허혈 유발 가능
   b. 금기증 : 고혈압, 전자간증

참고 *Final Check 산과 693 page*

56

임신 39주인 30세 초산모가 질식분만 후 출혈을 주소로 내원하였다. 자궁저부가 배꼽에서 말랑말랑하게 만져졌고, 눈으로 자궁경부와 질의 열상을 확인하였지만 열상은 없었다. 현재 산모의 상태가 아래와 같다면 이 산모의 다음 처치로 가장 적절한 것을 고르시오.

- 혈압 : 90/60 mmHg
- 심박수 : 110회/min.
- Hb : 8.2 g/dL
- Platelet : 113,000/μL
- WBC : 12,800/μL

① 경과관찰　② 도수 정복
③ 자궁 내 풍선압박술　④ B-Lynch 압박봉합
⑤ 자궁절제술

56
정답 ③
해설
풍선압박지혈술(Balloon tamponade)
1. 수액을 주입하여 압박에 의해 지혈하는 방법
2. 장점
   a. 자궁강 내 출혈 여부 및 정도를 확인 가능
   b. 자궁수축제를 자궁강에 주입 가능
3. 혈관색전술 시행 전 출혈을 줄이기 위해 사용
4. 조직 괴사를 막기위해 12~24시간 후 제거

참고 *Final Check 산과 694 page*

57

임신 38주 산모가 자연 분만 후 질 출혈이 지속되었다. 혈압 100/70 mmHg, 맥박 100회/min.로 측정되었다. 자궁은 부드러웠고 경부에 열상은 없었으며, 자궁수축제를 투여하였으나 효과가 없었다. 다음 처치로 올바른 것은 무엇인가?

① 두손 자궁압박법　② 자궁 내 거즈 충전
③ 자궁경부원형결찰술　④ 자궁소파술
⑤ 자궁절제술

57
정답 ①
해설
두손 자궁압박법
1. 한 손은 질 쪽에서 다른 한 손은 하복부에서 자궁을 압박하는 방법
2. 초기에 사용 시 자궁무력증에 의한 출혈이 효과적으로 감소

참고 *Final Check 산과 693 page*

58

30세 다분만부가 4 kg, 여아를 질식분만 후 질 출혈이 지속되었다. 혈압 100/60 mmHg, 심박수 130회/min.로 확인되었고, 자궁저부가 매우 말랑말랑하게 배꼽 상부에서 만져졌다. 다음 중 이 산모에게 적절한 처치를 모두 고르시오.

(가) 자궁저부 마사지
(나) $MgSO_4$ 투여
(다) Oxytocin 투여
(라) Ritodrine 투여

① 가, 나, 다　　② 가, 다
③ 나, 라　　④ 라
⑤ 가, 나, 다, 라

58
정답 ②
해설
자궁이완증(uterine atony)의 치료
1. 내과적 치료 : 자궁수축제
2. 눌림증 치료 술기(Tamponade techniques)
   a. 두손 자궁압박법
   b. 풍선압박지혈술
3. 외과적 치료
   a. 자궁 압박봉합
   b. 골반혈관 결찰술
   c. 혈관조영 색전술
   d. 자궁절제술

참고 *Final Check 산과 692 page*

59

임신 38주 다분만부가 쌍태아를 질식분만 후 자궁수축이 좋지 않아 즉시 자궁수축제를 사용하고 마사지를 시행하였으나 자궁수축은 좋아지지 않았다. 혈압 80/60 mmHg, 심박수 120회/min., Hb 6.0 g/dL, platelet 64,000/μL 일때 다음 처치로 가장 적절한 것을 고르시오.

① 자궁 내 거즈 삽입　　② 풍선압박지혈술
③ 자궁절제술　　④ 자궁소파술
⑤ 두손 자궁압박법

59
정답 ③
해설
자궁절제술(Hysterectomy)
1. 심한 산과적 출혈을 막는 가장 마지막 방법
2. 적응증
   a. 앞의 방법들로 출혈이 멎지 않는 경우
   b. 환자의 생체 징후가 좋지 않은 경우

참고 *Final Check 산과 714 page*

60

전치태반과 태반조기박리의 감별에 있어서 전치태반의 가장 중요한 증상은 무엇인가?

① 통증 없는 출혈
② 딱딱해진 자궁
③ 통증성 출혈
④ 태아 심장박동 소실
⑤ 자궁의 수축

60

정답 ①

해설

전치태반의 전형적인 증상

1. 통증 없는 출혈(painless bleeding)
2. 임신 제2삼분기 말까지는 잘 나타나지 않음

참고 *Final Check 산과 686 page*

61

전치태반과 태반조기박리에 대한 설명으로 옳은 것을 고르시오.

① 전치태반은 통증이 있고, 태반조기박리는 통증이 없다
② 전치태반과 태반조기박리의 증상은 외출혈과 병행된다
③ 전치태반에는 자궁복벽에 압통이 없으나 태반조기박리에는 있을 수 있다
④ 전치태반에서는 태아가사는 항상 일찍 오고, 태반조기박리는 비교적 늦게 온다
⑤ 전치태반과 태반조기박리 모두에서 빠른 내진 시행이 중요하다

61

정답 ③

해설

전치태반의 전형적인 증상

1. 통증 없는 출혈(painless bleeding)
2. 임신 제2삼분기 말까지는 잘 나타나지 않음

참고 *Final Check 산과 686 page*

62

분만진통으로 내원한 다분만부의 내진상 자궁경부 개대 2 cm으로 확인되었으나 양막 위로 맥박이 느껴졌다. 다음 중 확진을 위한 검사로 가장 적절한 것은 무엇인가?

① 질경 검사　　② 양수천자

③ 인공양막파수　　④ 색도플러 초음파

⑤ 비수축검사

62

정답 ④

해설

전치혈관(Vasa previa)

1. 산전 진단이 어렵고 항상 가능하지 않음
2. 초음파를 이용해 확인해야 하는 경우
   a. 이행혈관을 동반하는 태반 기형 : 탯줄 막양 부착, 부태반, 이엽태반
   b. 내진 시 자궁경부 안쪽 양막부위에서 태아 심박동과 일치하는 혈관 박동의 확인
   c. 산전 출혈을 주소로 내원한 산모

참고 *Final Check 산과 689 page*

63

임신 35주인 33세 다분만부가 수면 도중 발생한 통증 없는 다량의 질 출혈을 주소로 내원하였다. 검사 결과가 아래와 같다면 이 산모의 진단을 위해 가장 먼저 시행해야 하는 검사는 무엇인가?

- 혈압 : 90/60 mmHg
- 심박수 100회/min.
- Hb : 9 g/dL

① 내진　　② 초음파

③ 혈관 조영술　　④ CT

⑤ MRI

63

정답 ②

해설

전치태반의 진단

1. 초음파 검사
   a. 태반의 위치를 알 수 있는 가장 간단하고 정확하며 안전한 방법
   b. 진단적 정확도 : 질 초음파>복부 초음파
   c. 방광을 비운 상태에서 시행
2. 내진 : 절대 금기
3. MRI : 태반의 이상을 진단하는데 좋은 방법이나 초음파를 대신할 가능성은 적음

참고 *Final Check 산과 686 page*

64

임신 35주인 33세 다분만부가 잠자는 중 발생한 통증 없는 질 출혈을 주소로 내원하였다. 임신 제2삼분기에 가끔 소량의 질 출혈이 있었지만 별 이상은 없었으며, 1주 전 시행한 혈액 검사는 Hb 10.5 g/dL로 확인되었다. 내원 시 혈압 100/70 mmHg, 맥박수 92회/min. 였다면 이 산모에 대한 처치로 적절한 것을 모두 고르시오.

(가) CBC, 혈액형 교차교잡검사
(나) 초음파
(다) 수액 공급
(라) 질경을 통한 시진 후 태아 선진부 확인을 위한 내진

① 가, 나, 다 ② 가, 다
③ 나, 라 ④ 라
⑤ 가, 나, 다, 라

64
정답 ①
해설
전치태반의 진단
1. 초음파 검사
   a. 태반의 위치를 알 수 있는 가장 간단하고 정확하며 안전한 방법
   b. 진단적 정확도 : 질 초음파>복부 초음파
   c. 방광을 비운 상태에서 시행
2. 내진 : 절대 금기
3. MRI : 태반의 이상을 진단하는데 좋은 방법이나 초음파를 대신할 가능성은 적음

참고 *Final Check 산과 686 page*

65

임신 32주 다분만부가 하복부 불편감과 질 출혈을 주소로 응급실에 내원하였다. 출혈은 내원 2시간 전부터 발생하였고, 시행한 검사상 자궁수축 및 자궁 압통은 없었으나 속옷이 젖을 정도의 질 출혈이 지속되었다. 다음 중 이 질환의 위험인자가 아닌 것을 모두 고르시오.

(가) 다산부
(나) 카페인
(다) 제왕절개의 과거력
(라) 외상

① 가, 나, 다 ② 가, 다
③ 나, 라 ④ 라
⑤ 가, 나, 다, 라

65
정답 ③
해설
전치태반의 위험인자
1. 나이와 분만력의 증가
2. 제왕절개의 과거력
3. 보조생식술을 통한 임신
4. 다태아 임신
5. 자연 · 인공유산 과거력
6. 흡연
7. 자궁근종

참고 *Final Check 산과 686 page*

66

전치태반의 가능성으로 외래로 전원된 임산부의 초음파상 자궁 아래쪽 체부의 후방에 위치하는 태반이 관찰되었으나 자궁 내구가 확인되지 않았다. 이 경우 태반 위치에 대한 초음파 소견에 영향 주는 요소를 모두 고르시오.

(가) 임신부에 자세
(나) 임신부의 방광의 과도한 팽창
(다) 자궁수축
(라) 태반 압박

① 가, 나, 다　② 가, 다
③ 나, 라　④ 라
⑤ 가, 나, 다, 라

66
정답 ⑤
해설
전치태반의 위양성을 일으킬 수 있는 경우
1. 임산부의 자세 또는 방광의 과도한 팽창
2. 자궁이 수축한 경우
3. 태반 압박이 있는 경우

참고 *Final Check 산과 687 page*

67

전치태반에 대한 설명으로 옳은 것을 고르시오.

① 흡연과는 연관이 없는 질환이다
② 태아 기형 발생의 빈도는 정상과 차이가 없다
③ 이전 제왕절개술 부위에 태반이 부착된 경우 자궁절제술의 확률이 떨어진다
④ 제왕절개술 후 출혈이 계속되면 자궁동맥 결찰술을 시행할 수 있다
⑤ 위의 설명이 모두 옳다

67
정답 ④
해설
1. 흡연은 전치태반의 위험인자
2. 전치태반 시 태아 기형이 증가(약 2.5배)
3. 제왕절개 부위에 발생 시 자궁절제술 증가
4. 자궁동맥 결찰술 : 자궁의 주 혈액공급원인 자궁동맥의 상행분지 양쪽을 봉합사로 결찰

참고 *Final Check 산과 686, 688, 712 page*

68

태반유착증후군(placenta accrete syndrome)의 원인 중 가장 많은 것은 무엇인가?

① 전치태반 ② 제왕절개술의 과거력
③ 자궁소파술의 과거력 ④ 6회 이상의 다산부
⑤ 태반조기박리

68

정답 ①

해설

태반유착증후군의 위험인자

1. 전치태반, 이전 제왕절개 분만력 : 가장 중요
2. 산모의 나이 증가
3. 아셔만증후군(Asherman syndrome)
4. 자궁내막절제술의 과거력
5. 보조생식술(ART)을 통한 임신

참고 *Final Check 산과 702 page*

69

임신력 1-0-0-1인 임신 32주의 30세 산모가 통증이 없는 질 출혈을 주소로 내원하였다. 검사상 자궁수축은 없고, 태아 심박동은 정상이었다면 다음 검사로 적절한 것을 모두 고르시오.

(가) 초음파로 태아예상체중 확인
(나) FDP 측정
(다) 초음파로 태반의 위치 확인
(라) 내진을 통한 자궁경부 개대 확인

① 가, 나, 다 ② 가, 다
③ 나, 라 ④ 라
⑤ 가, 나, 다, 라

69

정답 ②

해설

전치태반의 진단

1. 초음파 검사
   a. 태반의 위치를 알 수 있는 가장 간단하고 정확하며 안전한 방법
   b. 진단적 정확도 : 질 초음파>복부 초음파
   c. 방광을 비운 상태에서 시행
2. 내진 : 절대 금기
3. MRI : 태반의 이상을 진단하는데 좋은 방법이나 초음파를 대신할 가능성은 적음

참고 *Final Check 산과 686 page*

70

임신 33주 산모가 소량의 질 출혈을 주소로 내원하였다. 내원 시 질경검사상 소량의 출혈이 질 안쪽에 있었지만 자궁경부로부터 나오는 출혈이 보이지는 않았다. 태아전자감시장치 및 초음파 소견이 아래와 같다면 다음 처치로 가장 적절한 것을 고르시오.

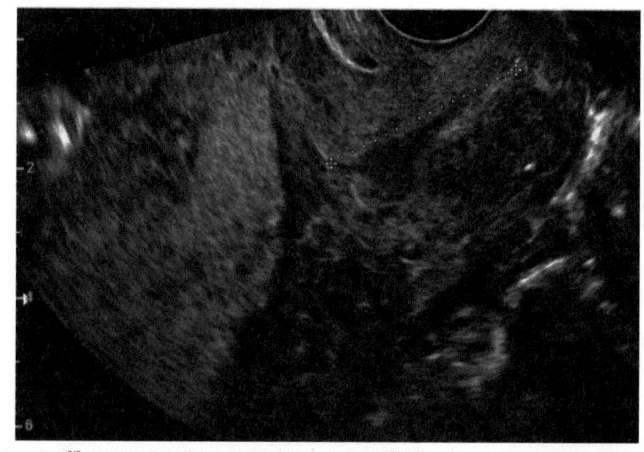

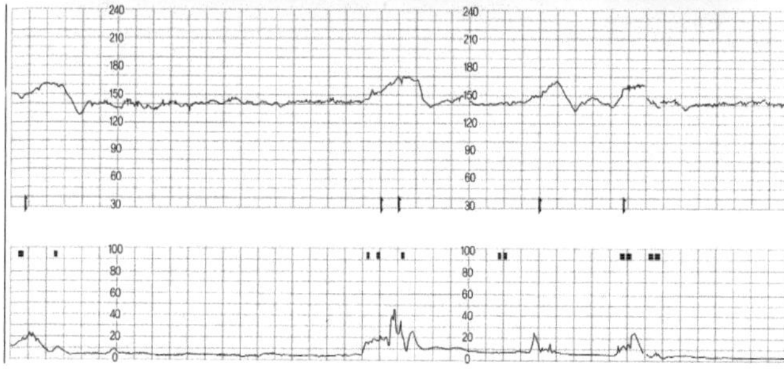

① 경과관찰　　② 스테로이드

③ 자궁수축억제제　　④ 유도분만

⑤ 제왕절개

70

정답 ①

해설

전치태반 출혈 시 임신연장요법의 조건

1. 안정적인 임신부 상태
2. 소량이거나 멈춘 질 출혈
3. NST상 안심할 수 있는 태아 상태 확인
4. 언제든지 가능한 제왕절개분만

참고 *Final Check 산과 688 page*

71

임신 32주인 초산부가 자는 도중 통증 없이 발생한 출혈을 주소로 내원하였다. 산모의 생체 징후는 안정적이었고, 현재 출혈은 멈춰 있었으며 갈색 분비물만 있는 상태였다. 비수축검사상 자궁수축은 없었고 태아 심박동수 120~150회/min.로 확인되었다. 시행한 초음파가 아래와 같을 때 다음으로 시행할 처치로 올바른 것을 고르시오.

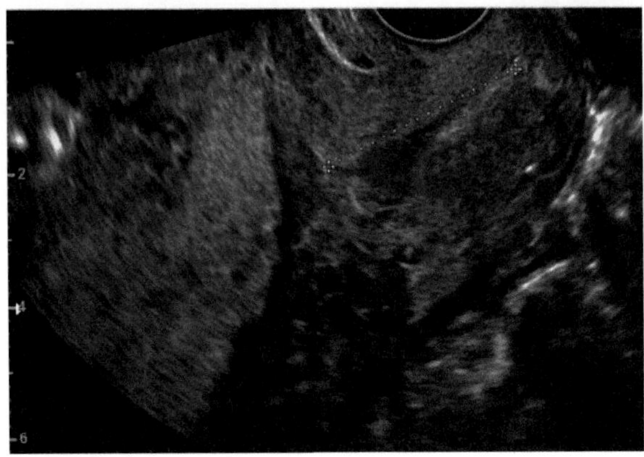

① 경과관찰　② 유도분만
③ 제왕절개술　④ 자궁수축억제제
⑤ 항생제

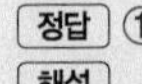

71

정답 ①

해설

전치태반 출혈 시 임신연장요법의 조건

1. 안정적인 임신부 상태
2. 소량이거나 멈춘 질 출혈
3. NST상 안심할 수 있는 태아 상태 확인
4. 언제든지 가능한 제왕절개분만

참고 *Final Check 산과 688 page*

72

32주 산모가 잠자는 동안 발생한 패드 5장 정도의 출혈을 주소로 응급실에 내원하였다. 내원 시 활력 징후는 안정적이었고, 활성 출혈 및 자궁수축은 없는 상태였다. 2주 전 시행한 초음파가 다음과 같다면 이 환자에게 가장 적절한 다음 처치는 무엇인가?

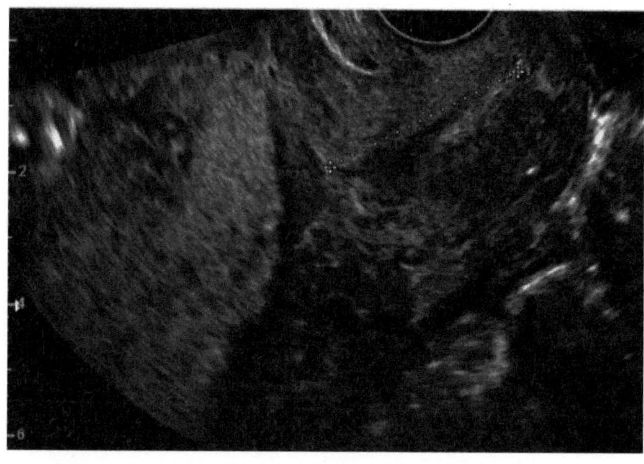

① 경과관찰
② 유도분만
③ 제왕절개술
④ 자궁수축억제제
⑤ 항생제

72

정답 ①

해설

전치태반 출혈 시 임신연장요법의 조건

1. 안정적인 임신부 상태
2. 소량이거나 멈춘 질 출혈
3. NST상 안심할 수 있는 태아 상태 확인
4. 언제든지 가능한 제왕절개분만

참고 *Final Check 산과 688 page*

73

산과력 1-0-2-1인 임신 30주 임신부가 갑자기 발생한 질 출혈을 주소로 내원하였다. 내원 시 혈압 120/80 mmHg, 심박수 84회/min.로 확인되고, 복부 압통은 없었으며, 질경 검사 상 중등도의 출혈을 관찰할 수 있었다. 초음파 검사 소견이 아래와 같다면 이 환자에 대한 치료로 부적절한 것은 무엇인가?

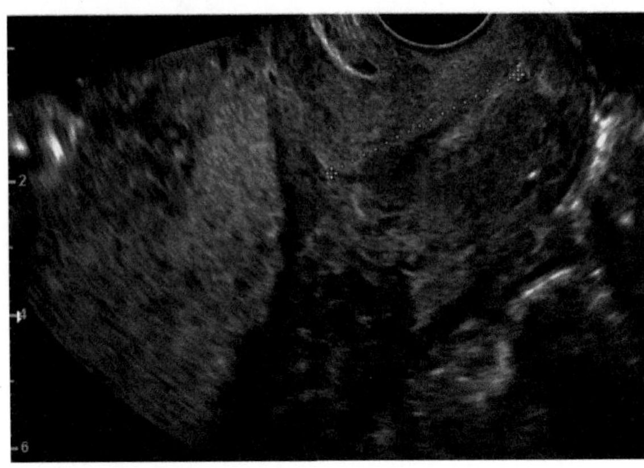

① 응급 혈액 검사로 혈색소 농도를 확인한다

② 도플러로 태아 심음을 확인한다

③ 내진으로 자궁경부 개대 여부를 확인한다

④ 혈액형 검사를 한다

⑤ 출혈이 심하면 응급 제왕절개술을 고려한다

73

정답 ③

전치태반의 진단

1. 초음파 검사
   a. 태반의 위치를 알 수 있는 가장 간단하고 정확하며 안전한 방법
   b. 진단적 정확도 : 질 초음파>복부 초음파
   c. 방광을 비운 상태에서 시행
2. 내진 : 절대 금기
3. MRI : 태반의 이상을 진단하는 데 좋은 방법이나 초음파를 대신할 가능성은 적음

참고 *Final Check 산과 686 page*

74

임신 36주 산모가 복통과 질 출혈을 주소로 내원하였다. 시행한 초음파 검사와 비수축 검사가 아래와 같다면 이 산모에게 가장 적절한 처치는 무엇인가?

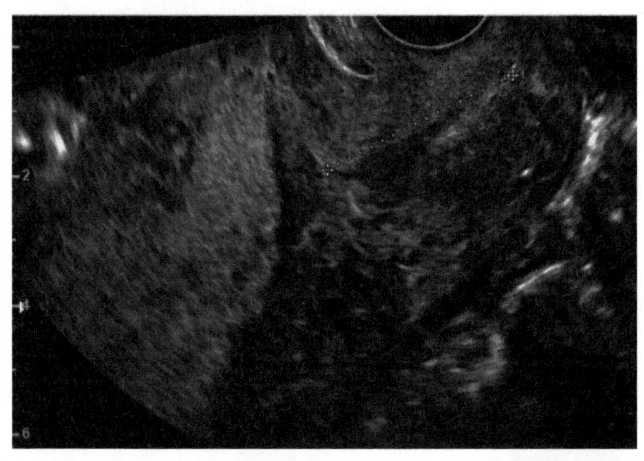

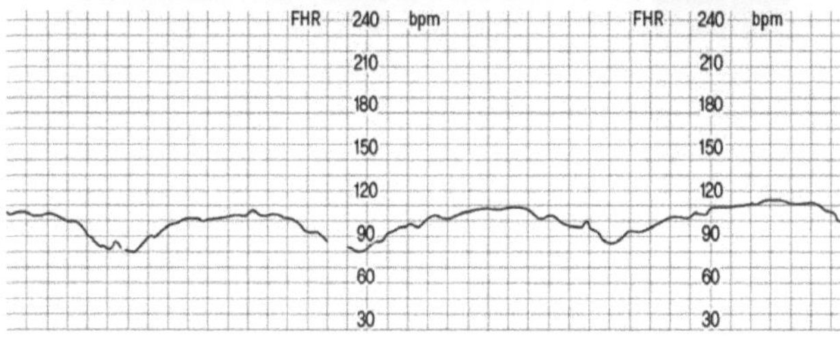

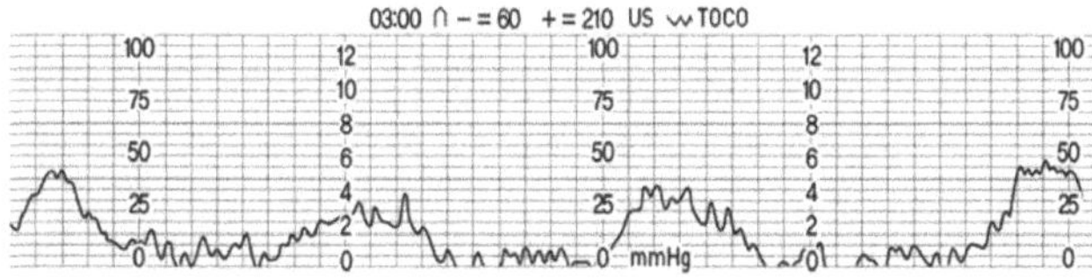

① 경과관찰
② 스테로이드
③ 자궁수축억제제
④ 유도분만
⑤ 제왕절개

74

정답 ⑤

해설

전치태반 출혈 시 경우에 따른 처치

1. 미숙아 + 분만 필요성이 없음 : 임신연장요법
2. 미숙아 + 심한 출혈 : 제왕절개
3. 태아가 성숙한 경우 : 제왕절개

참고 *Final Check 산과 687 page*

75

출산력 1-0-0-1인 임신 34주의 28세 산모가 다량의 질 출혈을 주소로 응급실에 내원하였다. 산모는 창백해 보였으며 혈압 90/50 mmHg, 심박수 120회/min., 초음파 소견은 아래와 같았으며 초음파상 태아 심박동 120회/min.로 관찰되었다. 자궁은 딱딱하지 않았고, 규칙적인 통증도 관찰되지 않았다. 이 산모에게 가장 먼저 시행할 처치로 올바른 것을 고르시오.

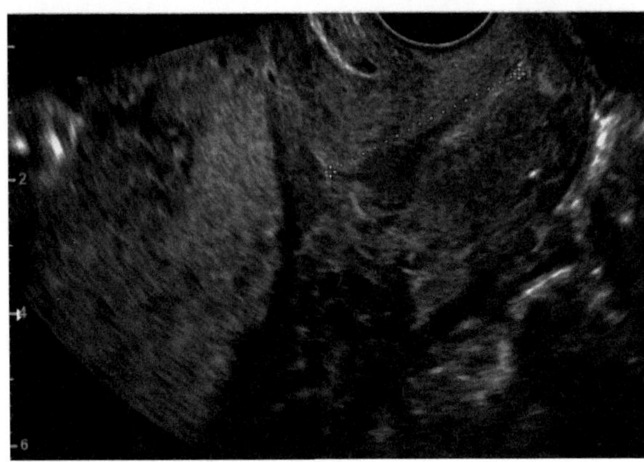

① 응급 제왕절개술로 분만을 한다

② 자궁경부 개대 여부를 알기 위하여 내진을 시행한다

③ 질 내 거즈 충전을 시행한다

④ 태아 심박동 및 조기진통 여부를 확인한다

⑤ 질식분만을 유도한다

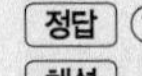

75

정답 ①

해설

전치태반 출혈 시 경우에 따른 처치

1. 미숙아 + 분만 필요성이 없음 : 임신연장요법
2. 미숙아 + 심한 출혈 : 제왕절개
3. 태아가 성숙한 경우 : 제왕절개

참고 *Final Check 산과 687 page*

76

임신 35주의 산모가 질 출혈과 복통을 주소로 내원하였다. 내원 시 혈압 90/70 mmHg, 심박수 115회, 중등도의 질 출혈과 복부 압통이 있었고, 비수축검사(NST)상 5분 간격의 규칙적인 수축이 있었다. 이 산모에게 올바른 처치는 무엇인가?

① 경과관찰
② 스테로이드
③ 자궁수축억제제
④ 유도분만
⑤ 응급 제왕절개술

77

산과력 0-0-3-0인 32세의 임신 34주 여성이 무통성의 심한 질 출혈을 주소로 응급실에 내원하였다. 내원 시 혈압 80/60 mmHg, 심박수 105회/min., 태아 심박수 160회/min.로 확인되었고, 환자의 복부는 부드럽게 만져지며 규칙적인 수축은 없었다. 다음 중 이 산모에 대한 처치로 올바른 것을 고르시오.

① 절대 안정과 비수축검사 시행
② 수혈과 관찰
③ 수혈과 L/S ratio를 측정하기 위한 양수천자 시행
④ 수혈과 유도분만
⑤ 수혈과 응급 제왕절개술로 분만

76

정답 ⑤

해설

전치태반 출혈 시 경우에 따른 처치

1. 미숙아 + 분만 필요성이 없음 : 임신연장요법
2. 미숙아 + 심한 출혈 : 제왕절개
3. 태아가 성숙한 경우 : 제왕절개

참고 *Final Check 산과 687 page*

77

정답 ⑤

해설

전치태반 출혈 시 경우에 따른 처치

1. 미숙아 + 분만 필요성이 없음 : 임신연장요법
2. 미숙아 + 심한 출혈 : 제왕절개
3. 태아가 성숙한 경우 : 제왕절개

참고 *Final Check 산과 687 page*

78

유착태반(placenta accreta)으로 인한 출혈 시 옳지 않은 것은 무엇인가?

① 전치태반, 이전 제왕절개 시 증가한다

② 제왕절개 수술 시 일단 자궁절개부위를 봉합하고 oxytocin을 쓰면서 마사지를 시행한다

③ 자궁절제술이 가장 좋은 방법이다

④ 태반수기박리술을 시도하는 것은 자궁뒤집힘 등이 발생할 수 있어 위험하다

⑤ 유착태반이 의심되면 태반 제거 전 제왕자궁절제술을 미리 준비한다

78

정답 ②

해설

태반유착증후군의 처치

1. 수술 전 처치
   a. 수술 전 임신부의 혈색소 수치를 올림
   b. 분만 : 임신 34~37주에 계획된 제왕절개
2. 수술 중 처치
   a. 충분한 정맥주사 경로 및 동맥라인 유지
   b. 수혈 준비
   c. 태반이 분리되지 않는 경우 태반을 자궁에 그대로 놔두고 자궁절제술을 시행
   d. 복부절개 : 정중선 수직절개

참고 *Final Check 산과 703 page*

79

전치태반으로 제왕절개 수술 중 oxytocin 사용하여도 지속적인 출혈이 있으면서 혈압 80/40 mmHg으로 확인될 때 올바른 처치를 고르시오.

① 출혈부위 봉합

② 자궁절제술

③ Heparin 투여

④ 거즈 충전

⑤ Ergot derivatives 투여

79

정답 ②

해설

태반유착증후군의 처치

1. 수술 전 처치
   a. 수술 전 임신부의 혈색소 수치를 올림
   b. 분만 : 임신 34~37주에 계획된 제왕절개
2. 수술 중 처치
   a. 충분한 정맥주사 경로 및 동맥라인 유지
   b. 수혈 준비
   c. 태반이 분리되지 않는 경우 태반을 자궁에 그대로 놔두고 자궁절제술을 시행
   d. 복부절개 : 정중선 수직절개

참고 *Final Check 산과 703 page*

80

2회의 제왕절개 과거력이 있는 33세 다분만부가 임신 38주에 전치태반으로 진단받고 분만을 위해 입원하였다. 제왕절개 직후 태반을 제거하기 힘들었고, 출혈이 심하여 혈압 유지가 힘든 상태라면 다음 중 가장 적절한 다음 단계의 처치는 무엇인가?

① 자궁 내 거즈 충전

② 태반수기박리술(manual removal of placenta)

③ 자궁동맥 색전술(uterine artery embolization)

④ 내장골동맥 결찰술(internal iliac artery ligation)

⑤ 제왕자궁절제술(cesarean hysterectomy)

80

정답 ⑤

해설

태반유착증후군의 처치

1. 수술 전 처치
   a. 수술 전 임신부의 혈색소 수치를 올림
   b. 분만 : 임신 34~37주에 계획된 제왕절개
2. 수술 중 처치
   a. 충분한 정맥주사 경로 및 동맥라인 유지
   b. 수혈 준비
   c. 태반이 분리되지 않는 경우 태반을 자궁에 그대로 놔두고 자궁절제술을 시행
   d. 복부절개 : 정중선 수직절개

참고 *Final Check 산과 703 page*

81

태반 만출 후 자궁경부에서 다음과 같은 암갈색의 종괴가 관찰되며 출혈이 발생하였다. 가장 가능성이 높은 진단명은 무엇인가?

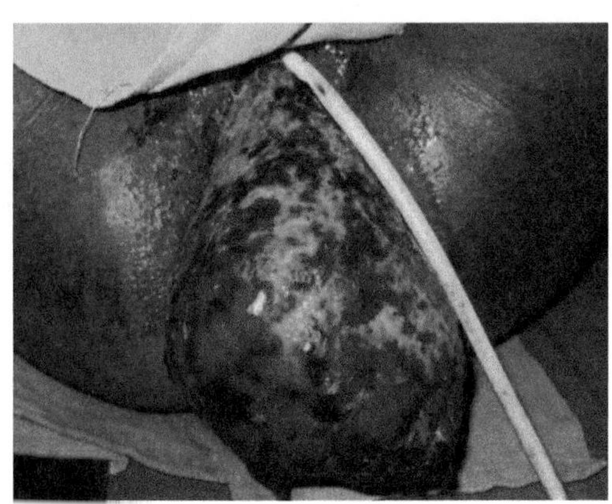

① 잔류태반 ② 자궁이완증

③ 자궁탈출증 ④ 자궁뒤집힘

⑤ 자궁파열

81

정답 ④

해설

자궁뒤집힘의 임상증상

1. 자궁경부를 통해 보이는 적갈색의 종괴
2. 지속적인 출혈(치명적 출혈은 사망 초래)
3. 저혈압

참고 *Final Check 산과 696 page*

82

임신 39주인 36세 다분만부가 4,100 g, 남아를 질식분만하였다. 분만 후 태반이 분리되지 않아 탯줄을 잡아당기는 과정에서 심한 질 출혈이 있었고 혈압 80/50 mmHg으로 떨어지며 복부에서 자궁저부가 만져지지 않았다. 자궁경부를 통하여 주먹 크기의 적갈색 종괴가 관찰되었다면 이 환자의 진단명은 무엇인가?

① 자궁파열　② 전치태반
③ 자궁뒤집힘　④ 잔류태반
⑤ 자궁이완증

82

정답 ③

해설

자궁뒤집힘의 임상증상

1. 자궁경부를 통해 보이는 적갈색의 종괴
2. 지속적인 출혈(치명적 출혈은 사망 초래)
3. 저혈압

참고 *Final Check 산과 696 page*

83

자궁뒤집힘(uterine inversion) 시 처치에 대한 것으로 잘못된 것을 고르시오.

① 즉시 정맥주사용 경로와 혈액을 확보하고 가능한 한 빨리 수혈을 시작한다
② 바로 oxytocin을 써야 출혈을 줄일 수 있다
③ 태반이 떨어지지 않은 상태라면 수액 공급이 준비될 때까지 떼지 않는 것이 좋다
④ 자궁수축억제제를 투여하면 도움이 된다
⑤ 마취과 의사를 대기시켜 놓는 것이 좋다

83

정답 ②

해설

자궁뒤집힘의 처치

1. 태반 만출 후 자궁수축이 전 : 도수 정복
2. 자궁수축 때문에 복원이 어려운 경우
   a. 마취과 의사를 포함한 의료팀을 소집
   b. 2개 이상의 정맥주사 경로와 혈액을 확보
   c. 태반이 분리되지 않았으면, 수액과 마취제 투여 전에는 태반 제거를 시도하지 않음
   d. 태반을 제거한 후에는 자궁수축억제제를 사용하고 복원 시도
   e. 자궁 모양이 정상으로 회복되면 자궁수축억제제를 중단하고 자궁수축제를 투여

참고 *Final Check 산과 696 page*

84

태반 만출 직후 출혈이 심한 산모에서 자궁경부에 주먹크기의 암갈색 종괴가 관찰되었다. 다음 중 이 산모에게 가장 적절한 처치를 고르시오.

① 자궁동맥 색전술

② 개복 후 자궁절제술

③ 자궁경부 및 질의 열상 확인

④ 옥시토신 투여와 자궁마사지

⑤ 주먹을 이용하여 위쪽으로 밀어 올려 복원 시도

84

정답 ⑤

해설

자궁뒤집힘의 처치

1. 태반 만출 후 자궁수축이 전 : 도수 정복
2. 자궁수축 때문에 복원이 어려운 경우
   a. 마취과 의사를 포함한 의료팀을 소집
   b. 2개 이상의 정맥주사 경로와 혈액을 확보
   c. 태반이 분리되지 않았으면, 수액과 마취제 투여 전에는 태반 제거를 시도하지 않음
   d. 태반을 제거한 후에는 자궁수축억제제를 사용하고 복원 시도
   e. 자궁 모양이 정상으로 회복되면 자궁수축억제제를 중단하고 자궁수축제를 투여

참고 *Final Check 산과 696 page*

85

정상 질식분만 후 자궁뒤집힘(inversion) 발생 시 복원을 시도하고자 한다면 다음 중 가장 적절한 마취 방법은 무엇인가?

① 척추마취　② 경막하마취

③ 음부신경 마취　④ Halothane 마취

⑤ 마취가 필요 없음

85

정답 ④

해설

자궁뒤집힘의 복원 시 처치

마취제	자궁수축억제제
Halothane Enflurane	Ritodrine Terbutaline Magnesium sulfate Nitroglycerin

참고 *Final Check 산과 697 page*

86

분만 직후 발생한 출혈로 질 검사에서 출혈이 있는 암적색 종괴가 보였다면 가장 적절한 처치는 무엇인가?

① Oxytocin　② Ritodrine

③ 경막외마취　④ 자궁소파술

⑤ 자궁절제술

86

정답 ②

해설

자궁뒤집힘의 처치

1. 태반 만출 후 자궁수축이 전 : 도수 정복
2. 자궁수축 때문에 복원이 어려운 경우
   a. 마취과 의사를 포함한 의료팀을 소집
   b. 2개 이상의 정맥주사 경로와 혈액을 확보
   c. 태반이 분리되지 않았으면, 수액과 마취제 투여 전에는 태반 제거를 시도하지 않음
   d. 태반을 제거한 후에는 자궁수축억제제를 사용하고 복원 시도
   e. 자궁 모양이 정상으로 회복되면 자궁수축억제제를 중단하고 자궁수축제를 투여

참고 *Final Check 산과 696 page*

87

산과력 1-0-0-1인 32세 산모가 옥시토신으로 유도분만 12시간 후 3.0 kg, 남아를 분만하였다. 산모는 태반 만출 직후 출혈이 심하였으며 질 검사에서 출혈이 있는 암적색 종괴가 보였다. 산모는 창백하였고, 혈압 60/40 mmHg으로 확인되었다면 우선적으로 시행할 처치는 무엇인가?

① 옥시토신을 투여하면서 자궁경부 마사지를 한다

② 즉시 질을 통해 자궁을 원위치로 복원시킨다

③ 자궁동맥 색전술을 시행한다

④ 개복 후 자궁을 원위치로 환원시킨다

⑤ 개복 후 자궁절제술을 시행한다

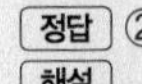

정답 ②

해설

자궁뒤집힘의 처치

1. 태반 만출 후 자궁수축이 전 : 도수 정복
2. 자궁수축 때문에 복원이 어려운 경우
   a. 마취과 의사를 포함한 의료팀을 소집
   b. 2개 이상의 정맥주사 경로와 혈액을 확보
   c. 태반이 분리되지 않았으면, 수액과 마취제 투여 전에는 태반 제거를 시도하지 않음
   d. 태반을 제거한 후에는 자궁수축억제제를 사용하고 복원 시도
   e. 자궁 모양이 정상으로 회복되면 자궁수축억제제를 중단하고 자궁수축제를 투여

참고 *Final Check 산과 696 page*

88

분만진통 제3기 중에 태반이 부착된 채로 자궁뒤집힘이 발생하였다. 이 환자의 처치에 대한 내용으로 옳지 않은 것을 고르시오.

① 다른 의료진을 불러 도움을 청한다

② 즉시 정맥주사로 수액을 공급한다

③ 질을 통하여 손으로 자궁저부를 밀어 올린다

④ 자궁을 이완시키기 위해 halothane 마취를 한다

⑤ 마취와 수액 투여 전에 뒤집힌 자궁으로부터 즉시 태반을 분리시킨다

88

정답 ⑤

해설

자궁뒤집힘의 처치

1. 태반 만출 후 자궁수축이 전 : 도수 정복
2. 자궁수축 때문에 복원이 어려운 경우
   a. 마취과 의사를 포함한 의료팀을 소집
   b. 2개 이상의 정맥주사 경로와 혈액을 확보
   c. 태반이 분리되지 않았으면, 수액과 마취제 투여 전에는 태반 제거를 시도하지 않음
   d. 태반을 제거한 후에는 자궁수축억제제를 사용하고 복원 시도
   e. 자궁 모양이 정상으로 회복되면 자궁수축억제제를 중단하고 자궁수축제를 투여

참고 *Final Check 산과 696 page*

89

분만력 4-0-2-4인 36세 여성이 4 kg의 남아를 질식분만하였다. 태반 분리 후 산모는 심한 질 출혈과 혈압 저하를 보였고, 자궁저부가 복부에서 만져지지 않았다. 자궁경부를 통해 주먹 크기의 적갈색 종괴가 관찰되었다면 현 상태에서 시도 가능한 조치 중 잘못된 것을 고르시오.

① Lactated Ringer's solution 투여

② 수혈

③ Ritodrine 투여

④ Oxytocin 투여

⑤ 산소와 halothane 투여

89

정답 ④

해설

자궁뒤집힘의 처치

1. 태반 만출 후 자궁수축이 전 : 도수 정복
2. 자궁수축 때문에 복원이 어려운 경우
   a. 마취과 의사를 포함한 의료팀을 소집
   b. 2개 이상의 정맥주사 경로와 혈액을 확보
   c. 태반이 분리되지 않았으면, 수액과 마취제 투여 전에는 태반 제거를 시도하지 않음
   d. 태반을 제거한 후에는 자궁수축억제제를 사용하고 복원 시도
   e. 자궁 모양이 정상으로 회복되면 자궁수축억제제를 중단하고 자궁수축제를 투여

참고 *Final Check 산과 696 page*

90

제왕절개 과거력이 있는 산모가 임신 37주에 질식분만을 시도하고 있었다. 자궁경부 개대 7 cm, 소실 80% 였고, 규칙적인 자궁수축이 있다가 갑자기 칼로 찢는 듯한 하복부 통증이 발생하였다. 자궁수축이 거의 없어졌고, 태아 심박동이 확인되지 않았으며, 내진상 태아 선진부가 만져지지 않았다. 다음 중 가장 가능성이 높은 진단은 무엇인가?

① 패혈증 ② 자궁파열

③ 전치태반 ④ 혈전색전증

⑤ 태반조기박리

90

정답 ②

해설

자궁파열의 임상소견

1. 완전 자궁파열의 증상
   a. 갑자기 발생하는 복통 및 자궁수축의 소실, 저혈량 쇼크, 태아곤란증 등
   b. 갑자기 발생한 태아 심박동 이상
2. 불완전 자궁파열의 증상 : 대부분 무증상

참고 *Final Check 산과 700 page*

91

제왕절개 과거력이 있는 임신 39주 임산부가 분만진통 중 태아 심박동수가 갑자기 60회/min.로 5분 동안 지속되었다. 당시 임산부는 심한 복부 통증이 있은 후 다소 배가 편해졌으나 이후 혈압 90/40 mmHg으로 감소하며 의식을 잃었다. 다음 중 가장 가능성이 높은 진단은 무엇인가?

① 양수색전증 ② 자궁파열

③ 유착태반 ④ 탯줄 탈출

⑤ 탯줄 압박

91

정답 ②

해설

자궁파열의 임상소견

1. 완전 자궁파열의 증상
   a. 갑자기 발생하는 복통 및 자궁수축의 소실, 저혈량 쇼크, 태아곤란증 등
   b. 갑자기 발생한 태아 심박동 이상
2. 불완전 자궁파열의 증상 : 대부분 무증상

참고 *Final Check 산과 700 page*

92

이전에 제왕절개술로 분만한 산모가 질식분만을 원해 입원 후 분만진통을 하던 중 자궁파열이 발생하였다. 이때 가장 흔히 발견되는 이상 소견은 무엇인가?

① 자궁수축의 소실

② 태아 선진부의 상승

③ 복부 압통

④ 허혈성 쇼크

⑤ 태아 심음의 이상 소견

92

정답 ⑤

해설

자궁파열의 임상소견

1. 완전 자궁파열의 증상
   a. 갑자기 발생하는 복통 및 자궁수축의 소실, 저혈량 쇼크, 태아곤란증 등
   b. 갑자기 발생한 태아 심박동 이상
2. 불완전 자궁파열의 증상 : 대부분 무증상

참고 *Final Check 산과 700 page*

93

다음 중 자궁파열의 소견을 모두 고르시오.

(가) 태아 심장 박동 감소
(나) 분만진통의 소실
(다) 심한 복강 내 출혈
(라) 태아 선진부의 산도 이탈

① 가, 나, 다　② 가, 다
③ 나, 라　④ 라
⑤ 가, 나, 다, 라

93
정답 ⑤
해설
자궁파열의 임상소견
1. 완전 자궁파열의 증상
   a. 갑자기 발생하는 복통 및 자궁수축의 소실, 저혈량 쇼크, 태아곤란증 등
   b. 갑자기 발생한 태아 심박동 이상
2. 불완전 자궁파열의 증상 : 대부분 무증상

참고 *Final Check 산과 700 page*

94

분만진통 중 발생한 자궁파열에 관한 내용으로 올바른 것을 모두 고르시오.

(가) 이상 태위 시 자궁파열의 빈도가 증가한다
(나) 자궁파열 후에도 자궁수축은 계속될 수 있다
(다) 임신 전 과도한 자궁 내 조작 등으로 자궁이 손상되었던 경우 자궁파열을 유발할 수 있다
(라) 자궁내압을 측정하면 자궁파열을 정확히 진단할 수 있다

① 가, 나, 다　② 가, 다
③ 나, 라　④ 라
⑤ 가, 나, 다, 라

94
정답 ①
해설
1. 이상 태위 시 자궁파열 빈도 증가
2. 불완전 자궁파열 시 자궁수축 지속 가능
3. 임신 전 자궁 손상은 자궁파열의 가장 흔한 원인
4. 불완전 자궁파열 시 자궁내압으로 정확한 진단이 어려움

참고 *Final Check 산과 700 page*

95

첫째를 제왕절개 분만한 다분만부가 임신 38주에 분만진통을 주소로 응급실에 내원하였다. 질식분만을 원하는 이 임산부는 내원 시 자궁경부 3 cm 개대, 50% 소실되어 있었고, 규칙적인 자궁수축을 보이던 중 갑작스러운 복부 통증을 호소한 후 자궁수축과 태동이 소실되었으며 중등도 질 출혈을 보였다. 이 산모에 대한 즉각적인 처치로 올바른 것을 모두 고르시오.

(가) 정맥주사 경로 확보
(나) 진통제 투여
(다) 응급 개복수술 시행
(라) 겸자분만으로 신속한 분만 진행

① 가, 나, 다 ② 가, 다
③ 나, 라 ④ 라
⑤ 가, 나, 다, 라

95
정답 ②
해설
자궁파열의 치료
1. 정확한 진단, 즉각적인 수술, 충분한 수혈 및 항생제 투여가 예후에 중요
2. 치료
   a. 단순 봉합 : 향후 임신을 원하는 경우 시행
   b. 자궁절제술 : 자연 자궁파열이나 제왕절개술 후 질식분만 시도할 때 발생한 자궁파열은 자궁절제술이 대부분 필요

참고 *Final Check 산과 701 page*

96

5년 전 자궁근종절제술을 받았던 34세 다분만부가 임신 39주에 규칙적인 분만진통을 주소로 내원하였다. 입원 당시 산모와 태아의 상태는 양호하였으나, 입원 30분 후 자궁경부 7 cm 개대, 선진부 하강 +1 까지 진행되다 갑자기 진통이 없어지면서 태아 심음이 90회/min.으로 감소하였다. 양막파수와 함께 혈성 양수가 보였다면 다음 처치로 가장 적절한 것은 무엇인가?

① 옥시토신 투여 ② 흡입분만
③ 겸자분만 ④ 양수주입술
⑤ 응급 개복술

96
정답 ⑤
해설
자궁파열의 치료
1. 정확한 진단, 즉각적인 수술, 충분한 수혈 및 항생제 투여가 예후에 중요
2. 치료
   a. 단순 봉합 : 향후 임신을 원하는 경우 시행
   b. 자궁절제술 : 자연 자궁파열이나 제왕절개술 후 질식분만 시도할 때 발생한 자궁파열은 자궁절제술이 대부분 필요

참고 *Final Check 산과 701 page*

97

손상이 없던 자궁에서 나타난 자궁파열에 대한 내용으로 옳은 것을 모두 고르시오.

(가) 도수조작 시 발생 증가
(나) 자궁저부(fundus)에 호발
(다) 경산부에서 많이 발생
(라) 불완전 자궁파열의 경우 출혈이 많다

① 가, 나, 다 ② 가, 다
③ 나, 라 ④ 라
⑤ 가, 나, 다, 라

97

정답 ②

해설

자궁뒤집힘의 복원 시 처치

분만 전	분만 중
강한 연속성 자궁수축 분만진통 자극 양막내주입 자궁내압측정 시 자궁천공 외적 손상 외회전술 자궁의 과다팽창 양수과다, 다태임신	내회전술 겸자분만 난산 둔위 만출 자궁하부 확장 태아기형 분만 시 심한 자궁압력 태반수기박리술
후천적	
태반유착증후군 임신융모종양 자궁선종 후굴된 자궁의 감돈	

참고 *Final Check 산과 700 page*

98

임신 중 소모성 혈액응고장애에 대한 내용으로 옳은 것을 모두 고르시오.

(가) 가장 흔한 원인은 태반조기박리이다
(나) 저섬유소원혈증(hypofibrinogenemia)이 관찰된다
(다) 섬유소분해산물(FDP) 증가가 관찰된다
(라) 태반조기박리 산모의 50%에서 나타난다

① 가, 나, 다 ② 가, 다
③ 나, 라 ④ 라
⑤ 가, 나, 다, 라

98

정답 ①

해설

임신 중 소모성 혈액응고장애

1. 중증 태반조기박리 산모의 약 30%에서 발생
2. 진단을 위한 검사 소견
   a. 저섬유소원혈증(hypofibrinogenemia)
   b. 섬유소분해산물(FDP) 증가
   c. 혈소판감소증(thrombocytopenia)
   d. PT, PTT 시간 지연

참고 *Final Check 산과 681, 705 page*

99

산과적으로 소모성 혈액응고장애를 일으키는 질환을 쓰시오.(4가지)

99

정답

1. 태반조기박리
2. 태아사망, 지연분만
3. 다태아 임신 시 태아사망
4. 전자간증, 자간증, HELLP증후군
5. 양수색전증
6. 패혈증
7. 유산

참고 *Final Check 산과 706 page*

100

질식분만 후 심한 출혈이 발생한 산모에게 전혈(whole blood)을 다량 수혈하였다. 이 경우 다음 중 가장 부족한 혈액응고인자는 무엇인가?

① Platelet
② Factor II
③ Factor V
④ Factor VII
⑤ Factor VIII

100

정답 ①

해설

Replacement of blood & component

1. Whole blood : RBC, plasma, fibrinogen
2. Packed RBC : RBC only
3. FFP : colloid, fibrinogen
4. Cryoprecipitate : fibrinogen, clotting factor

참고 *Final Check 산과 710 page*

101

산모가 분만 후 맥박 140회/min., 혈압 70/40 mmHg로 확인된다면 가장 먼저 투여할 수액은 무엇인가?

① Unmatched Packed RBC
② Platelet
③ Cryoprecipitate
④ Crystalloid
⑤ Albumin

101

정답 ④

해설

정질액(Crystalloid)

1. 초기에 용적을 채우는 데 사용
2. 정질액(crystalloid)의 20%만이 1시간 뒤 intravascular에 존재
3. 초기 수액의 주입은 측정 혈액 손실양의 약 3배 이상의 정질액을 투여

참고 *Final Check 산과 710 page*

102

임신 40주 산모가 자연분만 후 약 1,500 cc 가량의 질 출혈이 있었다. 심박수 126회/min., 혈압 90/40 mmHg으로 확인되었다면 다음 중 가장 먼저 투여해야 할 것은 무엇인가?

① Fresh-frozen plasma

② Cryoprecipitate

③ Platelet concentrate

④ Colloid

⑤ Crystalloid

103

자궁수축 부전으로 다량의 질 출혈을 하는 산모가 응급실로 전원되었다. 내원 시 혈압 70/30 mmHg, 심박수 120회/min., 체온 36.5℃, 호흡 24회로 확인되었다면 다음 중 우선 처치할 것으로 가장 적절한 것을 고르시오.

① Colloid

② Crystalloid

③ Colloid + Pack RBC

④ Crystalloid + Pack RBC

⑤ Crystalloid + Albumin

102

정답 ⑤

해설

정질액(Crystalloid)

1. 초기에 용적을 채우는 데 사용
2. 정질액(crystalloid)의 20%만이 1시간 뒤 intravascular에 존재
3. 초기 수액의 주입은 측정 혈액 손실양의 약 3배 이상의 정질액을 투여

참고 *Final Check 산과 710 page*

103

정답 ④

해설

출혈의 처치 시 혈액 보충

1. 수액 보충
   a. 즉각적이고 적절하게 정질액을 투여하여 위축된 혈관 내 용적을 채우는 것으로 시작
   b. 정질액(crystalloid) : 초기 용적 보충에 사용
2. 수혈 기준
   a. Hematocrit <25%, Hb ≤7 mg/dL
   b. 임상적 측면이 가장 중요

참고 *Final Check 산과 710 page*

104

임신 39주인 36세 산모에서 태반조기박리로 저혈량 쇼크(hypovolemic shock)가 발생하였다. 혈액 검사가 아래와 같다면 이 환자에게 적절한 투여 수액은 무엇인가?

- Hematocrit : 17%
- Platelet : 80,000/μL
- Fibrinogen : 50 mg/dL

① 전혈(whole blood)
② 농축적혈구(packed RBC)와 신선동결혈장(FFP)
③ 혈소판(platelet)과 신선동결혈장(FFP)
④ 혈소판(platelet)과 동결침전(cryoprecipitate)
⑤ 농축적혈구(packed RBC)와 Epsilon-aminocaproic acid

104
정답 ②
해설
출혈의 처치 시 혈액 보충
1. 수혈 기준
   a. Hematocrit <25%, Hb ≤7 mg/dL
   b. 임상적 측면이 가장 중요
2. 농축적혈구
   a. 전혈과 동일한 용량의 적혈구 포함
   b. 투여 시 hematocrit 3~4 vol% 증가
3. 신선동결혈장
   a. 섬유소원(fibrinogen) <150 mg/dL
   b. 비정상 PT 또는 PTT

참고 *Final Check 산과 710 page*

105

40주 다분만부가 질식분만 후 발생한 다량의 질 출혈을 주소로 응급실로 전원되었다. 검사소견이 아래와 같다면 이 산모의 예후에 가장 중요한 처치는 무엇인가?

- 혈압 : 90/40 mmHg
- Hemoglobin : 7 g/dL
- Hematocrit : 24%
- Fibrinogen : 95 mg/dL

① Linger lactate solution
② 5DW + Normal saline
③ Platelets + Cryoprecipitate
④ Pack RBC + Cryoprecipitate
⑤ Pack RBC + Fresh-frozen plasma

105
정답 ⑤
해설
출혈의 처치 시 혈액 보충
1. 수혈 기준
   a. Hematocrit <25%, Hb ≤7 mg/dL
   b. 임상적 측면이 가장 중요
2. 농축적혈구
   a. 전혈과 동일한 용량의 적혈구 포함
   b. 투여 시 hematocrit 3~4 vol% 증가
3. 신선동결혈장
   a. 섬유소원(fibrinogen) <150 mg/dL
   b. 비정상 PT 또는 PTT

참고 *Final Check 산과 710 page*

106

임신 40주인 다분만부가 분만 후 출혈이 발생하였다. 당시 혈압 70/40 mmHg, 맥박 120회/min.로 확인되어 응급 수혈을 실시하였고, 수혈 후 혈압 110/80 mmHg, 맥박 80회/min., 혈액 검사 상 Hb 11 g/dL, 혈소판 60,000/μL, fibrinogen 150 mg/dL으로 확인되었다. 다음 중 이 산모에게 적절한 다음 처치를 고르시오.

① 경과관찰

② 농축적혈구(packed red blood cells) 수혈

③ 신선동결혈장(fresh-frozen plasma) 수혈

④ 혈소판(platelet) 수혈

⑤ 동결침전(cryoprecipitate) 수혈

106

정답 ①

해설

출혈의 처치 시 혈액 보충

1. 수혈 기준
   a. Hematocrit <25%, Hb ≤7 mg/dL
   b. 임상적 측면이 가장 중요
2. 농축적혈구
   a. 전혈과 동일한 용량의 적혈구 포함
   b. 투여 시 hematocrit 3~4 vol% 증가
3. 신선동결혈장
   a. 섬유소원(fibrinogen) <150 mg/dL
   b. 비정상 PT 또는 PTT
4. 혈소판
   a. 혈소판수 ≤50,000/μL
   b. 일반적으로 6~10단위 수혈

참고 *Final Check 산과 688 page*

107

임신 39주인 30세 다분만부가 분만진통 제2기 시작 15분 후부터 태아 심박수가 분당 60회로 지속적인 감소가 있고, 30초 후 산모의 급성 호흡곤란, 1분 후 청색증이 나타났으며, 이후 맥박과 혈압이 촉지 되지 않았고, 소생술 5분 후 심정지가 되었다. 다음 중 가장 의심되는 질환은 무엇인가?

① 양수색전증

② 심근경색증

③ 폐혈증

④ 공기색전증

⑤ 소모성 혈액응고장애

107

정답 ①

해설

양수색전증(Amniotic fluid embolism)

1. 가장 흔한 증상 : 저혈압, 폐부종, 호흡곤란
2. 진단기준
   a. 갑작스러운 심폐정지 or 저혈압과 호흡저하
   b. 명확한 소모성 혈액응고장애의 확인
   c. 분만 중 or 태반 만출 30분 이내 증상 발생
   d. 체온 ≤38℃

참고 *Final Check 산과 707 page*

108

임신 41주인 24세 초산모가 질식분만 직후 호흡곤란과 저혈압, 저산소증, 쇼크 상태가 되었다. 복부 통증이나 압통은 없었고, 질 출혈도 없었다면 다음 중 가장 가능성이 높은 진단은 무엇인가?

① 회음부 열상

② 자궁경부 열상

③ 자궁뒤집힘

④ 자궁파열

⑤ 양수색전증

108

정답 ⑤

해설

양수색전증(Amniotic fluid embolism)

1. 가장 흔한 증상 : 저혈압, 폐부종, 호흡곤란
2. 진단기준
   a. 갑작스러운 심폐정지 or 저혈압과 호흡저하
   b. 명확한 소모성 혈액응고장애의 확인
   c. 분만 중 or 태반 만출 30분 이내 증상 발생
   d. 체온 ≤38℃

참고 *Final Check 산과 707 page*

109

정기적으로 산전 진찰을 받던 34세 임신 40주 다분만부가 질식분만 직후 심한 호흡곤란 및 청색증을 보이다 저혈압, 저산소증, 소모성 혈액응고장애가 발생하였다. 발열이나 복부 통증, 압통 등은 없다면 이 환자의 진단명으로 가장 가능성이 높은 것은 무엇인가?

① 자궁파열

② 자궁경부 열상

③ 양수색전증

④ 태반조기박리

⑤ 자궁이완증

109

정답 ③

해설

양수색전증(Amniotic fluid embolism)

1. 가장 흔한 증상 : 저혈압, 폐부종, 호흡곤란
2. 진단기준
   a. 갑작스러운 심폐정지 or 저혈압과 호흡저하
   b. 명확한 소모성 혈액응고장애의 확인
   c. 분만 중 or 태반 만출 30분 이내 증상 발생
   d. 체온 ≤38℃

참고 *Final Check 산과 707 page*

110

양수색전증의 발생 기전으로 현재 가장 가능성이 높은 것은 어느 것인가?

① 감염

② 폐부종

③ 심근경색

④ 양수나 태아조직으로 인한 폐동맥 막힘

⑤ 과민증으로 인한 cytokine과 chemokine의 발현

110

정답 ⑤

해설

양수색전증의 병인

1. 알려진 병인은 없음
2. 과거 양수가 정맥순환을 타고 가서 폐고혈압, 저산소증을 유발한다고 생각
3. 최근 양수색전증이 과민증(anaphylaxis)과 패혈성 혼수와 유사한 면역매개적과정(complement activation)의 결과로 이루어진다는 가설이 제시

참고 *Final Check 산과 708 page*

111

옥시토신으로 유도분만한 산모가 분만 후 갑자기 가슴을 두드리면서 흉부 통증과 호흡곤란을 호소하였다. 혈압 70/40 mmHg, 청색증이 관찰되었다면 이 산모에게 올바른 처치를 모두 고르시오.

(가) 산소
(나) 도파민
(다) 수액과 혈액 응고인자 투여
(라) 자궁절제술

① 가, 나, 다　　② 가, 다

③ 나, 라　　④ 라

⑤ 가, 나, 다, 라

111

정답 ①

해설

양수색전증의 처치

1. 산소 공급
2. 혈역학 허탈(hemodynamic collapse)의 치료
   a. 목표 : 수축기 혈압 ≥90 mmHg, 소변량 ≥ 25 mL/hr, 환자의 감각 유지
   b. 혈액양과 심박출량 유지를 위해 충분한 양의 정질액을 주입
3. 혈액응고장애의 치료

참고 *Final Check 산과 708 page*

〈R–Type〉

① Atosiban	⑤ Cervical laceration repair
② Methylergonovine	⑥ Intrauterine balloon tamponade
③ Ritodrine	⑦ Uterine curettage
④ Cervical cerclage	⑧ Uterine massage

112

임신 38주 다분만부가 질식분만 후 다량의 질 출혈이 발생하였다. 혈압 90/40 mmHg, 맥박 130회/min., 호흡 22회/min., 체온 36.7℃ 였고, 산모는 천식으로 기관지 확장제를 사용하고 있었다. 옥시토신 투여 후에도 자궁바닥은 배꼽 위에서 물렁물렁하게 만져지고, 골반 진찰에서 자궁경부와 질의 열상은 관찰되지 않았다. 다음 처치로 적절한 것을 고르시오.(2가지)

112

정답 ⑥, ⑧

해설

자궁이완증(uterine atony)의 치료

1. 내과적 치료 : 자궁수축제
2. 눌림증 치료 술기(Tamponade techniques)
   a. 두손 자궁압박법
   b. 풍선압박지혈술
3. 외과적 치료
   a. 자궁 압박봉합
   b. 골반혈관 결찰술
   c. 혈관조영 색전술
   d. 자궁절제술

참고 *Final Check 산과 692 page*

113

29세 다분만부가 분만 10일 후에 다량의 출혈로 내원하였다. 혈압 90/60 mmHg, 맥박 100회/min., 체온 36.5℃, 자궁경부에는 열상이 없었고 자궁은 단단하게 촉지 되었다. 질식 초음파 상 3 x 6 cm 크기의 고음영 종괴가 보였다면 다음 처치로 적절한 것을 고르시오.(2가지)

113

정답 ②, ⑦

해설

만기 산후 출혈(Late postpartum hemorrhage)

1. 분만 후 24시간부터 6~12주 내 발생한 출혈
2. 원인
   a. 태반부착부위의 퇴축불완전 : 가장 흔함
   b. 잔류태반조직
3. 치료
   a. 내과적 치료 : 자궁수축제(1st choice)
   b. 외과적 치료 : 소파술, 자궁경 등

참고 *Final Check 산과 678, 691 page*

CHAPTER 38

조산(Preterm birth)

01

초저출생체중(very low birth weight)과 극저출생체중(extremely low birth weight)의 기준을 고르시오.

	초저출생체중	극저출생체중
①	<2,000 g	<1,500 g
②	<2,000 g	<1,000 g
③	<1,500 g	<1,000 g
④	<1,500 g	<800 g
⑤	<1,000 g	<800 g

01

정답 ③

해설

출생 시 체중 기준의 신생아 분류

신생아 분류	체중
저출생체중(LBW)	1,500~2,500 g
초저출생체중(VLBW)	1,000~1,500 g
극저출생체중(ELBW)	500~1,000 g

참고 *Final Check 산과 716 page*

02

임신 32주인 30세 다분만부가 강도가 강해지는 5분 간격의 규칙적인 자궁수축을 주소로 응급실에 내원하였다. 다음 중 산모와 태아의 예후를 결정하는데 가장 중요한 요소는 무엇인가?

① 태위

② 전자태아감시 소견

③ 정확한 임신 주수

④ 임신부의 나이

⑤ 유산 횟수

02

정답 ③

해설

생존력의 한계

1. 현재 생존력의 한계 : 임신 20~26주 사이
2. 임신 23주 이전 신생아의 생존율 약 5%
3. 신경학적 장애가 없는 생존율
   a. 임신 22주에 태어난 신생아의 약 1 %
   b. 임신 23~24주에 태어난 신생아에서 시간이 지남에 따라 증가

참고 *Final Check 산과 717 page*

03

조기진통(preterm labor)의 위험성이 증가하는 경우를 모두 고르시오.

(가) 만삭 전 지속적인 자궁수축
(나) 생리통 같은 통증
(다) 물 같은 질 분비물
(라) 심한 허리의 통증

① 가, 나, 다
② 가, 다
③ 나, 라
④ 라
⑤ 가, 나, 다, 라

03
정답 ⑤
해설
조산의 위험성이 증가하는 증상
1. 자궁수축(painful or painless)
2. 골반 압박감(pelvic pressure)
3. 생리통 같은 통증(menstrual like cramps)
4. 물 같은 질 분비물(watery vaginal discharge)
5. 요통(low back pain)

참고 *Final Check 산과 725 page*

04

임신력 0-1-1-1인 38세 다분만부가 임신 30주에 발생한 불규칙한 자궁수축을 주소로 내원하였다. 내진상 자궁경부 개대 2 cm, 소실 90%로 확인되었고, 자궁저부의 높이는 27 cm, 비수축검사상 태아 심박동은 정상이었지만 5~6분 간격의 자궁수축이 있었다. 이 산모는 임신성 당뇨가 발견되었으며, 최근에는 방광염 치료를 받고 있다고 하였다. 위 소견 중 조산을 유발할 수 있는 가능성이 가장 높은 원인은 무엇인가?

① 산모의 연령
② 양수과소증
③ 임신성 당뇨
④ 조산의 과거력
⑤ 방광염

04
정답 ④
해설
조산의 과거력
1. 조산의 가장 중요한 위험인자
2. 조산의 재발에 영향을 주는 인자
   a. 이전 조산의 횟수와 순서
   b. 조산한 임신 주수

참고 *Final Check 산과 723 page*

05

조산 위험성을 예측할 수 있는 인자로 알려진 것들 중 가장 중요한 원인을 고르시오.

① 하루 1갑 흡연

② 임신 30주 질식분만 과거력

③ 자궁경부 조직검사

④ 임질

⑤ 임신 12주 자연 유산

05

정답 ②

해설

조산의 과거력

1. 조산의 가장 중요한 위험인자
2. 조산의 재발에 영향을 주는 인자
   a. 이전 조산의 횟수와 순서
   b. 조산한 임신 주수

참고 *Final Check 산과 723 page*

06

태아섬유결합소(fetal fibronectin)에 설명으로 옳은 것은 무엇인가?

① 임산부의 자궁경부나 질 분비물에서 양성이면 조산의 예측에 도움이 된다

② 정상 임산부의 양수에서도 농도가 낮아 검출이 힘든 단점이 있다

③ 임신부의 혈장 내 농도 증가는 전치태반의 예측에 도움이 된다

④ 만삭이더라도 양막이 파열되지 않은 임신부의 자궁경부나 질 분비물에서는 검출되지 않는다

⑤ 모체 혈액의 오염은 양수 내 농도에 영향을 미치지 않는다

06

정답 ①

해설

태아섬유결합소(Fetal fibronectin)

1. 역할
   a. 착상과 관련된 세포 간의 유착
   b. 태반을 자궁의 탈락막(decidua)에 부착
2. 산과적 의의
   a. 효소면역측정법으로 측정
   b. 양성 : ≥50 ng/mL
3. 조산 선별검사로 추천하지 않음(ACOG, 2016)

참고 *Final Check 산과 727 page*

07

다음 중 조기진통 시 양수에서 발견되는 물질을 모두 고르시오.

(가) IL-1	(나) IL-6
(다) TNF	(라) PGE2

① 가, 나, 다 ② 가, 다
③ 나, 라 ④ 라
⑤ 가, 나, 다, 라

07

정답 ⑤

해설

조기진통의 염증반응

1. 세균의 염증 시토카인 분비
2. Interleukin (IL-1, IL-6)
3. Tumor-necrosis factor (TNF- α)
4. Prostaglandins (PGE_2, PGF_2)

참고 *Final Check 산과 720 page*

08

양수의 감염 시 증가하는 물질이 아닌 것은 무엇인가?

① IL-1 ② IL-6
③ TNF-α ④ Prostaglandins
⑤ PAF

08

정답 ⑤

해설

조기진통의 염증반응

1. 세균의 염증 시토카인 분비
2. Interleukin (IL-1, IL-6)
3. Tumor-necrosis factor (TNF- α)
4. Prostaglandins PGE_2, PGF_2)

참고 *Final Check 산과 720 page*

09

조기진통에 대한 설명으로 옳은 것을 모두 고르시오.

(가) 세균은 탈락막 세포의 IL−1, 6, TNF, PGE_2, PGF_2 생성을 자극하여 자궁수축을 유발한다
(나) 양수의 시토카인은 단핵식세포나 호중구에 의해 분비된다
(다) 양수천자로 백혈구, 저혈당, 높은 IL−6를 확인하면 융모양막염을 진단할 수 있다
(라) Trichomonas와 Candida는 조기진통의 가장 흔한 원인이다

① 가, 나, 다　　② 가, 다
③ 나, 라　　④ 라
⑤ 가, 나, 다, 라

10

미국산부인과학회에서 제시한 조산의 진단기준을 쓰시오.

09

정답 ①

해설

조산과 관련이 없는 감염

1. Trichomonas, Candida, Chlamydia trachomatis
2. 조산 예방을 목적으로 Chlamydia trachomatis, Trichomonas vaginalis에 대한 선별검사와 치료는 추천되지 않음

참고 *Final Check 산과 720 page*

10

정답

임신 20~37주 사이에 발생한 진행성의 자궁경부 변화를 동반한 자궁수축

참고 *Final Check 산과 728 page*

11

다음 중 조기진통으로 진단할 수 있는 것을 고르시오.

① 임신 39주, 양수파수, 60분에 자궁수축 4회

② 임신 32주, 자궁경부의 변화없이 60분에 자궁수축 6회

③ 임신 33주, 규칙적인 자궁수축이 있으면서 자궁경부 개대 2 cm

④ 임신 38주, 불규칙적인 자궁수축이 있으면서 자궁경부 소실 10%

⑤ 임신 28주, 자궁수축이 없으면서 자궁경부 개대 2 cm

11

정답 ③

해설

조기진통의 진단기준

1. 임신 20~37주 사이에 발생
2. 진행성의 자궁경부 변화를 동반한 자궁수축

참고 *Final Check 산과 728 page*

12

산과력 0-1-1-0인 임신 22주 산모가 자궁이 밑으로 빠지는 느낌을 호소하며 내원하였다. 진찰소견상 자궁경부의 소실이 약간 있는 것 이외에는 정상이었다. 산모는 1년 전 임신 24주에 통증 없이 태아가 만출된 과거력이 있었다면 이 산모에게 가장 적합한 검사를 고르시오.

① Nitrazine test

② 비수축검사(NST)

③ 수축자극검사(CST)

④ 질 초음파

⑤ 태아경(fetoscopy)

12

정답 ④

해설

조기진통의 진단

1. 자궁경부의 변화
    a. 임신 중반 이후 무증상 자궁경부 개대
    b. 자궁경부 2~3 cm 개대된 산모의 약 25%가 34주 전 분만
2. 자궁경부의 길이
    a. 질식 초음파를 통한 자궁경부 길이의 측정 : 조산 예측의 가장 좋은 방법
    b. 임신 16주 이후 시행, 단태아 임신만 적용

참고 *Final Check 산과 725 page*

13

임신 32주에 조산한 경험이 있는 다분만부가 현재 임신 20주로 산전검사를 위해 내원하였다. 시행한 질 초음파에서 자궁경부의 길이가 2 cm으로 확인되었을 때 사용할 수 있는 약제를 쓰시오.(한가지)

13

정답 Progesterone

해설

예방적 프로게스테론

1. 17–α hydroxyprogesterone caproate
   a. 단태아 임신 중 일부 여성에서 조산 예방을 위해 사용
   b. 250 mg, 1회/wks, 근육주사
   c. 적응증 : 조산의 과거력, 초음파상 자궁경부 길이가 짧은 경우
2. 모든 임신부의 임신 중기 자궁경부 길이 선별검사 시행은 권고되지 않음

참고 *Final Check 산과 728 page*

14

2년 전 임신 30주에 조산한 과거력이 있는 임신 16주 산모가 산전 진찰을 위해 내원하였다. 질 초음파상 자궁경부 길이가 3 cm으로 확인되었다면 이 산모에게 가장 적절한 처치는 무엇인가?

① Betamethasone

② Ritodrine

③ Progesterone

④ Prostaglandin E2

⑤ Cervical cerclage

14

정답 ③

해설

예방적 프로게스테론

1. 17–α hydroxyprogesterone caproate
   a. 단태아 임신 중 일부 여성에서 조산 예방을 위해 사용
   b. 250 mg, 1회/wks, 근육주사
   c. 적응증 : 조산의 과거력, 초음파상 자궁경부 길이가 짧은 경우
2. 모든 임신부의 임신 중기 자궁경부 길이 선별검사 시행은 권고되지 않음

참고 *Final Check 산과 728 page*

15

임신 17주 산모가 산전진찰을 위하여 내원하였다. 이전 임신에서 임신 10주에 통증 없는 자궁경부 열림으로 유산된 과거력이 있었다. 시행한 초음파상 깔대기변화(funneling) 소견이 보였고 자궁경부 길이 0.3 cm으로 확인되었다. 다음 처치로 가장 적절한 것을 고르시오.

① 경과관찰

② Progesterone 투여

③ Steroid 투여

④ 자궁경부 원형결찰술(Cervical cerclage)

⑤ Ritodrine 정맥주사

15

정답 ④

해설

예방적 자궁경부원형결찰술의 적응증

1. 34주 이전의 조산 과거력
2. 자궁경부 길이 <25 mm
3. 임신 24주 이내의 단태아 임신

참고 *Final Check 산과 728 page*

16

다음 중 예방적 자궁경부원형결찰술의 적응증에 속하는 환자를 고르시오.

① 규칙적인 자궁수축이 있는 임신 24주 초산모

② 임신 16주에 조산 1회의 과거력이 있는 자궁경부 길이 15 mm인 20주 쌍태아 산모

③ 임신 20주에 조산 2회의 과거력이 있는 자궁경부 길이 20 mm인 14주 산모

④ 임신 36주에 조산 1회의 과거력이 있는 자궁경부 길이 20 mm인 21주 산모

⑤ 자궁경부 길이가 30 mm인 임신 20주 초산모

16

정답 ③

해설

예방적 자궁경부원형결찰술의 적응증

1. 34주 이전의 조산 과거력
2. 자궁경부 길이 <25 mm
3. 임신 24주 이내의 단태아 임신

참고 *Final Check 산과 728 page*

17

이전 임신에서 22주에 조산한 과거력이 있는 32세 다분만부가 임신 17주로 정기 산전검사를 위해 내원하였다. 초음파상 자궁경부 길이 1.3 cm, 깔대기변화(funneling)는 관찰되지 않았고 자궁수축도 없었다. 이 산모의 다음 처치로 가장 적절한 것을 고르시오.

① 정기 산전검사

② 프로게스테론 주사

③ 프로게스테론 질정

④ 자궁경부원형결찰술

⑤ 복식 자궁경부결찰술

17

정답 ④

해설

예방적 자궁경부원형결찰술의 적응증

1. 34주 이전의 조산 과거력
2. 자궁경부 길이 <25 mm
3. 임신 24주 이내의 단태아 임신

참고 *Final Check 산과 728 page*

18

임신 30주에 조산의 과거력이 있는 임신 29주의 임산부가 불규칙적인 자궁수축을 주소로 내원하였다. 내진상 자궁경부 개대 4~5 cm, 소실 100%, 하강도 −2로 확인되었고, 양막파수의 흔적은 없었다. 다음 중 태아의 예후를 향상시키기 위한 가장 중요한 처치는 무엇인가?

① 항생제

② 스테로이드

③ 응급 자궁경부원형결찰술

④ 인공 양막파수

⑤ 제왕절개분만

18

정답 ②

해설

태아 폐성숙 촉진을 위한 스테로이드

1. 조산과 관련한 주산기 사망률과 이환율을 줄일 수 있는 가장 유용한 치료법
2. 투여 후 24시간~1주까지가 가장 효과 좋음

참고 *Final Check 산과 731 page*

19

임신 30주 산모가 조산의 가능성이 있어서 입원하였다. 태아 폐성숙을 위해 스테로이드 치료를 하기로 결정하였다. 다음 중 치료 효과가 가장 좋은 스테로이드 약물 투여와 분만까지의 간격은 얼마인가?

① 24시간 이내

② 24시간 ~ 7일

③ 7일 ~ 14일

④ 14일 ~ 21일

⑤ 21일 ~ 28일

19

정답 ②

해설

태아 폐성숙 촉진을 위한 스테로이드

1. 조산과 관련한 주산기 사망률과 이환율을 줄일 수 있는 가장 유용한 치료법
2. 투여 후 24시간~1주까지가 가장 효과 좋음

참고 *Final Check 산과 731 page*

20

임신 34주 이전의 조기진통 산모에게 스테로이드를 투여하는 것은 무엇을 예방하기 위한 것인지 고르시오.

① 태반조기박리

② 양막파수

③ 태아성장제한

④ 신생아 감염

⑤ 신생아 호흡곤란증후군

20

정답 ⑤

해설

태아 폐성숙 촉진을 위한 스테로이드

1. 조산과 관련한 주산기 사망률과 이환율을 줄일 수 있는 가장 유용한 치료법
2. 투여 후 24시간~1주까지가 가장 효과 좋음

참고 *Final Check 산과 731 page*

21

임신 30주인 27세 초산모가 물 같은 질 분비물을 주소로 응급실에 내원하였다. 내원 시 혈압 120/80 mmHg, 맥박 70회/min., 체온 36.5℃, 소량의 맑은 액체가 닫혀 있는 자궁경부에서 지속적으로 흘러나와 Nitrazine test을 시행하였고 파랗게 변하는 것을 확인하였다. 초음파상 태아예상체중 1,600 g, 족위, 양수지수 10 cm으로 확인되었고, 비수축검사상 반응성양상으로 자궁수축도 나타나지 않았다. 이 산모의 다음 처치로 가장 적절한 것을 고르시오.

① 유도분만

② 양수주입술

③ 응급 제왕절개분만

④ 외회전술

⑤ 스테로이드 투여

21

정답 ⑤

해설

조기양막파수의 치료 : 임신 $23^{1/7}$~$31^{0/7}$주

1. 임신연장요법(expectant management)
2. Group B streptococcus에 대한 예방적 항생제
3. 항생제 투여
4. 단일 주기의 스테로이드
5. 자궁수축억제제(tocolytics) : 의견 일치 안 됨
6. 태아 신경보호를 위한 황산마그네슘

참고 *Final Check 산과 732 page*

22

조산 가능성이 있을 때 사용하는 corticosteroid의 효과를 쓰시오.

22

정답 태아의 폐성숙 촉진

해설

태아 폐성숙 촉진을 위한 스테로이드

1. 조산과 관련한 주산기 사망률과 이환율을 줄일 수 있는 가장 유용한 치료법
2. 투여 후 24시간~1주까지가 가장 효과 좋음

참고 *Final Check 산과 731 page*

23

다음 중 조산의 위험성이 높은 경우 태아 폐성숙을 위한 dexamethasone 투여 시 효과를 기대하기 어려운 경우를 고르시오.

① 당뇨 산모의 조산아

② 중증 임신성 고혈압 산모의 조산아

③ 태아성장제한으로 분만한 조산아

④ 태아수종으로 분만한 조산아

⑤ 1,000 g 이하 체중으로 분만한 조산아

23

정답 ⑤

스테로이드의 폐성숙 효과가 저하되는 경우

1. 1,000 g 미만의 조산아
2. 임신 34주 이후의 분만
3. 약물 투여 후 7일이 지난 경우

참고 *Final Check 산과 732 page*

24

다음 중 Ritodrine의 효과를 고르시오.

① 자궁수축 ② 천식의 호전

③ 당뇨의 호전 ④ 천식의 악화

⑤ 산모의 서맥

24

정답 ②

해설

Ritodrine의 효능

1. 자궁의 β2–adrenergic receptor에 주로 작용
2. β1–adrenergic receptor에도 약간씩 작용
3. β2–adrenergic receptor의 분포 및 효과

분포 장기	효과
Smooth muscle	Relaxation
Liver	Glycogenolysis and gluconeogenesis
Skeletal muscle	Glycogenolysis and K uptake

참고 *Final Check 산과 733 page*

25

Ritodrine 사용 시 산모에게 나타날 수 있는 증상을 모두 고르시오.

(가) Hyperglycemia
(나) Hypokalemia
(다) Tachycardia
(라) Ketoacidosis

① 가, 나, 다 ② 가, 다

③ 나, 라 ④ 라

⑤ 가, 나, 다, 라

25

정답 ⑤

해설

Ritodrine의 부작용

1. 폐부종 : 가장 흔한 부작용
2. 부정맥 : 심장질환이 있는 경우 금기
3. 혈당 증가, 케톤산증, 저칼륨혈증
   a. 간의 글리코겐 분해 증가로 혈당 상승
   b. 스테로이드를 같이 투여하면 더욱 심해짐
   c. 당뇨 임신부는 다른 약물을 선택
4. 기타 부작용 : 모세혈관 투과성 증가, 경한 심계항진, 안면홍조, 흉통, 오심, 구토, 홍분, 마비성 장폐쇄, 가려움증, 피부염

참고 *Final Check 산과 734 page*

26

다음 중 조기진통의 치료에 ritodrine을 사용 시 나타날 수 있는 증상을 모두 고르시오.

(가) 빈맥
(나) 고칼륨혈증
(다) 저혈압
(라) 저혈당

① 가, 나, 다 ② 가, 다
③ 나, 라 ④ 라
⑤ 가, 나, 다, 라

27

조기진통의 치료를 위해 β-adrenergic receptor agonist를 사용할 경우, 나타날 수 있는 증상들로 맞는 것을 모두 고르시오.

(가) Serum potassium의 감소와 glucose의 증가
(나) 혈압의 상승과 심근경색의 위험이 증가
(다) 혈장 내 insulin 증가와 lactate의 증가
(라) 폐부종과 심전도의 ST elevation

① 가, 나, 다 ② 가, 다
③ 나, 라 ④ 라
⑤ 가, 나, 다, 라

26

정답 ②

해설

Ritodrine의 부작용

1. 폐부종 : 가장 흔한 부작용
2. 부정맥 : 심장질환이 있는 경우 금기
3. 혈당 증가, 케톤산증, 저칼륨혈증
   a. 간의 글리코겐 분해 증가로 혈당 상승
   b. 스테로이드를 같이 투여하면 더욱 심해짐
   c. 당뇨 임신부는 다른 약물을 선택
4. 기타 부작용 : 모세혈관 투과성 증가, 경한 심계항진, 안면홍조, 흉통, 오심, 구토, 흥분, 마비성 장폐쇄, 가려움증, 피부염

참고 *Final Check 산과 734 page*

27

정답 ②

해설

Ritodrine의 부작용

1. 폐부종 : 가장 흔한 부작용
2. 부정맥 : 심장질환이 있는 경우 금기
3. 혈당 증가, 케톤산증, 저칼륨혈증
   a. 간의 글리코겐 분해 증가로 혈당 상승
   b. 스테로이드를 같이 투여하면 더욱 심해짐
   c. 당뇨 임신부는 다른 약물을 선택
4. 기타 부작용 : 모세혈관 투과성 증가, 경한 심계항진, 안면홍조, 흉통, 오심, 구토, 흥분, 마비성 장폐쇄, 가려움증, 피부염

참고 *Final Check 산과 734 page*

28

임신 32주인 29세 다분만부가 조기진통으로 입원하여 자궁수축억제제 치료를 받고 있다. 산모는 갑자기 호흡곤란 및 흉통을 호소하였고, 심전도상 ST절 내림이 관찰되었다. 다음 중 원인일 가능성이 가장 높은 약물은 무엇인가?

① Ritodrine
② Magnesium sulfate
③ Aspirin
④ Indomethacin
⑤ Nifedipine

28

정답 ①

해설

Ritodrine의 부작용

1. 폐부종 : 가장 흔한 부작용
2. 부정맥 : 심장질환이 있는 경우 금기
3. 혈당 증가, 케톤산증, 저칼륨혈증
   a. 간의 글리코겐 분해 증가로 혈당 상승
   b. 스테로이드를 같이 투여하면 더욱 심해짐
   c. 당뇨 임신부는 다른 약물을 선택
4. 기타 부작용 : 모세혈관 투과성 증가, 경한 심계항진, 안면홍조, 흉통, 오심, 구토, 흥분, 마비성 장폐쇄, 가려움증, 피부염

참고 *Final Check 산과 734 page*

29

조기진통의 조절을 위해 ritodrine을 사용할 경우 산모에게 생길 수 있는 가장 심각하고 흔한 합병증은 무엇인가?

① 저혈당
② 고혈압
③ 폐부종
④ 신부전
⑤ 근육 마비

29

정답 ③

해설

Ritodrine에 의한 폐부종(pulmonary edema)

1. 가장 흔한 부작용
2. 촉진인자
   a. 쌍태아 임신
   b. 스테로이드와 동시 투여
   c. 24시간 이상 자궁수축억제제 사용
   d. 다량의 정질액(crystalloid)을 함께 정맥주사

참고 *Final Check 산과 734 page*

30

조기진통으로 ritodrine을 쓰던 산모가 분만 후 호흡곤란을 호소하였고, 즉각적인 산소 공급에도 증상은 개선되지 않았고 산소포화도 92%로 확인되었다. 흉부 방사선 사진은 아래와 같았다면 이 산모에게 가장 적절한 처치는 무엇인가?

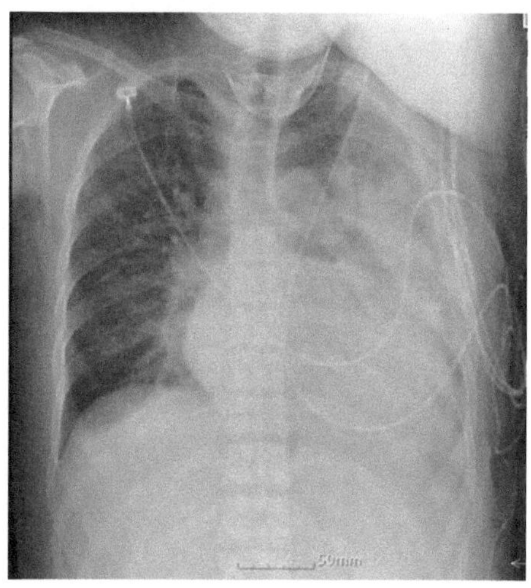

① 이뇨제　　② 수액
③ 알부민　　④ 항고혈압제
⑤ 황산마그네슘

30

정답 ①

해설

Ritodrine에 의한 폐부종(pulmonary edema)

1. 가장 흔한 부작용
2. 촉진인자
   a. 쌍태아 임신
   b. 스테로이드와 동시 투여
   c. 24시간 이상 자궁수축억제제 사용
   d. 다량의 정질액(crystalloid)을 함께 정맥주사

참고 *Final Check 산과 734 page*

31

조기진통 치료를 위해 β-adrenergic receptor agonist를 투여할 때 나타날 수 있는 합병증을 쓰시오.(3가지)

31

정답

1. 폐부종
2. 부정맥
3. 혈당 증가, 케톤산증, 저칼륨혈증
4. 기타 부작용 : 모세혈관 투과성 증가, 경한 심계항진, 안면홍조, 흉통, 오심, 구토, 흥분, 마비성 장폐쇄, 가려움증, 피부염

참고 *Final Check 산과 734 page*

32

다음 중 ritodrine의 부작용을 고르시오.

① 서맥　② 고혈압
③ 폐부종　④ 저혈당
⑤ 고칼륨혈증

32
정답 ③
해설
Ritodrine의 부작용
1. 폐부종 : 가장 흔한 부작용
2. 부정맥 : 심장질환이 있는 경우 금기
3. 혈당 증가, 케톤산증, 저칼륨혈증
   a. 간의 글리코겐 분해 증가로 혈당 상승
   b. 스테로이드를 같이 투여하면 더욱 심해짐
   c. 당뇨 임신부는 다른 약물을 선택
4. 기타 부작용 : 모세혈관 투과성 증가, 경한 심계항진, 안면홍조, 흉통, 오심, 구토, 흥분, 마비성 장폐쇄, 가려움증, 피부염

참고 *Final Check 산과 734 page*

33

다음 중 조기진통의 조절을 위해 ritodrine 사용 시 나타날 수 있는 부작용이 아닌 것을 고르시오.

① Maternal tachycardia　② Chest tightness
③ Hypertension　④ Pulmonary edema
⑤ ST depression

33
정답 ③
해설
Ritodrine의 부작용
1. 폐부종 : 가장 흔한 부작용
2. 부정맥 : 심장질환이 있는 경우 금기
3. 혈당 증가, 케톤산증, 저칼륨혈증
   a. 간의 글리코겐 분해 증가로 혈당 상승
   b. 스테로이드를 같이 투여하면 더욱 심해짐
   c. 당뇨 임신부는 다른 약물을 선택
4. 기타 부작용 : 모세혈관 투과성 증가, 경한 심계항진, 안면홍조, 흉통, 오심, 구토, 흥분, 마비성 장폐쇄, 가려움증, 피부염

참고 *Final Check 산과 734 page*

34

조기진통 조절을 위한 β-adrenergic receptor agonist 고려 시, 사용할 수 없는 경우를 모두 고르시오.

(가) 산모의 당뇨
(나) 갑상샘기능항진증
(다) 심장질환
(라) 임신성 고혈압

① 가, 나, 다　② 가, 다
③ 나, 라　④ 라
⑤ 가, 나, 다, 라

34
정답 ①
해설
β-adrenergic receptor agonist의 금기증
1. 산모의 당뇨
2. 갑상샘기능항진증
3. 심장질환

참고 *Final Check 산과 734 page*

35

분만력 1-0-0-1인 임신 28주 산모가 조기진통으로 입원하였다. 산모는 산전진찰 중 임신성 당뇨로 진단을 받았고 현재 식이요법 및 운동으로 조절 중이었다. 다음 중 이 산모에게 사용할 수 없는 자궁수축억제제는 무엇인가?

① Ritodrine ② Magnesium sulfate
③ Atosiban ④ Nitric oxide
⑤ Nifedipine

35
정답 ①
해설
β-adrenergic receptor agonist의 금기증
1. 산모의 당뇨
2. 갑상샘기능항진증
3. 심장질환

참고 *Final Check 산과 734 page*

36

임신 29주인 초산부가 하복부 통증을 주소로 내원하였다. 내원 시 2~3분 간격의 규칙적인 자궁수축이 있었고, 자궁경부 개대 2 cm, 소실 80%, nitrazine test (-)로 확인되었다. 다음 중 가장 올바른 처치는 무엇인가?

① 경과관찰 ② 항생제
③ 자궁수축억제제 ④ 황체호르몬
⑤ 자궁경부원형결찰술

36
정답 ③
해설
양막파수가 없는 조기진통의 치료
1. 태아 폐성숙 촉진을 위한 스테로이드
   a. 적응증 : 임신 24~34주, 7일 이내 분만
   b. Betamethasone, Dexamethasone
2. 태아 신경보호를 위한 황산마그네슘
   a. 분만 직전 황산마그네슘의 투여
   b. 적응증 : 임신 $24^{0/7}$~$27^{6/7}$주의 조산
3. 조기진통 치료를 위한 자궁수축억제제
4. 지속적인 전자태아감시 시행
5. 분만진통 시 GBS 예방을 위한 항생제를 투여하며 분만 진행

참고 *Final Check 산과 732 page*

37

산전진찰상 특이소견이 없던 임신 26주인 초산부가 규칙적인 자궁수축을 주소로 내원하였다. 검사상 자궁저부의 높이 26 cm, 자궁경부 개대 2 cm, 소실 50%, 자궁경부에서 나오는 분비물은 없었다. 초음파 검사상 태아예상체중 1.3 kg, 정상 심박수로 태아 및 태반, 양수 모두 이상소견은 보이지 않았다. 이 산모에게 가장 적절한 처치를 모두 고르시오.

(가) Magnesium sulfate
(나) Ritodrine
(다) Nifedipine
(라) Terbutaline

① 가, 나, 다　　② 가, 다
③ 나, 라　　④ 라
⑤ 가, 나, 다, 라

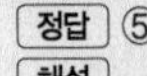

37
정답 ⑤
해설
조기진통 치료를 위한 자궁수축억제제
1. β-adrenergic receptor agonist : Ritodrine, Terbutaline
2. Magnesium sulfate
3. Prostaglandin inhibitor : Indomethacin, Naproxen, Fenoprofen
4. Nitric oxide
5. Calcium channel blocker : Nifedipine
6. Atosiban

참고 *Final Check 산과 733 page*

38

임신 32주 초산부가 1시간 전부터 발생한 복부 통증을 주소로 내원하였다. 산모는 혈압 130/80 mmHg, 맥박 70회/min., 단백뇨 (-)로 확인되었고, 내진상 자궁경부는 단단히 닫혀 있었다. 초음파상 자궁경부 길이 3 cm, 깔때기변화는 보이지 않았으나 비수축검사상 5~7분 간격의 규칙적인 수축이 있다면 이 산모에게 가장 적절한 처치를 고르시오.

① Terbutaline　　② Ritodrine
③ Hydration　　④ $MgSO_4$
⑤ Indomethacin

38
정답 ③
해설
조기진통의 진단기준
1. 임신 20~37주 사이에 발생
2. 진행성의 자궁경부 변화를 동반한 자궁수축

→ 아직 조기진통으로 진단할 수 없으므로 수분공급하며 경과관찰

참고 *Final Check 산과 728 page*

39

임신 24주인 32세 초산모가 10분 간격의 규칙적인 자궁수축을 주소로 내원하였다. 초음파와 내진소견은 아래와 같았고, 질경검사상 자궁경부에서 흘러나오는 분비물이나 질에 고여있는 분비물은 관찰되지 않았다. 다음 중 가장 먼저 시행할 처치는 무엇인가?

- 자궁경부 길이 : 2 cm
- 깔대기변화(funneling) : negative
- 태아예상체중 : 900 g
- Fetal heart rate : 146 bpm, Fetal movement (+)
- 양수량 : Adequate
- 내진 : 자궁경부 개대 1 cm, 소실 50%

① 침상안정과 경과관찰　② Betamethasone 투여
③ 자궁수축억제제 투여　④ 항생제 투여
⑤ 자궁경부원형결찰술 시행

39
정답 ②
해설
조기진통의 진단기준
1. 임신 20~37주 사이에 발생
2. 진행성의 자궁경부 변화를 동반한 자궁수축

참고 *Final Check 산과 728 page*

40

임신 26주에 조산의 과거력이 있는 임신 18주 산모가 정기검진을 위해 내원하였다. 시행한 초음파상 자궁경부 길이 1.2 cm, 깔대기변화(funneling)가 관찰되었다면 이 산모에게 가장 적절한 다음 처치를 고르시오.

① 활동을 줄이고 집에서 안정　② 스테로이드 투여
③ 옥시토신 투여　④ 리토드린 투여
⑤ 응급 원형결찰술

40
정답 ⑤
해설
예방적 자궁경부원형결찰술의 적응증
1. 34주 이전의 조산 과거력
2. 자궁경부 길이 <25 mm
3. 임신 24주 이내의 단태아 임신

참고 *Final Check 산과 728 page*

41

임신 28주에 조기양막파수로 조산한 과거력이 있는 임신 24주 임산부가 정기검진을 위해 내원하였다. 시행한 초음파에서 태아, 태반 및 양수에는 이상소견이 없었으나 깔대기변화 없이 자궁경부 길이가 1.8 cm으로 짧아진 것을 확인하였다. 산모는 현재 배뭉침이나 불편감등이 없다고 한다면 이 산모의 다음 처치로 가장 적절한 것은 무엇인가?

① 경과관찰 ② 프로게스테론
③ 스테로이드 ④ 자궁수축억제제
⑤ 자궁경부원형결찰술

41
정답 ⑤
해설
예방적 자궁경부원형결찰술의 적응증
1. 34주 이전의 조산 과거력
2. 자궁경부 길이 <25 mm
3. 임신 24주 이내의 단태아 임신

참고 *Final Check 산과 728 page*

42

임신 35주인 33세 초산부가 5분 간격의 하복부 통증을 주소로 내원하였다. 내진상 자궁경부 개대 2 cm, 소실 70%, 하강도 −3으로 확인되었고, 초음파상 두위, 태아예상체중 2.8 kg, 다른 이상소견은 없었다. 비수축검사에서 자궁수축 시 늦은 태아 심장박동수감소(late deceleration)가 지속적으로 관찰되었다면 이 산모에 관한 내용으로 맞는 것을 고르시오.

(가) 전자간증 연관될 수 있으므로 혈압과 혈액 검사를 한다
(나) β–adrenergic receptor agonist를 쓰면서 양수주입술을 시도해본다
(다) 태아 혈액에 PO_2가 감소하고 PCO_2가 증가된 소견을 보인다
(라) 산모의 호흡성 알칼리증과 연관이 있다

① 가, 나, 다 ② 가, 다
③ 나, 라 ④ 라
⑤ 가, 나, 다, 라

42
정답 ②
해설
자궁수축억제제의 금기증
1. 자궁 내 태아사망
2. 생존할 수 없는 기형을 가진 태아
3. 안심할 수 없는 태아 상태(nonreassuring fetal status)
4. 중증 전자간증 또는 자간증
5. 임신부가 출혈로 인해 혈역학적으로 불안정한 경우
6. 융모양막염(chorioamnionitis)
7. 조기양막파수(premature rupture of membranes)
8. 자궁수축억제제에 특이적 금기증이 있는 경우

참고 *Final Check 산과 733 page*

43

다음 중 태아의 폐성숙이 촉진되는 경우를 고르시오.

① 산모의 당뇨
② 조기양막파수
③ 산모의 갑상샘기능저하증
④ 전치태반
⑤ 산모의 매독 감염

43

정답 ②

해설

태아의 폐성숙이 촉진되는 경우

1. 융모양막염(chorioamnionitis)
2. 조기양막파수(preterm rupture of membrane)
3. 태아성장제한(fetal growth restriction)
4. 태반경색(placental infarction)
5. 만성 신장질환(chronic renal disease)
6. 만성 심혈관질환(cardiovascular disease)
7. 임신으로 인한 장기 고혈압
8. Heroin 중독

참고 *Final Check 산과 732 page*

44

임신 26주 임신부가 조기양막파수로 임신연장요법(expectant management)을 시행하던 중 체온 39.1℃ 발열과 자궁의 압통, 악취가 나는 질 분비물이 발생하였다. 혈액검사상 백혈구 15,000/μL으로 확인되었지만 다른 이상소견은 없었고, 태아 심박수 180회/min.로 확인된다면 이 산모의 진단에 있어 임상적으로 가장 신뢰할 만한 진단지표는 무엇인가?

① 자궁의 압통
② 39.1℃의 발열
③ 악취가 나는 질 분비물
④ 태아 심박수 180회/min.
⑤ 백혈구 15,000/μL

44

정답 ②

해설

임상적 융모양막염(Clinical chorioamnionitis)

1. 38℃ 이상 발열 : 가장 신뢰할 만한 진단지표
2. 임신부의 백혈구증가증, 임신부의 빈맥, 태아의 빈맥, 악취가 나는 질분비물, 자궁의 압통 등

참고 *Final Check 산과 730 page*

45

임신 중 융모양막염의 진단 시 가장 믿을 수 있는 진단지표를 고르시오.

① Leukocytosis
② Uterine tenderness
③ Yellowish cervical discharge
④ Fever
⑤ Fetal tachycardia

45

정답 ④

해설

임상적 융모양막염(Clinical chorioamnionitis)

1. 38℃ 이상 발열 : 가장 신뢰할 만한 진단지표
2. 임신부의 백혈구증가증, 임신부의 빈맥, 태아의 빈맥, 악취가 나는 질분비물, 자궁의 압통 등

참고 *Final Check 산과 730 page*

46

임신 32주 산모가 3일간의 38.5℃의 지속적인 발열과 복부 통증을 주소로 내원하였다. 산모는 내원 8일 전 맑은 색의 질 분비물이 있었으나 양이 많지 않아 경과관찰 하였고, 내원 3일 전부터 질 분비물에서 악취가 났다고 하였다. 이 산모에서 나타날 수 있는 소견을 모두 고르시오.

(가) 양수 내 백혈구 증가
(나) 양수 내 glucose 증가
(다) 양수과소증
(라) 양수 내 태변 착색

① 가, 나, 다 ② 가, 다
③ 나, 라 ④ 라
⑤ 가, 나, 다, 라

46

정답 ②

해설

임상적 융모양막염(Clinical chorioamnionitis)

1. 38℃ 이상 발열 : 가장 신뢰할 만한 진단지표
2. 임신부의 백혈구증가증, 임신부의 빈맥, 태아의 빈맥, 악취가 나는 질분비물, 자궁의 압통 등
3. 양수천자(amniocentesis)
   a. 의심되지만 확진을 할 수 없는 경우 고려
   b. 확진 : 그람 염색에서 세균과 백혈구 검출

참고 *Final Check 산과 730 page*

47

임신 36주인 25세 다분만부가 다량의 질 분비물을 주소로 내원하였다. 검사상 체온 38℃, 혈압 120/90 mmHg, 초음파상 태아예상체중 2.4 kg, 다른 이상소견은 보이지 않았으나 태아 심박수 180회/min.로 확인되었다. 다음 처치로 가장 적절한 것을 고르시오.

① 양막파수가 되었어도 초음파상 양수가 적당량 있으므로 경과관찰한다
② 융모양막염이 의심되므로 즉시 분만을 시도한다
③ 항생제를 사용하며 만삭까지 기다린다
④ 항생제를 사용하며 38주까지 기다린다
⑤ 항생제와 자궁수축억제제를 투여한다

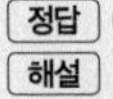

47

정답 ②

해설

임상적 융모양막염(Clinical chorioamnionitis)

1. 38℃ 이상 발열 : 가장 신뢰할 만한 진단지표
2. 임신부의 백혈구증가증, 임신부의 빈맥, 태아의 빈맥, 악취가 나는 질분비물, 자궁의 압통 등
3. 융모양막염이 진단되면 항생제 치료와 더불어 바로 분만을 시도

참고 *Final Check 산과 730 page*

48

다음 중 양막파수가 없는 조기진통에 대한 설명으로 옳은 것을 고르시오.

① GBS 감염은 드물기 때문에 이에 대한 예방적 치료는 분만 후 시행한다

② 자궁수축억제제는 주산기 예후를 월등히 향상시킨다

③ 조산 시 태아가 작기 때문에 회음절개술이 필요하지 않다

④ 태아의 두개내출혈을 줄이기 위한 제왕절개분만 선택은 질식분만에 비해 큰 차이가 없다

⑤ 칼슘통로 차단제 사용에도 자궁수축이 조절되지 않을 때 황산마그네슘을 추가로 사용하는 것이 도움이 된다

48

정답 ④

해설

1. 분만진통이 시작되면 GBS 감염 예방 시행
2. 자궁수축억제제는 예후를 향상시키지는 못함
3. 머리 손상을 줄이기 위해 회음절개술 권장
4. 두개내출혈은 제왕절개와 질식분만이 비슷함
5. 황산마그네슘과 함께 사용했을 경우, 니페디핀이 마그네슘의 신경근 차단효과를 강화시켜 폐나 심장 기능을 저해할 수 있음

참고 *Final Check 산과 736 page*

49

임신 34주인 35세 여성이 물 같은 질 분비물이 흘러나와 응급실에 내원하였다. 이 환자의 검사로 옳은 것을 모두 고르시오.

(가) 질경을 통한 시진
(나) 자궁경부 점액의 질 분비물 도말
(다) Nitrazine test
(라) 초음파를 통한 양수량 측정

① 가, 나, 다 ② 가, 다
③ 나, 라 ④ 라
⑤ 가, 나, 다, 라

49

정답 ⑤

해설

조기양막파수의 진단방법

종류	방법
문진	많은 양의 맑은 액체가 나온 후 적은 양의 액체가 계속 흐르는 증상
시진	질후원개에 고인 액체 자궁경부에서 흘러나오는 액체
Nitrazine test	푸른색으로 변하면 양수를 의미
색소 검사	양수천자로 색소 주입 후 자궁경부 쪽으로 유출이 되는지 확인
질 분비물 도말	가지모양(ferning pattern)의 결정체
α–fetoprotein	질분비물에서 α–fetoprotein을 확인
PAMG–1	Amnisure® 검사
IGFBP–1 + α–fetoprotein	ROM Plus® 검사

참고 *Final Check 산과 729 page*

50

임신 35주인 28세 초산부가 갑자기 발생한 물 같은 맑은 질 분비물을 주소로 내원하였다. 진찰상 자궁저부의 높이는 33 cm, 두위, 태아 심박동은 정상이었고, 초음파상 태아예상체중 2.6 kg, 양수량은 적당했으며 다른 이상소견은 보이지 않았다. 질경 검사상 소량의 분비물이 질 안쪽에 있었으나 자궁경부에서 나오지는 않았고, 질 분비물은 pH 5.0으로 확인되었다. 다음 중 이 산모의 다음 처치로 가장 적절한 것은 무엇인가?

① Oxytocin으로 유도분만

② 즉시 입원시키고 태아 폐성숙도를 측정

③ 응급 제왕절개술

④ 항생제와 스테로이드를 투여한 후 유도분만

⑤ 산모를 안심시키고 1주일 후 질 분비물 pH 다시 측정

50

정답 

해설

조기양막파수의 감별

1. 임신 중 질내 pH : 4.5~5.5
2. 양수의 pH : 7.0~7.5
3. 위양성 : 혈액, 정액, 세균성 질염, 염기성 소독제
4. 위음성 : 미미한 양수량

참고 *Final Check 산과 729 page*

51

임신 24주에 조기양막파수 된 산모에게 임신연장요법을 시행할 때 태아에게 생길 수 있는 합병증을 쓰시오.

51

정답

1. 양수과소증에 의한 합병증
2. 폐형성부전

해설

임신연장요법의 위험성

1. 산모의 위험성 : 자궁감염, 패혈증
2. 태아의 위험성 : 양수과소증에 의한 합병증, 폐형성부전

참고 *Final Check 산과 730 page*

52

임신 26주의 산모가 속옷이 다 젖을 정도의 물같이 흐르는 질 분비물이 발생하여 응급실로 내원하였다. 다음 중 이 산모에 대한 검사로 적절하지 않은 것은 무엇인가?

① Sterile speculum inspection

② Digital vaginal examination

③ Nile blue staining

④ Vaginal mucus ferning test

⑤ Dye test

53

임신 25주 임산부가 물 같이 흐르는 질 분비물을 주소로 내원하였다. 검사 결과가 아래와 같다면 이 산모에게 가장 우선적인 처치를 고르시오.

- Nitrazine test : positive
- 태아예상체중 : 800 g
- 태아 심박수 : 144 bpm
- 양수지수 : 8 cm
- 자궁경부 길이 : 3.5 cm
- 비수축검사 : 안심할 수 있는(reassuring) 심장박동수 양상, 자궁 수축 없음

① 항생제 투여
② 자궁수축억제제
③ 양수주입술
④ 자궁경부원형결찰술
⑤ 유도분만

52

정답 ②

해설

조기양막파수의 진단방법

종류	방법
문진	많은 양의 맑은 액체가 나온 후 적은 양의 액체가 계속 흐르는 증상
시진	질후원개에 고인 액체 자궁경부에서 흘러나오는 액체
Nitrazine test	푸른색으로 변하면 양수를 의미
색소 검사	양수천자로 색소 주입 후 자궁경부 쪽으로 유출이 되는지 확인
질 분비물 도말	가지모양(ferning pattern)의 결정체
α-fetoprotein	질분비물에서 α-fetoprotein을 확인
PAMG-1	Amnisure® 검사
IGFBP-1 + α-fetoprotein	ROM Plus® 검사

참고 Final Check 산과 729 page

53

정답 ①

해설

조기양막파수의 치료 : 임신 $23^{1/7}$~$31^{0/7}$주

1. 임신연장요법(expectant management)
2. GBS에 대한 예방적 항생제
3. 항생제 투여
4. 단일 주기의 스테로이드
5. 자궁수축억제제 : 의견 일치 안 됨
6. 태아 신경보호를 위한 황산마그네슘

참고 Final Check 산과 732 page

54

임신 27주 초산모가 질 분비물을 주소로 내원하였다. 시행한 검사 결과가 아래와 같다면 이 산모의 다음 처치로 가장 적절한 것을 고르시오.

– Nitrazine test : Positive	– 태아예측체중 : 900 g
– 양수지수 : 3 cm	– 자궁경부 개대 : 1 cm

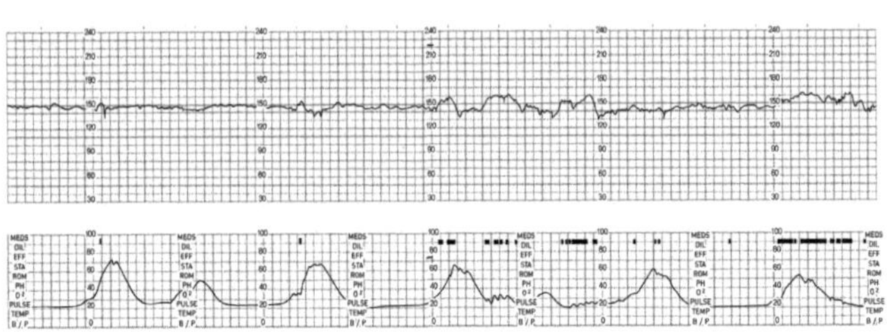

① 항생제 투여
② 자궁경부원형결찰술
③ 양수주입술
④ 유도분만
⑤ 제왕절개

54

정답 ①

해설

조기양막파수의 치료 : 임신 $23^{1/7}$~$31^{0/7}$주

1. 임신연장요법(expectant management)
2. GBS에 대한 예방적 항생제
3. 항생제 투여
4. 단일 주기의 스테로이드
5. 자궁수축억제제 : 의견 일치 안 됨
6. 태아 신경보호를 위한 황산마그네슘

참고 *Final Check 산과 732 page*

55

임신 32주 초산모가 조기양막파수로 입원하였다. 10시간이 지난 후 39℃의 발열과 자궁 압통이 발생하여 내진을 시행하였고 자궁경부 개대 2 cm, 소실 90%로 확인되었다. 초음파상 태아예상체중 2.3 kg, 태아 심박수 170회/min., 양수지수 3 cm이었다면 다음 처치로 가장 적절한 것을 고르시오.

① 제왕절개 후 항생제 투여
② 항생제 투여 후 제왕절개
③ 옥시토신으로 유도분만 하면서 동시에 항생제 투여
④ 옥시토신으로 유도분만 후 항생제 투여
⑤ 스테로이드를 임신 34주까지 투여

55

정답 ③

해설

임상적 융모양막염(Clinical chorioamnionitis)

1. 38℃ 이상 발열 : 가장 신뢰할 만한 진단지표
2. 임신부의 백혈구증가증, 임신부의 빈맥, 태아의 빈맥, 악취가 나는 질분비물, 자궁의 압통 등
3. 융모양막염이 진단되면 항생제 치료와 더불어 바로 분만을 시도

참고 *Final Check 산과 730 page*

56

임신 32주 산모가 물 같은 질 분비물을 주소로 내원하였다. 혈압 120/80 mmHg, 맥박 105회/min., 체온 38.8℃, 나이트라진 검사는 양성으로 확인되었고, 자궁 압통이 있었다. 초음파상 태아는 두정위, 예상체중 2.2 kg, 심박수 180회/min., 양수는 거의 없었고, 비수축검사상 자궁수축은 관찰되지 않았다면 이 산모에게 가장 올바른 처치를 고르시오.

① 양수천자

② Ritodrine

③ 항생제를 쓰면서 임신 34주까지 관찰

④ 유도분만

⑤ 제왕절개

56

정답 ④

해설

임상적 융모양막염(Clinical chorioamnionitis)

1. 38℃ 이상 발열 : 가장 신뢰할 만한 진단지표
2. 임신부의 백혈구증가증, 임신부의 빈맥, 태아의 빈맥, 악취가 나는 질분비물, 자궁의 압통 등
3. 융모양막염이 진단되면 항생제 치료와 더불어 바로 분만을 시도

참고 *Final Check 산과 730 page*

57

임신 35주인 초산모가 12시간 전부터 물 같은 질 분비물이 있어 내원하였다. 진찰소견상 닫혀있는 자궁경부에서 소량의 분비물이 흘러나와 nitrazine test를 시행하였고 양성으로 확인되었다. 초음파 검사상 태위는 두정위, 태아예상체중 2.6 kg, 특이소견은 없었고, 양수지수 2 cm으로 확인되었으며, 비수축검사상 불규칙한 수축이 있었다. 다음 중 이 산모에게 가장 적절한 다음 처치는 무엇인가?

① 자궁수축억제제와 항생제 투여

② 제왕절개술

③ 스테로이드 투여

④ 옥시토신 유도분만

⑤ 예방적 항생제를 사용하며 임신 38주까지 경과관찰

57

정답 ④

해설

조기양막파수의 치료 : ≥임신 $33^{1/7}$주

1. 분만 시도(금기증이 아니면 유도분만 시도)
2. GBS에 대한 예방적 항생제
3. 단일 주기의 스테로이드(스테로이드 사용이 없었던 경우 $34^{0/7}$~$36^{6/7}$주에 고려)

참고 *Final Check 산과 732 page*

58

임신력 0-0-1-0인 임신 36주 초산모가 내원 하루 전부터 물 같은 질 분비물이 나왔고, 내원일 아침부터 하복부 통증이 있어 내원하였다. 질 분비물의 nitrazine test는 양성으로 확인되었고, 내진상 자궁경부 개대 3 cm, 개대된 자궁경부 밖으로 태아의 발이 촉지 되었다. 이 산모의 분만 계획으로 가장 올바른 것을 고르시오.

① 질식분만

② 응급 제왕절개분만

③ 자궁수축억제제 투여

④ Dexamethasone 투여 후 48시간 뒤 제왕절개분만

⑤ 양수의 L/S ratio 측정하여 분만시기 결정

58

정답 ②

해설

조기양막파수의 치료 : ≥임신 $33^{1/7}$주

1. 분만 시도(금기증이 아니면 유도분만 시도)
2. GBS에 대한 예방적 항생제
3. 단일 주기의 스테로이드(스테로이드 사용이 없었던 경우 $34^{0/7}$~$36^{6/7}$주에 고려)

참고 *Final Check 산과 732 page*

59

임신 32주에 조기양막파수로 조산한 과거력이 있는 임신 20주 산모가 질 분비물 증가를 주소로 내원하였다. 활력 징후는 양호하였으나 질경 검사상 자궁경부 개대 1 cm, 개대된 자궁경부 사이로 양막이 보였다. 나이트라진 검사와 질 분비물 염증 검사 모두 음성이었고, 비수축검사상 자궁수축은 없었다. 이 산모에게 필요한 처치를 모두 고르시오.(2가지)

〈R-Type〉

① Glucocorticoid	⑥ ACE inhibitor
② Progesterone	⑦ 자궁경부원형결찰술
③ Ritodrine	⑧ 질식분만
④ Atosiban	⑨ 제왕절개분만
⑤ Magnesium sulfate	⑩ Amnioinfusion

59

정답 ①, ⑦

해설

자궁경부부전증(cervical insufficiency)의 치료

1. 질식 자궁경부원형결찰술(vaginal cerclage) : 골반 내진 또는 질경 검사에서 자궁경부 개대가 발생하거나 양막의 질 내 돌출이 있는 경우 시행
2. 태아 폐성숙 촉진을 위한 스테로이드

참고 *Final Check 산과 381, 732 page*

CHAPTER 39

지연임신(Postterm pregnancy)

01

다음 중 지연임신(postterm pregnancy)의 원인이 아닌 것을 고르시오.

① Anencephaly ② Fetal pituitary gland defect
③ Placental sulfatase deficiency ④ Oligohydramnios
⑤ BMI >25 kg/m^2

01

정답 ④

해설

지연임신(postterm pregnancy)의 원인

인구학적 요인	인구학적 요인
초임부	무뇌아(anencephaly)
남아 임신	부신 형성부전
비만 여성	X-linked 태반 sulfatase 결핍
고령 임신	태아 뇌하수체 결손
백인 여성	자궁경부의 산화질소 유리 감소
지연임신의 과거력	

참고 Final Check 산과 738 page

02

다음 중 지연임신(postterm pregnancy)을 유발할 수 있는 경우를 모두 고르시오.

(가) 선천성 심장질환
(나) 부신 형성부전
(다) 입술과 입천장갈림증
(라) 무뇌아

① 가, 나, 다 ② 가, 다
③ 나, 라 ④ 라
⑤ 가, 나, 다, 라

02

정답 ③

해설

지연임신(postterm pregnancy)의 원인

인구학적 요인	인구학적 요인
초임부	무뇌아(anencephaly)
남아 임신	부신 형성부전
비만 여성	X-linked 태반 sulfatase 결핍
고령 임신	태아 뇌하수체 결손
백인 여성	자궁경부의 산화질소 유리 감소
지연임신의 과거력	

참고 Final Check 산과 738 page

03

다음 중 지연임신이 잘 동반되는 경우를 모두 고르시오.

(가) 무뇌아
(나) 태아 뇌하수체 결손
(다) 부신 형성부전
(라) Placental sulfatase 증가

① 가, 나, 다 ② 가, 다
③ 나, 라 ④ 라
⑤ 가, 나, 다, 라

03

정답 ①

해설

지연임신(postterm pregnancy)의 원인

인구학적 요인	인구학적 요인
초임부	무뇌아(anencephaly)
남아 임신	부신 형성부전
비만 여성	X-linked 태반 sulfatase 결핍
고령 임신	태아 뇌하수체 결손
백인 여성	자궁경부의 산화질소 유리 감소
지연임신의 과거력	

참고 *Final Check 산과 738 page*

04

다음 중 과숙증후군의 소견이 아닌 것을 고르시오.

① 두발 감소
② 주름진 피부
③ 긴 손톱
④ 각성되어 있는 얼굴
⑤ 길고 마른 체형

04

정답 ①

해설

과숙증후군의 특징적인 외형

1. 피하조직의 감소
2. 건조하고 주름지고 껍질이 벗겨진 피부
3. 태변 착색
4. 길고 마른 체형
5. 긴 손톱
6. 눈을 뜨고 있거나 각성되어 보이는 얼굴
7. 나이가 들어 보이거나 걱정이 있는 표정

참고 *Final Check 산과 739 page*

05

분만 예정일이 15일 지난 임신부가 분만진통이 없어서 내원하였다. 이전 정기검진 동안 특별한 이상소견은 없었다면 다음 중 확인해야 할 사항을 모두 고르시오.

(가) 임신 주수
(나) 태아의 예상 체중
(다) 양수 지수
(라) 태반 크기

① 가, 나, 다　　② 가, 다
③ 나, 라　　④ 라
⑤ 가, 나, 다, 라

05

정답 ①

해설

지연임신의 처치

1. 정확한 임신 주수 확인
2. 태아예상체중 및 양수량 확인
3. 태아 감시 : NST, CST, BPP, modified BPP
4. 내진 : 자궁경부와 하강도 확인, 양막박리

참고 *Final Check 산과 742 page*

06

임신 42주의 산모가 분만진통이 없어 내원하였다. 다음 중 이 산모에게 시행해야 할 검사를 모두 고르시오.

(가) 정확한 임신 주수 측정
(나) 초음파로 태아 체중 및 양수량 측정
(다) 비수축검사(NST) 시행
(라) 내진으로 자궁경부 상태 확인

① 가, 나, 다　　② 가, 다
③ 나, 라　　④ 라
⑤ 가, 나, 다, 라

06

정답 ⑤

해설

지연임신의 처치

1. 정확한 임신 주수 확인
2. 태아예상체중 및 양수량 확인
3. 태아 감시 : NST, CST, BPP, modified BPP
4. 내진 : 자궁경부와 하강도 확인, 양막박리

참고 *Final Check 산과 742 page*

07

지연임신(postterm pregnancy)에서 시행하는 태아평가방법을 모두 고르시오.

(가) 비수축검사(NST)
(나) 생물리학계수(BPP)
(다) 양수량 측정
(라) 양수천자를 통한 태변 착색 확인

① 가, 나, 다　② 가, 다
③ 나, 라　④ 라
⑤ 가, 나, 다, 라

07

정답 ①

해설

임신 41주 이후 시작하는 태아평가방법

1. 임신부가 직접 태동의 횟수를 세는 방법
2. 비수축검사(nonstress test, NST)
3. 수축자극검사(contraction stress test, CST)
4. 생물리학계수(biophysical profile, BPP)
5. 수정 생물리학계수(modified BPP)

참고 *Final Check 산과 743 page*

08

다음 중 지연임신 시 시행하는 태아평가방법으로 유용한 것을 모두 고르시오.

(가) 생물리학계수(Biophysical profile)
(나) 비수축검사(NST)
(다) 수축자극검사(CST)
(라) 양수천자(Amniocentesis)

① 가, 나, 다　② 가, 다
③ 나, 라　④ 라
⑤ 가, 나, 다, 라

08

정답 ①

해설

임신 41주 이후 시작하는 태아평가방법

1. 임신부가 직접 태동의 횟수를 세는 방법
2. 비수축검사(nonstress test, NST)
3. 수축자극검사(contraction stress test, CST)
4. 생물리학계수(biophysical profile, BPP)
5. 수정 생물리학계수(modified BPP)

참고 *Final Check 산과 743 page*

09

지연임신 시 증가하는 태아절박가사(fetal distress)의 원인을 고르시오.

① 거대아 난산

② 양수량 감소

③ 자궁태반기능의 증가

④ 선천성 기형

⑤ 태반조기박리

09

정답 ②

해설

지연임신에서 나타나는 태아절박가사의 원인

1. 양수과소증으로 인한 탯줄 압박 : 가장 흔함
2. 태변 착색
3. 태변 흡입

참고 *Final Check 산과 740 page*

10

지연임신(postterm pregnancy)에서 태아가 분만진통 중에 위험에 빠질 수 있는 가장 흔한 일차적인 원인을 고르시오.

① 탯줄의 직경 감소

② 양수과소증과 탯줄 압박

③ 과체중으로 인한 두부 손상

④ 태반기능부전

⑤ 양수의 태변 착색

10

정답 ②

해설

지연임신에서 나타나는 태아절박가사의 원인

1. 양수과소증으로 인한 탯줄 압박 : 가장 흔함
2. 태변 착색
3. 태변 흡입

참고 *Final Check 산과 740 page*

11

임신 42주 2일의 산모가 분만진통을 주소로 분만실에 내원하였다. 비수축검사상 아래와 같은 소견이 보이고 있다면 가장 흔한 원인은 무엇인가?

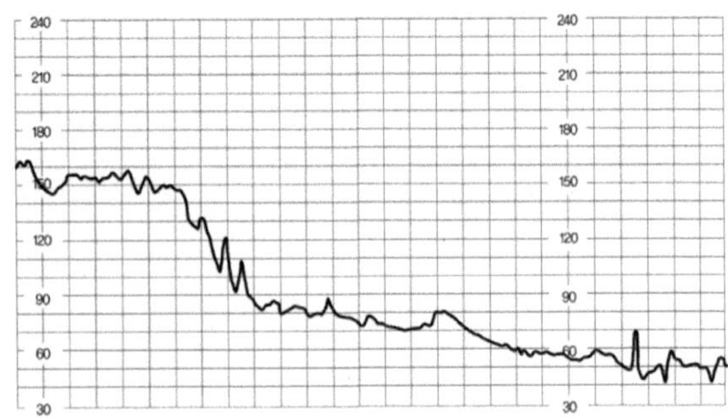

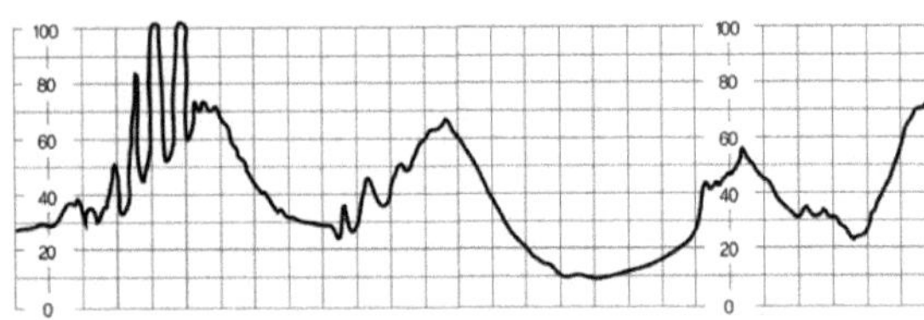

① 태아 체중 증가에 의한 난산
② 혈압 상승에 의한 태반조기박리
③ 임신기간 연장에 의한 태반기능장애
④ Warton jelly의 수분 손실로 인한 탯줄 직경 감소
⑤ 양수 감소에 의한 탯줄 압박

11

정답 ⑤

해설

지연임신에서 나타나는 태아절박가사의 원인

1. 양수과소증으로 인한 탯줄 압박 : 가장 흔함
2. 태변 착색
3. 태변 흡입

참고 *Final Check 산과 740 page*

12

지연임신 시 태아절박가사를 증가시키는 가장 중요한 원인은 무엇인가?

① 거대아로 인한 난산 ② 자궁-태반 혈류 감소
③ 양수량 감소 ④ 자궁 내 감염
⑤ 선천성 기형

12

정답 ③

해설

지연임신에서 나타나는 태아절박가사의 원인

1. 양수과소증으로 인한 탯줄 압박 : 가장 흔함
2. 태변 착색
3. 태변 흡입

참고 *Final Check 산과 740 page*

13

임신 42주인 초산모가 분만진통이 없어 내원하였다. 진찰상 특이소견은 없었고, 초음파상 태아예상체중 3.3 kg, 심한 양수량 감소가 확인되어 다음날 유도분만을 시도하였다. 다음 중 이 산모에서 나타날 가능성이 있는 비정상 태아 심박동 소견을 고르시오.

① Early deceleration ② Variable deceleration

③ Sinusoidal pattern ④ Late deceleration

⑤ Prolonged deceleration

13

정답 ②

해설

지연임신에서 나타나는 태아 심박동 소견

1. Prolonged deceleration
2. Variable deceleration
3. Saltatory baseline fetal heart rate

참고 *Final Check 산과 740 page*

14

임신 42주 임산부에서 태아의 건강상태와 관련하여 가장 주의하여 관찰해야 하는 것은 무엇인가?

① 양수량 ② 태동

③ 태아의 예상체중 ④ 태아 호흡운동

⑤ 태아 긴장력

14

정답 ①

해설

양수과소증(Oligohydramnios)

1. 임신 38주 이후부터 감소하기 시작
2. 지연임신의 가장 일반적인 소견
3. 주산기 예후를 예측하는 임상적으로 의미 있는 소견

참고 *Final Check 산과 page741*

15

다음 중 지연임신에서 태아의 예후와 가장 관련이 깊은 것은 무엇인가?

① 제왕절개분만 ② 태반기능부전

③ 과체중으로 인한 머리 손상 ④ 양수과소증

⑤ 탯줄의 직경 감소

15

정답 ④

해설

양수과소증(Oligohydramnios)

1. 임신 38주 이후부터 감소하기 시작
2. 지연임신의 가장 일반적인 소견
3. 주산기 예후를 예측하는 임상적으로 의미 있는 소견

참고 *Final Check 산과 741 page*

16

임신 41주인 임산부가 분만진통이 없어 내원하였다. 임신 초기부터 꾸준한 정기 산전 진찰을 받았고 임신 주수는 정확했으며 임신 중 특이소견은 없었다. 이 임산부에 대한 다음 처치로 가장 적절한 것은 무엇인가?

① 비수축검사와 양수량 측정

② 자궁동맥 도플러검사

③ 양수천자 시행

④ 유두자극 시행

⑤ 제왕절개술 시행

16

정답 ①

해설

지연임신의 치료방침

1. 임신 41주 이후 주 2~3회 태아감시를 시행
2. 고혈압, 태아가사, 태동 감소, 양수과소증 등의 합병증이 발생한 경우 유도분만을 고려
3. 임신 42주 이후에는 유도분만을 시행

참고 *Final Check 산과 743 page*

17

24세 초산부가 분만 예정일이 2주 지났음에도 분만진통이 없어 내원하였다. 자궁저부의 높이 35 cm, 초음파상 태아예상체중 4,000 g, 양수량이 현저히 감소된 소견을 보였다. 이 산모에 대한 내용으로 올바른 것을 모두 고르시오.

(가) 지연임신일 가능성이 있으므로 정확한 임신 주수를 다시 확인한다

(나) 1주 후 외래진료까지 진통이 없으면 유도분만을 시행한다

(다) 바로 입원하여 유도분만을 시행한다

(라) 즉시 제왕절개술을 시행한다

① 가, 나, 다　② 가, 다

③ 나, 라　④ 라

⑤ 가, 나, 다, 라

17

정답 ②

해설

지연임신의 치료방침

1. 임신 41주 이후 주 2~3회 태아감시를 시행
2. 고혈압, 태아가사, 태동 감소, 양수과소증 등의 합병증이 발생한 경우 유도분만을 고려
3. 임신 42주 이후에는 유도분만을 시행

참고 *Final Check 산과 743 page*

18

임신 초기부터 정기 산전 진찰을 받던 23세 초산부가 임신 42주에 태동 감소를 주소로 내원하였다. 초음파 검사상 태아 예상체중은 38주 정도였고, 양수지수(AFI) 3 cm, 비수축검사(NST)상 정상소견이었다. 다음 중 이 산모에 대한 올바른 처치는 무엇인가?

① 1주 간격으로 생물리학계수 시행

② 3일 간격으로 비수축검사

③ 입원하여 절대안정, 수액 공급

④ 유도분만

⑤ 제왕절개

18

정답 ④

해설

지연임신의 치료방침

1. 임신 41주 이후 주 2~3회 태아감시를 시행
2. 고혈압, 태아가사, 태동 감소, 양수과소증 등의 합병증이 발생한 경우 유도분만을 고려
3. 임신 42주 이후에는 유도분만을 시행

참고 *Final Check 산과 743 page*

19

임신 주수가 정확한 임신 42주 1일인 산모가 분만진통 없어 내원하였다. 태아와 산모의 상태는 양호하였다면 다음 처치 중 가장 적절한 것을 고르시오.

① 태아감시를 위해 umbilical artery doppler를 시행한다

② NST, AFI가 정상이라면 기대요법을 시행할 수 있다

③ 자궁경부 숙화와 유도분만을 위해 dinoprostone을 사용한다

④ 자궁경부가 닫혀 있고 소실 25%인 경우 제왕절개술을 시행한다

⑤ 유도분만을 시행하고 24시간이 지나서 실패하면 제왕절개술을 시행한다

19

정답 ③

해설

지연임신의 치료방침

1. 임신 41주 이후 주 2~3회 태아감시를 시행
2. 고혈압, 태아가사, 태동 감소, 양수과소증 등의 합병증이 발생한 경우 유도분만을 고려
3. 임신 42주 이후에는 유도분만을 시행

참고 *Final Check 산과 743 page*

20

임신 초기부터 정기 산전 진찰을 받지 않은 임신 42주로 추정되는 다분만부가 분만 시기와 방법을 의논하기 위해 병원에 내원하였다. 산모는 첫 아이를 임신 40주에 정상 질식분만을 하였고, 검사 결과는 아래와 같았다면 이 산모에게 가장 적절한 다음 처치는 무엇인가?

– 태아예상체중 : 3,200 g
– 양수지수(AFI) : 30 cm
– 태아 심장 박동수 : 130 bpm
– 비수축검사(NST) : 심장박동수 변이도 중간, 자궁수축 없음
– Bishop score : 2점

① 1주일 후 초음파
② 유도분만
③ 응급 제왕절개술
④ 혈액응고인자 측정
⑤ 태아 폐성숙도 측정

20

정답 ②

해설

지연임신의 치료방침

1. 임신 41주 이후 주 2~3회 태아감시를 시행
2. 고혈압, 태아가사, 태동 감소, 양수과소증 등의 합병증이 발생한 경우 유도분만을 고려
3. 임신 42주 이후에는 유도분만을 시행

참고 *Final Check 산과 743 page*

21

임신 42주 초임부가 분만진통이 없어 내원하였다. 비수축검사(NST)상 반응성 소견을 보였고, 초음파 검사상 태아예상체중 3,300 g, 다른 이상소견은 보이지 않았지만 양수과소증이 있었다. 다음 중 가장 적절한 조치를 고르시오.

① 분만진통이 올 때까지 기다린다
② 비수축검사를 주 1회 시행한다
③ 초음파 검사를 주 1회 시행한다
④ 유도분만을 시행한다
⑤ 제왕절개를 시행한다

21

정답 ④

해설

지연임신의 치료방침

1. 임신 41주 이후 주 2~3회 태아감시를 시행
2. 고혈압, 태아가사, 태동 감소, 양수과소증 등의 합병증이 발생한 경우 유도분만을 고려
3. 임신 42주 이후에는 유도분만을 시행

참고 *Final Check 산과 743 page*

22

정기적으로 산전진찰을 받던 다분만부가 임신 42주 5일에 내원하였다. 산모는 첫째와 둘째는 만삭에 질식분만을 하였으나 이번 임신에는 아직도 진통이 없다고 하였다. 초음파 검사상 태아는 두정위, 예상 체중 4.2 kg, 양수지수 3 cm, 태반의 형상과 위치는 정상이었다. 비수축검사는 반응성이었으며, 내진상 자궁경부의 bishop 점수는 5점으로 확인되었다. 이 산모의 다음 처치로 올바른 것은 무엇인가?

① 경과관찰

② 1주일 후 비수축검사 재검

③ 양수주입술

④ 유도분만

⑤ 제왕절개분만

22

정답 ④

해설

지연임신의 치료방침

1. 임신 41주 이후 주 2~3회 태아감시를 시행
2. 고혈압, 태아가사, 태동 감소, 양수과소증 등의 합병증이 발생한 경우 유도분만을 고려
3. 임신 42주 이후에는 유도분만을 시행

참고 *Final Check 산과 743 page*

23

1년에 3~4회 정도 생리를 하는 여성이 첫 임신 후 산전진찰을 받지 않다가 분만진통이 없다며 내원하였다. 최종 월경일을 기준으로 추정하면 현재 임신 43주였고, 내진상 자궁경부의 숙화는 없었다. 초음파상 태아는 두위, 예상체중 3,000 g, 양수지수 15 cm, 태아의 이상소견은 관찰되지 않았고, 비수축검사는 반응성 소견으로 자궁수축은 없었다. 이 산모에 대한 다음 처치로 가장 적절한 것을 고르시오.

① 인공양막파수

② 옥시토신 투여

③ 제왕절개술

④ 1주일 후 추적검사

⑤ 수축자극검사

23

정답 ④

해설

지연임신의 치료방침

1. 임신 41주 이후 주 2~3회 태아감시를 시행
2. 고혈압, 태아가사, 태동 감소, 양수과소증 등의 합병증이 발생한 경우 유도분만을 고려
3. 임신 42주 이후에는 유도분만을 시행

참고 *Final Check 산과 743 page*

24

임신 주수가 정확한 42주 3일의 초산모가 분만진통이 없어 내원하였다. 시행한 수축자극검사(CST)상 음성일 때 다음 중 가장 적절한 처치를 고르시오.

① 경과관찰

② 1주 후 초음파와 생물리학계수 측정

③ 유도분만

④ 제왕절개분만

⑤ 스테로이드 투여

24

정답 ③

해설

지연임신의 치료방침

1. 임신 41주 이후 주 2~3회 태아감시를 시행
2. 고혈압, 태아가사, 태동 감소, 양수과소증 등의 합병증이 발생한 경우 유도분만을 고려
3. 임신 42주 이후에는 유도분만을 시행

참고 *Final Check 산과 743 page*

25

다음 중 유도분만이 주산기 사망률을 감소시킬 수 있는 경우를 고르시오.

① 다운증후군

② 산모의 심한 비만

③ 산모의 갑상샘기능항진증

④ 지연임신

⑤ 임신성 당뇨

25

정답 ④

해설

지연임신과 유도분만

1. 지연임신 시 동반되는 주산기 사망률과 이환율을 감소시키기 위해 문제 발생 전 임신을 종결
2. 태아감시군에서 제왕절개 빈도, 분만 중 태아가사 빈도 증가

참고 *Final Check 산과 743 page*

CHAPTER 40

태아의 성장 이상(Fetal growth disorders)

01

태아성장제한의 모체측 원인을 쓰시오.(3가지)

01

정답

1. 모체의 혈관질환
2. 만성적인 자궁-태반 저산소증
3. 모체의 체중 증가 불량
4. 기형발생물질, 중독성 물질의 남용
5. 감염

해설

태아성장제한의 모체측 원인

1. 모체의 혈관질환
   a. 자궁과 태반의 혈류량 감소
   b. 임신성 고혈압, 당뇨, 만성 신장질환, 전신홍반루프스, 항인지질항체증후군
2. 만성적인 자궁-태반 저산소증
   a. 전자간증, 만성 고혈압, 천식
   b. 흡연, 고산지대
3. 모체의 체중 증가 불량
4. 기형발생물질, 중독성 물질의 남용
   a. 항암제, 항응고제, 항경련제
   b. 흡연, 음주, 헤로인, 코카인
5. 감염
   a. 결핵, 매독
   b. Toxoplasmosis, Malaria

참고 *Final Check 산과 749 page*

02

대칭적 성장제한(symmetrical growth restriction)에 대한 설명으로 잘못된 것을 고르시오.

① 선천성 기형의 동반이 흔하다

② 임신성 고혈압에서 흔하다

③ 머리둘레와 복부둘레의 비율이 정상이다

④ 임신 28주 이전에 발생한다

⑤ 출산 후 정상적인 성장을 보이지만 키가 작다

02

정답 ②

해설

대칭적(symmetrical) 성장제한

1. 머리둘레가 복부둘레에 비례하여 작음
2. 세포의 성장 초기의 전반적인 손상
3. 세포수와 크기가 상대적으로 감소
4. 원인 : 화학물질 노출, 바이러스 감염, 염색체 이수성(aneuploidy)
5. 불량한 임신결과의 위험성 증가 없음
6. 정상적 성장, 유전적으로 결정된 작은 키

참고 *Final Check 산과 747 page*

03

임신 초기부터 꾸준히 산전 진찰 중인 임신 34주 초산부가 내원하였다. 자궁저부의 높이는 28 cm, 초음파상 태아의 biparietal diameter, femur length, abdominal circumference 모두가 임신 34주의 10 percentile 미만으로 확인되었다. 이와 같은 상태의 원인으로 가능성이 높은 것을 모두 고르시오.

(가) 선천성 기형
(나) 선천성 풍진 감염
(다) 임산부의 흡연
(라) 경증 전자간증

① 가, 나, 다
② 가, 다
③ 나, 라
④ 라
⑤ 가, 나, 다, 라

03

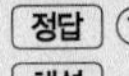 ①

해설

대칭적(symmetrical) 성장제한의 원인

1. 화학물질 노출 : anticonvulsant, smoking, cocaine, alcohol, caffeine
2. 바이러스 감염 : Toxoplasma, Rubella, CMV, Hepatitis A&B, Tuberculosis, Malaria, Syphilis
3. 염색체 이수성(aneuploidy)

참고 *Final Check 산과 747 page*

04

태아성장제한이 의심될 때 시행할 수 있는 태아감시(fetal surveillance test) 방법을 쓰시오.(3가지)

05

태아 초음파 소견 중 성장제한의 예측에 가장 효과적인 변수를 고르시오.

① 양쪽마루뼈 지름(biparietal diameter)

② 대퇴골 길이(femur length)

③ 복부 둘레(abdominal circumference)

④ 머리 둘레(head circumference)

⑤ 양수지수(amnionic fluid index)

04

정답

1. 초음파 검사
2. 도플러 검사
3. 비수축 검사(NST)
4. 생물리학계수(BPP)

참고 *Final Check 산과 751 page*

05

정답 ③

해설

복부 둘레(abdominal circumference, AC)

1. 성장제한의 예측에 가장 효과적인 변수

복부 둘레(AC)	예측
Normal range AC	태아성장제한 배제 가능
Small AC	Decreased fetal pO_2 and pH
≤5 percentile	Highly suggestive of FGR

2. 10%의 오차범위 내에서 체중 예상이 가능

참고 *Final Check 산과 750 page*

06

임신 36주 산모가 태동 감소를 주소로 내원하였다. 초음파상 태아예상체중 1,650 g, 양수지수 4 cm으로 확인되었고, 비수축검사와 도플러 검사 소견은 아래와 같았다. 이 산모의 다음 처치로 가장 적절한 것을 고르시오.

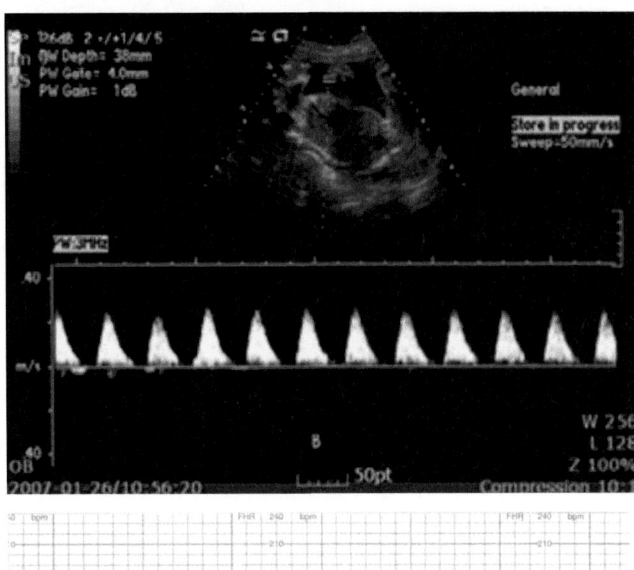

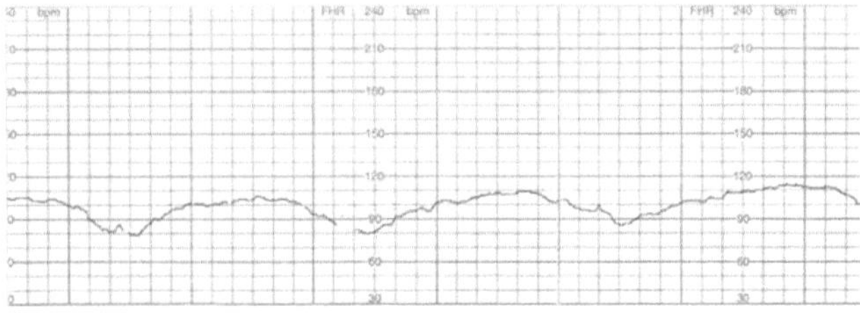

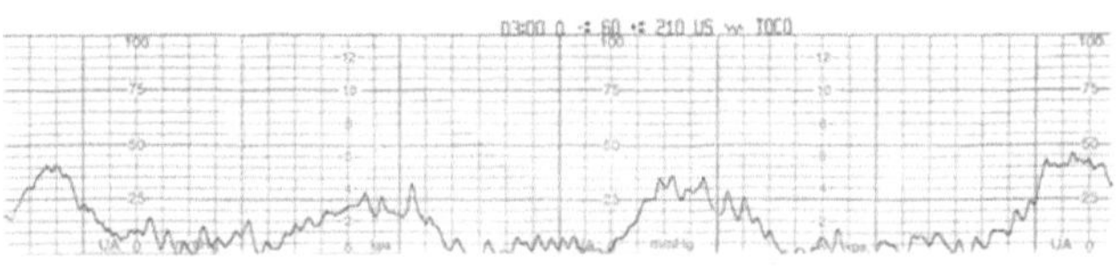

① 경과관찰
② 스테로이드 투여
③ 양수주입술
④ 유도분만
⑤ 제왕절개분만

06

정답 ⑤

해설

만삭이 가까운 태아성장제한의 관리

1. 임신 34주가 지났고 양수과소증, 탯줄동맥의 비정상 혈류파형, 임산부의 위험인자 등이 있다면 유도분만 시행
2. 연속적인 초음파 검사에서 태아성장이 확인되고 탯줄동맥 도플러를 비롯한 태아안녕검사에서 정상 소견을 보일 경우에는 임신 38~39주에 분만

참고 *Final Check 산과 752 page*

07

임신 36주인 36세 초산모가 임신 주수에 비해 태아가 작다고 전원 되었다. 시행한 검사 소견이 아래와 같을 때 이 산모의 다음 처치로 가장 적절한 것을 고르시오.

- 태아예상체중 : 1,800 g (<5 percentile)
- 양수지수(AFI) : 4 cm
- 태아 심장 박동수 : 150 bpm
- 태아기형소견 : 없음
- 비수축검사(NST) : 심장박동수 변이도 중간, 자궁수축 없음

① 제왕절개 시행

② 유도분만 시행

③ 1주일 뒤 초음파 추적관찰

④ 양수천자로 태아 폐성숙 확인

⑤ 산소 및 영양을 공급하며 경과관찰

07

정답 ②

해설

만삭이 가까운 태아성장제한의 관리

1. 임신 34주가 지났고 양수과소증, 탯줄동맥의 비정상 혈류파형, 임산부의 위험인자 등이 있다면 유도분만 시행
2. 연속적인 초음파 검사에서 태아성장이 확인되고 탯줄동맥 도플러를 비롯한 태아안녕검사에서 정상 소견을 보일 경우에는 임신 38~39주에 분만

참고 *Final Check 산과 752 page*

08

임신 초기부터 정기적으로 산전 진찰을 받는 임신 34주 초산부가 내원하였다. 검사 소견이 아래와 같다면 이 산모의 다음 처치로 가장 적절한 것을 고르시오.

- 예상태아체중 : 1,710 g (<10 percentile)
- 양수지수(AFI) : 8.5 cm
- 태아 심장 박동수 : 135 bpm
- 태아기형소견 : 없음
- 탯줄동맥 도플러 : 정상
- 비수축검사(NST) : 심장박동수 변이도 중간, 자궁수축 없음

① 경과관찰
② 수축검사
③ 양수주입
④ 유도분만
⑤ 제왕절개

08

정답 ①

해설

만삭이 가까운 태아성장제한의 관리

1. 임신 34주가 지났고 양수과소증, 탯줄동맥의 비정상 혈류파형, 임산부의 위험인자 등이 있다면 유도분만 시행
2. 연속적인 초음파 검사에서 태아성장이 확인되고 탯줄동맥 도플러를 비롯한 태아안녕검사에서 정상 소견을 보일 경우에는 임신 38~39주에 분만

참고 *Final Check 산과 752 page*

09

28세 임신 26주 산모가 초음파 검사에서 태아성장제한이 의심된다며 전원되었다. 시행한 초음파상 태아예상체중 800 g (50 percentile), 양수량은 적당하였고, 기형소견은 보이지 않았다. 비수축검사(NST)는 중간 변이도를 보이는 반응성 소견을 보였고 자궁수축은 없었다. 이 산모의 다음 처치로 가장 적절한 것을 고르시오.

① 태아 염색체 검사
② 양수천자를 통한 폐성숙도 검사
③ 초음파 및 비수축검사를 통한 지속적인 태아감시
④ 태아의 바이러스 감염에 대한 검사
⑤ 즉각적인 분만

09

정답 ③

해설

만삭이 먼 태아성장제한의 관리

1. 산모의 상태 평가, 탯줄동맥 도플러, 태아심박동검사, 생물리학검사를 시행
2. 임신 34주 미만 또는 출산 위험이 있으면 폐성숙을 위한 corticosteroid 투여
3. 탯줄동맥 이완기말 혈류 소실 또는 역전, 안심할 수 없는 태아상태이면 분만 진행
4. 임신의 유지가 가능하다고 판단될 경우 : 매주 탯줄동맥 도플러, 태아심박동검사, 양수량 측정을 하며 태아감시 시행

참고 *Final Check 산과 752 page*

10

임신 29주 초산부의 초음파 검사상 태아의 기형은 발견되지 않았으나 태아예상체중 850 g (8 percentile), 양수지수(AFI) 12 cm으로 확인되었다. 다음 중 이 산모의 다음 처치로 가장 적절한 것을 고르시오.

① 즉시 유도분만

② 태아 폐성숙도 검사

③ 태아 감염에 대한 검사

④ 비수축검사

⑤ 태아 염색체 검사

10

정답 ④

해설

만삭이 먼 태아성장제한의 관리

1. 산모의 상태 평가, 탯줄동맥 도플러, 태아심박동검사, 생물리학검사를 시행
2. 임신 34주 미만 또는 출산 위험이 있으면 폐성숙을 위한 corticosteroid 투여
3. 탯줄동맥 이완기말 혈류 소실 또는 역전, 안심할 수 없는 태아상태이면 분만 진행
4. 임신의 유지가 가능하다고 판단될 경우 : 매주 탯줄동맥 도플러, 태아심박동검사, 양수량 측정을 하며 태아감시 시행

참고 *Final Check 산과 752 page*

11

임신 34주인 산모가 태아성장제한으로 진단받고 내원하였다. 초음파상 태아예상체중 1,600 g (<5 percentile), 양수지수(AFI) 8 cm, 탯줄동맥 도플러는 아래와 같다면 이 산모의 다음 처치로 가장 적절한 것을 고르시오.

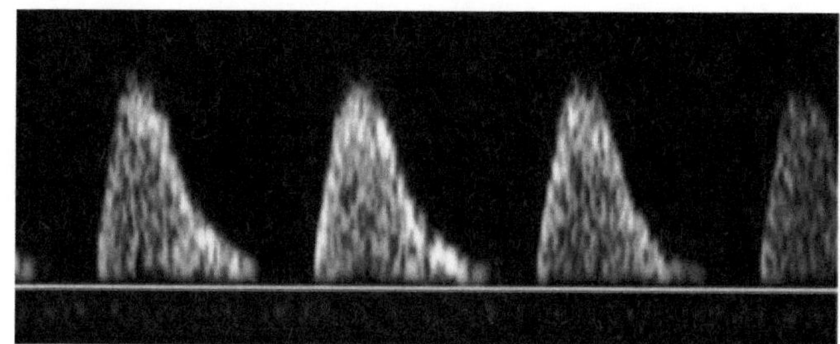

① 비수축검사(NST) 시행

② 전자태아감시를 하며 즉시 유도분만

③ 1주일 후 다시 검사

④ L/S ratio 측정 후 분만 시기를 결정

⑤ 응급 제왕절개술 시행

11

정답 ②

해설

만삭이 가까운 태아성장제한의 관리

1. 임신 34주가 지났고 양수과소증, 탯줄동맥의 비정상 혈류파형, 임산부의 위험인자 등이 있다면 유도분만 시행
2. 연속적인 초음파 검사에서 태아성장이 확인되고 탯줄동맥 도플러를 비롯한 태아안녕검사에서 정상 소견을 보일 경우에는 임신 38~39주에 분만

참고 *Final Check 산과 752 page*

12

특이소견 없이 정기적으로 산전 진찰을 받던 30대 미분만부가 임신 31주에 정기검진을 위해 내원하였다. 산모의 활력징후는 모두 정상이었고, 초음파상 태아는 두정위, 예상체중 1,200 g (10 percentile : 1,280 g), 양수지수 12 cm, 생물리학계수 8/8로 확인되었다. 이 산모의 다음 처치로 가장 적절한 것을 고르시오.

① 경과관찰 ② 아스피린 투여
③ 인공 혈장 증량제 ④ 헤파린 투여
⑤ 분만

12

정답 ①

해설

만삭이 먼 태아성장제한의 관리

1. 산모의 상태 평가, 탯줄동맥 도플러, 태아심박동검사, 생물리학검사를 시행
2. 임신 34주 미만 또는 출산 위험이 있으면 폐성숙을 위한 corticosteroid 투여
3. 탯줄동맥 이완기말 혈류 소실 또는 역전, 안심할 수 없는 태아상태이면 분만 진행
4. 임신의 유지가 가능하다고 판단될 경우 : 매주 탯줄동맥 도플러, 태아심박동검사, 양수량 측정을 하며 태아감시 시행

참고 *Final Check 산과 752 page*

13

25세의 임신 33주 초산부가 초음파 검사상 태아성장제한이 의심되어 내원하였다. 비수축검사(NST) 및 doppler 검사 상 정상이었고, 정밀 초음파상 특별한 태아 기형 소견도 발견되지 않았으며, 양수량도 적당하였다. 이 산모의 다음 처치로 가장 적절한 것을 고르시오.

① 태아 염색체 검사
② 양수천자를 통한 태아 폐성숙도 검사
③ 초음파 및 비수축검사를 이용한 지속적인 태아감시
④ 태아의 바이러스 감염에 대한 검사
⑤ 즉각적인 분만

13

정답 ③

해설

만삭이 먼 태아성장제한의 관리

1. 산모의 상태 평가, 탯줄동맥 도플러, 태아심박동검사, 생물리학검사를 시행
2. 임신 34주 미만 또는 출산 위험이 있으면 폐성숙을 위한 corticosteroid 투여
3. 탯줄동맥 이완기말 혈류 소실 또는 역전, 안심할 수 없는 태아상태이면 분만 진행
4. 임신의 유지가 가능하다고 판단될 경우 : 매주 탯줄동맥 도플러, 태아심박동검사, 양수량 측정을 하며 태아감시 시행

참고 *Final Check 산과 752 page*

14

임신 35주 초산부가 산전 진찰을 위해 내원하였다. 임신 전 월경은 규칙적이었고, 특별한 과거력은 없었으며 혈압 110/80 mmHg, 소변 단백(−), 자궁저부의 높이 26 cm으로 확인되었다. 초음파 상 태아예상체중 1,800 g (5 percentile : 1,871 g), 양수량이 상당히 감소되어 있었다면 이 산모의 다음 처치로 가장 적절한 것을 고르시오.

① 즉시 제왕절개술을 시행한다

② 즉시 유도분만을 시행한다

③ 기다렸다가 38주에 제왕절개술을 시행한다

④ 기다렸다가 38주에 질식분만을 시행한다

⑤ 탯줄천자와 태아에게 알부민을 공급한다

14

정답 ②

해설

만삭이 가까운 태아성장제한의 관리

1. 임신 34주가 지났고 양수과소증, 탯줄동맥의 비정상 혈류파형, 임산부의 위험인자 등이 있다면 유도분만 시행
2. 연속적인 초음파 검사에서 태아성장이 확인되고 탯줄동맥 도플러를 비롯한 태아안녕검사에서 정상 소견을 보일 경우에는 임신 38~39주에 분만

참고 *Final Check 산과 752 page*

15

임신 40주에 태어난 거대아(macrosomia)의 몸무게 기준은 얼마인가?

① 3,500 g　② 4,000 g

③ 4,500 g　④ 5,000 g

⑤ 5,500 g

15

정답 ③

해설

거대아(Macrosomia)

1. 출생 주수에 따른 97 백분위 또는 2 표준편차 이상의 출생체중
2. 임신 39주에 4,000 g 이상
3. 임신 40주에 4,500 g 이상

참고 *Final Check 산과 754 page*

16

거대아(macrosomia)의 기준을 쓰시오.

16

정답

출생 주수에 따른 97 백분위 또는 2 표준편차 이상의 출생체중

참고 *Final Check 산과 754 page*

17

거대아(macrosomia)를 초래할 수 있는 모체와 관련된 인자를 모두 고르시오.

(가) 비만	(나) 당뇨
(다) 지연 임신	(라) 다산

① 가, 나, 다 ② 가, 다
③ 나, 라 ④ 라
⑤ 가, 나, 다, 라

18

다음 중 신생아의 과도성장을 초래하는 모체의 원인을 고르시오.

① 당뇨병
② 알코올 중독증
③ 임신중독증
④ 만성 고혈압
⑤ 만성 콩팥질환

17

정답 ⑤

해설

거대아(macrosomia)의 위험인자

1. 산모의 비만(임신 전 BMI)
2. 당뇨(diabetes)
3. 지연임신(postterm pregnancy)
4. 다분만부(multiparity)
5. 부모의 큰 체격
6. 산모 나이의 증가
7. 거대아의 과거력
8. 인종, 유전적 요인

참고 *Final Check 산과 754 page*

18

정답 ①

해설

거대아(macrosomia)의 위험인자

1. 산모의 비만(임신 전 BMI)
2. 당뇨(diabetes)
3. 지연임신(postterm pregnancy)
4. 다분만부(multiparity)
5. 부모의 큰 체격
6. 산모 나이의 증가
7. 거대아의 과거력
8. 인종, 유전적 요인

참고 *Final Check 산과 754 page*

19

다음 중 거대아를 유발할 수 있는 요인을 모두 고르시오.

(가) 비만 임산부
(나) 초임부
(다) 지연임신
(라) 임신성 고혈압

① 가, 나, 다 ② 가, 다
③ 나, 라 ④ 라
⑤ 가, 나, 다, 라

20

다음 중 거대아의 원인을 모두 고르시오.

(가) 산모의 당뇨
(나) 다분만부
(다) 지연임신
(라) 선천성 매독

① 가, 나, 다 ② 가, 다
③ 나, 라 ④ 라
⑤ 가, 나, 다, 라

19

정답 ②

해설

거대아(macrosomia)의 위험인자

1. 산모의 비만(임신 전 BMI)
2. 당뇨(diabetes)
3. 지연임신(postterm pregnancy)
4. 다분만부(multiparity)
5. 부모의 큰 체격
6. 산모 나이의 증가
7. 거대아의 과거력
8. 인종, 유전적 요인

참고 *Final Check 산과 754 page*

20

정답 ①

해설

거대아(macrosomia)의 위험인자

1. 산모의 비만(임신 전 BMI)
2. 당뇨(diabetes)
3. 지연임신(postterm pregnancy)
4. 다분만부(multiparity)
5. 부모의 큰 체격
6. 산모 나이의 증가
7. 거대아의 과거력
8. 인종, 유전적 요인

참고 *Final Check 산과 754 page*

21

거대아(macrosomia)의 위험인자를 쓰시오.(3가지)

22

거대아 분만의 합병증을 모두 고르시오.

(가) 산후 출혈
(나) 저혈당
(다) 회음부 열상
(라) 기계호흡

① 가, 나, 다　　② 가, 다
③ 나, 라　　④ 라
⑤ 가, 나, 다, 라

21

정답
1. 산모의 비만(임신 전 BMI)
2. 당뇨(diabetes)
3. 지연임신(postterm pregnancy)
4. 다분만부(multiparity)
5. 부모의 큰 체격
6. 산모 나이의 증가
7. 거대아의 과거력
8. 인종, 유전적 요인

참고 *Final Check 산과 754 page*

22

정답 ⑤

해설

거대아 분만 시 증가하는 위험성
1. 제왕절개
2. 견갑난산
3. 산후 출혈, 회음부 열상
4. 5분 아프가 점수 <7점
5. NICU 입원, 기계호흡
6. 산모의 감염
7. 쇄골골절, Erb 마비
8. 저혈당, 고빌리루빈혈증

참고 *Final Check 산과 754 page*

CHAPTER 41

다태아 임신(Multifetal pregnancy)

01

초기 다태아 임신의 진단에 가장 유용한 방법을 고르시오.

① 월경력과 내진

② 산모의 혈청 AFP 검사

③ 혈청 β-hCG 검사

④ 초음파 검사

⑤ 자궁경 검사

01

정답 ④

해설

초음파 검사

1. 다태아 임신의 초기 진단에 가장 유용한 검사
2. 태아의 수, 임신 주수 추정, 융모막성과 양막성의 확인 가능

참고 *Final Check 산과 760 page*

02

다음 중 단태아 임신에 비해 다태아 임신에서 더 증가하는 것을 모두 고르시오.

(가) MSAFP
(나) Testosterone
(다) hCG
(라) Cortisol

① 가, 나, 다 ② 가, 다
③ 나, 라 ④ 라
⑤ 가, 나, 다, 라

02

정답 ②

해설

다태아 임신 진단을 위한 생화학적 검사

1. 증가 : β–hCG, MSAFP
2. 수치의 범위가 다양하고 단태아의 수치와 겹칠 수 있음

참고 *Final Check 산과 761 page*

03

일란성 쌍태아에서 수정란의 분할이 3일 이내에 일어날 경우 관찰되는 양막과 융모막의 형태를 고르시오.

① 1 chorion, 1 amnion

② 1 chorion, 2 amnion

③ 2 chorion, 1 amnion

④ 2 chorion, 2 amnion

⑤ 2 chorion, 4 amnion

04

단일 융모막성 이양막성 쌍태아에 대한 내용으로 잘못된 것을 고르시오.

① 초기에 임신낭은 하나이다

② Monozygote이다

③ 수정 후 72시간 내에 분할된 것이다

④ 가족력의 영향이 별로 없다

⑤ 쌍태아 간 혈관 문합이 임상적으로 중요하다

03

정답 ④

해설

수정 후 분할 시기에 따른 여러 형태

수정 후 분할	Chorion	Amnion
3일 이내	Dichorion	Diamnion
4~8일	Monochorion	Diamnion
8~13일	Monochorion	Monoamnion
13일 이후	Conjoined twins	

참고 *Final Check 산과 756 page*

04

정답 ③

수정 후 분할 시기에 따른 여러 형태

수정 후 분할	Chorion	Amnion
3일 이내	Dichorion	Diamnion
4~8일	Monochorion	Diamnion
8~13일	Monochorion	Monoamnion
13일 이후	Conjoined twins	

참고 *Final Check 산과 755, 761 page*

05

쌍태아 임신 시 접합자성(zygosity)에 대한 내용으로 올바른 것을 모두 고르시오.

(가) 주산기 사망률과 이환율은 일란성 쌍태아에서 더 높다
(나) 태반이 분리되어 있을 경우 이란성 쌍태아의 가능성이 크다
(다) 양막의 분리막 두께가 2 mm 이하이면 단일 융모막성 쌍태아 가능성이 높다
(라) 만약 성별이 반대인 경우에는 일란성 쌍태아를 완전히 배제할 수 있다

① 가, 나, 다
② 가, 다
③ 나, 라
④ 라
⑤ 가, 나, 다, 라

05

정답 ①

해설

난성(zygosity), 융모막성(chorionicity)의 진단

단일 융모막성 이양막성	이융모막성 이양막성
– 임신낭이 한 개로 관찰 – 동성 – 섞임증 시 46,XY+45,X – T sign – 분리막의 두께 <2 mm	– 두 개의 임신낭을 분리하는 두꺼운 융모막 밴드 – 이양막성(diamnion) – Twin peak sign – 분리막의 두께 ≥2 mm

참고 *Final Check 산과 758 page*

06

임신 6주와 8주의 초음파 소견이 다음과 같다면 이 임신에 해당하는 것을 고르시오.

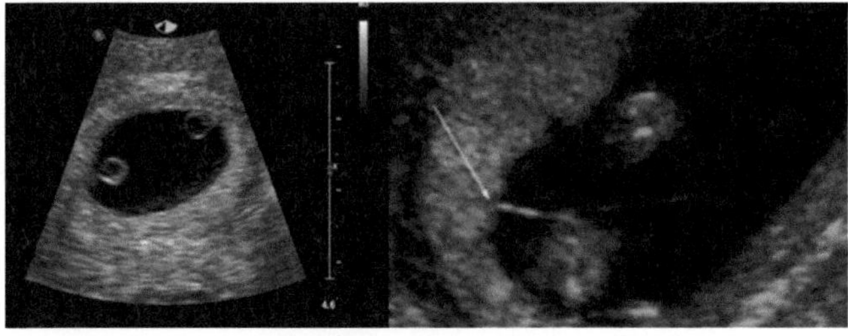

① Monochorionic Diamniotic (MCDA)
② Dichorionic Diamniotic (DCDA)
③ Dichorionic Triamniotic (DCTA)
④ Monochorionic Monoamniotic (MCMA)
⑤ Conjoined twin

06

정답 ①

해설

난성(zygosity), 융모막성(chorionicity)의 진단

단일 융모막성 이양막성	이융모막성 이양막성
– 임신낭이 한 개로 관찰 – 동성 – 섞임증 시 46,XY+45,X – T sign – 분리막의 두께 <2 mm	– 두 개의 임신낭을 분리하는 두꺼운 융모막 밴드 – 이양막성(diamnion) – Twin peak sign – 분리막의 두께 ≥2 mm

참고 *Final Check 산과 758 page*

07

일란성 쌍태아의 설명으로 맞는 것을 고르시오.

① 수정 후 72시간 이내에 수정란이 분화된 경우 단일 융모막성 이양막성 쌍태아가 된다
② 초음파 검사에서 twin peak sign이 있으면 일란성 쌍태아이다
③ 가족력, 인종, 유전적 경향과 일정한 관계가 있다
④ 태반의 혈관 문합을 통한 일방적인 혈액 이동으로 쌍태아 수혈이 발생할 수 있다
⑤ 주산기 예후가 이란성 쌍태아보다 좋다

07
정답 ④
해설
단일 융모막성 쌍태아의 혈관 문합
1. 단일 융모막성 태반에서만 나타나는 형태
2. 태반 내에서 태아 간의 혈관이 연결
3. 동맥-정맥(Artery to Vein) 혈관 문합 : 태아의 혈압이나 혈액량과는 관계없이 한 방향으로 혈류 이동이 일어나 TTTS를 일으키는 원인

참고 *Final Check 산과 766 page*

08

다태아 임신의 합병증을 모두 고르시오.

(가) 양수과소증
(나) 조기 진통
(다) 전치태반
(라) 자연 유산

① 가, 나, 다　　② 가, 다
③ 나, 라　　④ 라
⑤ 가, 나, 다, 라

08
정답 ③
해설
다태아 임신 시 증가하는 합병증
1. 자연 유산
2. 선천성 기형
3. 저출생체중
4. 고혈압
5. 조산 : 조기진통, 조기양막파수

참고 *Final Check 산과 761 page*

09

쌍태아 분만 시 나타날 수 있는 합병증을 모두 고르시오.

(가) Hypotonic uterine dysfunction
(나) Postpartum hemorrhage
(다) Prolapse of cord
(라) Abnormal presentation

① 가, 나, 다　② 가, 다
③ 나, 라　④ 라
⑤ 가, 나, 다, 라

09

정답 ⑤

해설

다태아 분만 시 증가하는 합병증

1. Postpartum hemorrhage
2. Maternal death 증가
3. Emergent peripartum hysterectomy 증가
4. cord prolapse
5. Abnormal presentation

참고 *Final Check 산과 761 page*

10

다음 중 DCDA twin에 비해 MCDA twin에서 특징적인 질환을 고르시오.

① Spontaneous abortion
② Oligohydramnios
③ Preeclampsia
④ Postterm pregnancy
⑤ Gestational DM

10

정답 ②

해설

단일 융모막성 쌍태아의 혈관 문합

1. 단일 융모막성 태반에서만 나타나는 형태
2. 태반 내에서 태아 간의 혈관이 연결
3. 동맥-정맥(Artery to Vein) 혈관 문합
   a. 태아의 혈압이나 혈액량과 관계없이 한 방향 혈류 이동이 일어나 TTTS를 일으키는 원인
   b. 공여자는 양수과소증, 수혈자는 양수과다증

참고 *Final Check 산과 766 page*

11

다태아 임신에서 지연임신으로 간주되기 시작하는 임신 주수는 언제인가?

① 임신 36주 이후　② 임신 37주 이후
③ 임신 38주 이후　④ 임신 39주 이후
⑤ 임신 40주 이후

11

정답 ⑤

해설

쌍태아의 지연임신(Prolonged Pregnancy)

1. 임신 40주 이후
2. 임신 40주가 지나서 분만된 쌍태아에서 단태아의 지연임신에서 나타나는 과숙 징후가 나타나기 때문

참고 *Final Check 산과 763 page*

12

쌍태아 임신에 대한 설명으로 옳은 것을 모두 고르시오.

(가) 일란성 쌍태아는 전 세계적으로 빈도가 비교적 일정하다
(나) 접합체의 결정은 태반 검사, 태아 성별, 초음파 등으로 추정할 수 있다
(다) 이융모막성 쌍태아의 적정 임신 기간은 38주까지로, 이후에는 성장제한과 이환율이 증가한다
(라) 이란성 쌍태아는 인종, 유전, 나이, 불임치료와 관련이 많다

① 가, 나, 다 ② 가, 다
③ 나, 라 ④ 라
⑤ 가, 나, 다, 라

12

정답 ⑤

해설

1. 일란성 쌍태아 : 인종, 유전, 나이, 분만 횟수와 무관
2. 접합체의 결정 : 초음파, 태반 검사, 태아 성별, 혈액형 등으로 추정 가능
3. 이융모막성 쌍태아 : 임신 26~38주까지 자궁 내 태아사망률이 비슷하게 유지되지만 이후에는 태아 사망률이 의미 있게 증가
4. 이란성 쌍태아 : 인종, 유전, 나이, 분만 횟수, 과배란 유도와 관련

참고 *Final Check 산과 755, 758, 775 page*

13

쌍태아의 분만 시 가장 흔한 선진부(presentation part) 유형을 고르시오.

① Cephalic - Cephalic
② Cephalic - Breech
③ Cephalic - Transvers
④ Breech - Cephalic
⑤ Breech - Breech

13

정답 ①

해설

쌍태아의 분만 시 선진부

1st–2nd presentation	비율
Cephalic-Cephalic	42%
Cephalic-Breech	27%
Cephalic-Transverse	18%
Breech-Breech	5%
Other	8%

참고 *Final Check 산과 776 page*

14

쌍태아 임신에 대한 설명으로 맞는 것을 모두 고르시오.

(가) 임신 말 태위로 두위-두위가 가장 흔하다
(나) 단태아보다 선천성 기형이 많다
(다) 단태아보다 임신성 고혈압이 생길 가능성이 높다
(라) 최근 일란성 쌍태아의 빈도가 증가하고 있다

① 가, 나, 다　② 가, 다
③ 나, 라　④ 라
⑤ 가, 나, 다, 라

14
정답 ①
해설
1. Cephalic-Cephalic : 가장 흔함(42%)
2. 태아의 수가 많을수록 기형의 빈도가 증가
3. 단태아 임신에 비해 임신성 고혈압이 증가
4. 일란성 쌍태아 : 종족, 유전, 나이, 분만 횟수와 무관

참고 *Final Check 산과 755, 761, 762, 776 page*

15

쌍태아 임신에서 주산기 사망의 원인으로 가장 많은 것은 무엇인가?

① 선천성 기형　② 조산
③ 자궁태반기능저하　④ 분만 시 외상
⑤ 산전 출혈

15
정답 ②
해설
조산(Preterm birth)
1. 쌍태아에서 신생아 이환율과 사망률의 주원인
2. 태아의 수가 증가함에 따라 임신 주수는 감소
3. 원인 : 자연 조기진통이 조기양막파수보다 더 많은 부분을 차지

참고 *Final Check 산과 763 page*

16

동기복수임신(superfecundation)의 정의를 쓰시오.

16
정답
똑같은 시기에 배란된 두 개의 난자와 서로 다른 2회의 성교에 의하여 임신 되는 것

참고 *Final Check 산과 757 page*

17

단일 융모막성 쌍태아 임신 시 태아간 혈관 연결에 의한 합병증을 모두 고르시오.

(가) 양수과다증
(나) 태아수종
(다) 태아 사망
(라) 태아 뇌손상

① 가, 나, 다 ② 가, 다
③ 나, 라 ④ 라
⑤ 가, 나, 다, 라

17

정답 ⑤

해설

쌍태아 수혈증후군(TTTS)의 임상소견

공여자(Donor)	수혈자(Recipient)
hypovolemia	hypervolemia
dehydration	polycythemia
hypoglycemia	CHF, cardiomegaly
oligohydramnios	hypertension
stuck twin	polyhydramnios
growth restriction	edema, hydrops
anemia	

- 태아의 뇌손상(fetal brain damage) : 저혈압, 빈혈 등에 의한 허혈성 괴사로 유발

참고 *Final Check 산과 767 page*

18

쌍태아 수혈증후군을 의심할 수 있는 소견이 아닌 것은 무엇인가?

① 갑작스러운 양수과다증이 생겼을 때
② 한쪽 태아는 양수과다증, 다른 태아는 양수과소증이 있을 때
③ 탯줄동맥 도플러가 한쪽 태아는 4 이상, 다른 태아는 0.4 이하 일 때
④ 태아의 성별이 다를 때
⑤ 한쪽 태아에서 심부전이 발생했을 때

18

정답 ④

해설

쌍태아 수혈증후군(TTTS)의 진단기준

1. 단일 융모막성(monochorion) 쌍태아
2. 공여자의 양수과소증(SDP <2 cm)
3. 수혈자의 양수과다증(SDP >8 cm)

참고 *Final Check 산과 767 page*

19

쌍태아 수혈증후군(TTTS)의 발생기전은 무엇인가?

① Umbilical venous-venous connection

② Umbilical arterial-venous connection

③ Umbilical arterial-arterial connection

④ Single umbilical artery

⑤ Single umbilical vein

20

쌍태아 수혈증후군에 대한 설명으로 옳은 것을 모두 고르시오.

(가) 공여자 태아에서 빈혈이 발생한다
(나) 수혈자 태아에서 양수과다증이 흔하다
(다) 태아의 뇌손상 가능성이 있다
(라) 단일 융모막성 태반에서 자주 발생한다

① 가, 나, 다　　② 가, 다
③ 나, 라　　④ 라
⑤ 가, 나, 다, 라

19

정답 ②

해설

쌍태아 수혈증후군(TTTS)의 발생기전

1. A태아에서 B태아로의 동맥-정맥 연결도 있고, B태아에서 A태아로의 동맥-정맥 연결도 존재
2. 두 태아 사이의 동맥-정맥 연결을 통한 혈류량이 A태아에서 B태아로 많다면 동맥-동맥, 정맥-정맥 연결을 통해 B태아에서 A태아로의 이동이 이루어져 균형을 유지
3. 이러한 혈류 불균형을 되돌리지 못해 발생

참고 *Final Check 산과 766 page*

20

정답 ⑤

해설

쌍태아 수혈증후군(TTTS)의 임상소견

공여자(Donor)	수혈자(Recipient)
hypovolemia dehydration hypoglycemia oligohydramnios stuck twin growth restriction anemia	hypervolemia polycythemia CHF, cardiomegaly hypertension polyhydramnios edema, hydrops

- 태아의 뇌손상(fetal brain damage) : 저혈압, 빈혈 등에 의한 허혈성 괴사로 유발

참고 *Final Check 산과 767 page*

21

쌍태아 수혈증후군이 있는 쌍태아 중 체중이 큰 태아의 특징을 모두 고르시오.

(가) Cardiac failure
(나) Oligohydramnios
(다) Large glomeruli
(라) Thin walled arterioles

① 가, 나, 다
② 가, 다
③ 나, 라
④ 라
⑤ 가, 나, 다, 라

21

정답 ②

해설

쌍태아 수혈증후군(TTTS)의 임상소견

공여자(Donor)	수혈자(Recipient)
hypovolemia	hypervolemia
dehydration	polycythemia
hypoglycemia	CHF, cardiomegaly
oligohydramnios	hypertension
stuck twin	polyhydramnios
growth restriction	edema, hydrops
anemia	

- 태아의 뇌손상(fetal brain damage) : 저혈압, 빈혈 등에 의한 허혈성 괴사로 유발

참고 *Final Check 산과 767 page*

22

다음 중 쌍태아 수혈증후군의 진단기준을 고르시오.

(가) 단일 융모막(monochorion)
(나) 초음파상 태아예측체중 차이가 25~30%
(다) 공여자의 양수과소증
(라) 분만 후 태아 간 혈색소 차이 5 g/dL 이상

① 가, 나, 다
② 가, 다
③ 나, 라
④ 라
⑤ 가, 나, 다, 라

22

정답 ②

해설

쌍태아 수혈증후군(TTTS)의 진단기준

1. 단일 융모막성(monochorion) 쌍태아
2. 공여자의 양수과소증(SDP <2 cm)
3. 수혈자의 양수과다증(SDP >8 cm)

참고 *Final Check 산과 767 page*

23

쌍태아 수혈증후군으로 진단받은 임신 20주 산모가 내원하였다. 초음파상 공여태아와 수혈태아 모두 방광이 보였으며 공여태아의 정맥관(ductus venosus) 영상이 다음과 같다면 다음 처치로 가장 적절한 것을 고르시오.

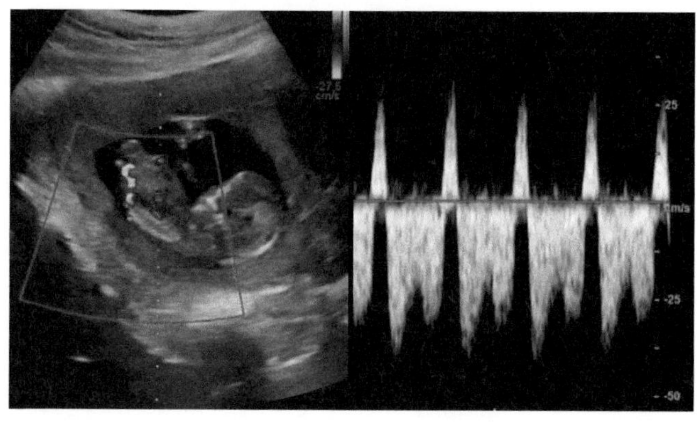

① 경과관찰　② 연결 혈관의 레이저응고술
③ 선택적 태아 희생술　④ 중격천공술
⑤ 양수주입

23
정답 ②
해설
쌍태아 수혈증후군의 치료
1. 태아경하 레이저응고술 : 권장 치료법
2. 양수감소술
3. 선택적 태아희생술
4. 중격천공술 : 추천되지 않음

참고 *Final Check 산과 768 page*

24

단일 융모막성 이양막성 쌍태아를 임신한 23주 산모가 내원하였다. 초음파상 태아예상체중과 단일 최대 양수주머니 깊이는 각각 800 g, 13 cm 및 650 g, 0.1 cm이었고, 작은 태아의 방광이 보이지 않았다. 이 산모의 다음 처치로 가장 적절한 것을 고르시오.

① 양수주입술　② 태아 수혈
③ 중격천공술　④ 고주파 열치료
⑤ 태아경하 레이저응고술

24
정답 ⑤
해설
쌍태아 수혈증후군의 치료
1. 태아경하 레이저응고술 : 권장 치료법
2. 양수감소술
3. 선택적 태아희생술
4. 중격천공술 : 추천되지 않음

참고 *Final Check 산과 768 page*

25

임신 24주 임산부가 정기 산전검사를 위해 내원하였다. 초음파상 태아는 단일 융모막성(monochorion) 쌍태아이며, 두 태아의 예상체중 차이가 25%, 양수는 한쪽에서는 8 cm 이상 수직 깊이로 측정되고, 다른 쪽에서는 거의 없었다. 다음 중 이 산모에게 적합한 처치를 모두 고르시오.

(가) 양수감소술(amnioreduction)
(나) 태아경하 레이저응고술(fetoscopic laser ablation)
(다) 중격천공술(septostomy)
(라) 선택적 태아희생술(selective feticide)

① 가, 나, 다
② 가, 다
③ 나, 라
④ 라
⑤ 가, 나, 다, 라

25

정답 ⑤

해설

쌍태아 수혈증후군의 치료

1. 태아경하 레이저응고술 : 권장 치료법
2. 양수감소술
3. 선택적 태아희생술
4. 중격천공술 : 추천되지 않음

참고 *Final Check 산과 768 page*

26

쌍태아 수혈증후군의 치료법을 쓰시오.(2가지)

26

정답

1. 태아경하 레이저응고술(fetoscopic laser ablation)
2. 양수감소술(amnioreduction)
3. 선택적 태아희생술(selective feticide)

참고 *Final Check 산과 768 page*

27

단일 융모막 이양막성(MCDA) 쌍태아를 임신한 임신 33주인 32세 산모가 내원하였다. 초음파 검사 소견이 아래와 같다면 이 산모의 진단으로 가장 가능성이 높은 것을 고르시오.

	1st fetus	2nd fetus
태아예상체중(EFW)	1,830 g	1,680 g
단일 최대양수포켓(SDP)	4.5 cm	3.7 cm
중대뇌동맥-최고수축기속도(MCA-PSV)	1.6 MoM	0.7 MoM

① Fetal growth restriction (FGR)

② Twin-to-twin transfusion syndrome (TTTS)

③ Twin anemia-polycythemia sequence (TAPS)

④ Twin reversed arterial perfusion sequence (TRAP)

⑤ Twin oligohydramnios-polyhydramnios sequence (TOPS)

27

정답 ③

해설

쌍태아 빈혈-적혈구증가증 현상(TAPS)의 진단

1. 공여자의 MCA-PSV >1.5 MoM
2. 수혈자의 MCA-PSV <0.8 MoM

참고 *Final Check 산과 768 page*

28

쌍태아를 임신한 24주의 32세 산모가 일태아 사망을 확인 후 전원되었다. 시행한 검사상 다른 이상소견은 없다면 이 산모의 다음 처치로 가장 적절한 것을 고르시오.

① 사망한 태아만 유도분만한다

② 생존한 태아, 사망한 태아 모두 유도분만한다

③ 제왕절개로 쌍태아 모두 분만한다

④ 태아경을 통해 사망한 아이의 탯줄을 절단한다

⑤ 경과관찰하며 임신을 유지시킨다

28

정답 ⑤

해설

일태아 사망 시 임신의 지속 여부 결정 요인

1. 조기 분만보다는 임신 유지가 유리
2. 처치
   a. 생존 태아의 보존적 치료 시행
   b. 주기적 검진
   c. 혈액응고장애 발생 시 저용량 헤파린 사용

참고 *Final Check 산과 773 page*

29

쌍태아를 임신한 10주의 32세 초산모가 한쪽 태아의 심장박동이 없어 전원되었다. 산모는 특별한 출혈 및 통증은 없었고, 초음파상 심장이 뛰는 태아는 이상소견이 보이지 않았다. 이 산모에 대한 처치로 가장 적절한 것은 무엇인가?

① 경과관찰하며 임신 유지　② Progesterone

③ Aspirin　④ Heparin

⑤ 치료적 유산 시행

29

정답 ①

해설

일태아 사망 시 임신의 지속 여부 결정 요인

1. 조기 분만보다는 임신 유지가 유리
2. 처치
   a. 생존 태아의 보존적 치료 시행
   b. 주기적 검진
   c. 혈액응고장애 발생 시 저용량 헤파린 사용

참고 *Final Check 산과 773 page*

30

쌍태아를 임신한 32주 산모가 초음파상 한쪽 태아의 심박동이 없었다. 이 산모에 대한 처치로 옳은 것을 모두 고르시오.

(가) 주기적인 모체의 소모성 응고장애 검사
(나) Heparin 투여
(다) 생존 태아의 폐성숙도 측정
(라) 즉각적인 제왕절개술

① 가, 나, 다　② 가, 다

③ 나, 라　④ 라

⑤ 가, 나, 다, 라

30

정답 ②

해설

일태아 사망의 처치

1. 생존 태아의 보존적 치료 시행
2. 주기적 검진
   a. 모체측 : 소모성 응고장애에 대한 검사
   b. 태아측 : NST, 폐성숙 확인 위한 양수천자
3. 혈액응고장애 발생 시 저용량 헤파린 사용

참고 *Final Check 산과 773 page*

31

임신 29주의 30세 다분만부가 쌍태아 임신을 주소로 내원하였다. 초음파상 제1태아는 정상적인 성장을 하였지만, 제2태아는 심박동도 없었으며 임신 17주 정도의 크기였다. 이 산모에 대한 다음 처치로 가장 적절한 것을 고르시오.

① 즉시 유도분만을 한다

② 4주 이내에 큰 문제가 없으므로 4주 이후 추적관찰 한다

③ 혈액응고검사를 시행하여 fibrinogen이 정상치보다 약간이라도 감소했다면 즉시 분만한다

④ 매주 섬유소원 등 혈액응고검사를 하면서 경과관찰한다

⑤ 즉시 제왕절개를 시행한다

31

정답 ④

해설

일태아 사망의 처치

1. 생존 태아의 보존적 치료 시행
2. 주기적 검진
   a. 모체측 : 소모성 응고장애에 대한 검사
   b. 태아측 : NST, 폐성숙 확인 위한 양수천자
3. 혈액응고장애 발생 시 저용량 헤파린 사용

참고 *Final Check 산과 773 page*

32

쌍태아를 임신한 30세 초산부가 임신 22주에 정기 산전진찰을 위해 내원하였다. 검사상 한 태아는 발육 상태가 좋았고 태아 심음도 잘 들렸으나, 다른 태아는 임신 20주 정도의 발육 상태에 전신 부종이 있으며 심박동이 없었다. 이 산모에 대한 올바른 처치를 고르시오.

① 생존 태아의 건강 상태를 감시하며 임신을 지속한다

② 소모성 혈액응고장애의 위험이 있으므로 즉시 유도분만한다

③ Heparin을 투여하며 소모성 혈액응고장애를 예방한다

④ 교환 수혈을 하여 소모성 혈액응고장애를 예방한다

⑤ 임신 28주 이전에 제왕절개를 시행하여 소모성 혈액응고장애를 예방한다

32

정답 ①

해설

일태아 사망의 처치

1. 생존 태아의 보존적 치료 시행
2. 주기적 검진
   a. 모체측 : 소모성 응고장애에 대한 검사
   b. 태아측 : NST, 폐성숙 확인 위한 양수천자
3. 혈액응고장애 발생 시 저용량 헤파린 사용

참고 *Final Check 산과 773 page*

33

임신 26주의 쌍태아 임신의 산전검사상 한 태아가 사망하고 다른 태아는 건강한 경우 향후 처치에 대한 방법을 쓰시오.

33

정답

1. 생존 태아의 보존적 치료 시행
2. 주기적 검진
   a. 모체측 : 소모성 응고장애에 대한 검사
   b. 태아측 : NST, 폐성숙 확인 위한 양수천자
3. 혈액응고장애 발생 시 저용량 헤파린 사용

참고 *Final Check 산과 773 page*

34

임신 30주 산모의 이란성 쌍태아 중 한 태아가 자궁 내에서 사망한 것을 확인하였다. 혈액검사상 특이소견은 없었으나 fibrinogen–fibrin degradation products (FDP) 상승, factor I 감소를 확인하였다. 이때 임신을 유지하기 위하여 시행해 볼 수 있는 방법으로 가장 적절한 것을 고르시오.

① Heparin

② Platelet transfusion

③ Dopamine

④ FFP transfusion

⑤ Crystalloid solution

34

정답 ①

해설

일태아 사망의 처치

1. 생존 태아의 보존적 치료 시행
2. 주기적 검진
   a. 모체측 : 소모성 응고장애에 대한 검사
   b. 태아측 : NST, 폐성숙 확인 위한 양수천자
3. 혈액응고장애 발생 시 저용량 헤파린 사용

참고 *Final Check 산과 773 page*

35

쌍태아를 임신한 임신 35주 임산부가 분만진통을 주소로 내원하였다. 초음파 검사에서 선진부는 모두 두위였고 각각의 태아 성장은 임신 주수와 일치하였다. 첫 아이를 질식분만한 후 진통이 사라지고 10분이 지났다. 배 속의 태아 심음은 분당 150회였고 선전부는 두위로 골반 내로 진입되지 않았으나 탯줄 탈출이나 심한 출혈은 없었다. 다음 중 가장 적절한 처치는 무엇인가?

① Oxytocin 투여

② 흡입분만

③ 외전향술로 둔위로 전향 분만

④ 내전향술로 둔위로 전향 분만

⑤ 제왕절개분만

35

정답 ①

해설

두위인 두 번째 태아의 분만 방법

1. 중등도의 자궁저부 압박을 가하면서 양막을 터트리고 내진으로 탯줄 탈출 여부를 확인
2. 비정상적인 태아심박수나 자궁출혈이 없으면 분만을 서두를 필요는 없음
3. 첫 번째 태아 분만 후 약 10분이 경과해도 자궁수축이 다시 일어나지 않으면, 희석된 옥시토신을 사용하여 자궁수축을 자극

참고 *Final Check 산과 777 page*

36

쌍태아 중 첫째를 질식분만한 후 둘째 분만에 대한 설명으로 옳은 것을 고르시오.

① 첫째 태아 분만 즉시 oxytocin 투여

② 머리가 산도에 진입하지 않은 경우 특별한 처치 없이 기다림

③ 머리가 산도에 진입한 경우 인공양막파수 시행

④ 첫째 분만 후 30분이 지나도 둘째 분만이 이루어지지 않으면 제왕절개 시행

⑤ 견갑위일 경우 즉시 제왕절개 시행

36

정답 ③

해설

두위인 두 번째 태아의 분만 방법

1. 중등도의 자궁저부 압박을 가하면서 양막을 터트리고 내진으로 탯줄 탈출 여부를 확인
2. 비정상적인 태아심박수나 자궁출혈이 없으면 분만을 서두를 필요는 없음
3. 첫 번째 태아 분만 후 약 10분이 경과해도 자궁수축이 다시 일어나지 않으면, 희석된 옥시토신을 사용하여 자궁수축을 자극

참고 *Final Check 산과 777 page*

37

쌍태아를 임신한 임신 37주 다분만부가 분만진통을 주소로 응급실에 내원하였다. 입원 직후 첫째 태아는 두위로 질식분만하였으나 이후 10분간 진통이 없었다. 둘째 태아는 심음 144회/min., 두위로 머리가 골반 내로 진입해 있으며, 탯줄 탈출이나 출혈 소견은 없었다. 다음 중 이 산모에게 가장 적절한 조치를 고르시오.

① 태아 심음이 정상이면 10분간 더 경과관찰 한다

② 옥시토신을 점적 투여하며 유도분만을 시도한다

③ 외전향술로 둔위로 전향시켜 분만을 시도한다

④ 내전향술로 족위로 전향시켜 분만을 시도한다

⑤ 응급 제왕절개술을 한다

37

정답 ②

해설

두위인 두 번째 태아의 분만 방법

1. 중등도의 자궁저부 압박을 가하면서 양막을 터트리고 내진으로 탯줄 탈출 여부를 확인
2. 비정상적인 태아심박수나 자궁출혈이 없으면 분만을 서두를 필요는 없음
3. 첫 번째 태아 분만 후 약 10분이 경과해도 자궁수축이 다시 일어나지 않으면, 희석된 옥시토신을 사용하여 자궁수축을 자극

참고 *Final Check 산과 777 page*

38

쌍태아 임신에서 첫 번째 태아의 질식분만 후 두 번째 태아를 제왕절개분만 하는 경우를 쓰시오.

38

정답

1. 두 번째 태아가 첫 번째 태아에 비해 상당히 크면서 둔위 또는 횡위
2. 첫 번째 태아의 분만 후 자궁경부가 바로 닫혀 다시 개대되지 않은 상태에서 태반조기박리, 태아가사 등이 의심되는 경우

참고 *Final Check 산과 779 page*

39

쌍태아 임신에서 첫째 태아의 질식분만 후 둘째 태아가 두위, 심박수 60~80회/min.일 때 가장 적절한 다음 처치를 고르시오.

① 경과관찰
② 태아다리내회전술
③ 흡입분만
④ 응급 제왕절개분만
⑤ 수축자극검사

39

정답 ④

해설

첫째 질식분만 후 둘째를 제왕절개 하는 경우

1. 두 번째 태아가 첫 번째 태아에 비해 상당히 크면서 둔위 또는 횡위
2. 첫 번째 태아의 분만 후 자궁경부가 바로 닫혀 다시 개대되지 않은 상태에서 태반조기박리, 태아가사 등이 의심되는 경우

참고 *Final Check 산과 779 page*

40

다태아 임신에서 선택적 태아감소술(selective reduction)을 시행하려고 할 때 가장 적절한 방법을 고르시오.

① 단일 융모막성(monochorion) 쌍태아에서 KCl 사용
② 단일 융모막성(monochorion) 쌍태아에서 air embolism 사용
③ 이융모막성(dichorionic) 쌍태아에서 KCl 사용
④ 이융모막성(dichorionic) 쌍태아에서 air embolism 사용
⑤ 단일 융모막성(monochorion) 쌍태아에서 KCl과 air embolism 동시 사용

40

정답 ③

해설

선택적 감수술(Selective reduction)

1. 삼태아 이상의 임신일 경우 하나 혹은 그 이상의 태아를 희생시키는 것
2. 태아 수를 줄여 평균 임신 주수가 늘어나고 생존율 증가 및 유병률 감소 기대
3. 태아 심장에 생리식염수 or KCl 주입

참고 *Final Check 산과 779 page*

41

삼태아 이상의 임신에서 선택적 태아감소술(selective reduction)을 위해 사용할 수 있는 가장 좋은 방법을 고르시오.

① KCl injection
② D&C
③ D&E
④ Laser ablation
⑤ Amniotomy

41

정답 ①

해설

선택적 감수술(Selective reduction)

1. 삼태아 이상의 임신일 경우 하나 혹은 그 이상의 태아를 희생시키는 것
2. 태아 수를 줄여 평균 임신 주수가 늘어나고 생존율 증가 및 유병률 감소 기대
3. 태아 심장에 생리식염수 or KCl 주입

참고 *Final Check 산과 779 page*

CHAPTER 42

임신 중 고려사항 및 중환자 관리 (General considerations and Critical care)

01

24세 여성이 심한 오심과 구토를 주소로 응급실에 내원하였다. 응급실 의사는 오심, 구토의 원인 감별을 위해 abdomen erect & supine X-ray, brain CT, 위장관 내시경 검사를 하였으나 모두 정상으로 확인되었다. 여성은 5일 후 소변 임신반응 검사에서 양성으로 확인되었다면 다음 처치로 가장 적절한 것을 고르시오.

① 즉시 자궁소파술을 시행한다

② 임신 16~18주에 양수천자를 시행한다

③ 시행한 검사들이 태아 기형과 성장에 영향이 없을 것이라고 설명하고 안심시킨다

④ 매주 초음파로 추적관찰한다

⑤ 임신 중 방사선은 태아 기형과 무관하다고 설명한다

01

정답 ③

해설

태아에게 영향을 주는 방사선량

1. 0.05 Gy (5 rad) 이하 : 위험 없음
2. 0.2 Gy (20 rad) 이하 : 태아 기형의 임계치
3. 산모의 총 방사선 조사량 : 1 rad
    a. Abd. X-ray : 0.25 rad x 2 = 0.5 rad
    b. Brain CT : 0.5 rad

참고 *Final Check 산과 782, 783 page*

02

임신 8주인 산모가 검사를 시행할 때 태아에게 가장 방사선 노출량이 많은 검사를 고르시오.

① Brain CT

② 연속 10회 질 초음파

③ 복부 차단 없이 10회의 Chest AP

④ Abdomen-Pelvic CT

⑤ Pelvic MRI

02

정답 ④

해설

방사선 검사 시 태아가 노출되는 방사선량

1. Brain CT : 5 mGy
2. Vaginal sono : 0 mGy
3. Chest X-ray : 0.002 mGy
4. Abdomen CT : 25 mGy
5. Pelvic MRI : 0 mGy

참고 *Final Check 산과 783 page*

03

임신 10주경에 chest X-ray 한 장과 simple abdomen 한 장을 찍은 산모가 태아에 대한 위해를 걱정하여 내원하였다. 이 산모에게 해줄 수 있는 가장 적절한 설명은 무엇인가?

① 기형 가능성이 높으므로 유산을 권유한다

② 기형 가능성은 없지만 유·조산 가능성이 높음을 설명한다

③ 기형 가능성은 적지만 백혈병의 발생 가능성을 설명한다

④ 기형 가능성이 극히 적으므로 안심하고 임신을 지속시킨다

⑤ 기형 가능성은 적지만 태아성장제한이 있을 수 있음을 설명한다

03

정답 ④

해설

산모의 총 방사선 조사량

1. Chest X-ray : 0.002 mGy
2. Abd. X-ray : 2.5 mGy

참고 *Final Check 산과 782 page*

04

24세 기혼 여성이 우측 상복부 동통을 주소로 응급실에 내원하였다. 진단을 위해 upper gastrointestinal series, 담낭 방사선 검사를 하였고, 이후 시행한 골반 초음파 검사상 임신 7주로 확인되었다. 총 방사선 조사량이 2.5 rad 였다면 향후 처치로 올바른 것을 고르시오.

① 즉시 자궁소파술을 시행한다

② 임신 16~18주에 양수천자를 시행한다

③ 향후 태아 기형, 성장장애는 적다고 안심시킨다

④ 자주 초음파로 추적관찰한다

⑤ 임신 중 방사선은 태아 기형과 무관하다고 설명한다

04

정답 ③

해설

태아에게 영향을 주는 방사선량

1. 0.05 Gy (5 rad) 이하 : 위험 없음
2. 0.2 Gy (20 rad) 이하 : 태아 기형의 임계치

참고 *Final Check 산과 782 page*

05

상부위장관 방사선 촬영을 시행하고 1주 뒤 초음파 시행 중 임신을 알게 된 임신 6주 여성이 내원하였다. 다음 중 가장 올바른 처치는 무엇인가?

① 태아에 대한 영향이 적다고 설명하고 안심시킨다

② 임신 종결을 설명한다

③ 기형 유발의 가능성이 크다고 설명한다

④ 염색체 검사를 시행한다

⑤ 자연 유산의 가능성이 크다고 설명한다

05

정답 ①

해설

태아에게 영향을 주는 방사선량

1. 0.05 Gy (5 rad) 이하 : 위험 없음
2. 0.2 Gy (20 rad) 이하 : 태아 기형의 임계치

참고 *Final Check 산과 782 page*

06

임신 38주 임산부가 교통사고 후 발생한 아랫배 통증과 질 출혈을 주소로 응급실에 내원하였다. 다음 중 이 산모에게 시행해야 하는 검사를 모두 고르시오.

(가) 자궁경부 소실 및 개대 확인
(나) 지속적 태아 심박동 감시
(다) 초음파 검사
(라) 양수천자

① 가, 나, 다　② 가, 다

③ 나, 라　④ 라

⑤ 가, 나, 다, 라

06

정답 ①

해설

외상성 태반조기박리의 진단

1. 자궁경부의 소실 및 개대 유무, 질 출혈 확인
2. 전자태아감시장치
3. 초음파 검사

참고 *Final Check 산과 791 pag*

07

임신 28주 초산부가 교통사고 후 발생한 하복통을 주소로 응급실에 내원하였다. 내진상 자궁경부 개대 1 cm, 소실 10%, 초음파상 태아 및 태반에 특이소견은 없었다. 다음 중 이 산모에게 가장 적절한 처치들을 모두 고르시오.

(가) NST
(나) CST
(다) Ultrasonography
(라) Tocolytics

① 가, 나, 다　　② 가, 다
③ 나, 라　　④ 라
⑤ 가, 나, 다, 라

08

산전 검사 상 특이소견 없던 임신 32주 산모가 직접 운전하던 중 시속 50 km 정도로 교차로에서 교통사고가 발생했다. 사고 후 산모는 복통과 질 출혈을 호소하며 응급실에 내원하였다. 검사상 질, 자궁경부, 회음부에 상처는 없었으나 소량의 질 출혈이 자궁경부에서 나오고 있었고 자궁이 단단하게 만져졌다. 가장 가능성이 높은 진단명을 쓰시오.(2가지)

07

정답 ②

해설

외상성 태반조기박리의 진단

1. 자궁경부의 소실 및 개대 유무, 질 출혈 확인
2. 전자태아감시장치
3. 초음파 검사

참고 *Final Check 산과 791 page*

08

정답

1. 태반조기박리
2. 자궁파열
3. 태아–모체 출혈

참고 *Final Check 산과 790 page*

09

임신부에서 패혈증을 일으킬 수 있는 가장 흔한 원인들을 쓰시오.

09

정답

1. 신우신염(pyelonephritis)
2. 융모양막염(chorioamnionitis), 산욕기 패혈증 (puerperal sepsis)
3. 패혈성 유산(septic abortion)
4. 괴사성 근막염(necrotizing fasciitis)

참고 4Final Check 산과 787 page

10

임신 20주인 22세 임산부가 성폭행을 당해 내원하였다. 이 산모에게 임질과 클라미디아 감염을 예방하기 위해서 쓸 수 있는 항생제를 고르시오.

① Ceftriaxone + Doxycycline

② Ceftriaxone + Azithromycin

③ Ceftriaxone + Ofloxacin

④ Cefixime + Metronidazole

⑤ Cefixime + Clindamycin

10

정답 ②

해설

성폭행 후 성병에 대한 예방적 항생제 요법

Neisseria gonorrhoeae
Ceftriaxone 125 mg, 근주, 1회
Chlamydia trachomatis
Azithromycin 1 g, 경구, 1회 or Amoxicillin 500 mg, 경구, 하루 3회, 7일

참고 Final Check 산과 789 page

11

심폐소생술 상황의 제왕절개 분만에 대한 설명으로 잘못된 것을 고르시오.

① 심폐소생술을 시작하고 4분이 지나도 돌아오지 않으면 제왕절개를 하는 것이 좋다

② 산모의 소생술을 더 용이하게 한다

③ 산모가 사망한 후 약 30분 후에 제왕절개를 시행한다

④ 태아의 신경학적 손상이 증가한다

⑤ 심정지와 분만의 간격이 짧을수록 좋다

11

정답 ③

해설

심폐소생술 상황에서 제왕절개술

1. 산모의 심정지 후 5분 이내로 분만 되면 신경학적 손상 없는 신생아 분만 가능
2. 심정지와 분만의 간격이 짧을수록 신경학적 손상이 적고 태아 생존률 증가
3. 산모의 심정지 후 4분 이내인 경우에는 제왕절개를 고려

참고 *Final Check 산과 792 page*

CHAPTER 43

비만(Obesity)

01

다음 중 비만 산모에서 증가하는 것을 모두 고르시오.

(가) 분만 후 출혈
(나) 임신성 당뇨
(다) 거대아
(라) 지연임신

① 가, 나, 다
② 가, 다
③ 나, 라
④ 라
⑤ 가, 나, 다, 라

02

정상 산모와 비교하여 체질량지수(BMI) 32 kg/m^2 산모에서 증가하는 것을 고르시오.

① 전치태반(placenta previa)
② 쌍태아 임신(twin pregnancy)
③ 제1형 당뇨(type I DM)
④ 임신성 당뇨(gestational DM)
⑤ 저혈압(hypotension)

01

정답 ⑤

해설

비만으로 인한 산과적 합병증

<table>
<tr><th>임신 전 합병증</th><th>임신 중 합병증</th></tr>
<tr><td>– 제2형 당뇨
– 고혈압
– 가임력 감소</td><td rowspan="3">– 유산, 조산, 사산, 지연임신
– 태아 기형(신경관결손, 수두증, 항문직장기형, 사지단축, 선천성 심기형, 구순구개열)
– 임신성 당뇨, 전자간증
– 견갑난산, 유도분만, 제왕절개분만
– 수술부위 감염, 마취 합병증
– 분만 후 출혈, 자궁이완증
– 혈전 및 폐색전증
– 모성 사망률과 이환율</td></tr>
<tr><th>태아의 합병증</th></tr>
<tr><td>– 거대아
– 과출생체중아
– NICU 입원율
– 소아비만, 당뇨</td></tr>
</table>

참고 Final Check 산과 795 page

02

정답 ④

해설

비만으로 인한 산과적 합병증

<table>
<tr><th>임신 전 합병증</th><th>임신 중 합병증</th></tr>
<tr><td>– 제2형 당뇨
– 고혈압
– 가임력 감소</td><td rowspan="3">– 유산, 조산, 사산, 지연임신
– 태아 기형(신경관결손, 수두증, 항문직장기형, 사지단축, 선천성 심기형, 구순구개열)
– 임신성 당뇨, 전자간증
– 견갑난산, 유도분만, 제왕절개분만
– 수술부위 감염, 마취 합병증
– 분만 후 출혈, 자궁이완증
– 혈전 및 폐색전증
– 모성 사망률과 이환율</td></tr>
<tr><th>태아의 합병증</th></tr>
<tr><td>– 거대아
– 과출생체중아
– NICU 입원율
– 소아비만, 당뇨</td></tr>
</table>

참고 Final Check 산과 795 page

03

다음 중 비만 여성의 임신 시 증가하는 합병증을 고르시오.

① 태아 기형

② 양수과다증

③ 조산

④ 전치태반

⑤ 비정상 태위

03

정답 ①

해설

비만으로 인한 산과적 합병증

임신 전 합병증	임신 중 합병증
– 제2형 당뇨 – 고혈압 – 가임력 감소 **태아의 합병증** – 거대아 – 과출생체중아 – NICU 입원율 – 소아비만, 당뇨	– 유산, 조산, 사산, 지연임신 – 태아 기형(신경관결손, 수두증, 항문직장기형, 사지단축, 선천성 심기형, 구순구개열) – 임신성 당뇨, 전자간증 – 견갑난산, 유도분만, 제왕절개분만 – 수술부위 감염, 마취 합병증 – 분만 후 출혈, 자궁이완증 – 혈전 및 폐색전증 – 모성 사망률과 이환율

참고 *Final Check 산과 795 page*

04

다음 중 비만 여성이 임신하였을 경우 증가할 수 있는 질환을 모두 고르시오.

(가) 고혈압
(나) 제왕절개 빈도
(다) 신경관 결손증
(라) 주산기 심부전증

① 가, 나, 다　　② 가, 다

③ 나, 라　　④ 라

⑤ 가, 나, 다, 라

04

정답 ⑤

해설

비만으로 인한 산과적 합병증

임신 전 합병증	임신 중 합병증
– 제2형 당뇨 – 고혈압 – 가임력 감소 **태아의 합병증** – 거대아 – 과출생체중아 – NICU 입원율 – 소아비만, 당뇨	– 유산, 조산, 사산, 지연임신 – 태아 기형(신경관결손, 수두증, 항문직장기형, 사지단축, 선천성 심기형, 구순구개열) – 임신성 당뇨, 전자간증 – 견갑난산, 유도분만, 제왕절개분만 – 수술부위 감염, 마취 합병증 – 분만 후 출혈, 자궁이완증 – 혈전 및 폐색전증 – 모성 사망률과 이환율

참고 *Final Check 산과 795 page*

05

BMI 32 kg/m^{2}인 여성이 임신을 확인하여 내원하였다. 향후 합병증으로 나타날 가능성이 가장 적은 것은 어느 것인가?

① 신경관결손

② 태아성장제한

③ 이란성 쌍태아

④ 거대아

⑤ 사산아

05

정답 ③

해설

비만으로 인한 산과적 합병증

임신 전 합병증	임신 중 합병증
– 제2형 당뇨 – 고혈압 – 가임력 감소 **태아의 합병증** – 거대아 – 과출생체중아 – NICU 입원율 – 소아비만, 당뇨	– 유산, 조산, 사산, 지연임신 – 태아 기형(신경관결손, 수두증, 항문직장기형, 사지단축, 선천성 심기형, 구순구개열) – 임신성 당뇨, 전자간증 – 견갑난산, 유도분만, 제왕절개분만 – 수술부위 감염, 마취 합병증 – 분만 후 출혈, 자궁이완증 – 혈전 및 폐색전증 – 모성 사망률과 이환율

참고 *Final Check 산과 795 page*

06

비만 임신부의 초기 임신 관리 지침으로 적절한 것을 고르시오.

① 10%의 체중 감량

② 50 g 경구당부하검사

③ 지방흡수억제제 복용

④ 철분제 복용

⑤ 저용량 아스피린 복용

06

정답 ②

해설

비만 임신부의 관리

임신 전	임신 초기
– 엽산 1 mg/day 복용 – 내과적 질환 확인 – 5~10%의 체중 감량 – 영양 상담	– 엽산 1 mg/day 복용 – 50 g 경구당부하검사(정상이더라도 임신 24~28주에 재검) – 혈압 측정 – HbA1c, 심전도 – 당뇨, 고혈압이 있으면 24시간 소변검사 – 적절한 체중 증가 상담

참고 *Final Check 산과 797 page*

07

여성에서 대사증후군의 진단기준을 쓰시오.(3가지)

07

정답

1. Elevated waist circumference ≥85 cm (33 in)
2. Elevated triglycerides ≥150 mg/dL
3. Reduced HDL cholesterol <50 mg/dL
4. Elevated blood pressure systolic ≥130 mmHg and/or diastolic ≥85 mmHg
5. Elevated fasting glucose ≥100 mg/dL

참고 *Final Check 산과 795 page*

CHAPTER 44

심혈관질환(Cardiovascular disorders)

01

임신 18주인 초산부가 1주 전부터 발생한 쉬는 동안에는 문제 없지만, 일상적인 활동 후에는 약간 피곤하고 숨이 차며 두근거림과 답답함을 주소로 내원하였다. 산모의 특별한 과거력은 없었고, 내원 시 혈압 130/70 mmHg, 심박수 75회/min., 체온 36.7℃, 초음파 및 내진상 태아 및 자궁경부에 특별한 이상 소견은 없었다. 이 산모에 해당하는 NYHA 심장질환 분류를 고르시오.

① Class I ② Class II

③ Class III ④ Class IV

⑤ Class V

01

정답 ②

해설

NYHA class II

1. Slight limitation of physical activity
2. 일상적인 신체 활동에서 증상이 발생
3. 휴식 중에는 증상이 없지만, 일상적 활동에 의해 피로, 심계항진, 호흡곤란, 협심통 발생

참고 *Final Check 산과 802 page*

02

심장질환의 분류 중 NYHA class II의 관리로 잘못된 것을 고르시오.

① 하루에 10시간 이상 충분한 수면을 취해야 한다

② 지나친 체중 증가를 주의한다

③ 가벼운 활동을 해도 된다

④ 분만 시 통증 조절은 지주막하마취가 적절하다

⑤ 분만 전, 후에 감염성 심내막염을 위한 예방적 항생제를 사용하지 않아도 된다

02

정답 ④

해설

NYHA class I & II의 관리

1. 임신 중 관리
   a. 대부분 별다른 합병증 없이 임신 지속
   b. 지나친 체중 증가 방지, 충분한 수면, 식후 휴식, 가벼운 활동
   c. 담배, 술, 마약 금지, 예방접종
2. 진통 및 분만 시 관리
   a. 제왕절개 적응증이 없다면 질식분만
   b. 옆으로 기울인 반쯤 누운 자세
   c. 적극적인 통증 조절, 경막외마취
   d. 분만진통 제2기의 단축이 필요
3. 산욕기 관리
   a. 모성 사망이 가장 많이 발생하는 시기
   b. 분만 후 출혈, 감염, 빈혈, 혈전 등에 의한 심부전이 발생 가능

참고 *Final Check 산과 807 page*

03

임신 28주 초산모가 평소 안정 시에는 문제가 없었지만, 일상적인 활동을 하는 경우 심계항진과 호흡곤란을 느껴 내원하였다. 이 환자에 대한 처치로 올바른 것을 고르시오.

① NYHA class I에 해당한다

② 즉시 임신 종결을 한다

③ 호흡기질환 예방을 위해 인플루엔자 예방접종을 시행한다

④ 제왕절개분만이 질식분만에 비해 안전하다

⑤ 심부전으로 발전될 가능성은 거의 없다

03

정답 ③

해설

NYHA class I & II의 관리

1. 임신 중 관리
   a. 대부분 별다른 합병증 없이 임신 지속
   b. 지나친 체중 증가 방지, 충분한 수면, 식후 휴식, 가벼운 활동
   c. 담배, 술, 마약 금지, 예방접종
2. 진통 및 분만 시 관리
   a. 제왕절개 적응증이 없다면 질식분만
   b. 옆으로 기울인 반쯤 누운 자세
   c. 적극적인 통증 조절, 경막외마취
   d. 분만진통 제2기의 단축이 필요
3. 산욕기 관리
   a. 모성 사망이 가장 많이 발생하는 시기
   b. 분만 후 출혈, 감염, 빈혈, 혈전 등에 의한 심부전이 발생 가능

참고 *Final Check 산과 807 page*

04

임신 18주인 초산부가 평소 특별한 증상이 없었으나, 뛰거나 계단을 바쁘게 올라가면 숨이 몹시 차는 증상으로 내원하였다. 산모의 심장 초음파상 승모판역류가 의심되었으며, 산과 초음파상 태아 심박수 140회/min., 다른 특이소견은 없었다. 다음 중 이 산모에 대한 처치로 올바른 것을 고르시오.

① 즉시 유산 후 강심제 치료를 시작한다

② 즉시 판막교체술을 시행한다

③ 감염성 심내막염을 예방하기 위해 항생제를 투여한다

④ 입원 후 산소, morphine, 이뇨제 등을 투여한다

⑤ 일단 집에서 쉬게 한 후 경과 관찰한다

04

정답 ⑤

해설

승모판역류(Mitral regurgitation)

1. 임신 중 혈역학적 변화로 승모판역류의 병태생리가 개선
   a. 임신의 혈액량 증가와 전신혈관저항 감소로 인해 판막을 통한 혈액의 역류가 감소
   b. 중증 질환에서는 좌심방 확장과 그에 따른 심방잔떨림(atrial fibrillation)의 유발 주의
2. 치료
   a. 폐울혈 : 이뇨제 투여
   b. 고혈압 : 혈관확장제 투여
3. 경막외마취 : 수액 투여를 하며 시행 가능

참고 *Final Check 산과 812 page*

05

NYHA class I & II 해당하는 심장질환 여성이 임신했을 때 관리 원칙을 쓰시오.

06

다음 중 산모에서 저혈압이 발생하지 않도록 가장 주의해야 하는 질환은 무엇인가?

① Mitral stenosis

② Mitral regurgitation

③ Aortic stenosis

④ Aortic regurgitation

⑤ Ventricular septal defect

05

정답

1. 지나친 체중 증가 방지
2. 하루 10시간 이상의 수면
3. 식후 30분 휴식
4. 가벼운 활동
5. 심부전의 예방 : 담배, 술, 마약 금지, 감기 주의, 예방접종

참고 *Final Check 산과 807 page*

06

정답 ③

해설

전도마취(conduction anesthesia)의 금기증

1. 심장내단락(intracardiac shunt)
2. 폐고혈압(pulmonary hypertension)
3. 대동맥협착(aortic stenosis)
4. 비후성 심근증(hypertrophic cardiomyopathy)

참고 *Final Check 산과 809 page*

07

임신에 합병된 심장질환 중 경막외마취(epidural anesthesia)를 시행해도 되는 경우를 고르시오.

① Intracardiac shunt

② Pulmonary hypertension

③ Aortic stenosis

④ Hypertrophic cardiomyopathy

⑤ Mitral valve stenosis

07

정답 ⑤

해설

전도마취(conduction anesthesia)의 금기증

1. 심장내단락(intracardiac shunt)
2. 폐고혈압(pulmonary hypertension)
3. 대동맥협착(aortic stenosis)
4. 비후성 심근증(hypertrophic cardiomyopathy)

참고 *Final Check 산과 809 page*

08

승모판협착 산모가 분만진통 중 폐부종이 확인되었다면 다음 중 가장 적절한 처치를 고르시오.

① 경막외마취는 금기이다

② 혈관내용적은 오히려 적으므로 수액을 투여한다

③ 응급 제왕절개술을 시행한다

④ 이뇨제를 투여한다

⑤ 분만까지가 고비이고, 그 이후에는 안심해도 된다

08

정답 ④

해설

승모판협착(Mitral stenosis)

1. 치료
   a. 활동의 제한과 이뇨제를 투여
   b. 심부전, 부정맥 : β-blocker 사용
   c. 폐울혈 발생 시 : 활동, 나트륨을 더욱 제한
2. 분만
   a. 질식분만 : 경한 협착, 폐고혈압이 없는 중등도 협착, NYHA I/II의 중증도 협착
   b. 제왕절개 : NYHA III/IV의 협착과 경피풍선 판막성형술을 시행하지 못한 환자에서 내과적 치료 후에도 폐고혈압이 있는 경우

참고 *Final Check 산과 811 page*

09

다음 중 기계식 인공승모판(mechanical prosthetic mitral valve)치환술을 받은 임신부의 처치로 옳은 것을 고르시오.

① 임신 제1삼분기 동안은 항응고제를 투여하지 않는다

② 분만은 제왕절개술이 권장된다

③ 제왕절개술 후 24시간 후부터는 항응고제를 투여해야 한다

④ 와파린은 수유 중 금기이다

⑤ 분만 후 피임은 경구피임제를 권장한다

09

정답 ③

해설

임신 전 판막치환술을 받은 산모

1. 판막에 따른 임신 중 항응고제
   a. 기계식판막 : 항응고제 필요
   b. 이종판막 : 항응고제 불필요
2. 항응고제 종류에 따른 투여 원칙

항응고제의 종류	투여 원칙
경구 항응고제	임신 36주부터는 저분자량 헤파린이나 미분획 헤파린으로 교체 투여
저분자량 헤파린	분만, 제왕절개 24시간 전까지 사용
미분획 헤파린	분만 4~6시간 전에 중단

3. 항응고제의 재투여
   a. 질식분만 : 분만 6시간 뒤 와파린 or 헤파린 다시 투여
   b. 제왕절개 : 수술 6~12시간 뒤 저분자량 헤파린이나 미분획 헤파린을 다시 투여(대개 24시간 후 다시 투여)
4. 차단법(barrier) 또는 영구피임법 권유

참고 *Final Check 산과 809, 810, 820 page*

10

기계식 인공승모판치환술을 받았던 임신부가 임신을 확인 후 상담을 위해 내원하였다. 항응고제 사용에 대한 설명으로 옳은 것을 고르시오.

① 임신 제1삼분기에는 항응고제를 투여하지 않는다

② 헤파린을 사용하면 태아 기형의 빈도가 증가한다

③ 임신 6~12주, 36주 이후 헤파린을 투여한다

④ 분만진통 중 항응고제를 투여한다

⑤ 수유 중 와파린 사용은 금기이다

10

정답 ③

해설

판막치환술을 받은 산모의 임신 중 관리

1. 와파린(warfarin)
   a. 기형유발 효과
   b. 하루 5 mg 이하일 때는 지속 복용하다가 분만 직전 헤파린으로 변경
   c. 모유수유 중에도 복용 가능
2. 항응고제 종류에 따른 투여 원칙

항응고제의 종류	투여 원칙
경구 항응고제	임신 36주부터는 저분자량 헤파린이나 미분획 헤파린으로 교체 투여
저분자량 헤파린	분만, 제왕절개 24시간 전까지 사용
미분획 헤파린	분만 4~6시간 전에 중단

참고 *Final Check 산과 807, 809 page*

11

승모판협착으로 기계식 인공승모판치환술의 과거력이 있는 27세 여성이 임신 전 상담을 위해 내원하였다. 상담에 대한 내용으로 옳은 것을 모두 고르시오.

(가) 임신 금기이므로 만일 임신 중이라면 즉시 유산을 진행해야 한다
(나) 분만진통 시 heparin을 사용해야 하므로 출혈의 위험성이 높다
(다) 태아에 발생하는 출혈성 질환을 줄이기 위해 제왕절개로 분만해야 한다
(라) 임신 중 자연 유산, 사산, 태아 기형의 발생 가능성이 있다

① 가, 나, 다　② 가, 다
③ 나, 라　④ 라
⑤ 가, 나, 다, 라

11

정답 ④

해설

판막치환술의 임신에 대한 영향

1. 합병증
   a. 혈전색전증, 항응고제에 의한 출혈, 심부전
   b. 자연유산, 사산, 태아기형 등
2. 모성 사망율 3~4%
3. 임신을 원하는 경우 심사숙고
4. 기계식판막 : 항응고제 필요

참고 *Final Check 산과 820 page*

12

심장에 기계식판막을 장착한 임산부의 항응고제에 대한 설명으로 잘못된 것을 모두 고르시오.

(가) 임신 중반기 이후에는 warfarin을 투여한다
(나) 산전관리 시 투여한 warfarin은 분만 예정일 3~4주 전에 heparin으로 바꾸어 투여한다
(다) 진통 시 계속 heparin을 투여하면 태아의 두개내출혈 위험이 증가한다
(라) 임신 8주 이내에는 heparin을 투여한다

① 가, 나, 다　② 가, 다
③ 나, 라　④ 라
⑤ 가, 나, 다, 라

12

정답 ①

해설

임신 전 판막치환술을 받은 산모

1. 판막에 따른 임신 중 항응고제
   a. 기계식판막 : 항응고제 필요
   b. 이종판막 : 항응고제 불필요
2. 항응고제 종류에 따른 투여 원칙

항응고제의 종류	투여 원칙
경구 항응고제	임신 36주부터는 저분자량 헤파린이나 미분획 헤파린으로 교체 투여
저분자량 헤파린	분만, 제왕절개 24시간 전까지 사용
미분획 헤파린	분만 4~6시간 전에 중단

3. 항응고제의 재투여
   a. 질식분만 : 분만 6시간 뒤 와파린 or 헤파린 다시 투여
   b. 제왕절개 : 수술 6~12시간 뒤 저분자량 헤파린이나 미분획 헤파린을 다시 투여(대개 24시간 후 다시 투여)

참고 *Final Check 산과 809, 820 page*

13

기계식 인공판막치환술을 받은 여성이 임신을 했을 때 사용해야 하는 약제를 고르시오.

① Digitalis ② Dexamethasone

③ Dextran ④ Heparin

⑤ Aspirin

13

정답 ④

해설

판막치환술을 받은 산모의 임신 중 처치

1. 와파린(warfarin)
   a. 기형유발 효과
   b. 하루 5 mg 이하일 때는 지속 복용하다가 분만 직전 헤파린으로 변경
   c. 모유수유 중에도 복용 가능
2. 헤파린(heparin)
   a. 장기간 투여 시 골다공증의 위험
   b. 부작용 : 혈소판감소증, 무균농양 형성

참고 *Final Check 산과 807 page*

14

다음 중 태반을 통과하지 않는 약물을 고르시오.

① Heparin ② Warfarin

③ Aspirin ④ Propylthiouracil

⑤ Penicillin

14

정답 ①

해설

헤파린(Heparin)

1. 임신 중 사용하는 항응고제
2. 태반을 통과하지 않음

참고 *Final Check 산과 809 page*

15

인공 승모판치환술(prosthetic mitral valve replacement)을 시행 받은 산모의 응급 제왕절개술 시 감염성 심내막염의 예방을 위해 사용해야하는 약제는 무엇인가?

① Ampicillin

② Clindamycin

③ Erythromycin

④ Metronidazole + Ciprofloxacin

⑤ Ampicillin + Ceftriaxone

15

정답 ①

해설

감염성 심내막염의 예방적 항생제 요법

1. Standard (IV) : Ampicillin 2 g or Cefazolin or Ceftriaxone 1 g
2. Penicillin–allergic (IV) : Cefazolin or Ceftriaxone 1 g or Clindamycin 600 mg
3. Oral : Amoxicillin 2 g

참고 *Final Check 산과 806 page*

16

전자간증으로 유도분만한 산모가 분만 5일 뒤부터 시작된 호흡곤란, 기침, 가슴 통증을 주소로 내원하였다. 흉부 X-ray상 심장비대, 심장 초음파상 심박출량 20%로 감소되어 있었다. 다음 중 가장 가능성이 높은 질환은 무엇인가?

① Pneumonia

② Cardiomyopathy

③ Amniotic fluid embolism

④ Pulmonary thromboembolism

⑤ Angina

16

정답 ②

해설

분만 전 · 후 심장근육병증

1. 특별한 심장질환이 없었던 여성에서 임신 마지막 1개월부터 출산 후 5개월 사이에 발생하는 원인불명의 심장기능상실
2. 증상 : 호흡곤란, 앉아 숨쉬기, 기침, 두근거림, 흉통 등
3. 검사
   a. 흉부 X-선 : 현저한 심장비대
   b. 심초음파 : 좌심실 확장, 수축 기능의 장애

참고 *Final Check 산과 818 page*

17

쌍태아를 임신한 산모가 임신 32주에 기침 및 흉통을 호소하며 내원하였다. 환자는 지속적으로 숨이 차고 흉부 X-선상 심장비대 소견이 보였다면 다음으로 시행할 가장 필요한 검사를 한가지 쓰시오.

17

정답

심장초음파 검사(echocardiography)

해설

분만 전 · 후 심장근육병증의 진단 방법

1. 흉부 X-선 : 현저한 심장비대
2. 심초음파 : 좌심실 확장, 수축 기능의 장애

참고 *Final Check 산과 818 page*

18

다음 중 임신이 금기인 심장질환은 무엇인가?

① 승모판협착

② 승모판탈출

③ 승모판역류

④ 폐동맥 고혈압

⑤ 대동맥협착

18

정답 ④

해설

심장질환과 임신의 위험성 분류

WHO 4
폐동맥 고혈압 중증 전신심실장애 : NYHA III/IV, 좌심실박출률 <30% 좌심실 기능장애가 남은 분만전후 심장근육병증 과거력 중증 좌심실폐쇄 Marfan증후군(대동맥 확장 >40 mm)
• 심각한 모성사망/이환 증가 • 임신의 금기증, 임신중절 필요 • 임신 시, 매월 또는 격월로 심장내과, 산과 추적관찰

참고 *Final Check 산과 803 page*

19

다음 중 임신 여성에서 발생하는 심장질환 중 가장 사망률이 높은 것은 어느 것인가?

① Atrial septal defect (ASD)

② Ventricular septal defect (VSD)

③ Tricuspid valve insufficiency

④ Pulmonary hypertension

⑤ Patent ductus arteriosus (PDA)

19

정답 ④

해설

심장질환과 임신의 위험성 분류

WHO 4
폐동맥 고혈압 중증 전신심실장애 : NYHA III/IV, 좌심실박출률 <30% 좌심실 기능장애가 남은 분만전후 심장근육병증 과거력 중증 좌심실폐쇄 Marfan증후군(대동맥 확장 >40 mm)
• 심각한 모성사망/이환 증가 • 임신의 금기증, 임신중절 필요 • 임신 시, 매월 또는 격월로 심장내과, 산과 추적관찰

참고 *Final Check 산과 803 page*

20

다음 중 모성 사망률이 가장 높은 질환은 무엇인가?

① Patent ductus arteriosus

② Ventricular septal defect

③ Pulmonary hypertension

④ Aortic stenosis

⑤ Mitral stenosis

20

정답 ③

폐고혈압의 모성 사망률 증가

1. 중증(severe) 폐고혈압 : 임신 금기증
2. 경증(mild) 폐고혈압 : 임신 금기증 아님

참고 *Final Check 산과 817 page*

CHAPTER 45

호흡기질환(Pulmonary disorders)

01

천식이 있는 임신부에서 기도 폐쇄의 정도를 감시하기 위한 가장 유용한 방법을 고르시오.

① 흉부 청진

② 흉부 X-ray

③ 혈액 내 이산화탄소 분압 측정

④ 1초간 강제호기량(FEV1) 측정

⑤ 맥박 산소 계측(pulse oximeter)

01

정답 ④

해설

폐기능 측정

1. 의의
   a. 기류 제한의 정도와 천식 진단에 필수적인 가역성과 변동률을 측정
   b. 천식 관리를 위한 전략 수립의 기초
   c. 천식 조절의 보조적인 정보를 제공
2. 폐기능 측정 방법
   a. 1초간 강제호기량(FEV1)
   b. 최고호기유속(PEFR)

참고 *Final Check 산과 825 page*

02

임신 38주 임신부가 급성 천식으로 응급실에 내원하였다. 다음 중 가장 적절한 처치를 고르시오.

① 산소 공급과 수액 요법, 약물 요법을 병행한다

② 기관지 확장제와 스테로이드 병합 사용은 금기이다

③ 산모의 폐기능 평가는 ABGA로 충분하다

④ 제왕절개술로 분만한다

⑤ 자궁수축제로는 prostaglandin F를 투여한다

02

정답 ①

해설

임신 중 급성 천식 악화의 처치

1. 입원, 수액 정맥주사(대개 증상 호전)
2. 산소 공급(O_2 mask), 맥박산소측정
3. 기초 폐기능검사 : FEV1, PEFR
4. 태아안녕검사
5. 약물치료 : β-agonist, corticosteroids

참고 *Final Check 산과 826 page*

03

기관지 천식으로 흡인제를 사용하는 임신 38주 초산모가 맑은 물같은 분비물을 주소로 내원하였다. 검사상 양막파수가 확인되었고, 내진상 두정위, 자궁경부 개대 3 cm, 소실 75%, 하강도 −2, 비수축검사(NST)는 정상 변이도를 보였다. 이 산모의 다음 처치로 가장 적절한 것을 고르시오.

① $PGF_{2\alpha}$

② Corticosteroids

③ Oxytocin

④ 양수주입술

⑤ 제왕절개

03

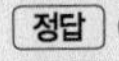 ②

해설

천식 산모의 분만진통 중 처치

1. 잘 조절되는 천식 : 진통 및 분만 중에 평상시의 투약을 지속
2. 임신 중 지속적으로 전신 corticosteroid를 투여하던 환자 : hydrocortisone 100 mg, 8시간마다 정맥주사
3. 진통제 : Non−histamine−releasing narcotics
4. 마취 방법 : 경막외마취(epidural analgesia)
5. 유도분만, 자궁수축 시 사용 가능한 약제
   a. Oxytocin, PGE_1, PGE_2
   b. $PGF_{2\alpha}$ or ergotamine derivatives : 심각한 기관지연축(bronchospasm) 유발 가능

참고 *Final Check 산과 826 page*

04

다음 중 산모에서 투베르쿨린검사(tuberculin skin test) 상 5 mm 이상을 비정상으로 진단해야 하는 경우를 고르시오.

① Low income population

② Drug user with HIV (-)

③ HIV (+)

④ Foreign born

⑤ Hepatitis

04

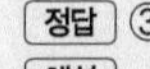 ③

해설

투베르쿨린검사(TST) 상 치료해야 하는 경우

Tuberculin test ≥5 mm
HIV positive Abnormal chest X−ray Recent contact with an active case
Tuberculin test ≥10 mm
Foreign born IV drug users with HIV (−) Low income population

참고 *Final Check 산과 830 page*

05

5년 전부터 투베르쿨린검사(tuberculin skin test)에서 양성이던 임신 20주 28세 초임부가 심한 기침을 주소로 내원하였다. 흉부 X-선 검사상 정상, HIV 음성이었으며, 3회의 객담 항산균(acid fast bacilli) 도말검사가 음성으로 나왔다. 다음 중 가장 적절한 처치는 무엇인가?

① Antepartum INH + Vit.B6

② Antepartum INH + Streptomycin

③ Antepartum INH + RFP + EMB

④ Postpartum INH + Vit.B6

⑤ Postpartum INH + RFP + EMB

05

정답 ④

해설

임신 중 결핵의 잠복 감염 치료

1. Isoniazid 300 mg daily for 1 year
   a. 비임신, tuberculin (+), age <35 years
   b. 활동성 질환의 증거가 없음
2. 임신, HIV (−) : 분만 후 isoniazid 치료
3. 치료를 미루면 안되는 경우
   a. 최근 피부검사 변환자로 확인된 경우
   b. 활동 감염에 노출된 피부검사 양성 여성
   c. HIV 양성 여성
4. INH의 말초신경염 예방 : Pyridoxine (vit.B6)

참고 *Final Check 산과 831 page*

06

임신 18주 산모가 활동성 결핵으로 진단되었다. 이 산모의 처치로 가장 적절한 것을 고르시오.

① Isoniazid

② 경과 관찰

③ 분만 후 치료

④ Isoniazid + Rifampin + Ethambutol

⑤ Kanamycin + Streptomycin

06

정답 ④

해설

임신 중 결핵의 활동 감염 치료

1. 임신부 결핵이 의심되는 경우 바로 치료
2. 권고 치료법 : 3제 or 4제 요법 + pyridoxine
3. Pyridoxine 투여 : INH의 말초신경염 예방

참고 *Final Check 산과 831 page*

07

임신 8주 산모가 경증 활동성 폐결핵을 진단받았다면 다음 중 가장 적절한 처치를 고르시오.

① 효과적인 치료를 위해 유산시킨다

② 균내성 확인 후 치료 약제를 선택한다

③ Isoniazid + Rifampin + Ethambutol을 투여한다

④ Streptomycin은 다른 약제에 내성이 생기면 사용할 수 있다

⑤ 항결핵제를 4주간 투여한 후 유산시킨다

07

정답 ③

해설

임신 중 결핵의 활동 감염 치료

1. 임신부에서 결핵이 상당히 의심되는 경우에는 바로 치료 시행
2. 권고 치료법 : 3제 or 4제 요법 + pyridoxine
3. Pyridoxine 투여 : INH의 말초신경염 예방

참고 *Final Check 산과 831 page*

08

임신 8주에 활동성 결핵을 진단받은 산모가 내원하였다. 다음 중 가장 적절한 치료 시기를 고르시오.

① 즉시 치료를 시작한다

② 임신 13주에 치료를 시작한다

③ 임신 37주에 치료를 시작한다

④ 분만 후 치료를 시작한다

⑤ 분만 6주 후 치료를 시작한다

08

정답 ①

해설

임신 중 결핵의 활동 감염 치료

1. 임신부에서 결핵이 상당히 의심되는 경우에는 바로 치료 시행
2. 권고 치료법 : 3제 or 4제 요법 + pyridoxine
3. Pyridoxine 투여 : INH의 말초신경염 예방

참고 *Final Check 산과 831 page*

09

다음 중 임신 중에 투여할 수 있는 항결핵제를 모두 고르시오.

(가) Isoniazid
(나) Ethambutol
(다) Rifampin
(라) Streptomycin

① 가, 나, 다 ② 가, 다
③ 나, 라 ④ 라
⑤ 가, 나, 다, 라

09
정답 ①
해설
임신 중 사용할 수 없는 결핵치료제

약제	위험성
Aminoglycoside (streptomycin, kanamycin, amikacin, capreomycin)	태아의 청력이상, 난청(deafness) 초래
Prothionamide	물실험에서 태아의 성장발달을 저해
p–aminosalicylic acid	출생 시 여러 이상 보고
Quinolone, Cycloserine, Rifabutin	안전성이 검증되지 않아 다른 약을 선택할 수 없을 경우만 사용
Bedaquiline, Delamanid, Clofazimine	안전성에 대한 임상 자료가 부족

참고 *Final Check 산과 831 page*

10

임신 14주 임신부가 기침, 가래, 미열 그리고 각혈을 주소로 내원하여 진찰한 결과 폐결핵이 의심되었다. 다음 중 적절한 조치를 모두 고르시오.

(가) 배를 가리고 흉부 X–선 촬영
(나) 치료적 유산
(다) Isoniazid
(라) Streptomycin

① 가, 나, 다 ② 가, 다
③ 나, 라 ④ 라
⑤ 가, 나, 다, 라

10
정답 ②
해설
임신 중 결핵의 진단과 치료

1. 진단
   a. 임상 소견과 검사들을 종합적으로 판단
   b. 검사 방법 : 흉부 X–선 검사, 흉부 전산화단층촬영, 항산균(acid fast bacilli) 도말검사, 항산균 배양검사, 결핵균 핵산증폭검사, 조직검사 및 면역학적 검사
2. 권고 치료법 : 3제 or 4제 요법 + pyridoxine
3. 임신에 대한 영향
   a. 임신은 결핵의 증상, 경과에 영향이 없음
   b. 활동성 결핵도 태아와 임신부 예후는 양호

참고 *Final Check 산과 830, 831 page*

11

28세 주부가 폐결핵으로 표준 요법으로 4개월간 치료를 받는 도중 임신 5개월로 확인되었다면 이 산모에 대한 올바른 처치를 고르시오.

① 투약을 중지하고 출산 후 다시 투약

② 현재 치료를 유지

③ INH 단독 투여

④ 투약을 중지하고 주기적으로 재발 감시

⑤ Streptomycin, cycloserine으로 교체

12

임신 중 발견된 폐결핵에 대한 다음의 설명들 중 옳은 것을 모두 고르시오.

(가) 임신 초기에 폐결핵이 악화되면 유산을 시켜야 한다
(나) 임신은 폐결핵의 경과에 영향을 미치지 않는다
(다) 항결핵제로 streptomycin을 사용해도 괜찮다
(라) 활동성 폐결핵이 있는 임산부로부터 태어난 신생아는 INH를 예방적으로 투여해야 한다

① 가, 나, 다　② 가, 다
③ 나, 라　④ 라
⑤ 가, 나, 다, 라

11

정답 ②

해설

임신 중 결핵의 활동 감염 치료

1. 권고 치료법 : 3제 or 4제 요법 + pyridoxine
2. 미국은 pyrazinamide의 안전성에 대한 우려
3. Pyrazinamide를 포함하는 일차 항결핵제로 결핵 치료 중 임신이 확인되어도 유산을 권고해서는 안 됨

참고 *Final Check 산과 831 page*

12

정답 ③

해설

결핵의 임신에 대한 영향

1. 임신은 결핵의 증상, 경과에 영향이 없음
2. 활동성 결핵도 태아와 임신부 예후는 양호
3. Aminoglycoside : 태아의 청력이상 가능성
4. Isoniazid chemoprophylaxis가 신생아에게 효과적인지 확실하지 않지만 BCG 접종 여부에 관계없이 투여 가능

참고 *Final Check 산과 830, 831, 832 page*

CHAPTER 46

혈전색전성질환(Thromboembolic disorder)

01

임신 35주인 산모가 다리의 부종을 주소로 내원하였다. 산모는 키 150 cm, 체중 90 kg이었고, 활력 징후는 모두 정상이었지만 진찰상 한쪽 다리만 부어 있었다. 이 산모의 진단을 위한 검사로 가장 적절한 것을 고르시오.

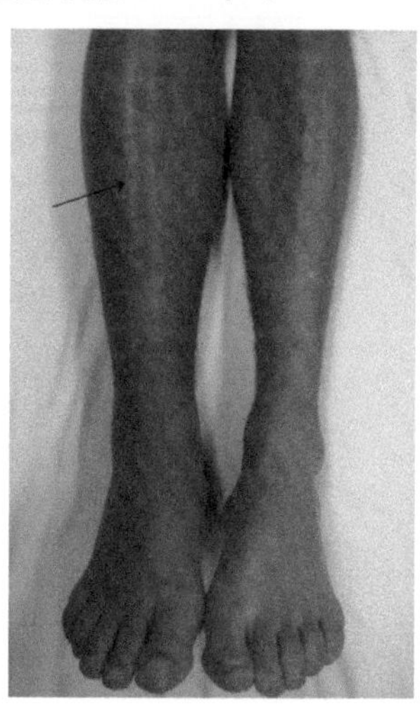

① 압박초음파 ② 전산화단층촬영
③ 림프조영술 ④ 자기공명영상
⑤ 경과 관찰

01

정답 ①

해설

심부정맥혈전증의 진단

1. 압박초음파(compression ultrasound) : 초기에 권고되는 진단적 검사
2. 자기공명영상(MRI)
3. D-dimer
4. 정맥조영술(venography)
5. 혈량측정법(impedance plethysmography)
6. 전산화단층촬영(CT)

참고 *Final Check 산과 837 page*

02

체중 105 kg인 35세 임신부가 제왕절개 2일 후부터 갑자기 좌측 하지의 통증과 부종이 발생하였다. 이 산모의 진단을 위해 가장 먼저 시행할 검사는 무엇인가?

① 자기공명조영술(magnetic resonance venography)

② 정맥조영술(venography)

③ 압박초음파(compression ultrasonography)

④ 전산화단층촬영(CT)

⑤ 혈량측정법(impedance plethysmography)

02

정답 ③

해설

심부정맥혈전증의 진단

1. 압박초음파(compression ultrasound) : 초기에 권고되는 진단적 검사
2. 자기공명영상(MRI)
3. D-dimer
4. 정맥조영술(venography)
5. 혈량측정법(impedance plethysmography)
6. 전산화단층촬영(CT)

참고 *Final Check 산과 837 page*

03

43세 다분만부가 임신을 확인 후 내원하였다. 마지막 생리는 5주 전이었고 초음파상 G-sac은 5주 정도의 크기로 확인되었다. 산모는 3개월 전부터 심부정맥혈전증을 진단받고 와파린 사용 중이었다면 다음 처치로 가장 적절한 것을 고르시오.

① 경과 관찰

② 헤파린으로 대체

③ 아스피린으로 대체

④ 헤파린 병용 투여

⑤ 아스피린 병용 투여

03

정답 ②

해설

심부정맥혈전증의 치료

1. 헤파린(heparin)
   a. 태반을 통과하지 않아 임신 중 안전
   b. 미분획 헤파린, 저용량 헤파린(LMWH)
2. 분만 전 항응고치료
   a. 분만 한달 전에 저용량 헤파린에서 미분획 헤파린으로 교체
   b. 임신 주수와 관계없이 분만이 임박한 경우 가능한 빨리 미분획 헤파린으로 교체

참고 *Final Check 산과 838 page*

04

34세의 초산부가 분만 후 자궁내막염이 발생하여 입원하여 8일 동안 항생제 및 수액 치료를 받았다. 환자의 상태는 호전되었으나 8일째에 갑자기 빠른 호흡, 흉부통증, 빈맥 등의 증상이 발생하였다. 다음 중 가장 가능성이 높은 질환은 무엇인가?

① 심근경색(myocardial infarction)
② 양수색전증(amniotic fluid embolism)
③ 폐색전증(pulmonary embolism)
④ 골반 농양(pelvic abscess)
⑤ 태변 흡인(meconium aspiration)

04

정답 ③

해설

폐색전증의 주요 증상

1. 호흡곤란, 흉부통증, 기침, 객혈
2. 빠른 호흡, 빈맥, 불안감
3. RAD, T-wave inversion in the ant. chest lead
4. 정상 ABGA
5. Alveolar-arterial O_2 difference ≥20 mmHg

참고 *Final Check 산과 840 page*

05

분만 후 발생하는 폐색전증의 증상을 모두 고르시오.

(가) 호흡이 가빠진다
(나) 흉부통증이 있다
(다) 명백한 불안감이 있다
(라) 분당 16회 이하의 호흡수를 보인다

① 가, 나, 다 ② 가, 다
③ 나, 라 ④ 라
⑤ 가, 나, 다, 라

05

정답 ①

해설

폐색전증의 주요 증상

1. 호흡곤란, 흉부통증, 기침, 객혈
2. 빠른 호흡, 빈맥, 불안감
3. RAD, T-wave inversion in the ant. chest lead
4. 정상 ABGA
5. Alveolar-arterial O_2 difference ≥20 mmHg

참고 *Final Check 산과 840 page*

06

체질량지수(BMI) 32 kg/mm^{2}로 비만인 초산부가 임신성 고혈압으로 임신 36주에 제왕절개분만을 하였다. 분만 3일 후 산모는 갑자기 흉통, 호흡곤란을 호소하였고, 혈압 110/80 mmHg, 심박수 120회/min.으로 확인되었다. 흉부 X-선 검사는 특이 소견이 없었으나, 심전도상 T-wave inversion이 나타났다. 가장 가능성이 높은 진단(A)과 이 환자의 위험인자 3가지(B)를 쓰시오.

06

정답
(A) 폐색전증(pulmonary embolism)
(B) 체질량지수(BMI), 임신중독증, 수술과거력

해설

임신 중 폐색전증의 위험인자
수술 과거력 임신중독증 3회 이상의 출산력 35세 이상의 고령 산모 폐색전증의 과거력 빈혈 체질량지수(BMI) ≥30

참고 *Final Check 산과 840 page*

07

임신 40주 산모가 제왕절개 3시간 뒤 호흡곤란이 발생하였다. 시행한 CT가 아래 그림과 같았다면 다음 중 가장 가능성이 높은 진단명은 무엇인가?

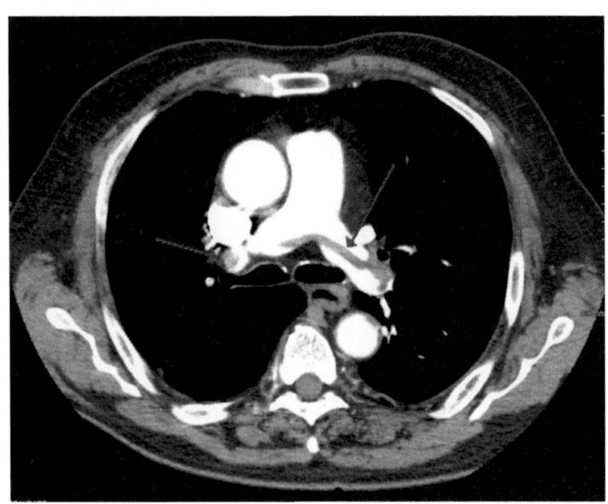

① 폐색전증
② 양수색전증
③ 폐부종
④ 임신중독증
⑤ 소모성 혈액응고장애

07

정답 ①

해설

폐색전증의 진단

1. CT 혈관조영검사(CT angiography)
2. 환기-혈류스캔(ventilation-perfusion scan)
3. 압박초음파(compression ultrasound)
4. 흉부 X-선 검사
5. D-dimer
6. MRI

→ 양수색전증은 CT로 확인 불가능

참고 *Final Check 산과 841 page*

08

임신 28주인 25세 임신부가 조기진통으로 입원 치료 중 갑작스러운 흉통, 호흡곤란, 청색증이 발생하였다. 활력 징후는 혈압 80/60 mmHg, 맥박 110회/min., 호흡수 30회/min., 청진상 수포음 들렸으나 흉부 X-선 검사는 정상이었다. 다음 중 가장 가능성이 높은 진단명은 무엇인가?

① 폐렴(pneumonia)
② 폐부종(pulmonary edema)
③ 폐색전증(pulmonary embolism)
④ 기흉(pneumothorax)
⑤ 흉수(pleural effusion)

08

정답 ③

해설

폐색전증의 주요 증상

1. 호흡곤란, 흉부통증, 기침, 객혈
2. 빠른 호흡, 빈맥, 불안감
3. RAD, T-wave inversion in the ant. chest lead
4. 정상 ABGA
5. Alveolar-arterial O_2 difference ≥20 mmHg

참고 *Final Check 산과 840 page*

09

산후 폐색전증의 진단에 사용되는 검사가 아닌 것을 고르시오.

① Treadmill test
② Ventilation-perfusion lung scan
③ Compression ultrasound
④ D-dimer
⑤ CT angiography

09

정답 ①

해설

폐색전증의 진단

1. 환기-혈류스캔(ventilation-perfusion scan)
2. CT 혈관조영검사(CT angiography)
3. 압박초음파(compression ultrasound)
4. 흉부 X-선 검사
5. D-dimer
6. MRI

참고 *Final Check 산과 841 page*

10

임신 39주인 34세 초산모가 교통사고로 대퇴골 골절(femur fracture)이 발생하여 병원에 내원하였다. 응급 제왕절개분만 후 9일째부터 열은 없으나 갑자기 숨이 차고 가슴통증과 빈맥이 발생하였다. 이 환자의 진단명으로 가장 가능성이 높은 것을 고르시오.

① 유방울혈 ② 흡인성 폐렴
③ 폐색전증 ④ 양수색전증
⑤ 독성쇼크증후군

10

정답 ③

해설

폐색전증의 주요 증상

1. 호흡곤란, 흉부통증, 기침, 객혈
2. 빠른 호흡, 빈맥, 불안감
3. RAD, T–wave inversion in the ant. chest lead
4. 정상 ABGA
5. Alveolar–arterial O_2 difference ≥20 mmHg

참고 *Final Check 산과 840 page*

11

임신 40주에 질식분만을 한 30세 다분만부가 분만 3일 뒤부터 갑자기 흉부통증과 호흡곤란, 청색증을 호소하였다. 생체징후는 혈압 90/60 mmHg, 맥박수 100회/min., 호흡수 28회/min.로 확인되었다면 다음 중 가장 가능성이 높은 진단명은 무엇인가?

① 무기폐 ② 급성 폐렴
③ 심근경색 ④ 폐색전증
⑤ 유선염

11

정답 ④

해설

폐색전증의 주요 증상

1. 호흡곤란, 흉부통증, 기침, 객혈
2. 빠른 호흡, 빈맥, 불안감
3. RAD, T–wave inversion in the ant. chest lead
4. 정상 ABGA
5. Alveolar–arterial O_2 difference ≥20 mmHg

참고 *Final Check 산과 840 page*

CHAPTER 47

신장 및 요로질환(Renal and Urinary tract disorders)

01

임신 30주인 초산부가 발열 및 오한을 주소로 내원하였다. 산모는 약 1주일 전부터 배뇨 시 통증이 느껴졌고, 현재 오른쪽 옆구리에 경한 통증이 있다고 하였다. 혈압 120/80 mmHg, 심박수 95회/min., 체온 38.9℃, 늑골척추각 압통이 있었고, 혈액 검사상 백혈구 19,000/μL, 소변 검사상 다수의 백혈구가 관찰되었다. 이러한 질환이 임신부에서 자주 발생하는 이유를 고르시오.

① 신장을 관류하는 혈액량이 증가한다
② 질 분비물이 증가하고 산도가 변화한다
③ 탄수화물 대사 및 당내성이 변화한다
④ 태반에서 분비되는 사람융모생식샘자극호르몬이 혈액 내에 고농도로 존재한다
⑤ 자궁크기 증가 및 프로게스테론 영향으로 소변의 정체가 일어난다

01

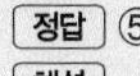
정답 ⑤

해설

임신 중 신장의 해부학적 변화

1. 임신 중에는 신장의 전체 크기가 증가
2. 집합계(urinary collecting system)의 확장
   a. 상행 요로감염 증가의 원인
   b. 요관, 신우 확장은 오른쪽이 더 심함

참고 *Final Check 산과 843 page*

02

27세 초산부가 임신 18주에 시행한 소변 검사에서 다수의 백혈구가 검출되었다. 소변배양검사 결과 E.coli 100,000/mL 이상으로 확인되었지만 산모는 현재 빈뇨, 배뇨통, 발열, 양측 늑골척추각 압통 등은 없었다. 이 산모에 대한 다음 처치로 가장 적절한 것을 고르시오.

① 임신 중단

② 추적관찰

③ 소변배양검사 다시 시행

④ 항생제 투여

⑤ 황체형성호르몬 투여

02

정답 ④

해설

임신 중 무증상 세균뇨

1. 증상 (−) + 소변 세균 $\geq 10^5$/mL
2. 증상 (+) + 소변 세균 $< 10^5$/mL → 치료
3. 치료 시 조산, 저출생체중 등의 위험도 감소
4. 치료하지 않으면 급성 방광염, 신우신염 진행
5. 모든 산모에서 첫 산전진찰 시 무증상 세균뇨에 대한 선별검사 시행

참고 *Final Check 산과 845 page*

03

임신 3개월인 28세 여성이 소변배양검사에서 E.coli가 1×10^5개 이상으로 확인되어 재검사를 실시하였고 같은 결과를 보였지만 산모는 전혀 증상이 없었다. 이 산모의 다음 처치로 가장 적절한 것을 고르시오.

① 증상이 발생될 때까지 경과관찰한다

② 요로감염의 과거력이 있으면 항진균제를 투여한다

③ Cephalosporin 계열 항생제를 경구투여한다

④ 복부 초음파 후 항생제 투여 여부를 결정한다

⑤ 수분과 전해질을 공급한다

03

정답 ③

해설

임신 중 무증상 세균뇨

1. 증상 (−) + 소변 세균 $\geq 10^5$/mL
2. 증상 (+) + 소변 세균 $< 10^5$/mL → 치료
3. 치료 시 조산, 저출생체중 등의 위험도 감소
4. 치료하지 않으면 급성 방광염, 신우신염 진행
5. 모든 산모에서 첫 산전진찰 시 무증상 세균뇨에 대한 선별검사 시행

참고 *Final Check 산과 845 page*

04

임신 9주인 다분만부의 산전검사상 무증상 세균뇨가 발견되었다. 다음으로 가장 적절한 처치는 무엇인가?

① 경과관찰

② 6주 후 재검

③ Metronidazole 280 mg 7일간 투여

④ Amoxicillin 1,500 mg 3일간 투여

⑤ Gentamicin 80 mg 1회 근주

05

임신 중 무증상 세균뇨(asymptomatic bacteriuria)를 치료해야 하는 이유를 쓰시오.(2가지)

04

정답 ④

해설

임신 중 무증상 세균뇨의 치료

1회요법(Single-dose treatment)
Amoxicillin, 3 g Ampicillin, 2 g Cephalosporin, 2 g Nitrofurantoin, 200 mg Trimethoprim-sulfamethoxazole, 320/1600 mg
3일요법(3-day course)
Amoxicillin, 500 mg, 하루 세 번 Ampicillin, 250 mg, 하루 네 번 Cephalosporin, 250 mg, 하루 네 번 Ciprofloxacin, 250 mg, 하루 두 번 Levofloxacin, 250 or 500 mg, 하루 한 번 Nitrofurantoin, 100 mg, 하루 두 번 TMP-SMX, 160/800 mg, 하루 두 번

참고 *Final Check 산과 846 page*

05

정답

1. 치료하지 않으면 25%에서 급성 방광염이나 급성 신우신염으로 진행
2. 치료 시 조산, 저출생체중, 임신성 고혈압, 빈혈 등의 위험도 감소

해설

임신 중 무증상 세균뇨의 의의

1. 치료하지 않으면 25%에서 급성 방광염이나 급성 신우신염으로 진행
2. 치료 시 조산, 저출생체중, 임신성 고혈압, 빈혈 등의 위험도 감소
3. 모든 산모에서 첫 산전 진찰 시 무증상 세균뇨에 대한 선별검사 시행을 권고

참고 *Final Check 산과 846 page*

06

임신 16주인 32세 여성이 이틀 전부터 갑자기 시작된 배뇨통과 빈뇨를 주소로 내원하였다. 진찰상 늑골척추각 부위의 압통은 없었으나 하복부의 경한 압통과 소변 검사상 백혈구 증가가 확인되었다. 다음 중 이 산모에게 가장 적절한 치료제를 고르시오.

① Ciprofloxacin ② Tetracycline

③ Cephalosporin ④ Erythromycin

⑤ Gentamicin

07

산모가 배뇨통, 절박뇨, 빈뇨 등의 증상으로 내원하여 시행한 검사상 늑골척추각 압통은 없었으나 소변 검사에서 E.coli가 1×10^5개 이상으로 확인되었다. 이 산모의 치료에 적절한 항생제를 쓰시오.(3가지)

06

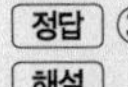
정답 ③

해설

임신 중 방광염 및 요도염의 치료

1. 무증상 방광염의 3일요법 : 90% 정도에서 효과적(1회요법은 덜 효과적)
2. *Chlamydia trachomatis* 요도염
   a. 세균뇨 없이 빈뇨, 절박뇨, 배뇨통이 발생
   b. Azithromycin이 효과적

참고 *Final Check 산과 847 page*

07

정답

1. Amoxicillin
2. Ampicillin
3. Cephalosporin
4. Nitrofurantoin
5. Trimethoprim–sulfamethoxazole

해설

임신 중 방광염 및 요도염의 치료

1회요법(Single–dose treatment)
Amoxicillin, 3 g Ampicillin, 2 g Cephalosporin, 2 g Nitrofurantoin, 200 mg Trimethoprim-sulfamethoxazole, 320/1600 mg
3일요법(3–day course)
Amoxicillin, 500 mg, 하루 세 번 Ampicillin, 250 mg, 하루 네 번 Cephalosporin, 250 mg, 하루 네 번 Ciprofloxacin, 250 mg, 하루 두 번 Levofloxacin, 250 or 500 mg, 하루 한 번 Nitrofurantoin, 100 mg, 하루 두 번 TMP–SMX, 160/800 mg, 하루 두 번

참고 *Final Check 산과 847 page*

08

임신 30주인 산모가 입원하여 cefazolin 1 g을 8시간 간격으로 3일간 치료받고 있던 중 소변배양검사에서 cefazolin 내성 E.coli가 배양되었다. 이 산모에 대한 다음 처치로 가장 적절한 것을 고르시오.

① 소변배양검사를 다시 한다
② Cefazolin과 gentamycin을 동시 투여한다
③ Nitrofurantoin으로 항생제를 변경한다
④ 경정맥신우조영술을 시행한다
⑤ 신장 초음파를 시행한다

08
정답 ③
해설
임신 중 방광염 및 요도염의 치료

1회요법(Single-dose treatment)
Amoxicillin, 3 g Ampicillin, 2 g Cephalosporin, 2 g Nitrofurantoin, 200 mg Trimethoprim-sulfamethoxazole, 320/1600 mg
3일요법(3-day course)
Amoxicillin, 500 mg, 하루 세 번 Ampicillin, 250 mg, 하루 네 번 Cephalosporin, 250 mg, 하루 네 번 Ciprofloxacin, 250 mg, 하루 두 번 Levofloxacin, 250 or 500 mg, 하루 한 번 Nitrofurantoin, 100 mg, 하루 두 번 TMP-SMX, 160/800 mg, 하루 두 번

참고 *Final Check 산과 847 page*

09

임신 중 발생한 요로감염에 대한 설명으로 옳은 것을 모두 고르시오.

(가) 급성 방광염은 3~7일간 항생제를 투여한다
(나) 급성 신우신염은 입원시켜 항생제를 투여한다
(다) 재발 시 지속적인 예방적요법을 시행한다
(라) 우연히 발견된 무증상 세균뇨는 치료가 필요 없다

① 가, 나, 다
② 가, 다
③ 나, 라
④ 라
⑤ 가, 나, 다, 라

09
정답 ①
해설
1. 급성 방광염은 3일요법이 90%에서 효과적
2. 급성 신우신염은 즉각적으로 항생제를 사용
3. 잦은 재발 또는 지속되는 세균뇨 : Nitrofurantoin, 100 mg, 하루 한 번, 취침 전, 남은 임신 기간 동안 유지
4. 무증상 세균뇨는 임신 중 반드시 치료

참고 *Final Check 산과 846, 847, 848 page*

10

임신 24주 초산부가 발열과 오한을 주소로 내원하였다. 혈압 100/80 mmHg, 심박수 110회/min., 체온 38.5℃, 오른쪽 늑골척추각 압통이 있었고, 혈액 검사상 백혈구 18,000개, 소변 검사상 다수의 백혈구가 관찰되었다. 다음 중 이 산모에게 가장 적절한 처치를 모두 고르시오.

(가) 수액 요법
(나) 혈액배양검사
(다) 정맥 항생제 투여
(라) 항생제 치료 완료 1주 후 소변배양검사 재검

① 가, 나, 다 ② 가, 다
③ 나, 라 ④ 라
⑤ 가, 나, 다, 라

10

정답 ⑤

해설

급성 신우신염이 있는 임신부의 관리
임신부의 입원 소변배양검사와 혈액배양검사 시행 전혈구(CBC), 전해질, 혈청 크레아티닌 평가 활력 징후, 소변량 확인 – 유치도뇨관 고려 소변량 ≥50 mL/hr 유지되도록 정맥 내 수액 공급 정맥 내 항생제 투여 호흡곤란 또는 빈호흡 시 흉부 방사선 검사 시행 48시간 후 전혈구(CBC), 전해질, 혈청 크레아티닌 재검 열이 떨어지면 경구 항생제로 교체 24시간 열이 없으면 퇴원, 항생제 치료 7~10일 고려 항생제 치료 종료 1~2주 후 소변배양검사 재검

참고 *Final Check 산과 848 page*

11

임신 30주의 산모가 갑작스러운 고열과 하복부 통증을 주소로 응급실에 내원하였다. 검사상 늑골척추각 압통이 있다면 이 산모의 추정질환에 대한 설명으로 옳지 않은 것은 무엇인가?

① 임신 중기 이후에 주로 발생하며 조기진통, 태반조기박리, 융모양막염 등과 감별이 필요하다
② E. coli가 주원인이며 15% 정도에서 균혈증이 초래되므로 치료 초기에는 이차적인 쇼크의 발생 유무를 주의 깊게 관찰해야 한다
③ 균혈증 시 내인성 독소로 체온조절 이상, 일시적인 신장기능 장애, 용혈을 비롯한 혈액학적인 이상과 급성 호흡곤란증후군이 초래되기도 한다
④ 충분한 수액 공급, 소변량 유지 및 항생제 투여와 함께 조기진통의 위험성을 감소시키기 위해 β-agonist를 투여하는 것이 도움이 된다
⑤ 적절한 치료에도 불구하고 치료에 반응하지 않는 경우 요로결석이 가장 흔한 원인이다

11

정답 ④

해설

급성 신우신염 임신부의 흉부 방사선 검사

1. 호흡곤란이나 빈호흡이 있는 경우 시행
2. 폐부종
   a. 10% 미만에서 발생
   b. 조기진통이 동반되어 β-agonist를 함께 사용할 때 증가

참고 *Final Check 산과 848 page*

12

임신 27주인 임신부가 갑자기 시작된 고열을 주소로 내원하였다. 진찰상 우측 늑골척추각 압통이 있었으며 소변 검사상 다수의 백혈구가 관찰되었다. 이 환자에 대한 설명으로 옳은 것을 고르시오.

① 임신 중기에 가장 흔히 나타나며 대부분 양측성으로 발생한다

② 가장 흔한 원인균은 *Peptostreptococcus*이다

③ 신장기능평가를 위해 경정맥신우조영술(IVP)을 시행한다

④ 빈호흡이나 호흡곤란을 호소하면 즉시 분만을 시행한다

⑤ 치료는 항생제를 정맥 투여하고 열이 떨어지면 경구로 7~10일 더 사용한다

12

정답 ⑤

해설

1. 50% 이상이 오른쪽 신장에서 발생
2. 가장 흔한 원인균 : Escherichia coli
3. 전혈구(CBC), 전해질, 혈청 크레아티닌 : 신장 기능 확인 등을 위해 48시간 후 재검
4. 흉부 X선 검사 : 호흡곤란이나 빈호흡이 있는 경우 시행
5. 열이 떨어지면 경구 항생제로 교체, 총 항생제 투여일이 10~14일은 되도록 유지

참고 *Final Check 산과 847 page*

13

27세 초임부가 임신 32주에 발생한 지속된 우측 옆구리 통증을 주소로 내원하였다. 하루 전부터 입맛이 없고 구역질이 났었고, 내원 시 체온 37℃, 우측 옆구리 부위의 요통이 있었다. 혈액 검사에서 백혈구 14,000/mm^2, 소변 검사는 정상으로 확인된다면 다음 처치로 가장 적절한 것을 고르시오.

① 신장 초음파

② 조기진통이 의심되므로 자궁수축억제제 투여

③ 진단이 확실하지 않지만 1주간 항생제 투여

④ 제왕절개술

⑤ 실험적 개복술

13

정답 ①

해설

임신 중 신장결석 진단

1. 신장 초음파 : 임신 중 첫 번째 진단 방법
2. 자기공명영상(MRI) : 임신으로 다른 방사선학적 검사가 부적절한 경우 사용
3. 전산화단층촬영(CT)
4. Half-fourier single-shot turbo-spin echo (HASTE)
5. Magnetic resonance urography(MRU)

참고 *Final Check 산과 850 page*

14

임신 17주인 30세 초산부가 급성 신우신염으로 광범위 항생제를 72시간 동안 투여하였으나 증상의 호전이 없이 고열과 옆구리 통증이 지속되었다. 이 산모에게 시행해야 할 검사들로 적절한 것을 모두 고르시오.

(가) Abd–pelvic CT
(나) Renal sonography
(다) Cystoscopy
(라) One–shot pyelogram

① 가, 나, 다　② 가, 다
③ 나, 라　④ 라
⑤ 가, 나, 다, 라

14

정답 ③

해설

치료에 반응하지 않는 임신부의 신우신염 치료

1. 적절한 항생제와 수액 치료 약 72시간 후에도 열이 지속되는 경우
2. 요로폐색이나 다른 합병증의 유무를 확인하기 위한 추가 검사가 필요
   a. 신장 초음파
   b. 복부 단순 촬영, one–shot IVP
   c. MRI

참고 *Final Check 산과 849 page*

15

임신 23주 임신부가 갑자기 발생한 우측 복통과 육안적인 혈뇨를 주소로 내원하였다. 소변 검사상 다수의 수산칼슘 결정이 발견되었지만 소변배양검사에서는 균은 없었다. 산모의 생체징후는 안정적이었고 진통제 사용 후 통증은 감소되었다. 이 산모에 대한 설명으로 맞는 것을 모두 고르시오.

(가) 복부 초음파를 시행한다
(나) 요로결석이 의심되므로 KUB를 촬영한다
(다) 검사 결과 0.5 cm 이하의 작은 요로결석이면 자연 배출을 유도한다
(라) 통증이 자주 재발하면 산모의 안전을 위해 조기분만 한다

① 가, 나, 다　② 가, 다
③ 나, 라　④ 라
⑤ 가, 나, 다, 라

15

정답 ①

해설

임신 중 신장결석의 진단과 치료

1. 진단
   a. 신장 초음파, MRI
   b. CT
   c. HASTE, MRU
2. 치료
   a. 보존적 처치 : 안정과 적절한 수분 공급, 임신부는 요관이 확장되어 보존적 치료로도 65~80%에서 결석이 자연 배출
   b. 침습적 처치 : 경피적 신루설치술, 요관내시경, 체외충격파쇄석술, 수술적 제거

참고 *Final Check 산과 850 page*

16

만성 신장질환 임산부의 신장기능이 악화될 수 있는 요인을 모두 고르시오.

(가) Serum Cr ≥1.4 mg/dL
(나) GFR >100 mL/min.
(다) Proteinuria >1 g/day
(라) 소변 적혈구 1~4/HP

① 가, 나, 다
② 가, 다
③ 나, 라
④ 라
⑤ 가, 나, 다, 라

17

만성 신장질환이 있는 산모와 태아의 예후에 가장 중요한 인자를 고르시오.

① 혈색소
② 혈중 creatinine 농도
③ 혈뇨의 유무
④ 24시간 소변량
⑤ 혈압

16

정답 ②

해설

만성 신장질환 임산부의 신장 손상

1. 혈청 Cr 1.4 mg/dL 이상
   a. 임신에 의한 사구체 여과량의 증가가 거의 없음
   b. 혈압의 상승과 동시에 사구체 손상으로 단백뇨 증가(proteinuria >1 g/day)
   c. 분만 후에도 임신 전의 신장기능보다 악화된 신부전을 보임
2. 혈청 Cr 2.8~3.0 mg/dL 이상
   a. 임신 자체가 어려운 경우가 많음
   b. 임신이 되더라도 고혈압 및 전자간증으로 진행되어 태아의 생존이 어려움은 물론 산모도 투석으로 이행되는 경우가 흔함

참고 *Final Check 산과 852 page*

17

정답 ②

해설

만성 신장질환 임신의 예후에 가장 중요한 인자

1. 신장기능 손상의 정도 : serum creatinine, urine protein으로 확인
2. 고혈압의 여부

참고 *Final Check 산과 852 page*

18

다음 중 정상 임신에 비해 신장이식 산모에서 증가하는 것을 모두 고르시오.

(가) 임신성 고혈압
(나) 선천성 기형
(다) 조산
(라) 태반조기박리

① 가, 나, 다　　② 가, 다
③ 나, 라　　④ 라
⑤ 가, 나, 다, 라

18
정답 ②
해설
신장이식환자의 임신 예후
1. 비교적 양호한 임신 예후
2. 증가하는 합병증 : 조산, 전자간증, 임신성 당뇨, 바이러스 감염
3. 선천성 기형 : 증가 없음

참고 *Final Check 산과 851 page*

19

신장이식을 받은 환자가 임신을 했을 경우 증가하는 합병증이 아닌 것은?

① 전자간증　　② 선천성 기형
③ 조기진통　　④ 임신성 당뇨
⑤ 바이러스 감염

19
정답 ②
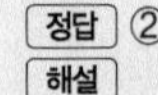
해설
신장이식환자의 임신 예후
1. 비교적 양호한 임신 예후
2. 증가하는 합병증 : 조산, 전자간증, 임신성 당뇨, 바이러스 감염
3. 선천성 기형 : 증가 없음

참고 *Final Check 산과 851 page*

20

3년 전 신장이식을 받은 임신부에 대한 내용으로 옳은 것을 모두 고르시오.

(가) Azathioprine과 prednisone으로 치료한다
(나) 조산의 빈도가 증가한다
(다) 임신성 당뇨가 흔히 발생한다
(라) 이식된 신장이 태아 하강을 막을 수 있다

① 가, 나, 다 ② 가, 다
③ 나, 라 ④ 라
⑤ 가, 나, 다, 라

20
정답 ⑤
해설
신장이식환자의 임신 중 관리
1. 증가하는 합병증 : 조산, 전자간증, 임신성 당뇨, 바이러스 감염
2. 임신 동안 cyclosporine, tacrolimus, prednisone, azathioprine 같은 면역억제제의 사용이 가능하고 수유 시에도 안전
3. 질식분만이 원칙
4. 이식된 신장이 태아 하강을 방해할 수 있음

참고 *Final Check 산과 851 page*

21

신장이식 산모에 관한 내용으로 잘못된 것을 고르시오.

① 세균뇨가 있으면 치료해야 한다
② Cytotoxic agent를 모니터해야 한다
③ Prednisolone을 사용하므로 gestational DM 검사를 해야 한다
④ 신장 기능을 평가하기 위해 Serum Cr, GFR을 검사한다
⑤ 분만은 제왕절개로 한다

21
정답 ⑤
해설
신장이식환자의 임신 중 관리
1. 증가하는 합병증 : 조산, 전자간증, 임신성 당뇨, 바이러스 감염
2. 임신 동안 cyclosporine, tacrolimus, prednisone, azathioprine 같은 면역억제제의 사용이 가능하고 수유 시에도 안전
3. 질식분만이 원칙
4. 이식된 신장이 태아 하강을 방해할 수 있음

참고 *Final Check 산과 851 page*

22

신장이식을 받은 여성이 임신할 수 있는 기준을 고르시오.

① 신장이식 후 최소 6개월 이상 건강한 상태를 유지

② Cr <4 mg/dL

③ Proteinuria ≤5 g/day

④ 고혈압이 없거나 쉽게 조절되는 상태

⑤ mycophenolate mofetil 만으로 거부반응이 조절

22

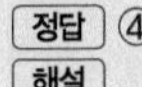 ④

해설

신장이식환자의 임신 가능 기준

1. 신장이식 후 최소 1~2년이 지나고 전체적으로 양호한 신체 상태
2. 이식된 신장의 기능이 양호 : 혈중 Cr <1.5 mg/dL, 단백뇨 <500 mg/day
3. 6개월 이상 거부반응 없고, 초음파상 신우/신배 확장이 없고, 고혈압이 없거나 잘 조절
4. 기형유발약제를 투여하지 않으며 면역억제제 사용량이 안정적

참고 *Final Check 산과 851 page*

CHAPTER 48

위장관질환(Gastrointestinal disorders)

01

임신 중 발생하는 위식도역류질환의 원인을 쓰시오.

01

정답

하부식도괄약근 이완으로 인한 위식도역류

참고 *Final Check 산과 859 page*

02

임신 시 발생하는 소화기계 질환에 대한 내용으로 잘못된 것을 고르시오.

① 담석증의 발생이 증가한다

② 소화성 궤양의 증상이 악화된다

③ 췌장염은 비임신 시와 동일하게 치료한다

④ 급성 충수염은 임신 주수에 상관없이 치료한다

⑤ 급성 지방간은 분만 후 자연치유 가능성이 높다

02

정답 ②

해설

임신 중 소화성궤양의 증상

1. 프로게스테론 증가 → 위산 감소, 점액 증가, 위 운동성 감소 → 임신 중 증상 호전
2. 분만 후 3개월에 반 이상이 재발하고, 2년 정도면 거의 모두에서 재발

참고 *Final Check 산과 860 page*

03

임신 12주인 임신부가 급성 충수염이 의심될 때 진단을 위한 가장 적절한 방법을 고르시오.

① 초음파 검사 ② 전산화단층촬영
③ 자기공명영상 ④ 혈관조영술
⑤ 복부 X-선 검사

03

정답 ①

해설

임신 중 급성 충수염의 진단

1. 초음파(graded compression ultrasonography)
2. 자기공명영상(MRI)
3. 전산화단층촬영(CT)

참고 *Final Check 산과 865 page*

04

27세 임신 20주 초산부가 2일 전부터 발생한 우측 하복부 통증을 주소로 응급실에 내원하였다. 진찰상 급성 충수염이 의심된다면 감별해야 할 진단을 모두 고르시오.

(가) 급성 충수염
(나) 난소 염전
(다) 신우신염
(라) 자궁근종

① 가, 나, 다 ② 가, 다
③ 나, 라 ④ 라
⑤ 가, 나, 다, 라

04

정답 ⑤

해설

임신 중 급성, 중증의 복통을 유발하는 원인들

소화기질환	비뇨기질환
급성 충수돌기염 크론병 메켈게실파열 장중첩증 염증성장질환 대장암 허혈성대장염 과민성대장증후군	신장결석증 방광염 신우신염 **산부인과질환** 자궁외임신의 파열 난소종양의 파열, 염전 자궁내막증 자궁근종

참고 *Final Check 산과 855 page*

05

임신 31주에 복막염을 동반한 충수염으로 개복술을 받은 산모에게 나타날 수 있는 가장 흔한 합병증은 무엇인가?

① 조산 ② 양수과소증
③ 융모양막염 ④ 태아성장제한
⑤ 태반조기박리

05

정답 ①

충수염의 임신에 대한 영향

1. 유산, 조기진통 증가 : 복막염 발생 시 증가
2. 최근의 수술에 의한 복부 상처는 진통과 질식 분만에 문제가 되지 않음

참고 *Final Check 산과 865 page*

06

임신 24주 임신부가 복막염을 동반한 충수염으로 개복술을 받았다. 다음 중 이 산모에게 나타날 수 있는 가장 흔한 산과적 합병증은 무엇인가?

① 태아 기형　　② 양수과소증
③ 태아성장제한　　④ 조산
⑤ 태아 사망

06
정답 ④
해설
충수염의 임신에 대한 영향
1. 유산, 조기진통 증가 : 복막염 발생 시 증가
2. 최근의 수술에 의한 복부 상처는 진통과 질식 분만에 문제가 되지 않음

참고 *Final Check 산과 865 page*

07

임신 30주인 초산모에서 충수염이 의심된다면 가장 적절한 조치를 고르시오.

① 경과관찰　　② 항생제 투여
③ 충수절제술　　④ 제왕절개 + 충수절제술
⑤ 항생제 투여 + 충수절제술 + 만삭 분만

07
정답 ③
해설
임신 중 충수염의 치료
1. 충수염 의심 시 주수에 관계없이 즉시 수술
2. 복강경 충수절제술 : 안전하게 시행 가능
3. 2세대 cephalosporin 또는 3세대 penicillin
4. 자궁수축 발생 시 자궁수축억제제 사용

참고 *Final Check 산과 865 page*

08

임신 30주 다분만부가 구역, 구토, 우상복부 통증을 주소로 내원하였다. 검사 결과가 아래와 같았다면 다음 처치로 가장 적절한 것을 고르시오.

- 혈압 : 120/80 mmHg　　- 체온 : 37.4℃
- 혈색소 : 10 g/dL　　- 백혈구 : 16,000/μL
- 우상복부의 압통과 반발 압통

① 주석관찰　　② 자궁수축억제제 투여
③ 수액과 항생제　　④ 수술 후 증상관찰
⑤ 제왕절개분만

08
정답 ④
해설
임신 중 충수염의 치료
1. 충수염 의심 시 주수에 관계없이 즉시 수술
2. 복강경 충수절제술 : 안전하게 시행 가능
3. 2세대 cephalosporin 또는 3세대 penicillin
4. 자궁수축 발생 시 자궁수축억제제 사용

참고 *Final Check 산과 865 page*

09

임신 중 발생하는 충수염에 대한 내용으로 잘못된 것을 모두 고르시오.

(가) 진단이 어렵다
(나) 조기진통을 유발할 수 있다
(다) 임신 중 발생 빈도가 증가하지 않는다
(라) 진단이 확정될 때까지 외과적 치료는 지연해야 한다

① 가, 나, 다 ② 가, 다
③ 나, 라 ④ 라
⑤ 가, 나, 다, 라

10

임신 23주 산모가 복부 통증을 주소로 내원하였다. 검진 및 복부 초음파상 충수염이 의심된다면 이 산모에 대한 다음 처치로 가장 적절한 것을 고르시오.

① 경과관찰
② 수액 투여
③ 리토드린 투여
④ 응급 제왕절개술
⑤ 응급 개복술

09

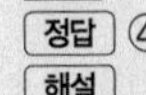
정답 ④
해설

임신 중 충수염의 치료

1. 충수염 의심 시 주수에 관계없이 즉시 수술
2. 복강경 충수절제술 : 안전하게 시행 가능
3. 2세대 cephalosporin 또는 3세대 penicillin
4. 자궁수축 발생 시 자궁수축억제제 사용

참고 *Final Check 산과 865 page*

10

정답 ⑤
해설

임신 중 충수염의 치료

1. 충수염 의심 시 주수에 관계없이 즉시 수술
2. 복강경 충수절제술 : 안전하게 시행 가능
3. 2세대 cephalosporin 또는 3세대 penicillin
4. 자궁수축 발생 시 자궁수축억제제 사용

참고 *Final Check 산과 865 page*

CHAPTER 49

간, 담도, 췌장질환 (Hepatic, Biliary, and Pancreatic disorders)

01

임신 32주 여성이 며칠 전부터 발생한 지속적인 오심, 구토, 황달 증상을 주소로 내원하였다. 혈액 검사 결과가 아래와 같다면 이 산모의 진단명으로 가장 가능성이 높은 것을 고르시오.

- Platelet = 51,000/μL
- AST/ALT = 230/350 U/L
- Bilirubin = 7 mg/dL
- Fibrinogen = 100 mg/dL

① 임신성 지방간 ② 급성 췌장염
③ 급성 담낭염 ④ 위궤양
⑤ 간경화

01

정답 ①

해설

임신성 급성 지방간(AFLP)

1. 진단 : 임상 증상과 혈액 검사
2. 증상 : 복통, 두통, 오심, 구토, 황달
3. 혈액 검사

혈액 검사
응고시간 지연(prolonged clotting time) 고빌리루빈혈증(hyperbilirubinemia(보통 ≤10 mg/dL) Transaminase 증가(300~500 U/L) 저섬유소원혈증(hypofibrinogenemia) 저알부민혈증(hypoalbuminemia) 저콜레스테롤혈증(hypocholesterolemia) 혈액농축(hemoconcentration) 백혈구증가증(leukocytosis) 혈소판감소증(thrombocytopenia) 용혈(hemolysis)

참고 *Final Check 산과 869 page*

02

다음 중 임신성 급성 지방간의 진단에 가장 유용한 방법을 고르시오.

① 초음파 검사 ② CT

③ MRI ④ 임상 증상과 혈액 검사

⑤ 복강경 검사

02

정답 ④

해설

임신성 급성 지방간(AFLP)

1. 진단 : 임상 증상과 혈액 검사
2. 증상 : 복통, 두통, 오심, 구토, 황달
3. 혈액 검사

혈액 검사
응고시간 지연(prolonged clotting time) 고빌리루빈혈증(hyperbilirubinemia(보통 ≤10 mg/dL) Transaminase 증가(300~500 U/L) 저섬유소원혈증(hypofibrinogenemia) 저알부민혈증(hypoalbuminemia) 저콜레스테롤혈증(hypocholesterolemia) 혈액농축(hemoconcentration) 백혈구증가증(leukocytosis) 혈소판감소증(thrombocytopenia) 용혈(hemolysis)

참고 *Final Check 산과 869 page*

03

임신 30주 산모가 황달을 주소로 내원하였다. 시행한 혈액 검사가 아래와 같다면 이 산모에 대한 설명으로 잘못된 것은 무엇인가?

- AST/ALT = 400/450 U/L
- Bilirubin = 9 mg/dL
- Platelet = 10,000/μL

① 세포질이 지방으로 차 있다

② 산모의 사망률이 높다

③ 분만 기간 단축을 위해 제왕절개 할 수 있다

④ 분만 후 회복된다

⑤ 임신 후반기에 발생하는 경우가 많다

03

정답 ②

해설

1. Cytoplasm의 microvesicular fat deposition
2. 빈도는 낮지만 높은 모성 및 태아 사망률
3. 분만 후 자연적으로 좋아지므로 조기 진단 및 분만이 중요
4. 대부분 임신 후반에 발생(전형적인 경우 임신 22주에 시작, 평균 임신 37.5주)

참고 *Final Check 산과 869 page*

04

임신 30주인 다분만부가 구역, 구토, 황달을 주소로 내원하였다. 시행한 혈액 검사가 아래와 같다면 이 산모의 진단명으로 가장 가능성이 높은 것을 고르시오.

- Platelet = 88,000/μL
- Total bilirubin = 8 mg/dL
- AST/ALT = 450/380 U/L
- Fibrinogen = 50 mg/dL

① Acute fatty liver of pregnancy ② Preeclampsia

③ Hepatitis ④ Hepatic cholecystitis

⑤ Liver cirrhosis

04

정답 ①

해설

임신성 급성 지방간(AFLP)

1. 진단 : 임상 증상과 혈액 검사
2. 증상 : 복통, 두통, 오심, 구토, 황달
3. 혈액 검사

혈액 검사
응고시간 지연(prolonged clotting time) 고빌리루빈혈증(hyperbilirubinemia(보통 ≤10 mg/dL) Transaminase 증가(300~500 U/L) 저섬유소원혈증(hypofibrinogenemia) 저알부민혈증(hypoalbuminemia) 저콜레스테롤혈증(hypocholesterolemia) 혈액농축(hemoconcentration) 백혈구증가증(leukocytosis) 혈소판감소증(thrombocytopenia) 용혈(hemolysis)

참고 *Final Check 산과 869 page*

05

다음 중 임신성 급성 지방간의 합병증을 모두 고르시오.

(가) Diabetes insipidus
(나) Severe coagulopathy
(다) Ascites
(라) Acute pancreatitis

① 가, 나, 다 ② 가, 다

③ 나, 라 ④ 라

⑤ 가, 나, 다, 라

05

정답 ⑤

해설

임신성 급성 지방간의 합병증

1. 산모의 50%에서 고혈압, 단백뇨, 부종이 발생(전자간증 징후)
2. 저혈당, 혈액응고장애, 당뇨, 급성 췌장염, 복수, 간성뇌병증

참고 *Final Check 산과 869 page*

06

다음 중 B형 간염의 수직 감염을 좌우하는 인자는 무엇인가?

① LFT ② HBsAg

③ HBeAg ④ Anti-HBs Ab

⑤ Serum γ-GT

06

정답 ③

해설

산모의 항원과 수직 감염의 관계

1. HBeAg : 감염력과 손상 받지 않은 바이러스 입자의 존재를 의미
2. HBsAg (+), HBeAg (+) : 신생아에 전파 가능성 증가
3. HBsAg (+), HBeAg (−), anti-HBeAb (+) : 신생아에 전파되지 않음

참고 *Final Check 산과 870 page*

07

임신 35주인 28세 산모가 산전 진찰을 위해 내원하였다. 검사상 특별한 이상은 없었으나 혈청 검사상 HBsAg (+)로 확인되었다. 산모는 간염의 과거력이 없었고, 이학적 검사상 특이소견도 없었다면 태아로의 전염력을 알아보기 위하여 행해야 하는 검사를 고르시오.

① HBsAb ② HBcAg

③ HBcAb ④ HBeAg

⑤ HBeAb

07

정답 ④

해설

산모의 항원과 수직 감염의 관계

1. HBeAg : 감염력과 손상 받지 않은 바이러스 입자의 존재를 의미
2. HBsAg (+), HBeAg (+) : 신생아에 전파 가능성 증가
3. HBsAg (+), HBeAg (−), anti-HBeAb (+) : 신생아에 전파되지 않음

참고 *Final Check 산과 870 page*

08

신생아에게서 B형 간염 감염의 가장 중요한 경로를 고르시오.

① 모유를 통한 감염

② 호흡기를 통한 감염

③ 임신 중 태반을 통한 감염

④ 출생 후 어머니와 긴밀한 접촉

⑤ 분만 중 양수나 혈액을 통한 감염

08

정답 ⑤

해설

태아 및 신생아 감염경로

1. 태반 감염 : 임신 제3삼분기에 급성 B형 간염에 감염된 경우를 제외하고는 드묾
2. 분만 중 감염 : 가장 흔한 감염경로
3. 모유수유를 통한 감염 : 전파 가능성 존재

참고 *Final Check 산과 870 page*

09

임신 중 B형 간염 검사상 HBsAg (+), anti-HBsAb (-), anti-HBeAb (-)로 확인된 경우 분만 후 처치로 올바른 것은 무엇인가?

① 아무런 처치가 필요 없음

② 태아가 태어나면 HBIG와 vaccination을 주사

③ 한달 후 vaccination

④ 산모에게 HBIG 주사

⑤ 임신 종결 후 치료

09

정답 ②

해설

신생아 감염의 예방

1. 임신 중 B형 간염에 대하여 검사
2. HBeAg 양성이면 출생 후 가능한 빨리 B형 간염 면역글로불린과 백신을 투여하고 1, 6개월 후 2, 3차 접종을 시행
3. HBV DNA 수치가 높은 고위험군에게 lamivudine이나 telbivudine과 tenofovir 병합 용법을 이용한 항바이러스제 투여를 고려
4. HBsAg 양성인 임신부라도 신생아에게 적절한 면역글로불린과 1차 백신을 투여한 경우에는 수직감염 위험이 HBsAg 음성 임신부와 차이가 없어 원하는 경우 모유수유 가능
5. 항체가 없으면서 감염 고위험 산모는 임신 중 예방접종을 시행

참고 *Final Check 산과 870 page*

10

임신 8주인 산모가 시행한 검사상 HBsAg (+), HBsAb (-), anti-HCV (+)로 확인 되었다. 다음 중 이 산모에 대한 처치로 올바른 것을 고르시오.

① 임산부에게 B형 간염 예방접종을 한다

② 신생아에게 B형 간염 예방접종을 한다

③ 임산부에게 인터페론을 투여한다

④ 모유수유는 금기이다

⑤ 임산부는 C형 간염 면역상태이다

10

정답 ②

해설

신생아 감염의 예방

1. 임신 중 B형 간염에 대하여 검사
2. HBeAg 양성이면 출생 후 가능한 빨리 B형 간염 면역글로불린과 백신을 투여하고 1, 6개월 후 2, 3차 접종을 시행
3. HBV DNA 수치가 높은 고위험군에게 lamivudine이나 telbivudine과 tenofovir 병합 용법을 이용한 항바이러스제 투여를 고려
4. HBsAg 양성인 임신부라도 신생아에게 적절한 면역글로불린과 1차 백신을 투여한 경우에는 수직감염 위험이 HBsAg 음성 임신부와 차이가 없어 원하는 경우 모유수유 가능
5. 항체가 없으면서 감염 고위험 산모는 임신 중 예방접종을 시행

참고 *Final Check 산과 870 page*

11

24세 초산모가 산전 진찰을 위해 내원하였다. 산전 검사상 HBsAg과 HBeAg이 양성이었다면, 이 임산부에 대한 조치로 가장 적절한 것을 고르시오.

① 분만 전 모체에 면역글로불린과 백신을 투여한다

② 분만 후 모체에 면역글로불린과 백신을 투여한다

③ 분만 후 신생아에게 면역글로불린과 백신을 투여한다

④ 모체의 간기능 검사가 정상이면 신생아에게 조치를 할 필요는 없다

⑤ 신생아의 간기능 검사가 정상이 아니면 신생아에게 조치를 할 필요는 없다

11

정답 ③

해설

신생아 감염의 예방

1. 임신 중 B형 간염에 대하여 검사
2. HBeAg 양성이면 출생 후 가능한 빨리 B형 간염 면역글로불린과 백신을 투여하고 1, 6개월 후 2, 3차 접종을 시행
3. HBV DNA 수치가 높은 고위험군에게 lamivudine이나 telbivudine과 tenofovir 병합 용법을 이용한 항바이러스제 투여를 고려
4. HBsAg 양성인 임신부라도 신생아에게 적절한 면역글로불린과 1차 백신을 투여한 경우에는 수직감염 위험이 HBsAg 음성 임신부와 차이가 없어 원하는 경우 모유수유 가능
5. 항체가 없으면서 감염 고위험 산모는 임신 중 예방접종을 시행

참고 *Final Check 산과 870 page*

CHAPTER 50

혈액질환(Hematological disorders)

01

임신 중 철분이 가장 많이 필요한 부분을 고르시오.

① 태아
② 산모의 혈액
③ 태반
④ 산모의 배출
⑤ 태아의 소변 배출

01

정답 ②

해설

정상 단태아 임신 여성의 임신 중 철분 요구량

1. 총 철분 요구량 : 1,000 mg
2. 300 mg : 태아와 태반
3. 500 mg : 산모의 혈색소양 증대
4. 200 mg : 장, 소변, 피부로 정상적으로 배출

참고 *Final Check 산과 876 page*

02

임신 전 빈혈이 없던 임신 30주 산모가 임신기간동안 철분제를 복용하지 않았다면 이 임산부의 혈청 iron과 ferritin의 농도 상태를 올바르게 나타낸 것은 무엇인가?

① 임신 전에 비해 iron 농도는 낮고, ferritin 농도는 높다
② 임신 전에 비해 iron 농도는 낮고, ferritin 농도도 낮다
③ 임신 전에 비해 iron 농도는 높고, ferritin 농도는 낮다
④ 임신 전에 비해 iron 농도는 높고, ferritin 농도도 높다
⑤ 임신 전에 비해 iron 농도와 ferritin 농도는 변화가 없다

02

정답 ②

해설

철결핍성빈혈의 검사소견

1. 혈청 ferritin : 감소
2. 혈청 iron : 감소
3. 혈청 철결합능력 : 증가
4. 저색소혈증(hypochromia), 소적혈구증(microcytosis)

참고 *Final Check 산과 876 page*

03

임산부가 임신 후반기 이후에 철분을 보충하는 이유를 모두 고르시오.

(가) 임신 초반기에 철분 투여 시 태아의 기형을 유발시킬 수 있다
(나) 임신 초기에는 철분 소요가 적어 별도로 보충할 필요가 없다
(다) 임신 초기에는 소화흡수가 잘 안 된다
(라) 임신 초기에 복용 시 오히려 구토를 유발할 수 있다

① 가, 나, 다
② 가, 다
③ 나, 라
④ 라
⑤ 가, 나, 다, 라

정답 ③

해설

임신과 철분 보충

1. 철분제는 태아 기형을 유발하지 않음
2. 임신 제1삼분기에는 철분 요구량이 많지 않고 위장장애나 구토 등을 악화 시킬 수 있기 때문에 철분을 투여하지 않음

참고 *Final Check 산과 876 page*

04

임신 중 혈액응고장애를 초래하지 않는 것을 고르시오.

① Liver cirrhosis
② Acute fatty liver
③ Pregnancy induced hypertension
④ Intrahepatic cholestasis
⑤ Placental abruption

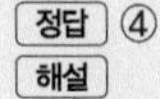

정답 ④

해설

임신 중 혈소판감소증의 원인
임신성혈소판감소증 : 75% 전자간증, HELLP증후군 : 20% 산과적 응고병증 : DIC, massive transfusion protocol 특발성혈소판감소증(ITP) 전신홍반성루푸스(SLE), 항인지질항체증후군(APAS) 감염 : 바이러스, 패혈증 약물(drugs) 용혈성빈혈(hemolytic anemia) 혈전성미세혈관병증(thrombotic microangiopathy) 악성종양(malignancy)

참고 *Final Check 산과 881 page*

05

특발성혈소판감소증 산모의 혈소판을 증가시키기 위한 치료법을 쓰시오.

06

임신 전 다른 내과적 과거력이 없던 임신 34주인 임신부의 검사가 아래와 같이 확인되었다면 다음 처치로 가장 적절한 것을 고르시오.

- Hemoglobin : 9.0 g/dL
- WBC : 10,900/μL
- Platelet : 34,000/μL
- 골수검사 : 정상

① Prednisone 투여
② 전혈 투여
③ 혈소판농축액 투여
④ 유도분만
⑤ 비장절제술 시행

05

정답
1. Corticosteroid
2. 면역글로불린(immunoglobulin)
3. Corticosteroid와 IVIG 병합요법
4. 비장절제술(splenectomy)
5. 면역억제제

참고 *Final Check 산과 882 page*

06

정답 ①

해설

임신 중 특발성혈소판감소증의 치료
1. Corticosteroid : plt <50,000/μL인 경우
2. 면역글로불린 : steroid에 반응 없는 경우
3. Corticosteroid와 IVIG 병합요법 : 약물치료에 반응하지 않는 경우 시행
4. Splenectomy : 약물치료에 반응 없는 경우

참고 *Final Check 산과 882 page*

07

임신 32주인 27세 여성이 점상 출혈이 있어 내원하였다. 내원 시 시행한 혈액 검사상 혈소판 수치는 40,000/μL, antiplatelet antibody (+)로 확인되었다. 다음 중 가장 적절한 처치는 무엇인가?

① 스테로이드 ② 항생제
③ 비장절제술 ④ 면역억제제
⑤ 소염진통제

07

정답 ①

해설

임신 중 특발성혈소판감소증의 치료

1. Corticosteroid : plt <50,000/μL인 경우
2. 면역글로불린 : steroid에 반응 없는 경우
3. Corticosteroid와 IVIG 병합요법 : 약물치료에 반응하지 않는 경우 시행
4. Splenectomy : 약물치료에 반응 없는 경우

참고 *Final Check 산과 882 page*

08

임신 전 다른 특별한 질환이 없던 임신 28주 산모가 시행한 혈액 검사에서 혈소판이 80,000/μL으로 확인되었다. 4주 후 다시 시행한 혈액 검사에서 혈소판은 60,000/μL로 감소하였다면, 이 산모에게 가장 적절한 처치는 무엇인가?

① Platelet concentrate 투여 ② Steroid
③ 즉시 제왕절개 ④ 경과관찰
⑤ 비장절제술

08

정답 ④

해설

특발성혈소판감소증의 관리

1. 경막외마취, 질식분만, 제왕절개를 위해 혈소판 50,000~75,000/μL 이상이 적당
2. 30,000~50,000/μL 미만인 경우 치료를 고려

참고 *Final Check 산과 882 page*

09

임신 전 별다른 내과적 질환이 없던 건강한 임신 24주의 산모가 피하출혈을 주소로 내원하였다. 시행한 혈액 검사상 platelet 27,000/μL, antiplatelet Ab (+)로 확인되었다면 이 환자의 진단(A)과 가장 많이 사용되는 약제(B)를 쓰시오.

09

정답

(A) 특발성혈소판감소증(ITP)

(B) Prednisone

참고 *Final Check 산과 882 page*

CHAPTER 51

당뇨(Diabetes)

01

32세인 다분만부가 임신 28주에 시행한 당뇨검사 결과가 아래와 같았다면 이 환자의 상태에 대한 내용으로 잘못된 것을 고르시오.

	50 g 경구당부하검사	100 g 경구당부하검사
공복		90 mg/dL
1 시간	150 mg/dL	151 mg/dL
2 시간		171 mg/dL
3 시간		130 mg/dL

① Progesterone과 estrogen은 insulin의 조직 저항성을 증가시킨다

② hPL은 GH-like action으로 lipolysis를 유발한다

③ Placental insulinase의 활성이 높아져 insulin의 분해가 증가해서 당뇨 발생 가능성이 증가한다

④ 임신 시에는 glucose peripheral uptake가 감소한다

⑤ 임신 중에는 공복 시 저혈당, 식사 후 고혈당이 나타난다

01

 ③

해설

임신 중 산모의 당대사 변화

1. 산모의 생리적 변화
   a. 공복 시 저혈당증
   b. 고인슐린혈증
   c. 식후 고혈당증
2. 변화의 원인
   a. estrogen, progesterone, hPL, cortisol의 영향
   b. β–cell hypertrophy, hyperplasia
   c. Placental insulinase의 작용이 없음
   d. Peripheral insulin resistance 증가

참고 *Final Check 산과 885 page*

02

다음 중 임신 중 인슐린 저항성(insulin resistance)과 가장 관련 있는 호르몬을 고르시오.

① Relaxin
② hPL
③ hCG
④ Estrogen
⑤ Progesterone

03

임신성 당뇨에 대한 설명으로 맞는 것을 모두 고르시오.

(가) 임신 24~28주에 50 g OGTT를 시행한다
(나) 50 g OGTT에서 140 mg/dL 이상이 나오면 100 g OGTT를 시행한다
(다) 100 g OGTT 시행 시에는 하룻밤 금식을 원칙으로 한다
(라) 100 g OGTT 시행 시 2개 이상의 수치가 기준보다 높으면 양성이다

① 가, 나, 다
② 가, 다
③ 나, 라
④ 라
⑤ 가, 나, 다, 라

02

정답 ②

해설

사람태반락토겐(hPL)

1. 인슐린의 합성과 분비를 촉진하고 지방 분해를 증가시켜 유리지방산을 증가시킴
2. 혈중 유리지방산이 증가하면 인슐린에 대한 조직 저항이 증가
3. 가속 기아 : 임신으로 인해 당에서 지방으로 연료가 바뀌는 것

참고 *Final Check 산과 25, 885 page*

03

정답 ⑤

해설

임신성 당뇨의 선별 및 확진검사

1. 모든 산모에게 24~28주에 50 g OGTT 시행
2. 50 g OGTT 양성 산모는 100 g OGTT 시행

	50 g OGTT	100 g OGTT
공복		95 mg/dL
1 시간	140 mg/dL	180 mg/dL
2 시간		155 mg/dL
3 시간		140 mg/dL
양성	≥140 mg/dL	2개 이상이 기준치 초과

참고 *Final Check 산과 886 page*

04

임신 8주의 다분만부가 산전 진찰을 위해 내원하였다. 체질량 지수(BMI) 32 kg/m^2, 당뇨의 가족력과 임신성 당뇨병의 과거력도 있었다. 이 산모에게 시행해야 할 검사로 적절한 것을 고르시오.

① 공복혈당검사 ② HbA1c 측정
③ 소변검사 ④ 식후혈당검사
⑤ 50 g 경구당부하검사

05

임신 26주인 32세 다분만부가 정기 검진을 위해 내원하였다. 첫째 아이는 임신 39주에 4.2 kg으로 제왕절개분만하였고, 가족력상 모친이 당뇨가 있었으나 본인의 임신 전 혈당검사는 정상이었다고 하였다. 내원 시 혈압 110/60 mmHg, 자궁저부의 높이 30 cm, urine glucose (+), urine protein (−)로 확인되었다. 이 산모의 다음 처치로 가장 적절한 것을 고르시오.

① 소변검사 재검
② HbA_{1c}
③ 경구당부하검사
④ 산모 혈청 AFP 측정
⑤ 산모 혈청 estriol 측정

04

정답 ⑤

해설

임신성 당뇨의 고위험군

1. 임신 진단 후 바로 검사를 시행, 그때 진단되지 않으면 24~28주 또는 고혈당 의심 증상이 있는 경우 재검
2. 적응증
   a. 고도 비만
   b. 제2형 당뇨의 가족력
   c. 임신성 당뇨, 내당능장애, glycosuria 과거력

참고 *Final Check 산과 886 page*

05

정답 ③

해설

임신성 당뇨의 고위험군

1. 임신 진단 후 바로 검사를 시행, 그때 진단되지 않으면 24~28주 또는 고혈당 의심 증상이 있는 경우 재검
2. 적응증
   a. 고도 비만
   b. 제2형 당뇨의 가족력
   c. 임신성 당뇨, 내당능장애, glycosuria 과거력

참고 *Final Check 산과 886 page*

06

임신성 당뇨의 선별검사에 대한 설명으로 옳은 것을 모두 고르시오.

(가) 검사 전 야간 금식을 해야 한다
(나) 설탕물 섭취 1시간 후 혈액을 채취한다
(다) 오후에 시행하는 경우 최소 8시간 이상 금식이 필요하다
(라) 결과가 기준치보다 높으면 100 g OGTT를 시행한다

① 가, 나, 다　　② 가, 다
③ 나, 라　　④ 라
⑤ 가, 나, 다, 라

07

당뇨 선별검사인 50 g 경구당부하검사의 검사 시기(A)와 양성 기준(B)에 대해 서술하시오.

06

정답 ③

해설

1. 식사 유무에 관계없이 시행 가능
2. 포도당 50 g 섭취 1시간 후 혈액 채취
3. 공복 후 시행하는 것은 100 g OGTT
4. 140 mg/dL 이상이면 100 g OGTT 시행

참고 *Final Check 산과 886 page*

07

정답

(A) 임신 24~28주에 시행
(B) 1시간 뒤 혈당 ≥140 mg/dL

참고 *Final Check 산과 886 page*

08

임신 27주인 초산부가 50 g OGTT를 시행한 결과 혈당 수치 150 mg/dL으로 확인되었다. 지금까지의 임신 경과가 정상이었다면 가장 적합한 조치를 고르시오.

① 2주 후 재검사

② 공복 시 혈당측정

③ 100 g OGTT 시행

④ HbA_{1c} 측정

⑤ 식이요법 시행

08

정답 ③

해설

50 g 경구당부하검사(50 g OGTT)

1. 임신 24~28주에 시행
2. 양성 : 1시간 뒤 혈당 ≥140 mg/dL
3. 선별검사 양성 시 100 g 경구당부하검사 시행

참고 *Final Check 산과 886 page*

09

32세 초산부가 산전 진찰을 위해 내원하였다. 이학적 검사상 모두 정상이었으나 가족력상 어머니가 당뇨가 있었고, 임신 28주에 시행한 50 g OGTT가 180 mg/dL로 확인되었다. 다음 단계의 조치로 가장 적절한 것을 고르시오.

① 당뇨를 예방하기 위해 식이요법을 시행한다

② 당뇨를 치료하기 위해 인슐린을 투여한다

③ 50 g OGTT를 다시 시행한다

④ 100 g OGTT를 시행한다

⑤ 공복 시 혈당과 식사 2시간 후 혈당검사를 시행한다

09

정답 ④

해설

50 g 경구당부하검사(50 g OGTT)

1. 임신 24~28주에 시행
2. 양성 : 1시간 뒤 혈당 ≥140 mg/dL
3. 선별검사 양성 시 100 g 경구당부하검사 시행

참고 *Final Check 산과 886 page*

10

산모가 임신 24주에 시행한 50 g 경구당부하검사 149 mg/dL로 확인되었다면 임신성 당뇨의 확진을 위한 검사(A) 및 진단 기준(B)을 쓰시오.

10

정답

(A) 100 g 경구당부하검사

(B) 진단 기준

100 g 경구당부하검사	
공복	95 mg/dL
1 시간	180 mg/dL
2 시간	155 mg/dL
3 시간	140 mg/dL

2개 이상의 수치가 기준치보다 높을 때 진단

Final Check 산과 887 page

11

임신 20주인 25세 산모가 소변 검사에서 glycouria 3+로 확인되었다. 과거력상 당뇨는 없었고 친정 어머니가 당뇨를 앓고 있었다. 다음 중 이 산모의 다음 처치로 가장 올바른 것을 고르시오.

① 며칠 후 소변 검사 재검

② 즉시 50 g OGTT 시행

③ 즉시 100 g OGTT 시행

④ 임신 24~28주에 50 g OGTT 시행

⑤ 임신 24~28주에 75 g OGTT 시행

11

정답 ②

해설

임신성 당뇨의 고위험군

1. 임신 진단 후 바로 검사를 시행, 그때 진단되지 않으면 24~28주 또는 고혈당 의심 증상이 있는 경우 재검
2. 적응증
   a. 고도 비만
   b. 제2형 당뇨의 가족력
   c. 임신성 당뇨, 내당능장애, glycosuria 과거력

참고 *Final Check 산과 886 page*

12

임신 30주 산모가 urine glucose 2+로 확인되어 내원하였다. 임신 26주에 시행한 50 g OGTT는 87 mg/dL로 정상이었다면 이 산모에게 시행할 다음 처치로 올바른 것을 고르시오.

① 경과관찰 ② 75 g OGTT
③ 100 g OGTT ④ 인슐린 치료
⑤ 식이요법

12

정답 ③

해설

임신성 당뇨의 확진검사

1. 진단 기준

100 g 경구당부하검사	
공복	95 mg/dL
1 시간	180 mg/dL
2 시간	155 mg/dL
3 시간	140 mg/dL

2개 이상의 수치가 기준치보다 높을 때 진단

2. 이전에 당뇨병이나 임신성 당뇨병으로 진단받지 않은 임신부는 100 g OGTT 2단계법, 75 g OGTT 1단계법 두 가지 모두 시행 가능

참고 *Final Check 산과 887 page*

13

이전 임신에서 임신성 당뇨가 있었던 다분만부가 임신 8주로 내원하였다. 이 산모의 임신성 당뇨의 선별검사 시기로 적절한 것은 언제인가?

① 내원 즉시 ② 임신 12주
③ 임신 16주 ④ 임신 20주
⑤ 임신 24주

13

정답 ①

해설

임신성 당뇨의 고위험군

1. 임신 진단 후 바로 검사를 시행, 그때 진단되지 않으면 24~28주 또는 고혈당 의심 증상이 있는 경우 재검
2. 적응증
   a. 고도 비만
   b. 제2형 당뇨의 가족력
   c. 임신성 당뇨, 내당능장애, glycosuria 과거력

참고 *Final Check 산과 886 page*

14

임신 중 임신성 당뇨로 진단받은 산모에서 분만 후 현성 당뇨(overt diabetes)의 여부를 확인하기 위해 시행해야 하는 검사와 시기를 고르시오.

① 분만 4~12주 후 50 g OGTT
② 분만 4~12주 후 75 g OGTT
③ 분만 12~20주 후 50 g OGTT
④ 분만 12~20주 후 75 g OGTT
⑤ 분만 6개월 후 50 g OGTT

14

정답 ②

해설

임신성 당뇨의 분만 후 관리

1. 분만 4~12주 후에 75 g 경구당부하검사
2. 정상인 경우 1~3년 간격으로 검사 반복

참고 *Final Check 산과 892 page*

15

임신 27주인 다분만부가 50 g OGTT 180 mg/dL으로 확인되어 2주 후 100 g OGTT를 시행하였고 검사 결과가 아래와 같았다. 이 산모의 진단명으로 가장 적절한 것을 고르시오.

	혈당 (mg/dL)
공복	100
1 시간 후	210
2 시간 후	155
3 시간 후	165
HbA_{1c}	4.5%

① 임신성 당뇨　② 인슐린 의존성 당뇨

③ 인슐린 비의존성 당뇨　④ 내당능장애

⑤ 정상

15

정답 ①

해설

임신성 당뇨의 진단 기준

100 g 경구당부하검사	
공복	95 mg/dL
1 시간	180 mg/dL
2 시간	155 mg/dL
3 시간	140 mg/dL

2개 이상의 수치가 기준치보다 높을 때 진단

참고 Final Check 산과 887 page

16

임신 26주인 28세 임신부가 50 g OGTT에서 양성 소견으로 나와 100 g OGTT를 시행하였다. 결과가 아래와 같다면 이 산모에 대한 설명으로 옳은 것을 고르시오.

	혈당 (mg/dL)
공복	100
1 시간 후	200
2 시간 후	165
3 시간 후	130

① 약 80%에서 10년 내 현성 당뇨가 발생한다

② 모든 임산부에서 선별검사를 해야 한다

③ 임신성 당뇨를 조절하여 신생아 체중이 정상화되면 정상 산모와 제왕절개율의 차이는 없다

④ 분만 4~12주 후 75 g OGTT를 시행한다

⑤ 현성 당뇨는 태아 기형이 증가하지 않지만 임신성 당뇨에서는 증가한다

16

정답 ④

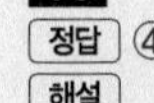

해설

1. 20년 이내에 약 50%에서 제2형 당뇨가 발생
2. 저위험군일 경우 당부하 검사를 필요로 하지 않음
3. 임신성 당뇨병을 치료하여 신생아 체중이 정상화된 여성에서도 제왕절개율이 높음
4. 분만 4~12주 후에 75 g 경구당부하검사
5. 현성 당뇨는 태아 기형 위험성이 증가

참고 Final Check 산과 886, 888, 892, 894 page

17

임신성 당뇨 산모에서 발생할 수 있는 합병증을 모두 고르시오.

(가) Hypertension
(나) Cesarean delivery 증가
(다) Shoulder dystocia
(라) Congenital anomaly

① 가, 나, 다
② 가, 다
③ 나, 라
④ 라
⑤ 가, 나, 다, 라

18

임신성 당뇨 산모에서 태아의 합병증을 모두 고르시오.

(가) 태아곤란증
(나) 거대아
(다) 폐성숙 지연
(라) 태아 사망

① 가, 나, 다
② 가, 다
③ 나, 라
④ 라
⑤ 가, 나, 다, 라

17

정답 ①

해설

임신성 당뇨에서 증가하는 위험성

1. 제왕절개
2. 고혈압성 질환
3. 모체의 장기적 합병증
   a. 제2형 당뇨의 빈도, 사망률
   b. 심혈관계 합병증의 빈도
   c. 다음 임신 시 임신성 당뇨 재발
4. 거대아, 견갑난산, 분만 손상
5. 태아 사망
6. 태아 폐성숙 지연, 태아곤란증

참고 *Final Check 산과 887 page*

18

정답 ⑤

해설

임신성 당뇨에서 증가하는 태아 위험성

1. 거대아
2. 견갑난산과 분만 손상
3. 태아 사망
4. 태아 폐성숙 지연
5. 태아곤란증(fetal distress)

참고 *Final Check 산과 888 page*

19

임신성 당뇨에 대한 설명으로 옳은 것을 모두 고르시오.

(가) 선별검사를 위해 임신 24~28주에 50 g OGTT를 시행한다
(나) 임신한 여성의 약 2%에서 발생한다
(다) 20년 내에 약 50%에서 제2형 당뇨가 발생한다
(라) 식사요법은 모든 환자에서 기본이며 경구 혈당강하제로 조절이 잘되면 인슐린으로 대치할 필요는 없다

① 가, 나, 다　　② 가, 다
③ 나, 라　　④ 라
⑤ 가, 나, 다, 라

19
정답 ②
해설
1. 선별검사 : 50 g OGTT를 24~28주에 시행
2. 우리나라의 임신성 당뇨의 빈도 5.7~9.5%
3. 20년 이내에 약 50%에서 제2형 당뇨가 발생
4. 임신성 당뇨의 약물치료 1차 약제 : 인슐린

참고 *Final Check 산과 885, 886, 888, 891 page*

20

임신성 당뇨에 대한 설명으로 잘못된 것을 고르시오.

① 혈당이 잘 조절되는 산모는 대부분 식사 조절만으로 성공적으로 치료할 수 있다
② 선별검사로 50 g OGTT를 임신 24~28주에 시행한다
③ 임신 36주에 유도분만을 한다
④ 분만 후 75 g OGTT를 시행하여 현성 당뇨의 진행 여부를 확인한다
⑤ 혈당 조절이 잘 되고 합병증이 없으면 주산기 사망률은 일반 산모와 비슷하다

20
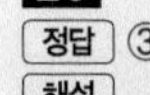
정답 ③
해설
임신성 당뇨의 분만 시점
1. 투약없이 조절되는 임신성 당뇨 : 다른 적응증이 없다면 임신 39주 이전에 유도분만을 해서는 안 되고 산전 태아감시가 적절한 경우에는 임신 $40^{6/7}$주까지 기다림
2. 투약이 필요한 임신성 당뇨 : 임신 $39^{0/7}$~$39^{6/7}$주 사이의 분만
3. 혈당 조절이 안 되거나 합병증이 동반된 경우 : 더 이른 분만을 고려

참고 *Final Check 산과 891 page*

21

임신성 당뇨로 인슐린 치료를 받고 있는 임신부가 임신 36주에 4 kg의 남아를 제왕절개로 분만하였다. Apgar score는 1분 7점, 5분 9점이었다. 분만 후 태아에게 발생할 수 있는 것을 고르시오.

① 빈혈 ② 고혈당
③ 저칼슘혈증 ④ 저칼륨혈증
⑤ 고마그네슘혈증

21

정답 ③

해설

임신성 당뇨의 신생아에 대한 영향

1. 신생아 호흡곤란증후군
2. 신생아 저혈당증
3. 고빌루빈혈증
4. 저칼슘혈증
5. 적혈구증가증
6. 신생아집중치료실 입원

참고 *Final Check 산과 888 page*

22

임신 27주 산모가 100 g OGTT를 통해 임신성 당뇨를 진단받았고 식이요법을 통해 조절 중이다. 검사상 FBS/PP2 = 110/130 mg/dL로 확인된다면 이 산모의 다음 처치로 가장 적절한 것을 고르시오.

① 경과관찰
② 2주 후 FBS/PP2 재검
③ 식이요법과 운동요법
④ 식이요법, 운동요법과 함께 인슐린 투여
⑤ 식이요법, 운동요법과 함께 경구 혈당강하제 투여

22

정답 ④

해설

임신성 당뇨의 약물요법

1. 적응증

임신성 당뇨의 약물요법 적응증	
진단 처음부터 고도의 고혈당이 있는 경우 식이요법, 운동요법으로도 혈당이 조절되지 않는 경우	
공복	>95 mg/dL
식후 1시간	>140 mg/dL
식후 2시간	>120 mg/dL

2. 약물치료 권고안
   a. 1차 약제 : 인슐린
   b. 2차 약제 : Metformin

참고 *Final Check 산과 890 page*

23

임신 35주인 임산부가 소변에서 당이 발견되어 100 g OGTT를 시행하였다. 검사 결과가 아래와 같다면 이 임산부에 대한 처치로 가장 적절한 것을 고르시오.

	혈당 (mg/dL)
공복	98
1 시간 후	210
2 시간 후	180
3 시간 후	160

① 식이요법으로 혈당을 조절한다

② 인슐린으로 치료한다

③ 양수 내 L/S ratio가 2.0 이상이면 분만한다

④ Metformin을 투여한다

⑤ 비수축검사를 1주 간격으로 시행한다

23

정답 ①

해설

임신성 당뇨의 약물요법

1. 적응증

임신성 당뇨의 약물요법 적응증	
진단 처음부터 고도의 고혈당이 있는 경우	
식이요법, 운동요법으로도 혈당이 조절되지 않는 경우	
공복	>95 mg/dL
식후 1시간	>140 mg/dL
식후 2시간	>120 mg/dL

2. 약물치료 권고안
   a. 1차 약제 : 인슐린
   b. 2차 약제 : Metformin

참고 *Final Check 산과 890 page*

24

임신 26주인 임산부가 50 g OGTT에서 160 mg/dL로 확인되어 시행한 100 g OGTT가 아래와 같다면 인슐린 투여 여부를 위해 가장 중요한 검사는 무엇인가?

	혈당 (mg/dL)
공복	85
1 시간 후	210
2 시간 후	170
3 시간 후	130

① Urine ketone
② FBS/PP2
③ HbA_{1c}
④ 75 g OGTT
⑤ Body mass index

24

정답 ②

해설

임신성 당뇨의 약물요법

1. 적응증

임신성 당뇨의 약물요법 적응증	
진단 처음부터 고도의 고혈당이 있는 경우	
식이요법, 운동요법으로도 혈당이 조절되지 않는 경우	
공복	>95 mg/dL
식후 1시간	>140 mg/dL
식후 2시간	>120 mg/dL

2. 약물치료 권고안
   a. 1차 약제 : 인슐린
   b. 2차 약제 : Metformin

참고 *Final Check 산과 890 page*

25

임신 26~28주에 시행한 당뇨 검사 결과가 다음과 같았다면 치료로 적절한 것을 고르시오.

	임신 26주 (50 g OGTT)	임신 27주 (100 g OGTT)	임신 28주 (FBS/PP2)
공복		100 mg/dL	90 mg/dL
1시간 후	149 mg/dL	200 mg/dL	
2시간 후		170 mg/dL	118 mg/dL
3시간 후		130 mg/dL	

① 1주 간격으로 공복혈당 재측정

② 식이요법과 적당한 운동 병행

③ 경구 혈당강하제 복용

④ 인슐린 투여

⑤ 유도분만

25

정답 ②

해설

임신성 당뇨의 관리

1. 식이요법
2. 운동요법
3. 약물치료

임신성 당뇨의 약물요법 적응증	
진단 처음부터 고도의 고혈당이 있는 경우 식이요법, 운동요법으로도 혈당이 조절되지 않는 경우	
공복	>95 mg/dL
식후 1시간	>140 mg/dL
식후 2시간	>120 mg/dL

참고 *Final Check 산과 889 page*

26

임신 26주인 산모가 50 g OGTT에서 140 mg/dL로 확인되어 100 g OGTT를 시행하였다. 검사 결과가 아래와 같다면 다음 처치로 가장 적절한 것을 고르시오.

	혈당 (mg/dL)
공복	110
1 시간 후	210
2 시간 후	190
3 시간 후	130

① 경과관찰

② 식이요법

③ 운동요법

④ 경구 혈당강하제

⑤ Insulin 투여

26

정답 ⑤

해설

임신성 당뇨의 약물요법

1. 적응증

임신성 당뇨의 약물요법 적응증	
진단 처음부터 고도의 고혈당이 있는 경우 식이요법, 운동요법으로도 혈당이 조절되지 않는 경우	
공복	>95 mg/dL
식후 1시간	>140 mg/dL
식후 2시간	>120 mg/dL

2. 약물치료 권고안
   a. 1차 약제 : 인슐린
   b. 2차 약제 : Metformin

참고 *Final Check 산과 890 page*

27

인슐린을 사용하는 임신 28주 산모에게 인슐린을 대신하여 가장 먼저 사용할 수 있는 경구 혈당강하제를 쓰시오.

27

정답 Metformin

해설

경구 혈당강하제(Oral hypoglycemic agent)

1. Metformin
2. Glyburide

→ Glyburide의 경우 그 효과가 떨어지므로 1차 약제로는 사용하지 말도록 권고

참고 *Final Check 산과 890 page*

28

현성 당뇨 산모의 관리 방법으로 옳지 않은 것을 고르시오.

① 임신 제1삼분기부터 인슐린을 이용한다

② 총 칼로리 섭취량은 30~35 kcal/kg가 권장된다

③ 분만 24시간 내에는 insulin 필요량이 감소된다

④ Progestin 단일 경구피임제를 사용할 수 있다

⑤ 제2형 당뇨인 경우 분만 다음날부터 경구 혈당강하제로 전환이 가능하다

28

정답 ④

해설

1. 임신성 당뇨의 1차 약제 : 인슐린
2. 권장 하루 칼로리 섭취량 : 30~35 kcal/kg
3. 출산 직후 임신부의 인슐린 요구량은 급격히 감소
4. Progestin : Insulin을 방해하는 항인슐린작용
5. 분만 다음날부터 제2형 당뇨인 경우 바로 경구 혈당강하제로 전환 가능

참고 *Final Check 산과 889, 891, 892, 896 page*

29

당뇨의 과거력이 없는 임신부가 임신 28주에 시행한 50 g OGTT에서 혈당 150 mg/dL로 확인되었다. 100 g OGTT를 시행하였고 검사 결과가 아래와 같았다면 이 산모에 대한 내용으로 옳은 것을 고르시오.

	혈당 (mg/dL)
공복	110
1 시간 후	200
2 시간 후	190
3 시간 후	130
HbA_{1c}	5.1%

① 임신성 당뇨로 볼 수 없다

② 혈당이 잘 조절되면 만삭에 질식분만을 한다

③ 경구 혈당강하제를 투여한다

④ 태아기형의 발생 빈도가 가장 높다

⑤ 거대아나 태아성장제한의 가능성은 적다

29

정답 ②

해설

임신성 당뇨의 분만 시점

1. 투약없이 조절되는 임신성 당뇨 : 다른 적응증이 없다면 임신 39주 이전에 유도분만을 해서는 안 되고 산전 태아감시가 적절한 경우에는 임신 $40^{6/7}$주까지 기다림
2. 투약이 필요한 임신성 당뇨 : 임신 $39^{0/7}$~$39^{6/7}$주 사이의 분만
3. 혈당 조절이 안되거나 합병증이 동반된 경우 : 더 이른 분만을 고려

참고 *Final Check 산과 891 page*

30

임신 26주의 28세 임산부가 50 g OGTT에서 양성으로 확인되어 100 g OGTT를 시행하였다. 검사 결과가 아래와 같다면 이 산모에 대한 설명으로 옳은 것을 고르시오.

	혈당 (mg/dL)
공복	110
1 시간 후	200
2 시간 후	160
3 시간 후	130

① 정상소견이다

② 약 80%에서 10년 내에 현성 당뇨가 발생한다

③ 원인불명의 태아 사망이 증가한다

④ 태아 기형의 빈도가 증가한다

⑤ 임신 36주에 유도분만을 시행한다

30

정답 ③

해설

임신성 당뇨와 태아 사망

1. 임신성 당뇨와 연관된 가장 중요한 합병증
   a. 사산의 위험성 3~4배 증가
   b. 고혈압이 동반된 경우 7배까지 증가
2. 임신성 당뇨가 적절히 치료되면 태아 사망률은 일반 임신부와 별 차이가 없음

참고 *Final Check 산과 888 page*

31

현성 당뇨(overt diabetes)를 가지고 있는 여성에서 향후 임신 시 태아 기형의 가능성을 예측하는 데 사용할 수 있는 가장 유용한 지표는 무엇인가?

① 혈당 수치 ② 당화혈색소
③ Insulin 용량 ④ 증상
⑤ 체중

31
정답 ②
해설
현성 당뇨 산모의 당화혈색소(HbA_{1c})
1. 임신 전 <6.5%, 임신 중 <6% 정도로 조절
2. 정상 범위 내에 있으면 태아 기형의 위험도가 당뇨병이 없는 여성과 비슷
3. 10%를 넘으면 태아 기형 위험이 4배 증가

참고 *Final Check 산과 895 page*

32

다음 중 당뇨 산모에서 기형 발생과 관련이 가장 큰 지표는 무엇인가?

① 공복 시 혈당 ② 식후 1시간 혈당
③ 식후 2시간 혈당 ④ HbA_{1c}
⑤ Insulin 용량

32
정답 ④
해설
현성 당뇨 산모의 당화혈색소(HbA_{1c})
1. 임신 전 <6.5%, 임신 중 <6% 정도로 조절
2. 정상 범위 내에 있으면 태아 기형의 위험도가 당뇨병이 없는 여성과 비슷
3. 10%를 넘으면 태아 기형 위험이 4배 증가

참고 *Final Check 산과 895 page*

33

임신 전 제1형 당뇨를 진단받은 여성에게 가장 흔히 발생하는 태아 이상은?

① 염색체 이상
② 심혈관기형
③ 위장관기형
④ 근골격기형
⑤ 비뇨생식기기형

33
정답 ②
해설
당뇨 산모 신생아의 주요 선천성 기형

	T1DM (n=482)	T2DM (n=4166)	G-DM (n=31,700)
Cardiac	38	272	1129
Musculoskeletal	1	31	231
Urinary	3	28	260
CNS	1	13	64
GI	1	30	164
Other	11	80	355
Total	55	454	2203

참고 *Final Check 산과 894 page*

34

현성 당뇨(overt diabetes) 임산부의 태아에서 선천성 기형의 발생 빈도가 증가하는 원인을 고르시오.

① 고혈당
② 철분 결핍
③ 고인슐린혈증
④ 지방산 대사장애
⑤ 단백질 대사장애

34

정답 ①

해설

현성 당뇨병 산모의 태아 기형

1. 발생 원인 : 모체의 고혈당
2. 적절한 혈당 조절 시 태아 기형의 빈도 감소

참고 *Final Check 산과 894 page*

35

현성 당뇨 임신의 신생아 합병증을 줄이는 방법을 쓰시오. (2가지)

35

정답

1. 임신 전부터 하루 400 μg 엽산 복용
2. 철저한 혈당 조절(FSB/PP1/PP2 : 95/140/120 mg/dL 이하로 조절)

참고 *Final Check 산과 895 page*

36

인슐린 의존성 당뇨 환자가 임신한 경우, 주산기 사망의 가장 흔한 원인은 무엇인가?

① 뇌출혈
② 저칼슘혈증
③ 저혈당증
④ 선천성 기형
⑤ 심장비대증

36

정답 ④

해설

현성 당뇨 산모의 태아 기형

1. 일반 산모에 비해 기형의 위험성이 높음
2. 발생 원인 : 모체의 고혈당
3. 주산기 사망의 가장 흔한 원인

참고 *Final Check 산과 894 page*

37

현성 당뇨(overt diabetes)가 있는 임산부에서 발생하는 합병증을 모두 고르시오.

(가) 조산
(나) 신생아 이환율 증가
(다) 주산기 사망율 증가
(라) 선천성 기형

① 가, 나, 다 ② 가, 다
③ 나, 라 ④ 라
⑤ 가, 나, 다, 라

37

정답 ⑤

해설

현성 당뇨의 임신에 대한 영향

산모	태아	신생아
전자간증	자연유산	호흡곤란증후군
신장병증	원인불명의 사산	저혈당증
망막병증	태아 기형	저칼슘혈증
신경병증	양수과다증	저마그네슘혈증
감염	거대아	고빌리루빈혈증
케톤산증	조산	적혈구증가증
		심근병증
		신경학적 손상

참고 *Final Check 산과 893 page*

38

현성 당뇨 임산부에서 위험도가 증가하는 것을 모두 고르시오.

(가) 유산
(나) 임신성 고혈압
(다) 거대아
(라) 선천성 기형

① 가, 나, 다 ② 가, 다
③ 나, 라 ④ 라
⑤ 가, 나, 다, 라

38

정답 ⑤

해설

현성 당뇨의 임신에 대한 영향

산모	태아	신생아
전자간증	자연유산	호흡곤란증후군
신장병증	원인불명의 사산	저혈당증
망막병증	태아 기형	저칼슘혈증
신경병증	양수과다증	저마그네슘혈증
감염	거대아	고빌리루빈혈증
케톤산증	조산	적혈구증가증
		심근병증
		신경학적 손상

참고 *Final Check 산과 893 page*

39

현성 당뇨가 임신에 미치는 영향을 모두 고르시오.

(가) 전자간증의 발생률 증가
(나) 제왕절개 빈도 감소
(다) 양수과다증 빈도 증가
(라) 감염 발생률 감소

① 가, 나, 다
② 가, 다
③ 나, 라
④ 라
⑤ 가, 나, 다, 라

40

현성 당뇨(overt diabetes)가 있는 32세 여성이 3개월 후 임신 계획을 가지고 상담을 위해 내원하였다. 임신할 때까지의 혈당 조절 방법과 엽산의 1일 투여량으로 적절한 것을 고르시오.

① 운동, 경구 혈당강하제 & 엽산 100 μg/day
② 운동, 인슐린 & 엽산 200 μg/day
③ 식이요법, 운동, 경구 혈당강하제 & 엽산 400 μg/day
④ 식이요법, 운동, 인슐린 & 엽산 4,000 μg/day
⑤ 식이요법, 운동, 인슐린 & 엽산 400 μg/day

39

정답 ②

해설

현성 당뇨의 임신에 대한 영향

산모	태아	신생아
전자간증 신장병증 망막병증 신경병증 감염 케톤산증	자연유산 원인불명의 사산 태아 기형 양수과다증 거대아 조산	호흡곤란증후군 저혈당증 저칼슘혈증 저마그네슘혈증 고빌리루빈혈증 적혈구증가증 심근병증 신경학적 손상

참고 *Final Check 산과 893 page*

40

정답 ⑤

해설

현성 당뇨의 임신 전 관리

1. 철저한 혈당 조절
2. 임신 전부터 하루 400 μg 엽산 복용
3. 식이요법, 운동요법
4. 1차 약제 : 인슐린

참고 *Final Check 산과 895 page*

41

임신 32주인 29세 초산부가 두통, 복통, 구역, 구토를 주소로 내원하였다. 환자는 15세때부터 인슐린 의존성 당뇨로 인슐린을 사용하고 있었고, 내원 시 혈당 450 mg/dL으로 확인되었다. 다음 중 가장 먼저 시행해야 할 치료는 무엇인가?

① 전해질 수액　② 포도당 수액
③ 스테로이드 투여　④ 유도분만
⑤ 제왕절개 수술

41
정답 ①
해설
케톤산증(diabetic ketoacidosis, DKA)
1. 제1형 당뇨에서 더 흔하게 발생
2. 생명을 위협하는 응급상황
3. 원인 : 심한 입덧, 감염, 스테로이드, 약물 등
4. 처치
   a. 검사 : ABGA, glucose, ketone, electrolyte level
   b. 수액과 인슐린 정맥주사
   c. 혈당이 250 mg/dL 되면 생리식염수에서 5% dextrose로 교체

참고 *Final Check 산과 893 page*

42

임신 29주인 임산부가 두통, 오심, 구토를 주소로 응급실로 내원하였다. 산모는 임신 전부터 제1형 당뇨가 있었고, 조기진통으로 타병원에서 스테로이드 및 리토드린을 투여하며 금식 및 안정을 취하던 중이었다고 하였다. 이후 자궁수축은 없어졌고 혈당 284 mg/dL, 동맥혈가스분석상 pH 7.2로 확인되었다. 다음 중 가장 먼저 투여하여야 할 것은 무엇인가?

① 생리식염수　② 스테로이드
③ 마그네슘황산염　④ 칼슘글루코네이트
⑤ 나트륨바이카보네이트

42
정답 ①
해설
케톤산증(diabetic ketoacidosis, DKA)
1. 제1형 당뇨에서 더 흔하게 발생
2. 생명을 위협하는 응급상황
3. 원인 : 심한 입덧, 감염, 스테로이드, 약물 등
4. 처치
   a. 검사 : ABGA, glucose, ketone, electrolyte level
   b. 수액과 인슐린 정맥주사
   c. 혈당이 250 mg/dL 되면 생리식염수에서 5% dextrose로 교체

참고 *Final Check 산과 893 page*

43

현성 당뇨 산모의 분만 전후 처치로 올바른 것을 고르시오.

① 투여하던 인슐린은 분만 전날부터 중단한다
② 제왕절개는 오후에 시행한다
③ 전신마취보다 부분마취를 시행한다
④ 출산 후 24시간 동안은 인슐린을 증량한다
⑤ 모유수유 시 정상 산모보다 열량을 2배로 준다

43
정답 ③
해설
현성 당뇨 산모의 분만 전후 관리
1. 분만이 예정된 전날 자정부터 금식, 취침 전에 투여하던 인슐린은 그대로 투여
2. 제왕절개 시 가능한 아침에 시행, 부분마취가 유리
3. 분만 후에는 인슐린 요구량이 상당히 감소
4. 모유수유 시 임신 전보다 500 kcal 증량

참고 *Final Check 산과 895 page*

CHAPTER 52

내분비질환(Endocrine disorders)

01

다음 중 태반을 통과하지 않는 것은 무엇인가?

① TRH ② TSH
③ I-131 ④ Maternal T3
⑤ Propylthiouracil

02

다음 중 태반 통과하지 않는 것을 고르시오.

① TRH ② TSH
③ Iodine ④ Propylthiouracil
⑤ β-adrenergic blocker

03

임신 중 갑상샘 기능평가에 가장 좋은 검사법은 무엇인가?

① T3 ② T4
③ TRH ④ Thyroid binding globulin
⑤ TSH

01

정답 ②

해설

갑상샘호르몬의 태반 통과

통과	미량 통과	불통과
iodine Thioamides 약물 갑상샘자극항체 TRH	T3, T4	TSH

참고 *Final Check 산과 898 page*

02

정답 ②

해설

갑상샘호르몬의 태반 통과

통과	미량 통과	불통과
iodine Thioamides 약물 갑상샘자극항체 TRH	T3, T4	TSH

참고 *Final Check 산과 898 page*

03

정답 ⑤

해설

임신 중 갑상샘 기능평가의 정확한 지표

1. TSH, free T4
2. 농도 변화가 없기 때문

참고 *Final Check 산과 897 page*

04

임신 11주 임신부가 하루 5차례의 구토와 가슴 두근거림, 최근 4 kg 체중감소를 주소로 내원하였다. 시행한 혈액 검사 결과가 아래와 같을 때 이 산모에게 가장 적절한 처치는 무엇인가?

- free T4 : 1.8 mg/L (정상범위 : 1~2 ng/dL)
- TSH : 0.05 mU/L (정상범위 : 4~5 μU/mL)
- Anti TPO ab (−)
- Anti TSH−R ab (−)

① Hydration ② Methimazole
③ Propylthiouracil ④ Synthyroid
⑤ Thyroidectomy

04

정답 ①

해설

임신 중 갑상샘기능항진증

1. TSH 및 free T4 측정이 가장 정확
2. TSH 감소, free T4 증가
3. 검사 결과가 모호하면 3~4주 후 재검
4. 임신 중 갑상샘기능항진증의 진단은 어려움 : 임신에 의한 대사증가로 증상의 혼동

참고 *Final Check 산과 899 page*

05

임신 중 갑상샘의 변화로 맞는 것을 모두 고르시오.

(가) Thyroid radioiodine uptake 증가
(나) T3 resin uptake 감소
(다) Thyroid binding globulin 증가
(라) free T4 증가

① 가, 나, 다 ② 가, 다
③ 나, 라 ④ 라
⑤ 가, 나, 다, 라

05

정답 ①

해설

임신 중 갑상샘호르몬의 변화

증가	정상(변화 없음)	감소
TBG Total T3, T4 갑상샘 크기	free T3, free T4 TSH TRH	T3 resin uptake

참고 *Final Check 산과 897 page*

06

다음 중 임신으로 초래될 수 있는 갑상샘의 변화가 아닌 것을 고르시오.

① Heart intolerance

② Plasma total thyroxine level 증가

③ Mild tachycardia

④ Thyroid radioiodine uptake 증가

⑤ Free thyroxine 농도의 증가

06

정답 ⑤

해설

임신 중 갑상샘호르몬의 변화

증가	정상(변화 없음)	감소
TBG Total T3, T4 갑상샘 크기	free T3, free T4 TSH TRH	T3 resin uptake

참고 Final Check 산과 897 page

07

갑상샘기능항진증으로 치료 중이지만 잘 조절되지 않는 경우 증가하는 임신 합병증은 무엇인가?

① Diabetes mellitus

② Multifetal gestation

③ Pregnancy induced hypertension

④ Macrosomia

⑤ Idiopathic thrombocytopenic purpura

07

정답 ③

해설

갑상샘기능항진증의 임신에 대한 영향

산모의 예후	주산기 예후
전자간증(preeclampsia) 심부전(heart failure) 사망(death)	조산(preterm delivery) 성장제한(growth restriction) 사산(stillbirth) 갑상샘중독증(thyrotoxicosis) 갑상샘기능저하증(hypothyroidism) 갑상샘종(goiter)

참고 Final Check 산과 900 page

08

산모의 갑상샘기능항진증 시 유발되지 않는 것은 무엇인가?

① Pregnancy induced hypertension

② Placental abruption

③ Placenta previa

④ Preterm delivery

⑤ Fetal growth restriction

08

정답 ③

해설

갑상샘기능항진증의 임신에 대한 영향

산모의 예후	주산기 예후
전자간증(preeclampsia) 심부전(heart failure) 사망(death)	조산(preterm delivery) 성장제한(growth restriction) 사산(stillbirth) 갑상샘중독증(thyrotoxicosis) 갑상샘기능저하증(hypothyroidism) 갑상샘종(goiter)

참고 Final Check 산과 900 page

09

모체의 질환으로 인해 신생아에서 나타날 수 있는 질환의 연결 중 잘못된 것을 고르시오

산모	신생아
① Graves' disease	일과성 신생아 갑상샘중독증
② Hyperparathyroidism	고칼슘혈증
③ DM	신생아 저혈당
④ Gestational hypertension	자궁 내 태아성장제한
⑤ ITP	혈소판감소증

09

정답 ②

해설

부갑상샘기능항진증의 임신, 태아에 대한 영향

임신 중 합병증	태아의 합병증
자연유산 자궁 내 태아사망 태아성장제한 저출생체중 조산 전자간증	부갑상샘기능저하증 저칼슘혈증 강직(tetany)

참고 Final Check 산과 906 page

10

임신 중 발생한 갑상샘중독발작(thyroid storm) 시 투여하면 안되는 약물은 무엇인가?

① Acetaminophen ② PTU

③ Iodide ④ Aspirin

⑤ Dexamethasone

10

정답 ④

해설

갑상샘중독발작(thyroid storm)의 치료

1. 즉각적인 수액 공급, 전해질 투여, 혈압 조절, 해열 등을 시행
2. 금기 : Aspirin (plasma protein과 결합된 thyroid hormone을 분리시킴)

참고 Final Check 산과 901 page

11

임신과 동반된 갑상샘기능항진증의 일차 선택 약제를 고르시오.

① Propylthiouracil ② Methimazole

③ Iodine-131 ④ Lugol solution

⑤ Synthyroid

11

정답 ①

해설

Propylthiouracil (PTU)

1. T4에서 T3로의 변환을 억제
2. Methimazole 보다 덜 통과

참고 Final Check 산과 899 page

12

다음 중 갑상샘기능저하증의 임신 중 합병증이 아닌 것을 고르시오.

① Postterm pregnancy

② Pregnancy induced hypertension

③ Placental abruption

④ Low birth weight

⑤ Cardiac dysfunction

12

정답 ①

해설

갑상샘기능저하증의 임신 중 합병증

1. 전자간증(preeclampsia)
2. 태반조기박리(placental abruption)
3. 심장기능장애(cardiac dysfunction)
4. 출생체중(birthweight) <2,000 g
5. 사산(stillbirths)

참고 *Final Check 산과 903 page*

13

친정 엄마가 갑상샘기능항진증인 산모의 갑상선기능검사의 결과가 아래와 같았다. 다음 중 이 산모에게 가장 적절한 처치는 무엇인가?

– TSH : 2 μU/mL (정상범위 : 4~5 μU/mL)

– free T4 : 1 ng/dL (정상범위 : 1~2 ng/dL)

① 경과관찰 ② Methimazole 투여

③ Levothyroxine 투여 ④ Iodine-131 치료

⑤ Propylthiouracil 투여

13

정답 ③

해설

임신 중 갑상샘기능저하증의 치료

1. 진단 : free T4 저하, TSH 증가
2. Levothyroxine (synthyroid®)
   a. 하루 1~2 μg/kg 또는 대략 100 μg 투여
   b. 4~6주 간격으로 TSH를 측정하여 치료 반응을 확인

참고 *Final Check 산과 903 page*

14

직경 12 mm 크기의 프로락틴종(prolactinoma) 환자가 임신 후 내원하였다. 다음 중 이 산모에 대한 내용으로 맞는 것은 무엇인가?

① Prolactin 수치를 지속적으로 측정한다

② Bromocriptine을 계속 복용한다

③ 주기적 시야검사를 시행한다

④ 분만 후 모유수유를 금지시킨다

⑤ 태아 기형의 발생이 증가한다

14

정답 ③

해설

프로락틴종(Prolactinoma)의 임신 중 추적 방법

미세선종(microadenoma)	거대선종(macroadenoma)
- 직경 ≤10 mm - 주기적인 증상의 관찰 (두통, 시야장애 등)	– 직경 >10 mm – 각 삼분기마다 시야검사, 안저검사(fundoscopy)
CT MRI : 증상이 발현된 경우 시행	
혈중 prolactin 측정 : 임신 시 혈중 prolactin의 생리적 증가와 종양으로 인한 증가의 감별이 어려움	

참고 *Final Check 산과 909 page*

15

산모에서 뇌하수체 프로락틴종(prolactinoma)이 2 cm 이상일 때 임신 중 처지로 옳은 것은 무엇인가?

① Bromocriptine을 중단하고 관찰한다
② Bromocriptine을 지속적으로 쓰면서 관찰한다
③ 삼분기마다 brain CT를 시행한다
④ 정기적으로 시야검사를 시행한다
⑤ 분만 후 모유수유의 금기증이다

15

정답 ④

해설

프로락틴종(Prolactinoma)의 임신 중 추적 방법

미세선종(microadenoma)	거대선종(macroadenoma)
- 직경 ≤10 mm - 주기적인 증상의 관찰 (두통, 시야장애 등)	– 직경 >10 mm – 각 삼분기마다 시야검사, 안저검사(fundoscopy)
CT, MRI : 증상이 발현된 경우 시행	
혈중 prolactin 측정 : 임신 시 혈중 prolactin의 생리적 증가와 종양으로 인한 증가의 감별이 어려움	

참고 *Final Check 산과 909 page*

16

뇌하수체의 미세선종(macroadenoma)이 임신 제1삼분기에 발견된 산모가 내원하였다. 이 산모의 향후 필요한 추적검사가 아닌 것을 모두 고르시오.

(가) Brain MRI
(나) Fundoscopy
(다) 시야검사
(라) 혈중 prolactin 측정

① 가, 나, 다　　② 가, 다
③ 나, 라　　④ 라
⑤ 가, 나, 다, 라

16

정답 ④

해설

프로락틴종(Prolactinoma)의 임신 중 추적 방법

미세선종(microadenoma)	거대선종(macroadenoma)
- 직경 ≤10 mm - 주기적인 증상의 관찰 (두통, 시야장애 등)	– 직경 >10 mm – 각 삼분기마다 시야검사, 안저검사(fundoscopy)
CT, MRI : 증상이 발현된 경우 시행	
혈중 prolactin 측정 : 임신 시 혈중 prolactin의 생리적 증가와 종양으로 인한 증가의 감별이 어려움	

참고 *Final Check 산과 909 page*

17

미세선종으로 bromocriptine을 복용 중인 산모의 임신 중 처치로 옳은 것은 무엇인가?

① 복용 중단
② 주기적 시야검사
③ 임신 중절
④ 모유수유 금기
⑤ 수술

18

뇌하수체 미세선종(microadenoma) 임신부에 대한 내용으로 옳은 것을 고르시오.

① 유산율, 주산기 사망률이 증가한다
② 증상이 없어도 매월 시야검사, 혈중 prolactin 측정을 반드시 검사한다
③ 임신 확인 즉시 dopamine 작용제 치료를 중단하여도 종양이 성장하지 않는다
④ 확실한 종양의 크기 증가가 확인되면 dopamine 작용제 보다는 임신을 중단한다
⑤ Dopamine 작용제 치료로 양수 내 prolactin을 감소시킨다

17

정답 ②

해설

프로락틴종(Prolactinoma)의 임신 중 추적 방법

미세선종(microadenoma)	거대선종(macroadenoma)
- 직경 ≤10 mm - 주기적인 증상의 관찰 (두통, 시야장애 등)	– 직경 >10 mm – 각 삼분기마다 시야검사, 안저검사(fundoscopy)
CT, MRI : 증상이 발현된 경우 시행	
혈중 prolactin 측정 : 임신 시 혈중 prolactin의 생리적 증가와 종양으로 인한 증가의 감별이 어려움	

참고 *Final Check 산과 909 page*

18

정답 ③

해설

임신 중 뇌하수체 미세선종(microadenoma)

1. 임신 중 대부분 특별한 문제 발생하지 않음
2. 임신 중 주기적인 증상의 관찰
3. Bromocriptine은 임신 중 안전성이 확인
4. 증상이 있는 종양의 크기 증가는 치료 시행

참고 *Final Check 산과 909 page*

19

4 mm 크기의 뇌하수체 프로락틴종으로 bromocriptine을 복용 중인 여성이 임신했을 때 상담 내용으로 맞지 않는 것은 무엇인가?

① 자연 유산이 증가한다
② 분만 후 모유수유가 가능하다
③ 주산기 이환율이 증가한다
④ Prolactinoma의 크기가 변할 수 있다
⑤ 임신 중 prolactin 수치를 추적관찰 해야 한다

19

정답 ⑤

해설

프로락틴종(Prolactinoma)의 임신 중 추적 방법

미세선종(microadenoma)	거대선종(macroadenoma)
- 직경 ≤10 mm - 주기적인 증상의 관찰 (두통, 시야장애 등)	– 직경 >10 mm – 각 삼분기마다 시야검사, 안저검사(fundoscopy)
CT, MRI : 증상이 발현된 경우 시행	
혈중 prolactin 측정 : 임신 시 혈중 prolactin의 생리적 증가와 종양으로 인한 증가의 감별이 어려움	

참고 *Final Check 산과 909 page*

20

임신 중 고프로락틴혈증에 대한 처치로 잘못된 것을 고르시오.

① 미세선종(microadenoma)은 내과적 치료가 원칙이다
② 미세선종(microadenoma)은 임신 중 합병증을 유발하는 경우는 드물다
③ 임신 중에는 cabergoline보다 bromocriptine이 추천된다
④ Cabergoline은 bromocriptine에 비해 부작용이 적다
⑤ 분만 후 수유는 추천되지 않는다

20

정답 ⑤

해설

임신 중 뇌하수체 미세선종(microadenoma)

1. 증상이 있는 종양의 크기 증가는 치료 시행
2. 임신 중 대부분 특별한 문제 발생하지 않음
3. Bromocriptine : 임신 중 안전성이 확인
4. 분만 후 모유수유 가능

참고 *Final Check 산과 909 page*

CHAPTER 53

결체조직질환(Connective tissue disease)

01

전신홍반루푸스를 가진 산모에서 나타날 수 있는 합병증을 모두 고르시오.

(가) Preeclampsia
(나) Preterm labor
(다) Anemia
(라) Pulmonary embolism

① 가, 나, 다
② 가, 다
③ 나, 라
④ 라
⑤ 가, 나, 다, 라

01

정답 ⑤

해설

전신홍반루푸스의 임신 관련 합병증

동반 질환	산과적 합병증
임신 전 당뇨 혈소판증가증 고혈압 신부전 폐동맥고혈압	전자간증 조기진통 태아성장제한 자간증
내과적 합병증	**감염**
빈혈 혈소판감소증 혈전증	폐렴, 패혈증
	모성 이환율 및 사망률
	325/100,000

참고 *Final Check 산과 916 page*

02

임신 중 전신홍반루푸스 환자에 대한 내용으로 잘못된 것을 고르시오.

① 신생아 당뇨가 증가한다
② 조산이 증가한다
③ 태아의 선천성 심장차단은 anti-Ro Ab, anti-La Ab와 관련이 있다
④ 신장기능이 임신의 예후에 중요하다
⑤ 태아성장제한이 발생할 수 있다

02

정답 ①

해설

1. 산과적 합병증 : 전자간증, 조기진통, 태아성장제한, 자간증
2. 선천성 심장차단 : 산모에서 anti-Ro (SS-A), anti-La (SS-B) 항체 양성
3. 임신의 예후를 가장 잘 반영하는 인자
   a. 단백뇨(proteinuria)
   b. 크레아티닌 청소율(creatinine clearance)

참고 *Final Check 산과 916, 917, 918 page*

03

전신홍반루푸스를 가진 여성이 임신을 확인하여 내원하였다. 임신 기간동안 신장기능을 평가하기 위하여 임산부에게 시행해야 할 검사를 모두 고르시오.

(가) Serum BUN
(나) C-reactive protein
(다) Serum C3, C4
(라) Serum calcium phosphate

가, 나, 다 ② 가, 다
③ 나, 라 ④ 라
⑤ 가, 나, 다, 라

04

전신홍반루푸스의 임신 중 예후를 예측하는데 도움이 되는 인자를 모두 고르시오.

(가) C3
(나) Transaminase
(다) CH50
(라) Proteinuria

① 가, 나, 다 ② 가, 다
③ 나, 라 ④ 라
⑤ 가, 나, 다, 라

03

정답 ②

해설

전신홍반루푸스 임산부의 임신 제1삼분기 검사

1. CBC, serum transaminase, BUN, Cr
2. Urinalysis, 24 hours urine for protein & Cr
3. ANA, anti-Ro, anti-La Ab titer
4. Lupus anticoagulant level, anticardiolipin Ab
5. Anti-dsDNA ab titer, CH50, C3/C4 level
6. Evaluate for lupus flare

참고 *Final Check 산과 916 page*

04

정답 ⑤

해설

임신의 예후가 좋은 경우

1. 임신 전 6개월 동안 루푸스의 활동성이 없는 경우
2. 단백뇨 또는 신기능 저하 등을 동반하는 루푸스신장염이 없는 경우
3. 항인지질항체증후군(APS) 또는 lupus anticoagulant가 없는 경우
4. 가중합병전자간증이 동반되지 않는 경우

참고 *Final Check 산과 916 page*

05

루푸스신장염이 있는 산모의 임신 예후를 가장 잘 반영하는 검사를 쓰시오.(두가지)

05

정답
1. 단백뇨(proteinuria)
2. 크레아티닌 청소율(creatinine clearance)

참고 *Final Check 산과 917 page*

06

전신홍반루푸스에 대한 설명으로 옳은 것을 고르시오.

① 간, 신장에 대한 검사를 자주한다

② Steroid는 사용하지 않는다

③ Azathioprine을 초기부터 사용한다

④ Aspirin은 32주까지만 사용한다

⑤ 태아의 폐성숙이 완료되면 조기 분만한다

06

정답 ①

해설

전신홍반성루푸스의 임신 중 치료

1. NSAIDs : 관절통, 장막염 조절
2. Corticosteroid : 루푸스신장염, 신경학적 증상, 혈소판감소증, 용혈성 빈혈 등이 동반되는 위중한 상태
3. Antimalarials : 안전하게 사용가능
4. 면역억제제 및 세포독성 약물 : 비임신 여성의 활동성 루푸스 치료에 사용

참고 *Final Check 산과 919 page*

07

항인지질항체증후군(Antiphospholipid antibody syndrome)에 대한 검사를 시행해야 하는 적응증을 모두 고르시오.

(가) 반복 유산
(나) 동맥혈전증
(다) 자궁 내 태아성장제한
(라) 다운증후군

① 가, 나, 다
② 가, 다
③ 나, 라
④ 라
⑤ 가, 나, 다, 라

08

항인지질항체증후군의 진단에 필요한 검사기준을 쓰시오. (3가지)

07

정답 ①

항인지질항체증후군의 진단기준

임상기준(Clinical criteria)
Obstetric 유산 – 10주 이후에 한번 or 10주 전 3번 이상 연속 조산 – 34주 전의 중증 전자간증 또는 태반기능부전 Vascular 조직, 장기에 동맥 or 정맥혈전증 1번 이상
임상기준(Clinical criteria)
Lupus anticoagulant의 존재 Medium or high IgG or IgM anticardiolipin antibodies Anti–β2–glycoprotein I IgG or IgM antibody

- 임상기준, 검사기준 각각 한가지 이상 양성으로 확인
- 12주 간격, 2회의 LAC, ACA, anti–β2–glycoprotein I 수치 상승의 확인

참고 *Final Check 산과 921 page*

08

정답

1. Lupus anticoagulant의 존재
2. Medium or high IgG or IgM anticardiolipin antibodies
3. Anti–β2–glycoprotein I IgG or IgM antibody

해설

항인지질항체증후군의 진단기준

임상기준(Clinical criteria)
Obstetric 유산 – 10주 이후에 한번 or 10주 전 3번 이상 연속 조산 – 34주 전의 중증 전자간증 또는 태반기능부전 Vascular 조직, 장기에 동맥 or 정맥혈전증 1번 이상
임상기준(Clinical criteria)
Lupus anticoagulant의 존재 Medium or high IgG or IgM anticardiolipin antibodies Anti–β2–glycoprotein I IgG or IgM antibody

- 임상기준, 검사기준 각각 한가지 이상 양성으로 확인
- 12주 간격, 2회의 LAC, ACA, anti–β2–glycoprotein I 수치 상승의 확인

참고 *Final Check 산과 921 page*

09

32세의 임신 10주 산모가 피곤감, 근육통, 협부발진(malar rash), 원판상 발진(discoid rash)을 주소로 내원하였다. 과거 3차례 유산 과거력이 있었고 다른 질환으로 치료 받은 적은 없다고 하였다면 다음으로 시행할 검사를 쓰시오.(2가지)

10

임신 28주에 중증 전자간증, 태아성장제한으로 조산한 과거력이 있는 산모가 임신 6주로 내원하였다. 3개월 전과 현재의 검사 결과가 아래와 같다면 다음 처치로 가장 적절한 것을 고르시오.

	3개월 전	현재
Lupus anticoagulant	+	+
IgG anticardiolipin antibody	+	+
IgM anticardiolipin antibody	−	−

① 경과관찰
② 와파린
③ 헤파린
④ 저용량 아스피린
⑤ 저용량 아스피린 + 헤파린

09

정답

1. Lupus anticoagulant의 존재
2. Medium or high IgG or IgM anticardiolipin antibodies
3. Anti−β2−glycoprotein I IgG or IgM antibody

해설

항인지질항체증후군의 진단기준

임상기준(Clinical criteria)
Obstetric 유산 – 10주 이후에 한번 or 10주 전 3번 이상 연속 조산 – 34주 전의 중증 전자간증 또는 태반기능부전 Vascular 조직, 장기에 동맥 or 정맥혈전증 1번 이상
임상기준(Clinical criteria)
Lupus anticoagulant의 존재 Medium or high IgG or IgM anticardiolipin antibodies Anti−β2−glycoprotein I IgG or IgM antibody

– 임상기준, 검사기준 각각 한가지 이상 양성으로 확인
– 12주 간격, 2회의 LAC, ACA, anti−β2−glycoprotein I 수치 상승의 확인

참고 *Final Check 산과 921 page*

10

정답 ⑤

해설

항인지질항체증후군의 치료

아스피린(Aspirin)	헤파린(Heparin)
– SLE 또는 APS에 사용 – 임신 중 안전	– 정맥 및 동맥 혈전증 예방을 위해 사용
→ Asprin + Heparin : 가장 효과적인 요법	
Corticosteroid	
– SLE 여성 또는 SLE가 발생한 APS 여성에게 사용 – 원발성 APS에서는 사용하지 않음 – SLE에서 발생한 이차성 APS 여성은 악화(flare)를 예방하기 위해 prednisone을 가장 낮은 용량 유지	
Intravenous immunoglobulin therapy (IVIG)	
– CAPS 또는 헤파린유도 혈소판감소증에 사용 – 전자간증이나 태아성장제한 시 다른 치료에 반응하지 않은 경우 사용	
Immunosuppression with hydroxychloroquine	
– APS 여성의 혈전증 위험을 줄이고 임신 결과를 개선 – SLE or APS에서 저용량 아스피린 치료에 함께 사용	

참고 *Final Check 산과 922 page*

11

임신 중 항인지질항체증후군의 치료에 이용되는 약제를 모두 고르시오.

(가) 저용량 아스피린
(나) 면역글로불린
(다) 프레드니손
(라) 헤파린

① 가, 나, 다 ② 가, 다
③ 나, 라 ④ 라
⑤ 가, 나, 다, 라

11

정답 ⑤

해설

항인지질항체증후군의 치료

아스피린(Aspirin)	헤파린(Heparin)
– SLE 또는 APS에 사용 – 임신 중 안전	– 정맥 및 동맥 혈전증 예방을 위해 사용
→ Asprin + Heparin : 가장 효과적인 요법	
Corticosteroid	
– SLE 여성 또는 SLE가 발생한 APS 여성에게 사용 – 원발성 APS에서는 사용하지 않음 – SLE에서 발생한 이차성 APS 여성은 악화(flare)를 예방하기 위해 prednisone을 가장 낮은 용량 유지	
Intravenous immunoglobulin therapy (IVIG)	
– CAPS 또는 헤파린유도 혈소판감소증에 사용 – 전자간증이나 태아성장제한 시 다른 치료에 반응하지 않은 경우 사용	
Immunosuppression with hydroxychloroquine	
– APS 여성의 혈전증 위험을 줄이고 임신 결과를 개선 – SLE or APS에서 저용량 아스피린 치료에 함께 사용	

참고 *Final Check 산과 922 page*

12

2회의 초기 자연 유산 과거력이 있는 28세 여성이 임신 확인 후 내원하였다. 검사상 태아는 임신 6주 정도의 크기였고 심장은 120회/min.으로 확인되었으며, 산모의 혈액 검사에서 anti-cardiolipin antibody 양성으로 확인되었다. 이 산모의 다음 처치로 가장 적절한 것을 고르시오.

① Aspirin + LMWH ② Warfarin
③ Immunoglobulin ④ Steroid
⑤ Hydroxychloroquine

12

정답 ①

해설

항인지질항체증후군의 치료

아스피린(Aspirin)	헤파린(Heparin)
– SLE 또는 APS에 사용 – 임신 중 안전	– 정맥 및 동맥 혈전증 예방을 위해 사용
→ Asprin + Heparin : 가장 효과적인 요법	
Corticosteroid	
– SLE 여성 또는 SLE가 발생한 APS 여성에게 사용 – 원발성 APS에서는 사용하지 않음 – SLE에서 발생한 이차성 APS 여성은 악화(flare)를 예방하기 위해 prednisone을 가장 낮은 용량 유지	
Intravenous immunoglobulin therapy (IVIG)	
– CAPS 또는 헤파린유도 혈소판감소증에 사용 – 전자간증이나 태아성장제한 시 다른 치료에 반응하지 않은 경우 사용	
Immunosuppression with hydroxychloroquine	
– APS 여성의 혈전증 위험을 줄이고 임신 결과를 개선 – SLE or APS에서 저용량 아스피린 치료에 함께 사용	

참고 *Final Check 산과 922 page*

13

31세 여성이 임신 5주임을 확인 후 내원하였다. 과거력상 임신 25주, 23주에 자궁 내 태아사망의 과거력이 2회 있었다. 혈액 검사 결과가 아래와 같다면 이 산모의 다음 처치로 가장 적절한 것을 고르시오.

– 혈소판 73,000/μL	– Anticardiolipin Ab (+)
– PT 0.98	– Lupus anticoagulant (+)
– aPTT 50.0	– Anti–dsDNA Ab (–)
	– Antinuclear Ab (–)

① 헤파린 투여
② 비타민 K 투여
③ 스테로이드 투여
④ 혈장교환술
⑤ 비장절제술

13

정답 ①

해설

항인지질항체증후군의 치료

아스피린(Aspirin)	헤파린(Heparin)
– SLE 또는 APS에 사용 – 임신 중 안전	– 정맥 및 동맥 혈전증 예방을 위해 사용
→ Asprin + Heparin : 가장 효과적인 요법	
Corticosteroid	
– SLE 여성 또는 SLE가 발생한 APS 여성에게 사용 – 원발성 APS에서는 사용하지 않음 – SLE에서 발생한 이차성 APS 여성은 악화(flare)를 예방하기 위해 prednisone을 가장 낮은 용량 유지	
Intravenous immunoglobulin therapy (IVIG)	
– CAPS 또는 헤파린유도 혈소판감소증에 사용 – 전자간증이나 태아성장제한 시 다른 치료에 반응하지 않은 경우 사용	
Immunosuppression with hydroxychloroquine	
– APS 여성의 혈전증 위험을 줄이고 임신 결과를 개선 – SLE or APS에서 저용량 아스피린 치료에 함께 사용	

참고 *Final Check 산과 922 page*

14

2회의 자궁 내 태아사망 과거력이 있는 여성이 임신 상담을 위해 내원하였다. 환자는 이전부터 전신홍반루푸스로 진단을 받았다고 하였고, 시행한 검사 결과가 아래와 같다면 다음 처치로 가장 적절한 것을 고르시오.

- Lupus anticoagulant (+)
- Anticardiolipin antibody (+)
- C3 : 30 mg/dL (정상범위 : 66 to 185 mg/dL)
- C4 : 8 mg/dL (정상범위 : 15 to 52 mg/dL)

① Aspirin + Heparin

② Aspirin + Glucocorticoid

③ Aspirin + Immunoglobulin

④ Aspirin + Immunosuppressive agent

⑤ Aspirin + Heparin + Glucocorticoid

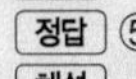

정답 ⑤

해설

항인지질항체증후군의 치료

아스피린(Aspirin)	헤파린(Heparin)
– SLE 또는 APS에 사용 – 임신 중 안전	– 정맥 및 동맥 혈전증 예방을 위해 사용
→ Asprin + Heparin : 가장 효과적인 요법	
Corticosteroid	
– SLE 여성 또는 SLE가 발생한 APS 여성에게 사용 – 원발성 APS에서는 사용하지 않음 – SLE에서 발생한 이차성 APS 여성은 악화(flare)를 예방하기 위해 prednisone을 가장 낮은 용량 유지	
Intravenous immunoglobulin therapy (IVIG)	
– CAPS 또는 헤파린유도 혈소판감소증에 사용 – 전자간증이나 태아성장제한 시 다른 치료에 반응하지 않은 경우 사용	
Immunosuppression with hydroxychloroquine	
– APS 여성의 혈전증 위험을 줄이고 임신 결과를 개선 – SLE or APS에서 저용량 아스피린 치료에 함께 사용	

참고 *Final Check 산과 922 page*

CHAPTER 54

신경질환과 정신질환 (Neurological and Psychiatric disorders)

01

임신 11주인 28세 초산부가 심한 구역과 구토, 한쪽에만 치우친 심한 두통을 주소로 내원하였다. 신경학적 검사와 뇌 전산화단층촬영에 이상 소견이 없다면 가장 적절한 치료는 무엇인가?

① Aspirin

② Magnesium sulfate

③ Ergotamine

④ Sumatriptan

⑤ Mannitol

01

정답 ①

해설

항인지질항체증후군의 진단기준

사용 목적	약제 및 FDA 임부등급	
구역, 구토	Promethazine (B,C) Metoclopramide (B)	Prochlorperazine (C) Hydroxyzine (C)
통증	Acetaminophen (B) Ibuprofen (B), Naproxen (B), Aspirin (C) Sumatriptan (C) Codeine (B), Meperidine (B) Caffeine (B)	
진정, 수면	Chloral hydrate (C) Pentobarbital (D) Hydroxyzine (C) Promethazine (C) Meperidine (C)	Diazepam (D) Lorazepam (D) Clonazepam (D) Chlorpromazine (C)
예방	Propranolol (C) Verapamil (C), Nifedipine (C) Amitriptyline (C), Fluoxetine (B)	

참고 *Final Check 산과 926 page*

02

간질로 약물 치료를 받고 있는 26세 여성이 임신 및 피임에 대해 상담하려고 내원하였다. 다음 중 올바른 내용을 고르시오.

① 피임 방법은 경구용 피임약이 가장 효과적이다

② 임신 시 기형 예방을 위해 phenytoin의 용량을 감소한다

③ 기형 빈도는 일반 산모와 비슷하다

④ 임신 중 기형 발생의 예방을 위해 칼슘을 지속적으로 복용해야 한다

⑤ Phenytoin 투여중인 임산부가 출산한 신생아에게는 Vit. K를 주사해야 한다

03

임신 전 간질이 있었던 산모에서 임신 중 간질의 빈도가 증가되는 이유로 맞지 않는 것은 무엇인가?

① 임신 초에는 구역, 구토로 약물 복용 및 흡수에 장애를 받는다

② 태아에 대한 약물의 부작용을 염려하여 산모가 약물 복용을 꺼린다

③ 분만 전후 또는 분만 중 약물 복용을 중단하는 경우가 많다

④ Phenytoin의 약물 배설이 증가된다

⑤ 위장관 운동의 증가로 약물 흡수가 증가된다

02

정답 ⑤

해설

임신에 대한 phenytoin의 영향

1. 신생아의 vitamin K-dependent coagulation factor의 결핍 초래
2. 심장기형, 구순/구개열, 요로기형 등과 관련
3. 인지장애의 위험성 증가
4. 예방 : 신생아나 임산부에게 vitamin K 투여

참고 *Final Check 산과 927 page*

03

정답 ⑤

해설

임신이 간질에 미치는 영향

1. 임신 중 항간질제의 혈중 농도 감소 요인
   a. 구역, 구토로 인한 복용 중단
   b. 위장관운동 감소, 제산제의 약물흡수 억제
   c. 혈장량 증가로 인한 약물 농도 감소
   d. 간, 혈장, 태반호르몬의 약물 대사 증가
   e. 사구체 여과율 증가로 약물 배설의 증가
   f. 알부민 감소로 증가된 유리 약물 배설 촉진
2. 기형유발을 우려한 약제 임의 중단
3. 임신 중 낮아지는 경련의 역치

참고 *Final Check 산과 926 page*

04

간질로 항경련제를 투여 받고 있는 임신부에게 약물을 투여하는 올바른 방법을 고르시오.

① 제산제를 같이 투여

② 항경련제 투여 후 구토했을 때는 다시 투여

③ 여러 가지 항경련제를 같이 투여

④ Vit. C를 같이 투여

⑤ 아스피린을 같이 투여

04

정답 ②

해설

1. 제산제는 약물의 흡수를 감소
2. 구역, 구토 후 항경련제 다시 복용
3. 임신 기간 중 항경련제는 최소량으로 유지
4. Phenytoin을 투여하는 임산부는 Vit.K를 투여
5. 항경련제를 복용하는 모든 산모에게 엽산을 권유

참고 *Final Check 산과 926, 927 page*

05

산후 정신병(postpartum psychosis) 발병 위험을 높이는 인자를 고르시오.

① 미혼모

② 고령 산모

③ 3회 이상의 출산력

④ 제왕절개분만

⑤ 산후 우울증 과거력

05

정답 ⑤

해설

산후 정신병의 위험인자

1. 양극성장애의 과거력(가장 중요)
2. 우울증, 자살시도 과거력이 있는 경우
3. 초산, 산과적 합병증이 있는 경우

참고 *Final Check 산과 929 page*

06

임신 중 호전되는 질환을 모두 고르시오.

(가) Peptic ulcer
(나) Rheumatoid arthritis
(다) Migraine
(라) SLE

① 가, 나, 다
② 가, 다
③ 나, 라
④ 라
⑤ 가, 나, 다, 라

06

정답 ①

해설

1. Peptic ulcer : 임신 중 호전, 분만 후 재발
2. Rheumatoid arthritis : 약 90%에 가까운 환자들이 임신 중 증상이 호전
3. Migraine : 편두통이 있는 여성의 70%에서 임신 중 증상이 좋아짐
4. SLE : 임신 중 1/3에서 호전되며, 1/3은 변함이 없고, 1/3에서는 악화

참고 *Final Check 산과 860, 916, 924, 926 page*

CHAPTER 55

피부질환(Dermatological disorders)

01

산과력 1-0-0-1인 임신 32주 다분만부가 피부 가려움증을 주소로 내원하였다. 이학적 소견상 복부와 사지에 크고 긴장성을 지닌 잔물집과 다수의 물집이 관찰되었으며, 지난 임신 시에도 같은 증상이 있었다고 하였다. 이 질환에 대한 내용으로 맞는 것을 모두 고르시오.

(가) 바이러스 질환이다
(나) 다음 임신 시에도 재발하며 증상은 더 심해질 것이다
(다) 분만 후 1~4주 내에 소실될 것이다
(라) 조직 검사상 표피의 기저막에 C3 침착이 있다

① 가, 나, 다　② 가, 다
③ 나, 라　④ 라
⑤ 가, 나, 다, 라

02

임신 중 임신유사천포창(pemphigoid gestationis)으로 진단받은 초산모가 외래로 내원하였다. 다음 중 가장 적절한 치료 방법을 고르시오.

① Oral prednisone　② Aspirin
③ Propranolol　④ Acyclovir
⑤ Ibuprofen

01

정답 ③

해설

임신유사천포창(Pemphigoid gestationis)

1. 자가면역 수포성 피부질환
2. 표피 기저막의 C3 보체가 생성되면서 발생
3. 복부에 심한 가려움을 동반한 발진성 병변
4. 대부분 임신 후기에 병변이 자연적으로 호전
5. 다음 임신에서 종종 재발하고, 재발 시 더 이른 시기에 더 심하게 발병

참고 *Final Check 산과 935 page*

02

정답 ①

해설

임신유사천포창(Pemphigoid gestationis) 치료

1. 항히스타민, 국소 스테로이드 : 초기에 사용
2. 경구 스테로이드 : 진행된 병변에 사용

참고 *Final Check 산과 937 page*

03

다음 중 PUPPP에 대한 설명으로 틀린 것을 모두 고르시오.

(가) 빈도는 0.25~1%로 주로 임신 후반기에 발생한다
(나) 초산부에서 흔하고 다음 임신 시 재발이 잘 된다
(다) 주산기 사망률은 증가하지 않는다
(라) 배꼽 주위에서 시작하여 얼굴과 손발로 퍼지며 찰과상을 동반 한다

① 가, 나, 다 ② 가, 다
③ 나, 라 ④ 라
⑤ 가, 나, 다, 라

04

임신 중에 태아에게 영향을 줄 수 있는 모체의 임신 특징적 피부질환을 쓰시오.(두가지)

03

정답 ③

해설

임신소양성두드러기성 구진 및 판(PUPPP)

1. 발생 빈도 : 약 0.25~1%
2. 임상적 특징
   a. 초산모에서 잘 발생
   b. 임신 후기, 특히 임신 제3삼분기에 호발
   c. 심한 가려움을 동반한 다양한 형태의 발진
   d. 분만 후 수일 내에 흉터 없이 자연 회복
   e. 다음 임신, 경구피임제로 인한 재발 없음
3. 임신선 주위 복부에 발생하여 엉덩이, 허벅지, 사지로 퍼지는 양상
4. 임산부와 태아의 위험이 증가하지는 않음

참고 *Final Check 산과 934 page*

04

정답

1. 임신성 간내쓸개즙정체(Intrahepatic cholestasis of pregnancy)
2. 임신유사천포창(Pemphigoid gestationis)

해설

주산기 이환률이 증가하는 피부질환

1. 임신성 간내쓸개즙정체
   a. 간 내 쓸개즙 정체의 정도에 따라 다름
   b. 심한 경우 조산, 태변착색, 태아가사, 사산
2. 임신유사천포창(Pemphigoid gestationis)
   a. 조산, 사산, 태아성장제한 등
   b. 임산부의 위험 증가 없음

참고 *Final Check 산과 934, 936 page*

CHAPTER 56

악성 신생물(Neoplastic disorders)

01

임신 중 종양의 진단 및 치료에서 태아에게 가장 해로운 것은 무엇인가?

① 흉부 MRI ② 위내시경 중 조직검사
③ 방사성 요오드치료 ④ 두경부 X-선 촬영
⑤ 유방절제술

01

정답 ③

해설

치료적 방사선(Therapeutic radiation)

1. 치료적 방사선의 안전한 임신 주수는 없음
2. 치료 목적의 유산 유도가 아니면 피함
3. 산전 방사선치료 후 6~12개월은 임신을 피함 : 방사선치료 또는 항암화학치료 후 1년 이내에는 자연 유산 또는 저출생체중 빈도 증가

참고 *Final Check 산과 942 page*

02

임신 8주인 여성이 자궁경부암 검사에서 침윤성 자궁경부암이 의심되어 자궁경부 원추절제술을 고려할 때 가장 적합한 시기는 언제인가?

① 즉시 ② 임신 제2삼분기
③ 분만 직후 ④ 분만 1개월 후
⑤ 분만 6개월 후

02

정답 ②

해설

자궁경부 원추절제술의 시기와 태아 소실률

1. 임신 제1삼분기 : 25%
2. 임신 제2삼분기 : 10% 미만
3. 임신 제3삼분기 : 태아 소실 없이 시행 가능

참고 *Final Check 산과 943 page*

03

임신 16주 산모가 자궁경부세포진검사상 편평상피세포암으로 나와 질확대경하 생검을 시행하였고, 미세침윤암으로 확인되었다. 다음 처치로 가장 적절한 것을 고르시오.

① 즉시 자궁절제술

② 매 임신 분기마다 질확대경하 생검

③ 즉시 자궁경부 원추절제술

④ 분만 후 자궁경부 원추절제술

⑤ 분만 후 자궁절제술

03

 ③

해설

임신 중 미세침윤 자궁경부암의 치료

1. 자궁경부 원추절제술 후 조직검사에 의해 진단된 경우 CIN과 유사한 지침
2. 임신의 지속과 질식분만은 안전
3. 최종 치료는 분만 후 6주에 시행

참고 *Final Check 산과 945 page*

04

임신 중 난소 종양에 대한 내용으로 옳은 것을 모두 고르시오.

(가) 가장 많은 합병증은 난소종양 파열이다

(나) 염전은 임신 첫 3개월에 가장 많다

(다) 약 25%는 악성이다

(라) 황체낭종이 가장 흔하다

① 가, 나, 다　② 가, 다

③ 나, 라　④ 라

⑤ 가, 나, 다, 라

04

정답 ③

해설

1. 가장 흔한 합병증 : 종양의 염전
2. 염전은 임신 제1삼분기에 가장 많이 발생
3. 임신 중 자궁부속기 종양이 발견되는 빈도 : 0.2~2% 정도, 이중 악성은 1~3%
4. 황체낭종(corpus luteum cysts) : 가장 흔함

참고 *Final Check 산과 946 page*

05

25세 초산모가 무월경 8주로 내원하여 시행한 초음파상 임신 8주로 확인되었고, 우측 난소에 유두상 돌기가 있는 직경 8 cm 크기의 낭성 종양과 복강 내 다량의 복수가 관찰되었다. 다음 처치로 가장 적절한 것을 고르시오.

① 3개월마다 초음파 추적 검사

② 즉시 시험적 개복술 시행

③ 임신 20주에 난소절제술 시행

④ 임신 34주에 제왕절개와 난소절제술 시행

⑤ 만삭으로 분만 후 난소절제술 시행

06

임신 18주인 20세 초산모가 하복부 불쾌감을 주소로 내원하였다. 시행한 초음파상 우측 난소에 10 cm 크기의 고형성분을 가진 난소 종양이 발견되었다면 다음 처치로 가장 적절한 것을 고르시오.

① 만삭 분만 후 난소종양절제술 시행

② 수술을 하지 않고 분만 후 3개월마다 관찰

③ 약 2개월 후 난소종양절제술 시행

④ 즉시 시험적 개복술 시행

⑤ 임신 32주 이후 제왕절개와 난소종양절제술 시행

05

정답 ②

해설

임신 중 난소 종양의 크기에 따른 처치

1. >8 cm : 수술적 제거(염전 위험성 증가, 악성 종양 감별)
2. 6~8 cm : 평가 시행(악성 의심 시 수술)
3. <6 cm : 영상학적 추적관찰

참고 *Final Check 산과 946 page*

06

정답 ④

해설

임신 중 난소암의 치료

1. 임신 중 난소의 악성 종양이 의심되면 확진과 치료를 위한 수술적 처치가 필요
2. 병기설정술 : 복수의 세포학적 검사, 복막 및 횡격막의 조직검사, 골반 및 대동맥림프절제술, 대망절제술, 반대편 난소 조직검사

참고 *Final Check 산과 946 page*

07

임신 8주된 산모가 정기 산전진찰을 위해 내원하였다. 초음파상 태아는 정상소견이었지만 산모의 우측 난소에 5 x 5 cm 크기의 단순 낭포성 음영이 관찰되었다면 다음 처치로 가장 적절한 것을 고르시오.

① 임신 중기까지 경과관찰

② 더글라스와 천자 실시

③ 황체호르몬 투여

④ 즉시 개복술을 시행하여 종괴제거술 시행

⑤ 질 출혈 발생 시 종괴제거술 시행

07

정답 ①

해설

임신 중 난소 종양의 크기에 따른 처치

1. >8 cm : 수술적 제거(염전 위험성 증가, 악성 종양 감별)
2. 6~8 cm : 평가 시행(악성 의심 시 수술)
3. <6 cm : 영상학적 추적관찰

참고 *Final Check 산과 946 page*

08

다음 중 임신 기간동안 악화되지 않는 악성 종양을 모두 고르시오.

(가) 흑색종
(나) 상피성 자궁경부암
(다) 유방암
(라) 호지킨 림프종

① 가, 나, 다 ② 가, 다

③ 나, 라 ④ 라

⑤ 가, 나, 다, 라

08

정답 ⑤

해설

1. 흑색종 : 임신 중에 흑색종이 진단되거나 기존의 흑색종을 가진 여성에서 임신이 된 경우 생존에 악영향 없음
2. 상피성 자궁경부암 : 임신과 분만이 자궁경부의 전암성병변 또는 암성병변에 미치는 영향은 아직 확실하지 않음
3. 유방암 : 임신은 뚜렷한 영향을 주지 않음
4. 호지킨 림프종 : 임신과의 관련성은 낮음

참고 *Final Check 산과 943, 947, 948 page*

09

임신 10주된 산모가 산전 검사에서 시행한 pap smear에서 HSIL이 나왔을 때 다음으로 해야 할 처치를 쓰시오.

09

정답

질확대경검사(colposcopy)

참고 *Final Check 산과 944 page*

CHAPTER 57

감염질환(Infectious diseases)

01

신생아에서 맥락망막염(chorioretinitis), 소안구증(microphthalmia), 사지부전(limb hypoplasia) 등의 소견이 보였을 때 가장 의심되는 진단을 고르시오.

① Herpes simplex 감염

② CMV 감염

③ Rubella 감염

④ Varicella zoster 감염

⑤ Parvovirus 감염

01

정답 ④

해설

선천성 수두증후군(Congenital varicella synd.)

1. 분만 전후 산모가 수두를 앓는 경우 신생아의 25~50% 정도에서 선천성 수두 발생
2. 모체에서 전달되는 수동면역의 미완성 때문
3. 증상 : 안구기형(맥락망막염, 소안구증, 백내장), 대뇌피질위축, 수신증, 사지형성부전, 피부반흔

참고 *Final Check 산과 956 page*

02

임신 중 감염 시 태아에게 맥락망막염, 대뇌피질위축, 사지형성부전을 일으키는 질환을 고르시오.

① 볼거리바이러스(Mumps virus)

② 풍진바이러스(Rubella virus)

③ 수두-대상포진바이러스(Varicella-zoster virus)

④ 파르보바이러스(Parvovirus)

⑤ 홍역바이러스(Measles virus)

02

정답 ③

해설

선천성 수두증후군(Congenital varicella synd.)

1. 분만 전후 산모가 수두를 앓는 경우 신생아의 25~50% 정도에서 선천성 수두 발생
2. 모체에서 전달되는 수동면역의 미완성 때문
3. 증상 : 안구기형(맥락망막염, 소안구증, 백내장), 대뇌피질위축, 수신증, 사지형성부전, 피부반흔

참고 *Final Check 산과 956 page*

03

임신 28주 다분만부가 2일 전 첫째 아이의 수두 감염 확인 후 상담을 위해 내원하였다. 이 산모의 다음 처치로 가장 적절한 것을 고르시오.

① 안심시키고 경과관찰

② 혈청 항체검사를 실시

③ 양수검사를 실시

④ 예방접종을 실시

⑤ 임신종결을 권유

03

정답 ①

해설

수두의 감염 시기에 따른 기형 발생 빈도

1. 임신 20주 이전, 특히 임신 13~20주에 감염되었을 때 1.4~2%에서 발생
2. 임신 20주 이후에는 발생이 드묾

참고 *Final Check 산과 956 page*

04

이틀 전부터 증상이 시작된 수두에 걸린 첫째 아이를 둔 임신 11주 임신부가 내원하였다. 산모는 수두의 예방접종 여부를 기억하지 못했고, 시행한 검사상 IgG (+), IgM (+)로 확인되었다면 이 산모의 다음 처치로 가장 적절한 것을 고르시오.

① 2주 후 IgG, IgM 추적검사

② Immunoglobulin 투여

③ Varicella vaccine 투여

④ 경과관찰

⑤ 유산

04

정답 ④

해설

산모의 바이러스 노출

1. 수두 환자의 발진이 나타나기 2일 전~발진 후 5일 이내에 접촉한 경우
2. 산모의 수두 과거력, 예방접종 여부를 확인
   a. 면역의 확인 : 산모와 태아의 위험 없음
   b. 과거력 불확실, 면역이 없는 산모 : 접촉 후 72~96시간 이내에 VZIG 투여

참고 *Final Check 산과 957 page*

05

임신 15주 초산모가 2일 전 수두에 걸린 환아와 접촉 후 내원하였다. 본인의 수두 과거력 및 예방접종 유무를 모른다고 한다면 다음 처치로 가장 적절한 것을 고르시오.

① 경과관찰

② 항생제 투여

③ 수두 예방접종 시행

④ 수두 면역글로블린 투여

⑤ 항바이러스제 투여

05

정답 ①

해설

산모의 바이러스 노출

1. 수두 환자의 발진이 나타나기 2일 전~발진 후 5일 이내에 접촉한 경우
2. 산모의 수두 과거력, 예방접종 여부를 확인
   a. 면역의 확인 : 산모와 태아의 위험 없음
   b. 과거력 불확실, 면역이 없는 산모 : 접촉 후 72~96시간 이내에 VZIG 투여

참고 *Final Check 산과 957 page*

06

임신 10주 초산모가 현재 인플루엔자가 유행하고 있는 상태여서 예방접종 상담을 위해 내원하였다. 다음 중 접종 시기로 가장 적절한 것을 고르시오.

① 경과관찰

② 즉시 접종

③ 1개월 후 접종

④ 분만 후 접종

⑤ 모유수유가 끝난 후 접종

06

정답 ②

해설

임신 중 인플루엔자 예방접종의 권장사항

1. 모든 임신부에 대한 예방접종을 권장
2. 시기 : 10월에서 이듬해 5월 사이
3. 태아에 대한 부작용 없음
4. 모유수유 시에도 안전
5. 태아가 분만 이후 6개월간의 예방효과 획득
6. 비강흡입을 통한 생백신 예방접종은 비권장

참고 *Final Check 산과 959 page*

07

임신 시 인플루엔자 예방접종의 가장 적절한 시기를 고르시오.

① 임신 중 금기

② 임신 제1삼분기

③ 임신 제2삼분기

④ 임신 제3삼분기

⑤ 임신 모든 시기

07

정답 ⑤

해설

임신 중 인플루엔자 예방접종의 권장사항

1. 모든 임신부에 대한 예방접종을 권장
2. 시기 : 10월에서 이듬해 5월 사이
3. 태아에 대한 부작용 없음
4. 모유수유 시에도 안전
5. 태아가 분만 이후 6개월간의 예방효과 획득
6. 비강흡입을 통한 생백신 예방접종은 비권장

참고 *Final Check 산과 959 page*

08

최근 풍진 환자와 접촉한 임신 여성이 내원하였다. 시행한 검사상 Rubella-specific IgM (+), Rubella-specific IgG (+)로 확인되었다면 이 환자의 상태를 쓰시오.

09

임신 10주의 임신부가 산전검사와 4주 후 재검의 결과가 아래와 같았다면 이 산모의 다음 처치로 가장 적절한 것을 고르시오.

	Rubella IgM	Rubella IgG
산전검사	양성 (1.88 IU/mL)	양성 (170 IU/mL)
4주 후 재검	양성 (1.90 IU/mL)	양성 (168 IU/mL)

① 4주 후 IgM 및 IgG를 재검사

② 태아 감염의 가능성이 높으므로 유산 시행

③ 태아 감염의 가능성이 낮으므로 임신 유지

④ 임신 18주에 탯줄천자를 시행하여 IgM 확인

⑤ 바이러스 배양검사 시행

08

정답
급성 감염 or 위양성

해설
풍진의 혈청학적 검사 결과 해석

IgG	IgM	결과 해석
−	−	면역력 없음
−	+	급성 감염, 위양성
+	−	면역력 있음, IgG ≥200 IU/mL 시 재검
+	+	급성 감염, 위양성

참고 *Final Check 산과 963 page*

09

정답 ③

해설
풍진의 혈청학적 검사

1. IgG
   a. 노출 후 12~14일에 생성되어 농도 상승
   b. 생성되면 거의 평생 지속
   c. 2~3주 사이에 4배 이상 증가 시 최근 감염
   d. Titer 1:8 이상이면 면역이 있다고 판정
2. IgM
   a. 노출 후 12~14일에 생성되기 시작
   b. 30일 후에는 거의 소실
   c. IgM 양성은 4주 이내의 최근 감염을 시사
   d. 제대혈에서 검출되면 태아 감염을 의미
   e. 일부는 몇 개월동안 낮은 농도로 남아 있는 경우, 드물게 평생 지속되는 경우도 있음

참고 *Final Check 산과 962 page*

10

풍진 감염이 의심되는 산모에서 내원 당시와 4주 후의 IgG, IgM 수치가 큰 변화를 보이지 않는다면 다음 처치로 가장 적절한 것을 고르시오.

① 경과관찰 ② 임신 중단
③ 탯줄천자 ④ 교환 수혈
⑤ 항바이러스제 복용

11

임신 9주인 산모가 일주일 전 풍진에 감염된 환아와 접촉하여 내원하였다. 산전검사와 내원 시 검사가 아래와 같다면 다음 처치로 가장 적절한 것을 고르시오.

	Rubella IgM	Rubella IgG
산전검사	음성	음성
내원 시	음성	음성

① 자궁소파술 시행
② 2주 후 재검사
③ 정밀 초음파
④ 문제 없음을 설명하고 임신 유지
⑤ 풍진 예방접종 시행

10

정답 ①

해설

풍진의 혈청학적 검사

1. IgG
   a. 노출 후 12~14일에 생성되어 농도 상승
   b. 생성되면 거의 평생 지속
   c. 2~3주 사이에 4배 이상 증가 시 최근 감염
   d. Titer 1:8 이상이면 면역이 있다고 판정
2. IgM
   a. 노출 후 12~14일에 생성되기 시작
   b. 30일 후에는 거의 소실
   c. IgM 양성은 4주 이내의 최근 감염을 시사
   d. 제대혈에서 검출되면 태아 감염을 의미
   e. 일부는 몇 개월동안 낮은 농도로 남아 있는 경우, 드물게 평생 지속되는 경우도 있음

참고 *Final Check 산과 962 page*

11

정답 ②

해설

풍진의 혈청학적 검사 결과 해석

IgG	IgM	결과 해석
−	−	면역력 없음
−	+	급성 감염, 위양성
+	−	면역력 있음, IgG ≥200 IU/mL 시 재검
+	+	급성 감염, 위양성

참고 *Final Check 산과 963 page*

12

임신 8주인 초산부가 산전검사상 Rubella IgM (+), IgG (+) 모두 양성으로 확인되었다. 다음 중 가장 적합한 처치를 고르시오.

① 정상이라고 설명하고 안심시킨다
② 4주 후 IgM, IgG를 재검사한다
③ 4주 후 양수검사를 통해 태아 감염을 확인한다
④ 임신 20주에 제대혈 검사를 통해 태아 감염을 확인한다
⑤ 태아 감염 가능성이 있으므로 유산을 권유한다

12
정답 ②
해설
풍진의 혈청학적 검사
1. IgG
   a. 노출 후 12~14일에 생성되어 농도 상승
   b. 생성되면 거의 평생 지속
   c. 2~3주 사이에 4배 이상 증가 시 최근 감염
   d. Titer 1:8 이상이면 면역이 있다고 판정
2. IgM
   a. 노출 후 12~14일에 생성되기 시작
   b. 30일 후에는 거의 소실
   c. IgM 양성은 4주 이내의 최근 감염을 시사
   d. 제대혈에서 검출되면 태아 감염을 의미
   e. 일부는 몇 개월동안 낮은 농도로 남아 있는 경우, 드물게 평생 지속되는 경우도 있음

참고 *Final Check 산과 962 page*

13

임신 12주인 25세의 임신부가 약 10일 전 풍진환자와 접촉 후 내원하였다. 풍진항체검사를 실시한 결과 IgG (+), IgM (−)로 확인되었다면 다음 처치로 가장 적절한 것을 고르시오.

① 현재의 검사 결과로는 의미가 없으므로 1개월 후 산전진찰 및 혈청검사 재검
② 탯줄천자를 실시하여 IgG 항체의 역가를 측정
③ 초음파 검사로 태아기형 유무를 확인
④ 모체혈청 알파태아단백을 측정
⑤ 경과관찰

13
정답 ①
해설
풍진의 혈청학적 검사
1. IgG
   a. 노출 후 12~14일에 생성되어 농도 상승
   b. 생성되면 거의 평생 지속
   c. 2~3주 사이에 4배 이상 증가 시 최근 감염
   d. Titer 1:8 이상이면 면역이 있다고 판정
2. IgM
   a. 노출 후 12~14일에 생성되기 시작
   b. 30일 후에는 거의 소실
   c. IgM 양성은 4주 이내의 최근 감염을 시사
   d. 제대혈에서 검출되면 태아 감염을 의미
   e. 일부는 몇 개월동안 낮은 농도로 남아 있는 경우, 드물게 평생 지속되는 경우도 있음

참고 *Final Check 산과 963 page*

14

임신 초기 풍진에 걸린 산모의 신생아에게 발생할 수 있는 것을 모두 고르시오.

(가) 귀머거리
(나) 백내장
(다) 소두증
(라) 폐동맥협착

① 가, 나, 다　　② 가, 다
③ 나, 라　　④ 라
⑤ 가, 나, 다, 라

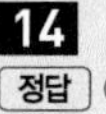

정답 ⑤

해설

선천성 풍진증후군(Congenital rubella synd.)

산전 진단이 가능한 결손	다른 이상 소견
심장중격결손	감각신경성 난청
폐동맥협착	지능장애
소두증	자반증
백내장	방사선투과성 골질환
소안구증	
간비장종대	

참고 *Final Check 산과 962 page*

15

25세 다분만부가 임신 22주에 풍진 환자와 접촉 후 발진이 발생하였고 검사결과 풍진 감염으로 확인되었다. 이 산모의 임신 16주에 시행한 AFP 검사는 정상이었고, 초음파상 이상소견도 없었다. 다음 중 이 산모에게 가장 적절한 처치를 고르시오.

① 임신 20주 이전이기 때문에 기형아 위험성을 고려해 유산시킨다
② 초음파로 기형 유무를 확인한다
③ 면역글로불린을 주사한다
④ 출생 후 당뇨, 뇌염 가능성을 설명한다
⑤ 안심시키고 임신을 지속한다

정답 ⑤

해설

감염된 임신 주수에 따른 태아 감염

감염된 임신 주수	선천성 감염
임신 첫 12주 이전	최대 90%
임신 13~14주	약 50%
임신 20주 이후	태아 기형 드묾
임신 제2삼분기 말	약 25%

참고 *Final Check 산과 962 page*

16

한달 전 풍진 예방접종을 한 여성이 임신 확인 후 내원하였다. 초음파상 임신 6주로 확인되었다면 이 산모에 대한 다음 처치로 가장 적절한 것을 고르시오.

① 안심시키고 임신을 유지

② 양수검사를 시행

③ 융모막융모생검을 시행

④ 면역글로불린을 투여

⑤ 임신 종결을 권유

16

정답 ①

해설

풍진 예방접종

1. 임신 전 MMR 백신을 접종 받거나 풍진 IgG항체 양성을 확인하는 것이 필요
2. 예방접종 : MMR vaccine(약독화 생백신)
3. 면역력이 없는 산모는 출산 이후 접종

참고 *Final Check 산과 964 page*

17

임신부의 풍진감염에 대한 내용으로 옳은 것을 모두 고르시오.

(가) 풍진 항체 추적은 발진 발생 1개월 후가 가장 좋다
(나) 임신 초기에 감염이 되면 선천성 풍진증후군의 발생 가능성이 높다
(다) 풍진 예방접종 후 바로 임신을 해도 무방하다
(라) 모체의 IgM 항체 양성 시 태아의 자궁 내 감염 빈도가 높다

① 가, 나, 다　　② 가, 다

③ 나, 라　　④ 라

⑤ 가, 나, 다, 라

17

정답 ③

해설

1. 감염 확인 즉시 IgG를 측정하여 면역력 여부를 확인, 면역력이 없는 경우 3주 후 재검
2. 임신 12주 이전 최대 90%의 감염률
3. 풍진 예방접종 1개월 후 임신을 권유
4. 모체의 IgM 양성일수록 최근 감염을 시사

참고 *Final Check 산과 962, 963, 964 page*

18

임신 10주 초산부가 2주 전 풍진 환자와 접촉 후 내원하였다. 산전검사상 Rubella IgG (+), IgM weak (+)이었고, 과거 풍진 예방접종을 시행하지 않았다면 다음 처치로 가장 적절한 것을 고르시오.

① Rubella PCR test

② Rubella IgG avidity test

③ Chorionic villus sampling

④ Amniocentesis

⑤ Therapeutic abortion

18

정답 ②

해설

IgG avidity 검사

1. 최근 감염 여부가 항체 검사로 애매한 경우
2. Rubella 항원에 대응하는 Rubella IgG 항체의 전체적인 결합 강도
3. IgG 항체가 성숙될수록 avidity가 증가
4. Avidity가 증가되어 있다는 것은 항원 노출이 그만큼 오래 전에 일어났다는 것을 의미

참고 *Final Check 산과 964 page*

19

다음 중 태아수종을 일으키는 가장 흔한 원인을 고르시오.

① 홍역

② 볼거리

③ 풍진

④ 파르보바이러스

⑤ B형 간염

19

정답 ④

해설

Parvovirus의 태아에 대한 영향

1. 감염 산모의 1% 정도에서 발생하지만 이는 비면역성 태아수종의 가장 흔한 원인
2. 80% 이상이 임신 제2삼분기에 진단
3. 태아수종 유발의 중요 시기 : 임신 13~16주
4. 대부분 감염 후 10주 이내에 발생

참고 *Final Check 산과 966 page*

20

임신 26주 산모가 복부 팽만감을 주소로 내원하였다. 4주 전 감기 증상이 나타난 후 뺨에 진한 홍반이 나타났고, 병변은 몸통과 사지로 번졌다. 자궁저부의 높이 35 cm, 초음파상 양수과다증, 태아 복수, 두피 부종이 확인되었다면 다음 중 가장 가능성이 높은 질환을 고르시오.

① 매독

② 홍역

③ 톡소플라즈마증

④ 파르보바이러스

⑤ 거대세포바이러스

20

정답 ④

해설

Parvovirus의 증상

1. 성인의 20~30%는 무증상
2. 바이러스혈증 마지막 며칠에 발열, 두통, 감기 증상 시작
3. 며칠 후 안면 홍반 발생, 이후 얼굴, 몸통, 사지 근위부의 반점홍반
4. 발열, 두통, 감기 증상, 림프절병증, 관절통
5. 저절로 소실되지만 수개월간 지속되기도 함

참고 *Final Check 산과 966 page*

21

빈혈, 태아수종이 발생할 수 있는 태아의 자궁 내 감염은 무엇인가?

① Varicella zoster virus ② Influenza virus

③ Parvovirus ④ Poliovirus

⑤ Measles

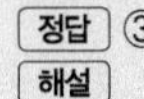

21

정답 ③

해설

Parvovirus의 태아에 대한 영향

1. 감염 산모의 1% 정도에서 발생하지만 이는 비면역성 태아수종의 가장 흔한 원인
2. 80% 이상이 임신 제2삼분기에 진단
3. 태아수종 유발의 중요 시기 : 임신 13~16주
4. 대부분 감염 후 10주 이내에 발생

참고 *Final Check 산과 966 page*

22

다음 중 임신 초기 감염 시 선천성 기형을 유발하지 않는 것은 어느 것인가?

① Rubella ② Syphilis

③ Parvovirus ④ Chickenpox

⑤ CMV

22

정답 ③

해설

1. Rubella : 청력소실, 시력소실, 선천성 심장병
2. Syphilis : 간비장비대, 황달, 혈소판감소증, 안장코, 림프절병증, 뼈 이상
3. Parvovirus : 용혈성 빈혈, 심근손상, 비면역성 태아수종을 유발하지만 선천성 기형을 유발하지는 않음
4. Chickenpox : 선천성 수두증후군
5. CMV : 소뇌증, 뇌의 석회화, VSD, ASD, PS

참고 *Final Check 산과 952, 956, 962, 966, 982 page*

23

임신 19주인 임신부에서 시행한 초음파상 태아수종이 발견되었다. 임산부는 유치원의 보육교사고 6주 전 유치원 아이들이 5일간 열이 있었다고 했다면 가장 가능성이 높은 감염 원인을 쓰시오.(1가지)

23

정답

Parvovirus B19

해설

Parvovirus의 태아에 대한 영향

1. 감염 산모의 1% 정도에서 발생하지만 이는 비면역성 태아수종의 가장 흔한 원인
2. 80% 이상이 임신 제2삼분기에 진단
3. 태아수종 유발의 중요 시기 : 임신 13~16주
4. 대부분 감염 후 10주 이내에 발생

참고 *Final Check 산과 966 page*

24

임신 28주의 초음파상 태아 전신 부종과 흉수, 복수가 보여 시행한 검사상 parvovirus 감염을 확인하였다. 추적 초음파상 태아수종이 심했고 심부전 소견이 발생하였다면 다음 처치로 가장 적절한 것을 고르시오.

① Digoxin
② Shunt
③ 수혈
④ Antiviral agent
⑤ 추적관찰

25

만삭 분만한 신생아가 소두증을 보여 시행한 태반 조직검사가 아래와 같다면 가장 가능성이 높은 것은 무엇인가?

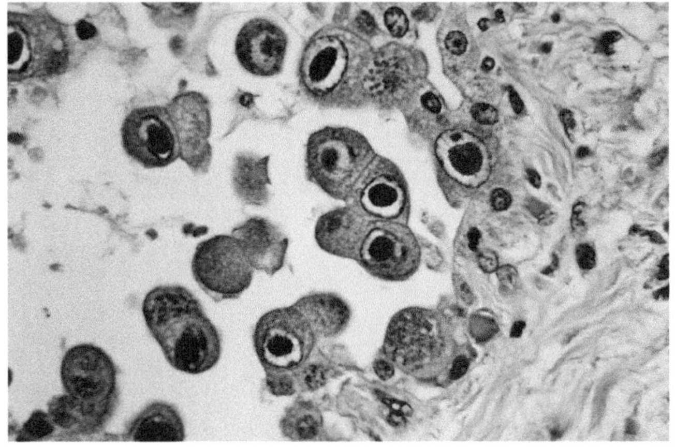

① 염색체 이상
② Cytomegalovirus 감염
③ Syphilis 감염
④ Poliovirus 감염
⑤ 사타구니육아종(granuloma inguinale)

24

정답 ③

해설

Parvovirus의 태아 감염 시 치료

1. 치료를 하지 않아도 1/3은 태아수종이 호전
2. 태아사망 예측 인자가 없어 태아수혈을 권고

참고 *Final Check 산과 967 page*

25

정답 ②

해설

핵내봉입체(intraniuclear inclusion body)

1. 어떤 종류의 바이러스에 감염되었을 때 정상세포에서는 보이지 않는, 크기와 모양이 다른 과립형태의 구조물
2. 조직 슬라이드에서 올빼미눈(owl's eye) 모양
3. 일반적으로 DNA 바이러스감염 시 관찰(herpesvirus, varicella-zoster virus, adenovirus)
4. 세균 감염, 화학물질에 의해서도 형성 가능

참고 *Final Check 산과 954 page*

26

만삭으로 태어난 신생아에서 수두증이 관찰되었고, 산모의 소변에서 봉입체(inclusion body)가 검출되었다면 가장 의심이 되는 질환은 무엇인가?

① Group B streptococcus 감염

② CMV 감염

③ Syphilis

④ Poliovirus 감염

⑤ Parvovirus 감염

27

임신 초기에 감염 시 태아 선천성 기형을 유발하는 것을 모두 고르시오.

(가) 클라미디아
(나) 수두
(다) A형 간염
(라) 풍진

① 가, 나, 다　　② 가, 다

③ 나, 라　　④ 라

⑤ 가, 나, 다, 라

26

정답 ②

해설

핵내봉입체(intraniuclear inclusion body)

1. 어떤 종류의 바이러스에 감염되었을 때 정상세포에서는 보이지 않는, 크기와 모양이 다른 과립형태의 구조물
2. 조직 슬라이드에서 올빼미눈(owl's eye) 모양
3. 일반적으로 DNA 바이러스감염 시 관찰(herpesvirus, varicella-zoster virus, adenovirus)
4. 세균 감염, 화학물질에 의해서도 형성 가능

참고 *Final Check 산과 951 page*

27

정답 ③

해설

1. 클라미디아 : 신생아 결막염, 영아 폐렴
2. 수두 : 선천성 수두증후군
3. A형 간염 : 태아 기형 유발 보고 없고, 태아 전염 또한 무시할 정도
4. 풍진 : 바이러스는 태반을 통과하며 모든 장기에 영향

참고 *Final Check 산과 956, 961, 987 page*

28

다음 중 임신 시 감염되면 태아에게 기형을 유발할 수 있는 것을 모두 고르시오.

(가) Toxoplasmosis
(나) Syphilis
(다) Rubella
(라) Candida

① 가, 나, 다　② 가, 다
③ 나, 라　④ 라
⑤ 가, 나, 다, 라

28

정답 ①

해설

1. Toxoplasmosis : 선천성 톡소플라즈마증
2. 간비장비대, 황달, 혈소판감소증, 안장코, 림프절병증, 뼈 이상
3. Rubella : 청력소실, 시력소실, 선천성 심장병
4. Candida : 기형 유발 없음

참고 *Final Check 산과 962, 976, 982 page*

29

모체에 IgG가 있어도 감염 위험성이 있는 질환을 모두 고르시오.

(가) Herpes simplex virus 감염
(나) Toxoplasmosis
(다) CMV 감염
(라) Rubella

① 가, 나, 다　② 가, 다
③ 나, 라　④ 라
⑤ 가, 나, 다, 라

29

정답 ②

해설

1. HSV : 신경절에 잠복해 있던 바이러스들이 재활성화 되어 증상 발현
2. Toxoplasmosis : 산모 면역 시 태아 감염 없음
3. CMV : 반복 감염에 의한 선천성 감염 0.1~2%
4. Rubella : 노출 시 모체의 풍진 항체가 양성이면 태아에 문제 없음

참고 *Final Check 산과 951, 961, 976, 989 page*

30

다음과 같은 초음파 소견을 유발할 수 있는 것을 모두 고르시오.(2가지)

<R-Type>

① Listeria monocytogenes ⑥ Influenza
② HPV ⑦ GBS
③ Varicella zoster ⑧ Toxoplasmosis
④ Rabies ⑨ CMV
⑤ HBV ⑩ Measles

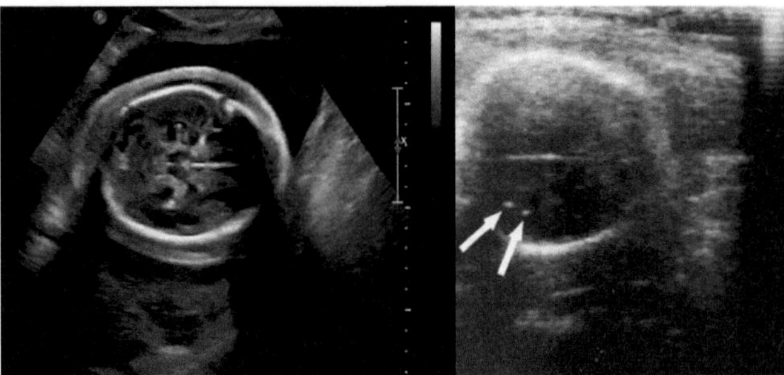

30

정답 ⑧, ⑨

해설

초음파 이상소견

CMV의 소견	
태아수종	거대뇌증, 소두증
뇌실확장증	방실중격결손
두개 내 석회화	폐동맥협착
뇌실막밑낭종	난원공 폐색
복강 내 석회화	대동맥축착증
고음영장(echogenic bowel)	간비장비대
양수과다증 or 양수과소증	비정상적인 태반 크기

선천성 톡소플라즈마증의 소견	
수두증	두꺼운 태반
두개내석회화	장의 고음영
간내석회화	성장제한
복수	

참고 *Final Check 산과 952, 976 page*

CHAPTER 58

성매개질환(Sexually transmitted infections)

01

24세 초산부가 임신 17주에 시행한 검사상 VDRL 1:32 양성으로 확인되어 FTA-ABS 검사를 시행 후 결과가 나오기 전 내원하였다. 매독의 과거력은 없었다면 이 산모의 다음 처치로 가장 적절한 것을 고르시오.

① 경과관찰

② VDRL 재검사 후 수치변화에 따라 치료를 결정

③ Benzathine penicillin 240만 unit 근육주사

④ Ampicillin 2 g 정맥주사

⑤ Procaine penicillin 480만 unit 근육주사

01

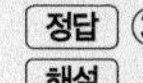

정답 ③

해설

임신 중 조기 매독의 치료

1. Benzathine penicillin G 240만 units, IM, 1회
2. 임신 20주 이상은 1주일 간격으로 2회 요법

참고 *Final Check 산과 984 page*

02

2년 전 매독을 진단받은 후 증상의 자연소실로 치료를 받지 않았던 여성이 임신 10주로 내원하였다. 시행한 검사상 VDRL 1:8 양성, TPHA 양성으로 확인되었다면 다음 처치로 가장 적절한 것을 고르시오.

① 유산 권유

② Benzathine penicillin 240만 Unit 1번 근육주사

③ Benzathine penicillin 240만 Unit 3번 근육주사

④ 4주 후 VDRL 재검이 양성이면 자궁소파술 시행

⑤ 4주 후 VDRL 재검이 양성이면 Benzathine penicillin 240만 Unit 1번 근육주사

02

정답 ③

해설

임신 중 만기 매독의 치료

1. Benzathine penicillin G 240만 units, IM
2. 1주일 간격으로 3회 투여

참고 *Final Check 산과 984 page*

03

임신 6주인 산모가 VDRL 1:2 (+), TP-PA (+)로 확인되어 내원하였다. 산모는 이전에 이에 대한 검사 및 치료를 받은 적이 없었다고 한다면 이 산모의 다음 처치로 가장 적절한 것을 고르시오.

① Ciprofloxacin

② Benzathine penicillin 240만 Unit 1번 IM

③ Benzathine penicillin 240만 Unit 3번 IM

④ 뇌척수액에서 FTA-ABS 검사 시행

⑤ 경과관찰

03

정답 ③

해설

임신 중 만기 매독의 치료

1. Benzathine penicillin G 240만 units, IM
2. 1주일 간격으로 3회 투여

참고 *Final Check 산과 984 page*

04

임신 10주인 24세 초산부가 산전검사에서 VDRL 및 FTA-ABS 양성을 확인 후 내원하였다. 산모는 이전부터 penicillin에 과민반응이 있다고 한다면 가장 적절한 치료를 고르시오.

① Doxycycline

② Erythromycin

③ Streptomycin

④ Ofloxacin

⑤ Penicillin desensitization

04

정답 ⑤

해설

Penicillin 알러지가 있는 매독 산모의 치료

1. 탈감작 후 치료를 실시
2. 경구 페니실린 탈감작 과정을 마친 후 Benzathine penicillin G 치료를 시작

참고 *Final Check 산과 984 page*

05

임신 14주 산모의 산전검사에서 *Neisseria gonorrhoeae*가 발견되었다. 동반 감염의 가능성이 가장 높아 검사가 필요한 것을 고르시오.

① Varicella-zoster virus

② Cytomegalovirus

③ Group B streptococcus

④ Toxoplasma gondii

⑤ Chlamydia trachomatis

05

정답 ⑤

해설

임질의 선별검사

1. 임질감염의 위험군
   a. 첫 산전진찰 때 임질의 선별검사를 시행
   b. 임신 제3삼분기에 재검사 시행
2. 다른 성매개질환의 공존을 염두하고 매독, 클라미디아, HIV의 선별검사를 동시에 시행

참고 *Final Check 산과 985 page*

06

임신 중 *Neisseria gonorrhoeae*, *Chlamydia trachomatis* 동시 감염 시 사용가능한 항생제를 고르시오.

① Ceftriaxone

② Cefixime

③ Spectinomycin

④ Azithromycin

⑤ Benzathine penicillin

06

정답 ④

해설

임신 중 성매개질환의 치료

1. 임질감염
   a. Ceftriaxone + Azithromycin
   b. Cefixime + Azithromycin
2. 클라미디아감염
   a. Azithromycin
   b. Amoxicillin
   c. Erythromycin

참고 *Final Check 산과 986, 988 page*

07

임신 중 클라미디아감염 시 치료제로 가장 적절한 것을 고르시오.

① Erythromycin

② Doxycycline

③ Erythromycin

④ Ceftriaxone

⑤ Benzathine penicillin

07

정답 ①

해설

임신 중 클라미디아의 치료

선호 치료법
Azithromycin 1 g, 1회, 경구투여
대체 경구요법
Amoxicillin 500 mg, 하루 3회, 7일간 Erythromycin base 500 mg, 하루 4회, 7일간 Erythromycin ethylsuccinate 800 mg, 하루 4회, 7일간 Erythromycin base 250 mg, 하루 4회, 14일간 Erythromycin ethylsuccinate 400 mg, 하루 4회, 14간

참고 *Final Check 산과 988 page*

08

임신 37주인 다분만부가 회음부의 통증과 물 같은 질 분비물을 주소로 내원하였다. 회음부에는 아래와 같은 병변이 있었고, nitrazine test 양성으로 확인되었다. 이 환자의 다음 처치로 가장 적절한 것을 고르시오.

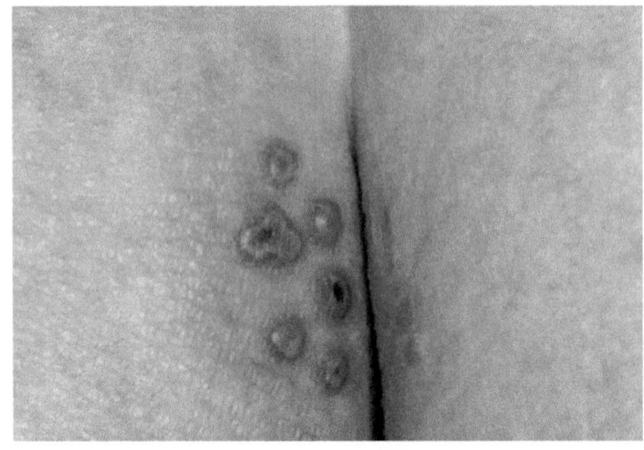

① 경과관찰 ② 양수검사

③ Metronidazole ④ 유도분만

⑤ 제왕절개분만

08

정답 ⑤

해설

단순포진바이러스(HSV)감염 산모의 분만

1. HSV에 감염되었던 산모가 분만 임박 시
   a. 가렵고 따끔거리는 선행증상을 확인
   b. 의심 병변이 있으면 바이러스 검사 시행
2. 제왕절개 : 생식기의 활성병변 또는 선행증상
3. 활성병변이 없거나 활성병변이 생식기 외에 있을 경우 질식분만 가능

참고 *Final Check 산과 991 page*

09

단순포진바이러스 감염이 있는 임신부의 분만 방법을 결정하는 가장 중요한 요소는 무엇인가?

① 양수천자 결과

② 진통시작 시 병변의 위치와 상태

③ 분만 후 면역글로불린 투여 및 예방접종 가능여부

④ 이전 치료 경력

⑤ 산모의 선택

09

정답 ②

해설

단순포진바이러스(HSV)감염 산모의 분만

1. HSV에 감염되었던 산모가 분만 임박 시
   a. 가렵고 따끔거리는 선행증상을 확인
   b. 의심 병변이 있으면 바이러스 검사 시행
2. 제왕절개 : 생식기의 활성병변 또는 선행증상
3. 활성병변이 없거나 활성병변이 생식기 외에 있을 경우 질식분만 가능

참고 *Final Check 산과 991 page*

10

임신 37주인 초산부가 조기양막파수를 주소로 내원하였다. 환자의 외음부에는 통증을 동반한 다수의 수포성 궤양이 관찰되었고, 서혜부 림프절병증도 의심되었다. 이 산모에 대한 처치로 잘못된 것을 고르시오.

① 양막파열의 기간과 관계없이 제왕절개를 한다

② 병변의 바이러스 배양검사상 양성인 경우 제왕절개를 한다

③ 태아 감염의 확인을 위해 양수천자가 필요하다

④ 분만 후 산모와 신생아를 격리할 필요는 없다

⑤ 분만 후 모유수유도 가능하다

10

정답 ③

해설

단순포진바이러스의 태아 및 신생아 감염

1. 분만 시 양막파열 후 바이러스의 침입
2. 분만 중 태아에게 접촉
3. 조기양막파수 시 상행감염은 발생하지 않음
4. 유방에 HSV 병변이 없다면 모유수유 가능

참고 *Final Check 산과 989 page*

11

임신 15주인 25세 미분만부가 외음부에 사진과 같은 병변을 주소로 병원에 왔다. 다음 중 가장 가능성이 높은 진단명은 무엇인가?

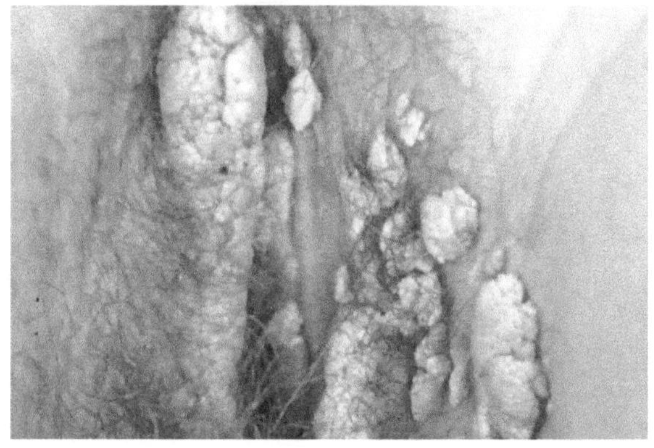

① Chancroid ② Genital herpes

③ Molluscum contagiosum ④ Condyloma acuminatum

⑤ Lymphogranuloma venereum

11

정답 ④

해설

생식기 사마귀(Condyloma acuminatum)

1. 잠복기 : 1~8개월
2. 전염력이 매우 강함
3. 주로 저위험 HPV에 의해 발생(주로 6, 11)
4. 임신 중 더 흔히 다발성으로 발생하는 경향

참고 *Final Check 산과 995 page*

12

19세 산모가 외음부의 다음과 같은 병변을 주소로 내원하였다. 이 산모에게 가장 적절한 치료를 고르시오.

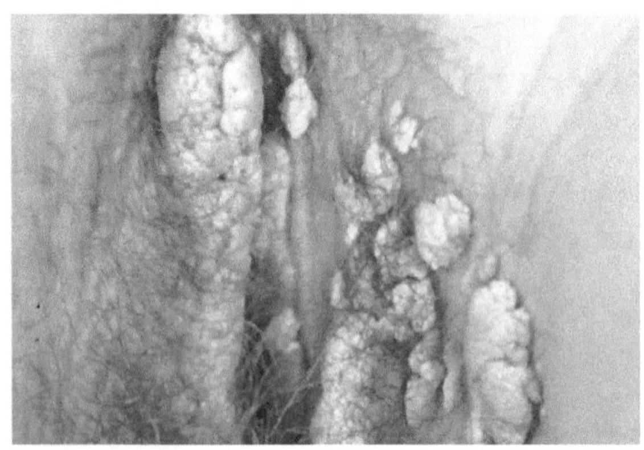

① 5-FU cream ② Podophyllin

③ Fluconazole cream ④ Imiquimod cream

⑤ Trichloroacetic acid

12

정답 ⑤

해설

임신 중 생식기 사마귀의 치료

임신 중 치료법
Trichloroacetic or bichloracetic acid solution – Topically once a week – 80~90%에서 효과 – 넓은 범위에 사용할 수 있음 냉동치료(cryotherapy) 레이저절제술(laser ablation) 전기소작술(electrocautery) 수술적 절제술(surgical excision)

참고 *Final Check 산과 996 page*

13

임신 30주 산모가 다음 사진과 같은 병변을 주소로 내원하였다. 다음 중 가장 적절한 처치를 고르시오.

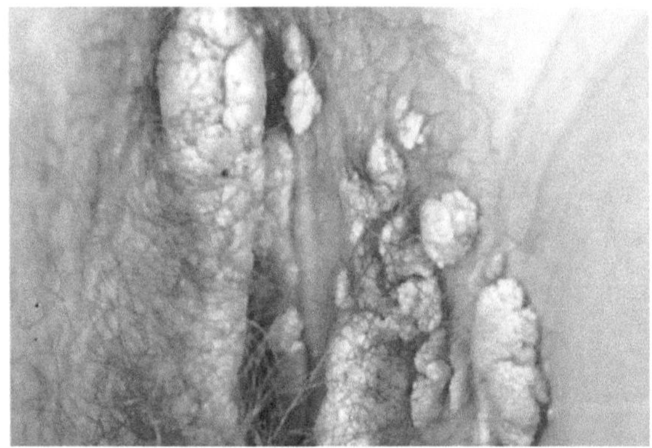

① Imiquimode ② Interferon

③ Podofilox ④ Podophyllin

⑤ Trichloroacetic acid

13

정답 ⑤

해설

임신 중 생식기 사마귀의 치료

임신 중 치료법
Trichloroacetic or bichloracetic acid solution – Topically once a week – 80~90%에서 효과 – 넓은 범위에 사용할 수 있음 냉동치료(cryotherapy) 레이저절제술(laser ablation) 전기소작술(electrocautery) 수술적 절제술(surgical excision)

참고 *Final Check 산과 996 page*

14

임신 중 외음부에 발생한 생식기 사마귀(condyloma acuminatum)의 치료에 사용할 수 없는 것을 고르시오.

① Trichloroacetic acid ② Cryotherapy

③ Podophyllin ④ Laser ablation

⑤ Surgical excision

15

21세의 초산부가 최근 발생한 사진과 같은 소견을 주소로 외래를 방문하였다. 1개월 전부터 회음부 소양증과 질 분비물의 증가가 있었으며 산전진찰을 한번도 받은 적이 없었다고 하였다. 시행한 초음파상 태아는 약 20주 크기였다면 이 산모의 치료법으로 적절하지 못한 것을 고르시오.

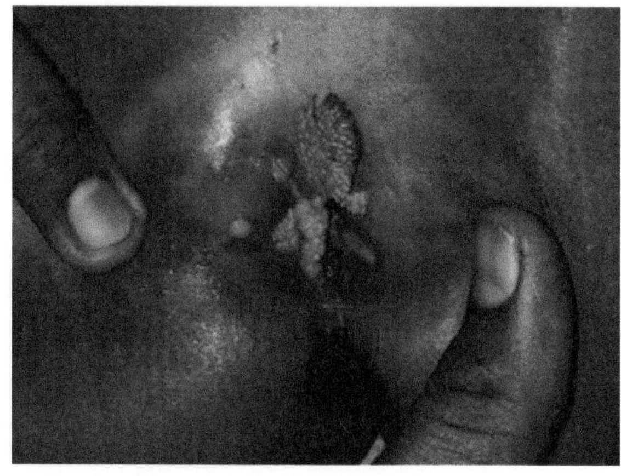

① 전기소작술 ② 레이저절제술

③ Podophyllin ④ 수술적 절제술

⑤ 모두 사용 가능

14

정답 ③

해설

임신 중 생식기 사마귀의 금기법

임신 중 금기법
Podophyllin (topical application of 25% or 10%) Podofilox 5-FU cream Imiquimod cream Interferon

참고 *Final Check 산과 996 page*

15

정답 ③

해설

임신 중 생식기 사마귀의 금기법

임신 중 금기법
Podophyllin (topical application of 25% or 10%) Podofilox 5-FU cream Imiquimod cream Interferon

참고 *Final Check 산과 996 page*

16

임신 20주인 28세 산모가 외음부에 산딸기 모양의 피부병변을 주소로 내원하였다. 병변은 사진과 같았고 회음부 전체를 덮고 있다면 치료로 가장 적절한 것을 고르시오.

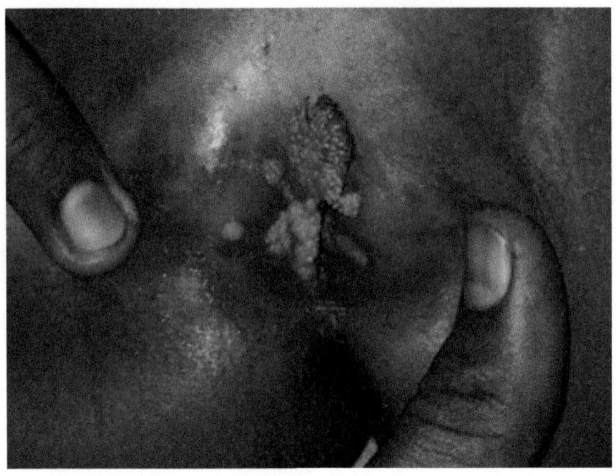

① Trichloroacetic acid ② Podophyllin
③ 5-FU ④ Interferon
⑤ Laser

16
정답 ①
해설
임신 중 생식기 사마귀의 치료

임신 중 치료법
Trichloroacetic or bichloracetic acid solution – Topically once a week – 80~90%에서 효과 – 넓은 범위에 사용할 수 있음 냉동치료(cryotherapy) 레이저절제술(laser ablation) 전기소작술(electrocautery) 수술적 절제술(surgical excision)

참고 *Final Check 산과 996 page*

17

임신 중 회음부 생식기 사마귀 감염의 치료 방법을 쓰시오.(3가지)

17
정답
1. Trichloroacetic or bichloracetic acid solution
2. 냉동치료(cryotherapy)
3. 레이저절제술(laser ablation)
4. 전기소작술(electrocautery)
5. 수술적 절제술(surgical excision)

참고 *Final Check 산과 996 page*

18

자궁경부암 백신을 2차까지 접종한 여성이 2차접종 후 임신 6주임을 확인하였다. 이 산모의 향후 처치로 가장 적절한 것을 고르시오.

① 치료적 유산을 시행한다
② 분만 후 3차접종을 한다
③ 예정대로 접종한다
④ 백신 접종을 중단하고 더 이상 접종하지 않는다
⑤ 분만 후 1차부터 다시 접종한다

18
정답 ②
해설
HPV 예방접종을 시작했는데 모르고 임신이 된 경우
1. 투여를 즉각 중단
2. 분만 후 접종을 재개 : 3회의 접종 중 남은 회차의 접종을 원래의 일정대로 지속
3. 부주의하게 노출된 예에서 유산 등의 임신의 합병증은 보고되지 않았음

참고 *Final Check 산과 996 page*

19

자궁경부암 백신 1차를 접종한 후 임신 7주임을 확인한 산모가 상담을 위해 내원하였다. 다음 중 가장 적절한 것을 고르시오.

① 임신중절 후 2차부터 접종한다
② 임신중절 후 1차부터 다시 접종한다
③ 임신중절 후 6개월 뒤 다시 1차부터 접종한다
④ 예정대로 2, 3차 접종한다
⑤ 분만 후 2, 3차 접종한다

19
정답 ⑤
해설
HPV 예방 접종을 시작했는데 모르고 임신이 된 경우
1. 투여를 즉각 중단
2. 분만 후 접종을 재개 : 3회의 접종 중 남은 회차의 접종을 원래의 일정대로 지속
3. 부주의하게 노출된 예에서 유산 등의 임신의 합병증은 보고되지 않았음

참고 *Final Check 산과 996 page*

20

신생아에게 인간면역결핍바이러스(HIV)가 감염되는 가장 흔한 경로를 고르시오.

① 수유를 통한 감염　② 태반을 통한 감염
③ 수혈을 통한 감염　④ 바늘을 통한 감염
⑤ 엄마를 통해 감염되지 않는다

20
정답 ②
해설
신생아의 인간면역결핍바이러스(HIV) 감염
1. 대부분 모체로부터 감염
2. 치료를 하지 않은 경우 분만 전 감염
   a. 임신 36주 이전 : 20%
   b. 임신 36주~분만 전 : 50%
   c. 분만 중 : 30%
3. 치료 없이 모유수유 안하는 경우 : 약 15~40%

참고 *Final Check 산과 992 page*

21

인간면역결핍바이러스(HIV)에 감염된 산모가 치료를 하지 않았을 때 태아 감염의 빈도가 가장 높은 임신 주수는 언제인가?

① 임신 제1삼분기 ② 임신 제2삼분기
③ 임신 30~32주 ④ 임신 33~35주
⑤ 임신 36주~분만 전

21
정답 ⑤
해설
치료를 하지 않은 HIV의 분만 전 감염
1. 임신 36주 이전 : 20%
2. 임신 36주~분만 전 : 50%
3. 분만 중 : 30%

참고 *Final Check 산과 992 page*

22

임신 확인 후 내원한 산모의 산전검사상 anti-HIV Ab test 양성을 보일 때 다음으로 시행해야 할 검사를 쓰시오.(2가지)

22
정답
1. Western blot
2. Immunofluorescence assay (IFA)

해설
인간면역결핍바이러스(HIV)의 확진검사
1. EIA에서 양성으로 확인 시 시행
2. 종류
   a. Western blot
   b. 면역형광분석(Immunofluorescence assay)

참고 *Final Check 산과 993 page*

23

수직 감염을 예방하기 위해 제왕절개를 시행해야 하는 경우를 고르시오.

① 클라미디아감염(Chlamydial infection)
② B형 간염(HBV)
③ B군 연쇄구균감염(GBS infection)
④ 마이코플라스마감염(Mycoplasma infection)
⑤ 인간면역결핍바이러스(HIV)

23
정답 ⑤
해설
인간면역결핍바이러스(HIV)의 제왕절개
1. 질식분만보다 감염 위험이 1/2로 감소
2. HIV RNA 부하량
   a. ≥1,000 copies/mL 시 제왕절개 권유
   b. ≤1,000 copies/mL 시 제왕절개 이점 불분명
3. PROM 가능성 감소를 위해 임신 38주에 시행

참고 *Final Check 산과 993 page*

24

인간면역결핍바이러스(HIV) 감염 산모에 대한 관리로 옳지 않은 것을 고르시오.

① CD4+ T-Cell 개수에 상관없이 치료한다

② CD4+ T-Cell 개수를 주기적으로 측정한다

③ 임신 전 치료하지 않았을 경우 분만 전 zidovudine을 투여한다

④ 수직감염 예방을 위해 제왕절개술을 시행한다

⑤ 모유수유가 권장된다

24

정답 ⑤

해설

인간면역결핍바이러스(HIV) 산모의 모유수유

1. 수유는 전염의 위험이 증가해 권장되지 않음
2. 모유수유 중 감염률은 30~40%이고, 바이러스 부하량이 증가할수록 높아짐

참고 *Final Check 산과 994 page*

25

임신 32주 초산부가 늘어난 질 분비물을 주소로 내원하여 시행한 검진상 분비물에서 생선비린내(fishy odor)가 있었고, nitrazine test 음성으로 확인되었다. 이 산모의 질환에 대한 내용으로 올바른 것을 고르시오.

① 질의 pH <4.0이다

② 염색상 lactobacilli가 보인다

③ 조기진통을 유발 가능하다

④ 치료는 glucocorticoid이다

⑤ 제왕절개를 했을 경우 자궁염의 빈도는 증가하지 않는다

25

정답 ③

해설

임신과 세균성 질염(Bacterial vaginosis)

1. 생선비린내(fishy odor)
2. 분비물 pH >4.5
3. 단서세포(clue cell) 증가
4. Whiff test 양성
5. 임신에 대한 영향 : 자연 유산, 조기진통, 조산, 조기양막파수, 융모양막염, 양수내감염, 제왕절개 후 자궁내막염

참고 *Final Check 산과 997 page*

26

임신 중 감염에 대한 설명으로 잘못된 것을 고르시오.

① 임신 중 HIV 감염 시 zidovudine을 임신 14~34주경부터 분만 전까지 계속 경구 투여한다

② 임신 시 HSV 감염에 의한 회음부 병변이 있는 여성은 제왕절개를 한다

③ 임신 중 생식기 사마귀 치료는 TCA, podophyllin, 5-FU 등을 사용한다

④ 임신 중 CMV 감염 시 태아는 지능저하, 감각신경결핍, 소두증 등이 발생할 수 있다

⑤ HIV, CMV 감염 시 모유수유 금기이다

26

 정답 ③

해설

임신 중 생식기 사마귀의 금기법

임신 중 금기법
Podophyllin (topical application of 25% or 10%) Podofilox 5-FU cream Imiquimod cream Interferon

참고 Final Check 산과 996 page

27

임신 10주 산모가 대상포진에 걸렸을 때의 치료로 가장 적절한 것을 고르시오.

① 항바이러스제

② Varicella zoster vaccination

③ Varicella-zoster immune globulin

④ 임신 종결

⑤ 항생제

27

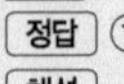 정답 ①

해설

임신 중 단순포진(HSV)의 치료

원발성 감염 or 첫 발현 원발성 감염
Acyclovir 400 mg, 하루 3회, 7~10일간, 경구투여 Valacyclovir 1 g, 하루 2회, 7~10일간, 경구투여
증상이 있는 재발 감염
Acyclovir 400 mg, 하루 3회, 5일간, 경구투여 Acyclovir 800 mg, 하루 2회, 5일간, 경구투여 Acyclovir 800 mg, 하루 3회, 2일간, 경구투여 Valacyclovir 500 mg, 하루 2회, 3일간, 경구투여 Valacyclovir 1 g, 하루 1회, 5일간, 경구투여

– 증상발생 후 빨리 항바이러스요법을 시작해야 효과적

참고 Final Check 산과 990 page